KEIZERIN ORCHIDEE

Van Anchee Min verschenen eerder:

Rode azalea
Katherine
Mevrouw Mao
Wilde Gember

Anchee Min

Keizerin Orchidee

Vertaald door Thera Idema

2004
Uitgeverij Contact
Amsterdam/Antwerpen

© 2004 Anchee Min
© 2004 Nederlandse vertaling Thera Idema
Oorspronkelijke titel *Empress Orchid*
Omslagontwerp www.artgrafica.com
Foto Stone / Jed & Kaoru Share
Foto auteur Joost van den Broek
Typografie Arjen Oosterbaan
ISBN 90 254 1350 1
D/2004/0108/795
NUR 302

www.boekenwereld.com

Voor mijn dochter Lauryann,
én alle geadopteerde dochters uit China

Mijn sociale omgang met Tzu Hsi begon in 1902 en ging door tot haar dood. Ik had een uiterst precies verslag bijgehouden van mijn geheime verbintenis met de keizerin en van anderen die briefjes en boodschappen in hun bezit hadden die door Hare Majesteit aan mij waren geschreven, maar ik had de pech al deze manuscripten en papieren kwijt te raken.
– Sir Edmund Backhouse, coauteur van *China Under the Empress Dowager* (1920) en *Annals and Memoirs of the Court of Peking* (1914)

Tot verlegenheid van Oxford en tot heimelijke verbijstering van sinologen bleek Backhouse een bedrieger [...] De oplichter was ontmaskerd, maar zijn vervalste materiaal bleef solide wetenschap.
– Sterling Seagrave, *Dragon Lady: The Life and Legend of the Last Empress of China* (1992)

In een van de oeroude sagen van China werd voorspeld dat 'China door een vrouw te gronde zal worden gericht'. Deze voorspelling nadert zijn verwezenlijking.
– Dr. George Ernest Morrison, correspondent in China van de Londense *Times*, 1892-1912

[Tzu Hsi] heeft zich een welwillend en praktisch mens betoond. Haar privé-karakter is smetteloos geweest.
– Charles Denby, Amerikaans gezant in China, 1898

Ze was een meesterbrein op het gebied van pure slechtheid en intriges.
– Chinees leerboek (in gebruik van 1949 tot 1991)

DE VERBODEN STAD

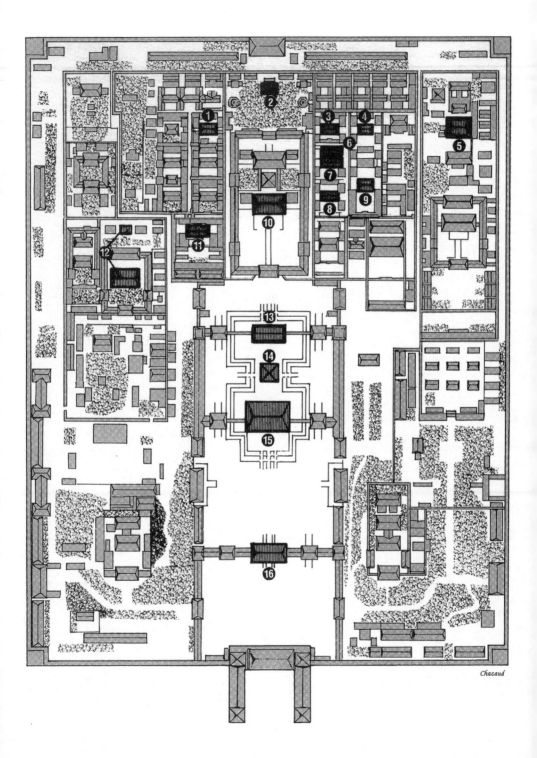

INLEIDING

In werkelijkheid ben ik nooit het meesterbrein geweest op het gebied van wat dan ook. Ik moet lachen als ik mensen hoor zeggen dat ik van jongs af aan de wens heb gekoesterd om over China te heersen. Mijn leven is gevormd door krachten die al aan het werk waren voordat ik geboren werd. De samenzweringen van de dynastie bestonden al lang en vrouwen en mannen waren al verwikkeld in moordende rivaliteit lang voordat ik in de Verboden Stad aankwam en concubine werd. Mijn eigen dynastie, de Ch'ing, was reddeloos verloren vanaf het moment dat we het onderspit dolven in de Grote Opiumoorlog tegen Groot-Brittannië met zijn bondgenoten. Mijn wereld werd gevormd door een tergend oord van rituelen, waar ik alleen in mijn hoofd enige privacy had. Er is geen dag voorbijgegaan dat ik me niet voelde als een muisje dat aan de zoveelste val was ontsnapt. Een halve eeuw lang heb ik me onderworpen aan de ingewikkelde hofetiquette en alle daarbij behorende pietepeuterige details. Ik lijk op een schilderij in de keizerlijke portrettengalerij. Als ik op de troon zit, ben ik een bevallige, aangename en onbewogen verschijning.

Voor me hangt een gazen gordijn, een doorzichtig scherm dat de vrouw symbolisch van de man scheidt. Ik behoed mezelf voor kritiek door te luisteren en spaarzaam met woorden te zijn. Ik ben grondig onderlegd in mannelijke gevoeligheden en ik weet dat alleen al een berekenende blik de raadgevers en ministers uit hun evenwicht kan brengen. Zij vinden het idee van een vrouwelijke monarch beangstigend. Jaloerse prinsen azen op de ingeboren angst voor vrouwen die zich met politiek bemoeien. Toen mijn echtgenoot overleed en ik regentes werd voor onze zes jaar oude zoon, Tung Chih, stelde ik het hof gerust door in mijn decreet te benadrukken dat het Tung Chih, de jonge keizer, zou zijn die zou heersen, en niet zijn moeder.

De mannen aan het hof probeerden indruk op elkaar te maken met hun intelligentie, maar ik hield de mijne verborgen. De leiding over het hof is voor mij een voortdurend gevecht met ambitieuze adviseurs, bedrieglijke ministers en generaals die het commando over legers hadden die nooit strijd hebben gevoerd. Ik doe het nu al zesenveertig jaar. Afgelopen zomer besefte dat ik begon te lijken op een opgebrande kaars in een hal zonder ramen – mijn gezondheid begon me in de steek te laten en ik wist dat mijn dagen geteld waren.

Kort geleden ben ik mezelf gaan dwingen bij dageraad op te staan en voor het ontbijt aanwezig te zijn bij de audiëntie. Ik houd mijn gezondheidstoestand geheim. Vandaag voelde ik me te zwak om op te staan. Mijn eunuch An-te-hai kwam zeggen dat ik moest opschieten. De hoge ambtenaren en eigenmachtig optredende figuren zitten met zere knieën te wachten in de audiëntiezaal. Ze zijn niet gekomen om de staatszaken na mijn dood te bespreken, maar willen me zover krijgen dat ik een van hun zonen als erfgenaam aanwijs.

Het doet me pijn te bekennen dat onze dynastie haar kern heeft verloren. Ik kan op het ogenblik niets meer goed doen. Ik moest toezien hoe niet alleen mijn negentienjarige zoon, maar ook China zelf ineenstortte. Kan het nog wreder? Ik ben me volledig bewust van de omstandigheden die mede tot mijn situatie hebben geleid en ik voel me benauwd, alsof ik bijna verstikt word. China is verworden tot een wereld die vergiftigd wordt door zijn eigen afval. Mijn geesteskracht is zo verzwakt dat zelfs de priesters van de beste tempels niet in staat zijn me op te beuren.

Maar dat is niet het ergste. Het ergste is dat mijn landgenoten nog steeds hun vertrouwen in mij stellen en dat ik mijn geweten moet volgen en hun vertrouwen zal beschamen. De afgelopen paar maanden heb ik heel wat harten gebroken. Ik breek hun hart door mijn afscheidsdecreten; door mijn landgenoten de waarheid te vertellen, namelijk dat ze beter af zijn zonder mij. Ik heb tegen mijn ministers gezegd dat ik gereed ben en met vrede in mijn hart de eeuwigheid tegemoet zal treden, wat de rest van de wereld hier ook van vindt. Met andere woorden, ik ben een dood vogeltje dat niet langer bevreesd is voor kokend water.

Toen mijn gezichtsvermogen perfect was, was ik blind. Vanmorgen kon ik niet goed zien wat ik schreef, maar mijn geestesoog was helder. Die Franse haarverf slaagt er uitstekend in mijn haar eruit te laten zien als vroeger – zo zwart als de fluwelen nacht. En ik krijg er geen vlekken van op mijn hoofdhuid, zoals van die Chinese verf die ik jaren gebruikt heb. Vertel mij niet dat we zo slim zijn, vergeleken met de barbaren! Het is waar dat onze voorouders het papier, de drukpers, het kompas en de explosieven hebben uitgevonden, maar tegelijkertijd weigerden onze voorouders dynastie na dynastie behoorlijke verdedigingswerken voor het land te bouwen. Ze dachten dat China te beschaafd was en dat niemand het in zijn hoofd zou halen het land uit te dagen. En kijk eens waar we nu zijn: de dynastie lijkt op een hersendode olifant die de tijd neemt om zijn laatste adem uit te blazen.

De leer van Confucius is niet onfeilbaar gebleken. China is verslagen. Ik heb geen respect, geen eerlijkheid en geen steun ontvangen van de rest van de wereld. Onze buurlanden en bondgenoten kijken apathisch en hulpeloos toe hoe ons land uit elkaar valt. Wat betekent vrijheid als er geen eer aan te pas komt? De belediging ligt voor mij niet in deze ondraaglijke manier van sterven, maar in de afwezigheid van eer en ons onvermogen de waarheid te zien.

Het verbaast me dat niemand beseft dat onze houding ten opzichte van het einde zo absurd is dat het komisch wordt. Bij de laatste audiëntie kon ik me niet meer inhouden en riep: 'Ik ben de enige die weet dat mijn haar wit en dun is!'

Het hof negeerde deze opmerking. Mijn ministers beschouwden de Franse verf en mijn zorgvuldig gekapte haardracht als echt. Ze raakten met hun voorhoofd de vloer aan en zongen: 'Hemelse genade! Tienduizend jaar gezondheid! Lang leve Uwe Majesteit!'

EEN

Mijn keizerlijk leven begon met een geur. Een rottingsgeur die opsteeg uit mijn vaders doodskist – hij was twee maanden geleden gestorven en wij waren nog steeds met hem op weg naar Peking, zijn geboorteplaats, om hem te begraven. Mijn moeder was gefrustreerd. 'Mijn man was de gouverneur van Wuhu,' zei ze tegen de dragers die we hadden ingehuurd om de kist te dragen. 'Ja, mevrouw,' antwoordde het hoofd van de dragers nederig, 'en we wensen de gouverneur van harte een goede thuisreis.'

Ik herinner me mijn vader niet als een gelukkig man. Hij was verschillende malen gedegradeerd omdat hij er niet in slaagde de opstanden onder de boeren van Taiping neer te slaan. Pas later kwam ik erachter dat het niet helemaal vaders schuld was. Jarenlang was China geteisterd door hongersnood en buitenlandse agressie. Iedereen die probeerde in mijn vaders schoenen te staan begreep dat het onmogelijk was het keizerlijke bevel om de vrede op het platteland te herstellen uit te voeren – de boeren beschouwden hun leven als niet beter dan de dood.

Op jonge leeftijd was ik getuige van mijn vaders worsteling en lijdensweg. Ik was geboren en opgegroeid in Anhwei, de armste provincie van China. Wij waren niet arm, maar ik wist dat de buren 's avonds aardwormen aten en hun kinderen hadden verkocht om schulden af te lossen. Mijn vroege jeugd werd bepaald door mijn vaders langzame reis naar de hel en mijn moeders pogingen zich daartegen te verzetten. Als een langarmige krekel probeerde mijn moeder te voorkomen dat haar gezin verpletterd zou worden.

De zomerse hitte verschroeide het pad. De lijkkist werd half rechtop gedragen, omdat de dragers niet allemaal even lang waren. Moeder zag in gedachten voor zich hoe ongemakkelijk mijn vader zich in de kist zou voelen. We liepen in stilte en luisterden naar het klikkende geluid dat onze kapotte schoenen op de stoffige weg maakten. Vliegen zwermden rond de kist. Elke keer als de dragers even stilhielden om uit te rusten daalden de vliegen als een deken op de kist neer. Moeder vroeg mijn zusje Rong, mijn broer Kuei Hsiang en mij om de vliegen te verjagen. Maar we waren zo uitgeput dat we onze armen niet konden optillen. We hadden te voet in noordelijke richting langs het Grote Kanaal gereisd, omdat we geen geld hadden om een boot te huren. Mijn voeten zaten onder de blaren. Aan weerszijden van het pad strekte zich een somber landschap uit. Het water in het kanaal stond laag en was vaalbruin. Daarachter verrezen kale heuvels, die kilometers ver doorliepen. We kwamen steeds minder herbergen tegen. Als je er af en toe een zag, bleek die geteisterd door luizen.

'U moet ons maar eens gaan betalen,' zei het hoofd van de dragers tegen moeder toen hij haar hoorde klagen dat haar portemonnee bijna leeg was, 'anders zullen jullie de kist zelf moeten dragen, mevrouw.' Moeder begon weer te huilen en zei dat haar man dit niet had verdiend. Ze vond geen sympathiek oor. Toen de volgende dag de zon opkwam vertrokken de dragers en lieten ons met de kist achter.

Moeder ging op een rots aan de weg zitten. Haar mond zat onder de koortsuitslag. Rong en Kuei Hsiang bespraken de mogelijkheid onze vader ter plekke te begraven. Ik had het hart niet hem ergens achter te laten waar geen boom te zien was. Ofschoon ik aanvankelijk niet mijn vaders favoriete was – hij was teleurgesteld dat ik, zijn eerste kind, geen jongen was – deed hij zijn best me goed op te voeden. Hij was degene die erop had gestaan dat ik zou leren lezen. Ik had geen echte schoolopleiding gehad, maar had voldoende woordenschat opgepikt om de klassieke verhalen van de Ming- en Ch'ingdynastieën te kunnen volgen.

Toen ik vijf was, dacht ik dat het ongeluk zou brengen dat ik geboren was in het Jaar van het Schaap. Ik zei tegen mijn vader dat mijn vriendinnetjes in het dorp beweerden dat ik een ongunstig geboorteteken had. Het betekende dat ik zou worden afgeslacht.

Vader was het er niet mee eens. 'Het schaap is een zeer aangenaam schepsel,' zei hij. 'Het is het symbool van bescheidenheid, harmonie en toewijding.' Hij legde uit dat ik juist een sterk geboorteteken had. 'Er zit een dubbele tien in de cijfers. Je bent geboren op de tiende dag van de tiende maan, die viel op 29 november 1835. Gunstiger kan bijna niet!'

Mijn moeder had ook haar twijfels over het feit dat ik een Schaap was, en ze liet een plaatselijke astrologe komen om die te raadplegen. De astrologe dacht dat de dubbele tien te sterk was. 'Te vol,' zei de ouwe heks, wat zoveel betekende als 'overstroomt te makkelijk'. 'Uw dochter zal opgroeien tot een koppig schaap, wat betekent dat ze ellendig aan haar eind zal komen!' De astrologe zat opgewonden te praten, er zat wit spuug om haar mondhoeken. 'Zelfs een keizer zou de tien vermijden, uit angst voor de volheid ervan!'

Uiteindelijk volgden mijn ouders het advies van de astrologe en gaven me een naam die symboliseerde dat ik zou 'buigen'.

Zo kwam ik aan de naam Orchidee.

Moeder vertelde me later dat orchideeën ook het favoriete onderwerp waren van mijn vaders pentekeningen. Het sprak hem aan dat de plant in alle seizoenen groen was en dat de bloem elegant van kleur, bevallig van vorm en zoet van geur was.

Mijn vaders naam was Hui Cheng Yehonala. Als ik mijn ogen dichtdoe, kan ik hem zien staan in zijn grijze, katoenen gewaad. Hij had een slank postuur en confuciaanse gelaatstrekken. Als je zijn vriendelijke gezicht ziet, is het moeilijk je voor te stellen dat zijn voorouders, de Yehonala's, Mantsjoe-Vaandeldragers waren, die hun leven doorbrachten op de rug van een paard. Vader vertelde me dat ze oorspronkelijk afkomstig waren van de Nu Cheng-stam in de staat Mantsjoerije, in Noord-China, tussen Mongolië en Korea. De naam Yehonala betekende dat onze oorsprong kon worden teruggevoerd tot de Yeho-stam van de Nala-clan, die leefde in de zestiende eeuw. Mijn voorouders vochten zij aan zij met de hoofdman van de Vaandeldragers, Nurhachi, die China in 1644 veroverde en de eerste keizer van de Ch'ing-dynastie werd. Nu was de zevende generatie van de Ch'ing-dynastie aan de macht. Mijn vader had de titel van Mantsjoe-Vaandeldrager van de Blauwe Rang geërfd, al leverde de titel hem weinig op, behalve de eer.

Toen ik tien was, was mijn vader *taotai*, oftewel gouverneur, van het stadje Wuhu in de provincie Anhwei. Ik heb prettige herinneringen aan die tijd, al beschouwen veel mensen Wuhu als een afschuwelijk oord. In de zomermaanden bleef de temperatuur boven de veertig graden, zowel overdag als 's nachts. Andere gouverneurs namen koelies in dienst om hun kinderen koelte toe te wuiven, maar mijn ouders konden zich dit niet veroorloven. Elke ochtend was mijn laken doorweekt van het zweet. 'Je hebt in je bed geplast!' plaagde mijn broertje me dan.

Desondanks hield ik als kind van Wuhu. Er lag een meer dat onderdeel was van de grote rivier de Yangtze, die door heel China liep en kloven uitholde met ruige rotspartijen en valleien die weelderig begroeid waren met varens en gras. De rivier stroomde omlaag naar een zonnige, weidse en rijk bewaterde vlakte, waar groenten, rijst en muggen een vruchtbare voedingsbodem vonden. Hij stroomde door naar de Oost-Chinese Zee bij Shanghai. 'Wuhu' betekende 'het meer met weelderige plantengroei'.

Ons huis, de residentie van de gouverneur, was voorzien van een met grijze keramische tegels bedekt dak, met beelden van goden op de vier hoekpunten van de schuin oplopende dakrand. Iedere ochtend liep ik naar het meer om mijn gezicht te wassen en mijn haar te borstelen. Mijn spiegelbeeld in het water was kristalhelder. We dronken het water van de rivier en wasten ons erin. Ik speelde met mijn broertje en zusje en met de buurkinderen terwijl we op de gladde ruggen van buffels zaten. We spartelden als vissen en sprongen als kikkers. Het weelderige struikgewas vormde onze favoriete schuilplaats. We snoepten van de kern van de zoete waterplanten, die *chiao-pai* genoemd werden.

Als 's middags de hitte ondraaglijk werd, riep ik de kinderen bij elkaar om te helpen het huis te koelen. Mijn broertje en zusje vulden emmers met water en ik trok die op naar het dak, waar ik het water over de tegels goot. Daarna gingen we weer terug naar het meer. *P'ieh*, vlotten gemaakt van bamboe, dreven voorbij. Als een enorm halssnoer kwamen ze de rivier afzakken. Mijn vriendjes en ik sprongen op de vlotten en voeren een stukje mee. We zongen met de schippersliedjes mee. Mijn lievelingsliedje heette 'In Wuhu is het geweldig'. Als de zon onderging, riep moeder ons binnen. Dan stond het avondeten klaar onder de pergola, die begroeid was met paarse wisteria.

Mijn moeder was opgevoed volgens de Chinese gewoonten, al was ze van oorsprong een Mantsjoe. Volgens moeder waren de Mantsjoe na hun verovering van China tot de ontdekking gekomen dat het Chinese regeringssysteem welwillender en efficiënter was, en gingen ze op dit systeem over. De Mantsjoe-keizers leerden Mandarijnen-Chinees spreken. Keizer Tao Kuang gebruikte eetstokjes. Hij was een bewonderaar van de Peking-opera en hij nam Chinese leerkrachten in dienst voor zijn kinderen. Ook namen de Mantsjoe de Chinese manier van kleden over. Het enige wat Mantsjoe bleef was de haardracht. De keizer had zijn voorhoofd kaal geschoren en droeg een touwachtige vlecht die over zijn rug hing en die een staartvlecht genoemd werd. De keizerin droeg in haar haar een dun, zwart, van versierselen voorzien plankje dat boven op haar hoofd bevestigd was.

Mijn grootouders van moederskant waren opgevoed met de Ch'an- of Zenreligie, een combinatie van boeddhisme en taoïsme. Mijn moeder had het Ch'an-concept van geluk geleerd, wat betekende dat je bevrediging moest zoeken in de kleine dingen van het leven. Ze leerde mij de frisse ochtendlucht te waarderen, de rode kleur van de herfstbladeren en de gladheid van het water waarin ik mijn handen waste.

Mijn moeder beschouwde zichzelf niet als iemand met een goede opleiding, maar ze was dol op Li Po, een dichter uit de Tang-dynastie. Iedere keer als ze zijn gedichten las, ontdekte ze weer een nieuwe betekenis. Dan legde ze haar boek neer en staarde uit het raam. Ze had een verbluffend mooi, eivormig gezicht.

Als kind sprak ik Mandarijnen-Chinees. Eens per maand kwam er een onderwijzer die ons Mantsjoe leerde spreken. Het enige wat ik me van de lessen herinner is de verveling. Ik zou het niet volgehouden hebben als ik het niet had gedaan om mijn ouders een plezier te doen. Diep in mijn hart wist ik dat mijn ouders er niet veel om gaven of wij de Mantsjoe-taal zouden leren beheersen. Het was alleen voor de schijn, zodat mijn moeder tegen haar gasten kon zeggen: 'O, mijn kinderen krijgen les in Mantsjoe.' De waarheid was dat het Mantsjoe nutteloos was. Als een levenloze rivier waaruit niemand dronk.

Ik was gek op opera's uit Peking. Ook dat was de invloed van mijn moeder. Ze was er zo enthousiast over, dat ze het hele jaar geld spaarde zodat ze bij het Chinese nieuwjaar een plaatselijk gezelschap kon inhuren om thuis een voorstelling te geven. Ieder jaar voerde het gezelschap een andere opera uit. Mijn moeder nodigde daarbij alle buren met hun kinderen uit. Toen ik twaalf was voerde het gezelschap de opera *Hua Mulan* op.

Ik werd verliefd op de vrouwelijke krijger, Hua Mulan. Na de voorstelling liep ik naar de achterkant van het geïmproviseerde podium en leegde mijn portemonnee om de actrice een fooi te geven, die toestond dat ik haar kostuum aantrok. Ze leerde me zelfs de aria 'Vaarwel, mijn kleed' zingen. De rest van die maand hoorden de mensen binnen anderhalve kilometer omtrek van het meer me 'Vaarwel, mijn kleed' zingen.

Mijn vader vond het leuk ons de achtergrond van de opera's te vertellen. Hij genoot ervan zijn kennis tentoon te spreiden. Hij herinnerde ons eraan dat we Mantsjoe waren en dus tot de heersende klasse van China behoorden. 'Het zijn de Mantsjoe die de Chinese kunst en cultuur waarderen en bevorderen.' Als mijn vader onder de invloed van drank was, werd hij nog enthousiaster. Dan verzamelde hij de kinderen om zich heen en ondervroeg ons over de details van het oeroude systeem van Vaandeldragers. Hij hield pas op als alle kinderen wisten hoe elke Vaandeldrager geïdentificeerd kon worden aan zijn rang, zoals Omrand, Ongekleurd, Wit, Geel, Rood en Blauw.

Op een dag haalde mijn vader een opgerolde kaart van China te voorschijn. China leek op de bol van een hoed, omringd door landen die gewillig en traditiegetrouw trouw zwoeren aan de Zoon van de Hemel, de keizer. In het zuiden waren dat de landen Laos, Thailand en Birma; Nepal in het westen; Korea, de Ryukyu-eilanden en Sulu in het oosten en zuidoosten en Mongolië en Turkestan in het noorden en noordwesten.

Toen ik me deze gebeurtenis jaren later voor de geest haalde, begreep ik waarom vader ons die kaart had laten zien. China zou binnen afzienbare tijd een andere vorm krijgen. Toen mijn vader overleed, tijdens de laatste jaren van het bewind van keizer Tao Kuang, waren de boerenopstanden in hevigheid toegenomen. Tijdens een droogte in de zomer kwam mijn vader maandenlang niet thuis. Mijn moeder maakte zich zorgen over zijn veiligheid, want ze had nieuws gehoord uit een aangrenzende provincie over woedende boeren die het huis van de gouverneur in brand hadden gestoken. Mijn vader verbleef voortdurend in zijn kantoor en probeerde de rebellen onder controle te houden. Op een dag werd er een verordening bezorgd. Tot ieders schrik had de keizer mijn vader ontslagen.

Gebroken van schaamte kwam mijn vader naar huis. Hij sloot zichzelf op in de studeerkamer en weigerde bezoek te ontvangen. Binnen een jaar verslechterde zijn gezondheid. Het duurde niet lang voordat hij overleed. Zelfs na zijn dood bleven de doktersrekeningen zich opstapelen. Mijn moeder verkocht alle familiebezittingen, maar dat was niet voldoende om alle schulden te betalen. Gisteren verkocht moeder haar laatste bezit: het huwelijkscadeau van mijn vader, een haarspeld van groene jade in de vorm van een vlinder.

Voordat ze ons in de steek lieten, droegen de dragers de lijkkist naar de oever van het Grote Kanaal, zodat we de passerende boten konden zien en misschien hulp zouden kunnen krijgen. Het werd steeds heter en de lucht werd doodstil. De geur van ontbinding die uit de kist opsteeg werd sterker. Gekweld door de hitte en de muggen brachten we de nacht in de openlucht door. Mijn broertje, zusje en ik hoorden elkaars magen rommelen.

Bij dageraad werd ik wakker en hoorde hoefgetrappel in de verte. Ik dacht dat ik droomde. Opeens stond er een ruiter voor me. Ik was duizelig van vermoeidheid en honger. De man steeg af en kwam recht op me af lopen. Zonder een woord te zeggen overhandigde hij me een pakje, dat met rood lint was dichtgebonden. Hij zei dat het afkomstig was van de taotai van de plaatselijke stad. Geschrokken rende ik naar mijn moeder, die het pakje openmaakte. Er zaten driehonderd zilveren taëls in.

'De taotai zal wel een vriend van je vader zijn!' riep moeder uit. Met hulp van de ruiter namen we de dragers weer in dienst. Maar ons geluk hield geen stand. Een paar kilometer verderop werden we staande gehouden door een groep mannen op paarden, geleid door de taotai zelf. 'Iemand heeft een vergissing begaan,' zei hij. 'Mijn ruiter heeft de taëls bij de verkeerde familie afgeleverd.'

Toen ze dit hoorde viel moeder op haar knieën.

De mannen van de taotai namen de taëls terug.

Ik werd plotseling overmand door uitputting en viel op mijn vaders kist neer.

De taotai liep naar de kist en hurkte neer alsof hij de houtnerf wilde bestuderen. Hij was een gedrongen man met ruwe gelaatstrekken. Even later wendde hij zich tot mij. Ik wachtte tot hij iets zou zeggen, maar hij bleef zwijgen.

'Jij bent geen Chinese, hè?' vroeg hij uiteindelijk. Zijn blik rustte op mijn voeten, die niet waren ingebonden.

'Nee, heer,' antwoordde ik. 'Ik ben een Mantsjoe.'

'Hoe oud ben je? Vijftien?'

'Zeventien.'

Hij knikte. Zijn ogen gleden onderzoekend over me heen.

'Het wemelt op de weg van de rovers,' zei hij. 'Zo'n mooi meisje als jij behoort niet te lopen.'

'Maar mijn vader moet naar huis.' De tranen stroomden over mijn wangen.

De taotai pakte mijn hand en legde er de zilveren taëls in. 'Uit respect voor je vader.'

Ik ben die taotai nooit vergeten. Toen ik keizerin van China was geworden, heb ik hem opgezocht. Ik maakte een uitzondering en gaf hem promotie. Ik bevorderde hem tot gouverneur van de provincie en gaf hem de rest van zijn leven een royale toelage.

TWEE

We kwamen Peking door de zuidelijke poort binnen. Ik stond versteld van de massieve, roze muren. Je zag ze overal, de ene na de andere; ze omringden de hele stad. De stadsmuren waren ongeveer twaalf meter hoog en vijftien meter dik. In het verborgen hart van de zich naar alle kanten uitstekende stad lag de Verboden Stad, waar de keizer woonde.

Ik had nog nooit zoveel mensen bij elkaar gezien. De lucht was bezwangerd met de geur van geroosterd vlees. De straat die voor ons lag was meer dan achttien meter breed en liep anderhalve kilometer door tot de Poort van de Hemelboog. Aan weerskanten stonden rijen dicht op elkaar gepakte, van rieten matten gebouwde stalletjes en winkeltjes die door middel van vlaggen bekendmaakten wat ze verkochten. Er was zoveel te zien: draaiende koorddansers, waarzeggers die de *I Ching* interpreteerden, acrobaten en jongleurs die kunstjes met beren en apen vertoonden, volkszangers met prachtige maskers op die oude volksverhalen vertelden, pruiken en kostuums. Er waren meubelmakers die druk bezig waren. Kruidenverkopers hadden grote, zwarte gedroogde champignons uitgestald. Een acupuncturist was bezig naalden te steken in het hoofd van een patiënt, zodat die eruitzag als een stekelvarken. Reparateurs lijmden met krammetjes porselein aan elkaar, hun werk zo fijn als borduursel. Barbiers neurieden hun lievelingsliedje terwijl ze hun klanten schoren. Kinderen gilden opgetogen terwijl zwaarbeladen kamelen met gniepige ogen elegant voorbijwiegden.

Ik kon mijn ogen niet afhouden van de met een suikerlaag bedekte bessen aan stokjes. Ik zou me ellendig gevoeld hebben als ik geen groep koelies had ontdekt die zware emmers aan een bamboestok over hun onbedekte schouders torsten. Deze mannen verzamelden stront voor de mestkooplieden. Ze bewogen zich langzaam in de richting van de wachtende boten in het kanaal.

We werden ontvangen door een ver familielid, dat we aanspraken met 'Elfde Oom'. Hij was familie van mijn vader en het was een mager, zuur mannetje. Hij was niet blij met onze komst. Hij klaagde over de problemen die hij had om zijn winkel draaiende te houden, waar hij gedroogde voedingsmiddelen verkocht. 'Er is de afgelopen jaren niet veel voedsel geweest dat gedroogd kon worden,' zei hij. 'Het is allemaal opgegeten. Er bleef niets over om te verkopen.' Moeder verontschuldigde zich dat we hem lastig moesten vallen en zei dat we zouden vertrekken zodra we weer een beetje op orde waren. Hij knikte en waarschuwde moeder toen voor zijn deur: 'Die valt bijna uit de deurpost.'

Eindelijk konden we onze vader begraven. Er werd geen dienst gehouden, want die konden we ons niet veroorloven. We gingen wonen in het drie kamers tellende huis van onze oom, dat stond in een omheinde groep huizen van een ander familielid. Het samenstelsel van huizen werd in het lokale dialect een *hootong* genoemd. Peking was als een spinnenweb met hootongs aaneen geweven. Het hart werd gevormd door de Verboden Stad en honderdduizenden hootongs hielden het web bij elkaar. De straat waar mijn oom woonde bevond zich ten oosten van een straat vlak bij het kanaal van de keizerlijke stad. Het kanaal liep parallel aan de hoge stadsmuren en diende als privéwatervoorziening voor de keizer. Ik zag boten met gele vlaggen het kanaal afzakken. Achter de muren stonden dikke, hoge bomen als zwevende groene wolken. De buren waarschuwden ons dat we niet in de richting van de Verboden Stad mochten kijken. 'Er wonen daar draken, door de goden gezonden wachtposten.'

Ik ging naar de buren en naar de marskramer op de groentemarkt in de hoop werk te vinden. Ik versjouwde ladingen zoete aardappels en kool en maakte de kraampjes schoon als de markt gesloten was. Ik verdiende een paar koperen centen per dag. Op sommige dagen kon niemand me gebruiken en kwam ik met lege handen thuis. Op een dag kwam ik door bemiddeling van mijn oom terecht in een winkel die gespecialiseerd was in schoenen voor rijke Mantsjoe-dames. De eigenaresse was een vrouw van middelbare leeftijd die Grote Zuster Fann heette. Fann was een forse vrouw, die haar gezichtsmake-up zo dik aanbracht dat ze wel een operazangeres leek. De make-upschilfers vlogen in het rond als ze praatte. Ze had vet in haar haar gesmeerd en het strak achterover tegen haar schedel gekamd. Ze stond erom bekend dat ze de tong van een schorpioen had, maar een hart van tofu.

Grote Zuster Fann ging er prat op dat ze in dienst was geweest van de Grote Keizerin van keizer Tao Kuang. Ze had de leiding gehad over de kleedkamer van Hare Majesteit en ze beschouwde zichzelf als een expert in de hofetiquette. Ze kleedde zich magnifiek, maar had geen geld om haar kleren te laten wassen. In het luizenseizoen verzocht ze me haar hals te ontluizen. Ze krabde zichzelf rauw onder haar armen. Als ze de beestjes te pakken kreeg, beet ze die kapot tussen haar tanden.

In haar winkel was ik aan het werk met naalden, wasdraad, pincetten en hamertjes. Eerst versierde ik de schoen met een parelsnoer, bezette dit met steentjes en vervolgens verhoogde ik het geheel met een sleehak, een soort gestroomlijnde klomp, zodat de dame die de schoen zou dragen langer zou lijken. Tegen de tijd dat mijn dagtaak erop zat, had ik stof in mijn haar en een zere nek.

Toch had ik plezier in het werk. Niet alleen vanwege het geld, maar ook omdat ik genoot van Grote Zuster Fanns levenswijsheden. 'De zon schijnt niet op slechts één familie,' zei ze vaak. Ze was ervan overtuigd dat iedereen een kans kreeg. Ik vond het ook heerlijk haar te horen roddelen over de keizerlijke familie. Ze beklaagde zich erover dat haar leven was verpest door de Grote Keizerin, die haar had 'beloond' door haar te laten trouwen met een eunuch, waardoor ze gedoemd was kinderloos te blijven.

'Weet je hoeveel uit hout gesneden draken in de Hal van Hemelse Harmonie in de Verboden Stad te vinden zijn?' Behalve klagen over haar ellende schepte ze graag op over haar glorietijd in het paleis. 'Dertienduizendachthonderdvierenveertig!' Zoals gewoonlijk gaf ze het antwoord op haar eigen vraag. 'Daaraan hebben de knapste handwerklieden generaties lang gewerkt!'

Grote Zuster Fann was degene die me alles vertelde over de plek waar ik binnenkort de rest van mijn leven zou doorbrengen. Ze vertelde dat alleen al het plafond van de hal plaats bood aan 2604 draken en dat die ieder een andere bedoeling en betekenis hadden.

Ze had er een maand voor nodig om de Hal van Hemelse Harmonie volledig te beschrijven. Ik kon Grote Zuster Fann niet altijd volgen en kon het aantal draken niet onthouden, maar ze doordrong me wel van de macht die deze draken symboliseerden. Toen ik jaren later op de troon zat en de draak wás, was ik als de dood dat de mensen erachter zouden komen dat de beeltenissen niets te betekenen hadden. Net als mijn voorgangers verborg ik mijn gezicht achter het indrukwekkende houtsnijwerk van draken en bad dat mijn kostuums en rekwisieten me zouden helpen mijn rol goed te spelen.

'Vierduizenddriehonderdzeven draken in de Hal van Hemelse Harmonie alleen al!' Grote Zuster Fann hapte naar adem, wendde zich naar mij en vroeg: 'Orchidee, kun je je nu de rest van de keizerlijke glorie voorstellen? Let op mijn woorden: als je een glimp van dergelijke schoonheid kunt opvangen, krijg je het gevoel dat je leven de moeite waard is geweest. Slechts een glimp, Orchidee, en je zult nooit meer dezelfde zijn.'

Op een avond ging ik bij Grote Zuster Fann eten. Ik stak de open haard aan en waste haar kleren, terwijl zij kookte. We aten noedels, gevuld met groenten en sojabonen. Na het eten zette ik thee voor haar en stopte haar pijp. Dat beviel haar en ze zei dat ze me nog wel wat verhalen wilde vertellen.

We bleven tot laat in de avond zitten. Grote Zuster Fann haalde herinneringen op aan de tijd met haar eerste keizerin, Chu An. Het viel me op dat haar stem een aanbiddende klank kreeg als ze Hare Majesteits naam uitsprak.

'Chu An gebruikte sinds haar kindertijd al reukwater van rozenblaadjes, krui-den en kostbare extracten. En ze was half vrouw, half godin. Als ze zich be-woog ademde ze hemelse aroma's uit. Weet je waarom er geen aankondigin-gen en ceremonies waren rond haar dood?'

Ik schudde ontkennend het hoofd.

'Dat had te maken met Hare Majesteits zoon Hsien Feng en zijn halfbroer prins Kung.' Grote Zuster Fann haalde diep adem en vervolgde haar verhaal. 'Het speelde zich tien jaar geleden af, in het jaar van keizer Tao Kuang. Hsien Feng was elf en Kung was negen. Ik hoorde bij de groep bedienden die hielp de jongens op te voeden. Hsien Feng was de vierde van de negen zonen van keizer Tao Kuang en Kung was de zesde. De eerste drie prinsen werden ziek en stierven, zodat de keizer nog zes gezonde erfgenamen over had. Hsien Feng en Kung waren daarvan de meest veelbelovenden. De moeder van Hsien Feng was mijn meesteres, Chu An, en Kungs moeder was de concubine vrouwe Jin, die de keizerlijke favoriet was.'

Grote Zuster Fann liet haar stem dalen tot gefluister. 'Hoewel Chu An de keizerin was en in die hoedanigheid grote macht bezat, voelde zij zich uiterst onzeker over de kansen op opvolging van haar zoon Hsien Feng.'

Volgens de traditie werd de oudste zoon beschouwd als erfgenaam. Maar keizerin Chu An had wel degelijk reden tot ongerustheid. Naarmate prins Kungs superieure fysieke en intellectuele talenten zichtbaarder werden, be-gon de hofhouding in te zien dat keizer Tao Kuang prins Kung zou verkie-zen boven Hsien Feng.

'De keizerin verzon een list om zich van prins Kung te ontdoen,' vervolg-de Grote Zuster Fann. 'Op een dag nodigde mijn meesteres de twee broers uit voor de lunch. Het hoofdgerecht bestond uit gestoomde vis. De keizerin had haar dienstmeid Abrikoos opdracht gegeven vergif te doen in prins Kungs bord. Ik denk nu dat de hemel deze daad heeft voorkomen. Net voordat prins Kung zijn eetstokjes oppakte, sprong de kat van de keizerin op de tafel. Voor-dat de bedienden iets konden doen had de kat prins Kungs vis opgepeuzeld. Het dier vertoonde onmiddellijk vergiftigingsverschijnselen. Het zwaaide heen en weer en viel na enkele minuten dood neer.'

Pas later zou ik de details van het onderzoek vernemen, dat werd verricht door de keizerlijke hofhouding. De mensen van de keukenbrigade werden als eersten verdacht. Met name de chef-kok werd verhoord. Hij wist dat zijn over-levingskans minimaal was en pleegde zelfmoord. Vervolgens werden de eu-nuchen ondervraagd. Een van de eunuchen bekende dat hij getuige was ge-weest van een heimelijk gesprek tussen Abrikoos en de chef-kok op de ochtend dat het incident plaatsvond. Op dat moment werd de betrokkenheid van keizerin Chu An onthuld. De zaak werd aan de Grote Keizerin voorge-legd.

'Ga de keizer halen!' deed Grote Zuster Fann de Grote Keizerin na. 'Haar stem weerkaatste door de hal. Ik was net bezig mijn meesteres met iets te helpen en zag dat Hare Majesteit van kleur verschoot.'

Keizerin Chu An werd schuldig bevonden. Aanvankelijk had keizer Tao Kuang niet de kracht om opdracht te geven haar ter dood te brengen. Hij gaf het dienstmeisje Abrikoos de schuld. Maar de Grote Keizerin bleef bij haar standpunt en zei dat Abrikoos nooit op eigen houtje gehandeld zou hebben, 'al had ze de moed van een leeuw gehad'. Uiteindelijk gaf de keizer toe.

'Toen keizer Tao Kuang naar ons paleis kwam, het Paleis van Pure Essentie, voorvoelde Hare Majesteit dat het einde van haar leven bereikt was. Geknield begroette ze haar echtgenoot en was daarna niet in staat op te staan. Zijne Majesteit hielp haar overeind. Aan zijn gezwollen oogleden was te zien dat hij gehuild had. Toen sprak hij; hij betuigde zijn spijt omdat hij haar niet langer kon beschermen en zij moest sterven.'

Grote Zuster Fann lurkte aan haar pijp zonder te merken dat die niet meer brandde. 'Keizerin Chu An droogde haar tranen, alsof ze haar lot aanvaardde. Ze zei tegen Zijne Majesteit dat ze zich van haar schandelijke daad bewust was en de straf zou accepteren. Toen smeekte ze hem haar een laatste dienst te bewijzen. Tao Kuang beloofde dat hij haar wens zou inwilligen, wat die ook inhield. Ze wilde de ware reden van haar dood geheim houden. Nadat hij hierin had toegestemd zei de keizerin haar echtgenoot vaarwel. Vervolgens droeg ze mij op haar zoon voor de laatste keer te halen.'

Tranen welden op in Grote Zuster Fanns ogen. 'Hsien Feng was een ielig jongetje. Toen hij zijn moeders gezicht zag voelde hij dat er een tragedie plaatsvond. Hij kon natuurlijk niet raden dat zijn moeder over een paar minuten van de aardbodem verdwenen zou zijn. Het jochie had zijn huisdier, een papegaai, meegebracht. Hij wilde zijn moeder opvrolijken door de vogel te laten praten. Hsien Feng zegde zijn laatst geleerde lesje op, waarmee hij veel moeite had gehad. Ze was vergenoegd en omhelsde hem.

Zijn lach maakte de moeder nog droeviger. De jongen haalde zijn zakdoek te voorschijn en veegde haar tranen weg. Hij wilde weten wat er met haar aan de hand was. Ze weigerde te antwoorden. Toen hield hij op met spelen en werd bang. Op dat moment klonk tromgeroffel vanaf de binnenplaats. Het was het teken dat keizerin Chu An moest komen. Ze omhelsde haar zoon nogmaals. Het tromgeroffel werd luider. Hsien Feng keek doodsbang. Zijn moeder begroef haar gezicht in zijn kleedje en fluisterde: "Ik zegen je, mijn zoon."

De stem van de minister van Hofhouding weerklonk in de gang. "Uwe Majesteit de keizerin, komt u nu, alstublieft!" Keizerin Chu An beval mij Hsien Feng weg te brengen, zodat hem het afschuwelijke schouwspel bespaard zou blijven. Dat was het moeilijkste wat ik ooit gedaan heb. Ik stond daar helemaal verstard. Hare Majesteit greep me bij de schouders en schudde me heen en weer. Ze nam een jade armband van haar pols en stopte die in mijn zak. "Alsjeblieft, Fann!" Ze keek me smekend aan. Ik kwam tot mijn positieven en sleurde de krijsende Hsien Feng weg van zijn moeder. De minister stond bij de poort. Hij had een stuk gevouwen witte zijde in zijn hand – het wurgkoord. Een aantal wachters stond achter hem.'

Ik beweende de jonge Hsien Feng. Jaren later zou hij mijn echtgenoot worden en zelfs nadat hij me had verlaten, behield ik een warm gevoel voor hem.

'Een tragedie gaat vaak vooraf aan geluk. Neem dat maar van me aan, Orchidee.' Grote Zuster Fann nam de pijp uit haar mond en klopte de as eruit op de tafel. 'En dat is van toepassing op wat er daarna gebeurde.'

De geschiedenis van mijn toekomstige echtgenoot werd vervolgd in de grillige schaduwen van het kaarslicht. Het was herfst 1850 en de ouder wordende keizer Tao Kuang was gereed om zijn opvolger te kiezen. Hij nodigde zijn zoons uit naar Yehol te komen, het keizerlijke jachtgebied in het noorden, achter de Grote Muur. Hij wilde hun vaardigheden testen. De zes prinsen reisden af.

De vader vertelde zijn zoons dat de Mantsjoe bekend stonden als grote jagers. Toen hij hun leeftijd had, had hij in een halve dag meer dan een dozijn wilde dieren gedood – wolven, herten en allerlei beren. Een keer was hij thuisgekomen met vijftien beren en achttien tijgers. Hij vertelde zijn zoons dat hun overgrootvader, keizer Kang Hsi, een nog betere jager was geweest. Die reed per dag zes paarden kapot. Vervolgens droeg de keizer de zoons op hem hun kunnen te tonen.

'Hsien Feng kende zijn eigen zwakheden en hij maakte zich zorgen.' Grote Zuster Fann zweeg even. 'Hij wist dat hij niet als winnaar uit de strijd zou komen. Hij besloot zich terug te trekken maar werd tegengehouden door zijn leraar, de briljante wetenschapper Tu Shou-tien. De leraar bood zijn leerling een manier aan om zijn nederlaag in een overwinning om te zetten. "Als je verliest," zei Tu, "zeg dan tegen je vader dat het niet kwam doordat je niet kon schieten. Zeg dat je uit eigen verkiezing niet hebt geschoten. Dat het een deugdzame reden had, namelijk goedertierenheid, dat je je jagerstalent niet de vrije hand hebt gegeven."'

In de woorden van Grote Zuster Fann was het herfstige jachtschouwspel grandioos om te zien. De planten en het struikgewas reikten tot het middel. Er werden toortsen aangestoken om de wilde dieren op te jagen. Konijnen, luipaarden, wolven en herten renden voor hun leven. Er werd een cirkel gevormd door zeventigduizend ruiters te paard. De jachtgronden donderden en schudden. Langzaam sloten de mannen de dieren in. Elke prins werd gevolgd door keizerlijke wachters.

De vader stond op de top van de hoogste heuvel. Hij zat op een zwart paard. Met zijn ogen volgde hij zijn twee favoriete zoons. Hsien Feng was gekleed in een paars zijden gewaad en prins Kung was in het wit. Kung viel voortdurend aan. Een voor een werden de dieren door zijn pijlen geveld. De wachters juichten.

Om twaalf uur 's middags werden de jagers door trompetgeschal teruggeroepen. Om beurten presenteerden de prinsen aan hun vader de dieren die ze hadden geschoten. Prins Kung had er achtentwintig. Zijn knappe gezicht was gehavend door de klauw van een tijger. Er druppelde bloed uit de wond. Zijn witte gewaad zat onder het bloed. Hij glimlachte opgetogen, want hij wist dat hij een goede prestatie had geleverd. De andere zoons kwamen naar voren en toonden hun vader de dieren die onder de buik van hun paard waren gebonden.

'Waar is Hsien Feng, mijn vierde zoon?' vroeg de vader. Hsien Feng werd ontboden. Er zat niets onder de buik van zijn paard gebonden. Er zat geen enkele vlek op zijn gewaad. "Je hebt niet gejaagd." De vader was teleurgesteld. De zoon gaf het antwoord dat zijn leraar hem had ingefluisterd: "Uw nederige zoon had er moeite mee de dieren te doden. Niet omdat ik het bevel van Zijne Majesteit weigerde uit te voeren of omdat het mij aan vaardigheid ontbrak. Het kwam doordat ik ontroerd was door de schoonheid van de natuur. Zijne Majesteit heeft me geleerd dat het universum in de herfst bezwangerd is van de lente. Toen ik dacht aan al die dieren die hun jongen moesten grootbrengen, kreeg ik medelijden met ze."

De vader was sprakeloos. Hij nam onmiddellijk de beslissing over wie zijn opvolger zou zijn.'

De kaars was uitgegaan. Ik bleef rustig zitten. Door het raam was de heldere maan te zien. Er dreven dikke, witte wolken voorbij, als enorme vissen die langs de hemel zwommen.

'Volgens mij heeft de dood van keizerin Chu An ook een grote rol gespeeld bij de selectie van de troonopvolger,' zei Grote Zuster Fann. 'De vader, keizer Tao Kuang, voelde zich schuldig omdat hij het kind zijn moeder had afgenomen. Het bewijs werd wel geleverd door het feit dat hij de wens van vrouwe Jin om de titel van keizerin te krijgen, nooit heeft ingewilligd. Mijn meesteres heeft uiteindelijk toch haar zin gekregen.'

'Is vrouwe Jin tegenwoordig niet de Grote Keizerin?' vroeg ik.

'Ja, maar die titel heeft ze niet van Tao Kuang gekregen. Hsien Feng heeft haar benoemd toen hij keizer werd. Ook dit gebeurde op advies van Tu. Deze handeling voegde grootsheid toe aan de naam van Hsien Feng. Hsien Feng begreep heel goed dat zijn onderdanen wisten dat vrouwe Jin de vijand was van Chu An. Hij wilde het volk in zijn welwillendheid laten geloven. Ook wilde hij de twijfel bij het volk wegnemen, omdat iedereen nog steeds aan prins Kung dacht. De vader speelde vals. Hij hield zich niet aan zijn belofte.'

'En hoe is het prins Kung vergaan?' vroeg ik. 'Hij presteerde tenslotte het beste tijdens de jacht. Wat vond hij ervan dat zijn vader de verliezer eerde?'

'Orchidee, je moet leren de Zoon van de Hemel nooit te veroordelen.' Grote Zuster Fann stak nog een kaars aan. Ze tilde haar hand op en beschreef een lijn langs haar hals. 'Wat hij ook doet, het is de wil van de hemel. Het was de wil van de hemel dat Hsien Feng keizer werd. Prins Kung gelooft dat ook. En daarom helpt hij zijn broer met zoveel toewijding.'

'Maar... was prins Kung zelfs niet een beetje jaloers?'

'Daarvan is niets gebleken. Maar vrouwe Jin wel. Ze was verbitterd over prins Kungs onderwerping. Maar ze slaagde erin haar gevoelens te verbergen.'

Het was een vreselijke winter. Na een ijzige storm lagen de straten van Peking vol met bevroren lijken. Ik gaf al het geld dat ik verdiende aan moeder, maar het was niet genoeg om alle rekeningen te betalen. De schuldeisers liepen onze deur plat, die al een paar keer uit de deurpost was gevallen. Elfde Oom voelde zich ongemakkelijk en zijn gedachten stonden op zijn gezicht te lezen. Ik wist dat hij wilde dat we zouden vertrekken. Moeder ging werken als schoonmaakster, maar werd de volgende dag al ontslagen omdat ze ziek werd. Ze moest tegen het bed leunen om op te kunnen staan en ze ademde moeizaam. Mijn zusje Rong bereidde kruidenmedicijnen voor haar. Naast de bittere kruiden schreef de dokter zijderupscocons voor. De stank ervan bleef in mijn kleren en haar zitten. Mijn broer Kuei Hsiang was erop uitgestuurd om geld bij de buren te lenen. Na een tijdje deed niemand de deur meer voor hem open. Moeder kocht goedkope begrafeniskleding, een zwart gewaad, en droeg dat voortdurend. 'Dan hoef je me niet te verkleden als je me dood in bed aantreft,' zei ze.

Op een dag kwam oom langs met zijn zoon, aan wie ik nog nooit was voorgesteld. Zijn naam was Ping, wat 'Fles' betekende. Ik wist dat oom een zoon had bij een plaatselijke prostituee en die verborgen hield omdat hij zich voor hem schaamde. Ik wist niet dat Ping geestelijk gehandicapt was.

'Orchidee zal een goede vrouw zijn voor Ping,' zei oom tegen mijn moeder, terwijl hij Ping naar me toe schoof. 'Als ik je nou eens genoeg taëls geef om je schulden te kunnen betalen?'

Neef Ping had afhangende schouders. De vorm van zijn gezicht paste bij zijn naam. Hij was pas tweeëntwintig, maar hij zag eruit als zestig. Behalve dat hij 'traag' was, was hij ook nog een opiumsnuiver. Hij stond me midden in de kamer breed toe te grijnzen. Hij trok voortdurend zijn broek op, die vervolgens weer even hard terugzakte tot onder zijn heupen.

'Orchidee heeft behoorlijke kleren nodig,' zei oom, terwijl hij moeders reactie negeerde, die bestond uit het sluiten van haar ogen en met haar hoofd tegen het bedframe bonken. Oom pakte zijn smerige katoenen tas en haalde er een roze jasje uit, bedrukt met blauwe orchideeën.

Ik rende het huis uit, de sneeuw in. Al snel waren mijn schoenen doorweekt en had ik geen gevoel meer in mijn tenen.

Een week later kondigde moeder aan dat ik met Ping verloofd was.

'Wat moet ik met hem?' schreeuwde ik haar toe.

'Het is niet eerlijk tegenover Orchidee,' zei Rong met een klein stemmetje.

'Oom wil zijn kamers terug,' zei Kuei Hsiang. 'Er is iemand gekomen die hem aanbood meer huur te betalen. Trouw met Ping, Orchidee, zodat oom ons er niet uit zal gooien.'

Ik wenste dat ik de moed kon opbrengen om 'nee' tegen moeder te zeggen. Maar ik had geen keus. Rong en Kuei Hsiang waren te jong om te helpen het gezin in leven te houden. Rong had last van vreselijke nachtmerries. Als je naar haar keek in haar slaap leek het of je iemand zag die gemarteld werd. Ze trok de lakens kapot alsof ze bezeten was. Ze was voortdurend bang, nerveus en achterdochtig. Ze liep rond als een verschrikt vogeltje: ze had haar ogen wijd opengesperd en stond midden in een beweging stokstijf stil. Als ze ging zitten, kraakten haar ledematen. Tijdens de maaltijd zat ze de hele tijd met haar vingers op de tafel te trommelen. Mijn broer gedroeg zich tegenovergesteld. Hij was gedesoriënteerd, onvoorzichtig en lui. Hij las geen letter meer en stak geen poot uit.

De hele werkdag lang zat ik te luisteren naar Grote Zuster Fanns verhalen over charmante en intelligente mannen, mannen die hun leven te paard doorbrachten, hun vijanden overwonnen en keizer werden. En thuis werd ik geconfronteerd met de akelige werkelijkheid, namelijk dat ik vóór de lente getrouwd zou zijn met Ping.

Moeder riep me vanaf haar bed en ik ging naast haar zitten. Ik kon het niet opbrengen haar aan te kijken. Ze was broodmager. 'Je vader zei altijd: "Een zieke tijger die verdwaald is op de vlakte is zwakker dan een lammetje. Hij kan zich niet verweren tegen de wilde honden die hem willen oppeuzelen." Dat is helaas ons lot, Orchidee.'

Op een ochtend hoorde ik een bedelaar op straat zingen terwijl ik mijn haar stond te borstelen:

Opgeven betekent ons lot aanvaarden
Opgeven betekent rust scheppen
Opgeven betekent dat je de overhand krijgt, en
Opgeven betekent alles hebben.

Ik staarde de bedelaar aan toen hij langs het raam liep. Hij hief zijn lege bedelnap naar me op. Zijn vingers waren zo droog als dode takjes. 'Pap,' zei hij.

'We hebben geen rijst meer,' zei ik. 'Ik heb witte klei opgegraven uit de tuin en die vermengd met tarwemeel om daar broodjes van te maken. Wilt u er een?'

'Wist je niet dat witte klei slecht voor de ingewanden is?'

'Jawel, maar er is niets anders.'

Hij nam het broodje aan dat ik hem gaf en verdween aan het einde van de straat uit het zicht.

Verdrietig en somber liep ik door de sneeuw naar de winkel van Grote Zuster Fann. Toen ik binnen was, pakte ik mijn gereedschap, ging op het bankje zitten en begon te werken. Fann kwam binnen, nog kauwend op haar ontbijt. Ze gedroeg zich opgewonden en zei dat ze een decreet had zien hangen op de stadsmuur. 'Zijne Majesteit keizer Hsien Feng is op zoek naar toekomstige partners. Ik ben benieuwd wie de gelukkige meisjes zullen zijn!' Ze beschreef het gebeuren, dat 'De Selectie van de Keizerlijke Dames' werd genoemd.

Ik besloot na mijn werk te gaan kijken naar het decreet. De rechtstreekse route was afgesloten, dus moest ik door allerlei straatjes en steegjes en kwam tegen zonsondergang aan. Het aanplakbiljet was geschreven met zwarte inkt. De karakters waren vervaagd door de natte sneeuw. Terwijl ik het las, raasden er allerlei gedachten door mijn hoofd. De kandidates moesten van afkomst Mantsjoe zijn, om de zuiverheid van de keizerlijke bloedlijn te waarborgen. Ik herinnerde me dat vader me een keer had verteld dat er van de honderd miljoen mensen in China vijf miljoen Mantsjoe waren. Er stond ook op het aanplakbiljet dat de vaders van de meisjes minstens de rang moesten hebben van die van Blauwe Vaandeldrager. Dat was om zeker te zijn van de genetische intelligentie van de meisjes. Verder stond er dat alle Mantsjoe-meisjes tussen de dertien en zeventien jaar zich in hun provincie moesten laten registreren voor de selectie. Geen enkele Mantsjoe-vrouw mocht trouwen voordat de keizer haar had afgewezen.

'Denkt u niet dat ik een kans maak?' riep ik tegen Grote Zuster Fann. 'Ik ben Mantsjoe en zeventien jaar. Mijn vader was een Blauwe Vaandeldrager.'

Fann schudde haar hoofd. 'Orchidee, je bent een grijs muisje, vergeleken bij de concubines en hofdames die ik heb gezien.'

Ik nam een slok water uit de emmer en ging zitten nadenken. Ik was ontmoedigd door de woorden van Grote Zuster Fann, maar mijn verlangen was nog niet verminderd. Ik hoorde van Fann dat het keizerlijke hof de kandidates in oktober zou beoordelen. De gouverneurs uit het hele land zouden verkenners op pad sturen om mooie meisjes te zoeken en bijeen te brengen. De verkenners kregen het bevel lijsten met namen aan te leggen.

'Ze hebben mij over het hoofd gezien!' zei ik tegen Grote Zuster Fann. Ik kwam erachter dat de keizerlijke hofhouding dit jaar de leiding had van de selectie en dat alle schoonheden uit elke staat naar Peking werden gestuurd om beoordeeld te worden door het comité van de keizerlijke hofhouding. Van de hoofdeunuch, die de keizer vertegenwoordigde, werd verwacht dat hij meer dan vijfduizend meisjes zou inspecteren en er ongeveer tweehonderd zou uitkiezen. Deze meisjes zouden ter beoordeling worden gepresenteerd aan de Grote Keizerin vrouwe Jin en keizer Hsien Feng.

Grote Zuster Fann vertelde me dat Hsien Feng zeven officiële gemalinnen zou selecteren en dat het hem verder vrij stond elke willekeurige vrouw of dienstmeid in de Verboden Stad te 'belonen met geluk'. Nadat de officiële gemalinnen waren geselecteerd, zouden de overige finalisten gehouden worden en die zouden blijven wonen in de Verboden Stad. Ze zouden misschien nooit de kans krijgen om met Zijne Majesteit de liefde te bedrijven, maar ze kregen een levenslang gegarandeerde toelage. Het bedrag dat ze zouden ontvangen was gebaseerd op hun titel en rang. Alles bij elkaar zou de keizer drieduizend concubines tot zijn beschikking hebben.

Ik kwam van Grote Zuster Fann ook te weten dat de 'Verkiezing van Keizerlijke Dienstmaagden' ook dit jaar zou plaatsvinden, naast de selectie van de gemalinnen. In tegenstelling tot de gemalinnen, die prachtige paleizen ter beschikking kregen, woonden de dienstmaagden in barakken achter de paleizen. Veel van deze onderkomens stonden op instorten en waren nauwelijks geschikt om in te wonen.

Ik vroeg Grote Zuster Fann naar de eunuchen, van wie er tweeduizend in de Verboden Stad woonden. Ze vertelde me dat de meesten uit arme gezinnen kwamen. Hun familie had geen enkele hoop meer. Hoewel alleen gecastreerde jongens naar de positie van eunuch konden solliciteren, kreeg niet elke gecastreerde jongen een baan.

'Er wordt niet alleen van ze verwacht dat ze intelligent zijn, maar ook dat ze aantrekkelijker zijn dan een gemiddelde jongen,' zei Grote Zuster Fann. 'Alleen de slimste en knapste jongens hebben de kans te overleven of zelfs favoriet te worden.'

Ik vroeg waarom het hof geen normale jongens in dienst wilde nemen. 'Dat is om te garanderen dat de keizer de enige is die zijn zaad verspreidt,' legde ze uit. Het systeem was overgenomen van de Ming-dynastie, die in de vijftiende eeuw aan de macht was. De keizer bezat toen negentigduizend eunuchen. Zij vormden zijn interne politiemacht. Dat was nodig, want gevallen van moord zijn niet ongebruikelijk in een oord waar duizenden vrouwen met elkaar wedijveren om de gunsten van één man.

'De eunuchen zijn schepsels die in staat zijn tot extreme haat en wreedheid, en ook tot trouw en toewijding. Ze moeten veel lijden. De meesten dragen dik ondergoed, omdat ze voortdurend urine verliezen. Heb je de uitdrukking "Je stinkt als een eunuch" nooit gehoord?'

'Hoe weet u dat allemaal?' vroeg ik.

'Ik ben toch met een eunuch getrouwd geweest! Zo'n man schaamt zich kapot voor dat urineverlies. Mijn man wist heel goed wat mishandeling en lijden betekenden, maar dat weerhield hem er niet van zich gemeen en jaloers te gedragen. Hij wenste iedereen ellende toe.'

Ik vertelde mijn familie niets over mijn plannen, omdat ik wel begreep dat de kans van slagen zeer klein was. De volgende ochtend, voor mijn werk, ging ik naar het plaatselijke gerechtsgebouw. Ik was nerveus maar vastbesloten. Ik zei tegen de wacht wat ik kwam doen en werd naar een kantoor achter in het gebouw gebracht. Het was een grote kamer. De pilaren, tafels en stoelen waren omwikkeld met rode stof. Er zat een bebaarde man, gekleed in een rood gewaad, achter een groot, roodhouten bureau. Op het bureau lag een rechthoekig stuk gele zijde, dat een kopie van het keizerlijke decreet bleek te zijn. Ik liep naar de man toe en knielde. Ik zei mijn naam en leeftijd. Ik zei dat mijn vader tot de Yehonala-clan behoorde en taotai van Wuhu was geweest.

De bebaarde man nam me kritisch op. 'Heeft u geen nettere kleren?' vroeg hij, nadat hij me had aangestaard.

'Nee, heer,' antwoordde ik.

'Iemand die eruitziet als een bedelaar mag ik niet tot het paleis toelaten.'

'Wel, mag ik u vragen of ik in aanmerking kom het paleis te betreden? Als u mij een positief antwoord kunt geven, heer, dan zal ik een manier vinden mijn uiterlijk aan te passen.'

'Dacht u dat ik mijn adem zou verspillen als ik u niet geschikt zou achten?'

'Nou,' zei moeder enigszins opgelucht, 'dan moet ik je oom maar vertellen dat Ping zal moeten wachten tot de keizer je heeft afgewezen.'

'Wie weet wordt oom wel overreden door een rijtuig of overlijdt Ping opeens aan een overdosis opium,' zei Kuei Hsiang.

'Kuei Hsiang,' viel Rong hem in de rede, 'dat mag je niemand toewensen. Ze hebben ons tenslotte in huis genomen.'

Ik vond Rong altijd verstandiger dan Kuei Hsiang. Dat betekende niet dat Rong geen angsthaas was. Ze bleef haar hele leven kwetsbaar en angstig. Ze kon bijvoorbeeld de hele dag aan een borduurwerk zitten, en er dan plotseling mee ophouden met de verklaring dat ze het van kleur zag verschieten. Dan concludeerde ze dat er een geest aan het werk was. Vervolgens raakte ze in paniek en knipte het borduurwerk aan stukken.

'Waarom ga je niet studeren, Kuei Hsiang?' zei ik tegen mijn broer. 'Je maakt een betere kans dan Rong en ik. Ieder jaar is men op zoek naar keizerlijke ambtenaren. Waarom probeer je het niet?'

'Ik heb het niet in me,' was Kuei Hsiangs antwoord.

Grote Zuster Fann was verbaasd dat ik door de eerste ronde was gekomen. Ze pakte een kaars en bestudeerde mijn gezicht.

'Hoe is het mogelijk dat ik het niet heb gezien?' Ze draaide mijn gezicht naar links en naar rechts. 'Heldere, amandelvormige ogen, gladde huid, een rechte neus, een mooie mond en een slank lichaam. Waarschijnlijk zat je schoonheid onder je kleren verborgen.'

Fann zette de kaars weg en sloeg haar armen over elkaar. Ze begon te ijsberen als een sprinkhaan in een potje die zich voorbereidt op een gevecht. 'Je zult de Verboden Stad niet in deze lompen betreden, Orchidee.' Ze legde haar handen op mijn schouders en zei: 'Kom, we zullen jou eens transformeren.'

In de kleedkamer van Grote Zuster Fann werd ik omgetoverd tot een prinses.

Grote Zuster Fann maakte haar reputatie waar – de vrouw die ooit hoofdkleedster was van de keizerin hulde mij in een lichtgroene satijnen tuniek die geborduurd was met levensechte witte fazanten. De hals, mouwen en zomen waren afgewerkt met borduurwerk in een donkerder kleur.

'Ik heb deze tuniek van Hare Majesteit gekregen als huwelijkscadeau,' legde Grote Zuster Fann uit. 'Ik heb hem bijna niet gedragen, want ik was bang dat er vlekken op zouden komen. En nu ben ik te oud en te dik. Je mag hem van me lenen, evenals de bijpassende hoofdtooi.'

'Zal Hare Majesteit de tuniek niet herkennen?'

'Maak je geen zorgen.' Fann schudde het hoofd. 'Ze heeft honderden van dergelijke kledingstukken.'

'Wat zal ze denken als ze me in die tuniek ziet?'

'Dat je haar smaak deelt.'

Ik was dolblij en zei tegen Grote Zuster Fann dat ik niet wist hoe ik haar moest bedanken.

'Denk eraan dat schoonheid niet het enige criterium is bij de selectie,' zei Grote Zuster Fann terwijl ze me kleedde. 'Je kunt verliezen omdat je te arm bent om de eunuchen om te kopen, die dan een manier zullen vinden Hunne Majesteiten op je tekortkomingen te wijzen. Ik ben persoonlijk aanwezig geweest bij zo'n gelegenheid. Het was zo dodelijk vermoeiend, dat alle meisjes op elkaar leken tegen de tijd dat het was afgelopen. De ogen van de Majesteiten waren niet meer in staat te registreren of iemand mooi of lelijk was, en daarom zijn de meeste keizerlijke gemalinnen en concubines zo lelijk.'

Ik kon mijn opwinding nauwelijks bedwingen tijdens die eindeloze maanden van wachten. Ik sliep onrustig en ontwaakte uit monsterlijke nachtmerries. Toen was het wachten voorbij: de volgende dag zou ik de Verboden Stad betreden om mee te doen aan de selectie.

Het was bewolkt en er stond een warme wind toen mijn zusje en ik door de straten van Peking liepen. 'Ik heb het gevoel dat je een van de tweehonderd concubines zult worden, of misschien zelfs een van de zeven gemalinnen,' zei Rong. 'Niemand is zo mooi als jij, Orchidee.'

'Niemand is zo wanhopig als ik,' corrigeerde ik haar.

We liepen door en ik hield haar hand stevig vast. Ze had een lichtblauwe katoenen jurk aan met schoudervullingen, die keurig in haar schouders waren genaaid. Wat onze gelaatstrekken betrof leken we op elkaar, maar haar gezichtsuitdrukking verried soms haar angst.

'En als je nou nooit een nacht met Zijne Majesteit kunt doorbrengen?' vroeg Rong. Haar opgetrokken wenkbrauwen vormden een rechte lijn op haar voorhoofd.

'Het is altijd beter dan met Ping trouwen, vind je niet?'

Rong knikte instemmend.

'Ik zal je de meest modieuze kledingpatronen uit het paleis sturen,' zei ik in een poging opgewekt te klinken. 'Je zult het best geklede meisje in de stad zijn. Prachtige stoffen, schitterend kant, pauwenveren.'

'Doe maar rustig aan, Orchidee. Iedereen weet dat de Verboden Stad strikte regels hanteert. Eén verkeerde beweging en je hoofd ligt eraf.'

De rest van de wandeling bleven we zwijgen. De keizerlijke muren leken steeds hoger en dikker te worden. Het waren de muren die ons van elkaar zouden scheiden.

DRIE

Ik liep rond tussen de duizenden meisjes die uit het hele land waren geselecteerd. Na de eerste inspectieronde nam dit aantal af tot tweehonderd. Ik behoorde tot de gelukkigen en streed nu om de positie van een van keizer Hsien Fengs zeven gemalinnen.

Een maand daarvoor had het comité me een medisch onderzoek laten ondergaan. De manier waarop dit onderzoek werd uitgevoerd zou me gechoqueerd hebben als ik er niet op voorbereid was geweest. Het vond plaats aan de zuidkant van Peking, in een paleis dat werd omgeven door een grote, geometrisch aangelegde tuin. Het huis en het bijbehorende terrein was ooit gebruikt als vakantieoord voor de keizers. In het midden van de binnenplaats lag een vijvertje.

Ik ontmoette veel meisjes die zo mooi waren dat het met geen pen te beschrijven viel. Elk meisje was uniek. De meisjes uit de zuidelijke provincies waren slank, hadden zwanenhalzen, lange ledematen en kleine borstjes. De meisjes uit het noorden waren als rijp fruit. Ze hadden borsten als pompoenen en enorme billen.

De eunuchen controleerden onze geboortetekens, sterrenkaarten, lengte, ons gewicht, de vorm van onze handen en voeten en ons haar. Ze telden onze tanden. Alles moest overeenkomen met wat er op de kaarten van de keizer stond genoteerd.

We kregen de opdracht ons uit te kleden en naast elkaar te gaan staan. We werden een voor een onderzocht door een hoofdeunuch, wiens assistent zijn woorden noteerde in een boek.

'Ongelijke wenkbrauwen,' zei de hoofdeunuch terwijl hij langs ons liep, 'kromme schouders, ruwe handen, te kleine oorlellen, te smalle kaak, te dunne lippen, opgezette oogleden, platte tenen, te korte benen, te brede heupen.' De betreffende meisjes werden meteen weggestuurd.

Uren later werden we naar een hal gebracht waar met perzikbloesem bedrukte gordijnen hingen. Er kwam een groep eunuchen aan die meetlinten bij zich hadden. Mijn lichaam werd opgemeten door drie eunuchen. Ze knepen en betastten me.

Er was geen ontkomen aan. 'Of je nou in elkaar krimpt of je nek uitsteekt – je kunt niet aan de vallende bijl ontsnappen.' De hoofdeunuch duwde mijn schouders naar achteren en schreeuwde: 'Ga rechtop staan!'

Ik deed mijn ogen dicht en probeerde mezelf ervan te overtuigen dat de eunuchen geen echte mannen waren. Toen ik mijn ogen weer opendeed kwam ik erachter dat het inderdaad waar was. Op het platteland begonnen de mannen al te kwijlen als ze een aantrekkelijk meisje zagen, al was ze volledig gekleed. Hier besteedden de eunuchen helemaal geen aandacht aan mijn naaktheid. Ik vroeg me af of hun onverschilligheid echt was of gespeeld.

Nadat onze maten waren genomen moesten we naar een grotere hal, waar we de opdracht kregen rond te gaan lopen. De meisjes van wie men vond dat ze niet elegant genoeg waren, werden weggestuurd. Degenen die goed werden bevonden moesten wachten op de volgende test. Toen de avond viel, stonden er buiten nog steeds meisjes te wachten om onderzocht te worden.

Uiteindelijk kreeg ik de opdracht me weer aan te kleden en werd ik naar huis gestuurd.

De volgende ochtend vroeg werd ik weer naar het paleis gebracht. De meeste meisjes die ik de dag daarvoor had ontmoet, waren weg. De overgeblevenen werden in groepen verdeeld. We kregen de opdracht met luide stem onze naam, leeftijd, geboorteplaats en de naam van onze vader uit te spreken. De meisjes die te hard of te zacht klonken werden weggestuurd.

Vóór het ontbijt werden we naar de achterkant van het paleis geleid, waar in de tuin een aantal tenten stond opgesteld. In elke tent stonden bamboetafels. Zodra ik binnenkwam, zeiden de eunuchen dat ik op een van de tafels moest gaan liggen. Er kwamen vier oudere hofdames binnen. Hun geverfde gezichten hadden geen enkele uitdrukking. Ze staken hun neus naar voren en begonnen me overal te besnuffelen. Ze gingen van mijn haar naar mijn oren, van mijn neus naar mijn mond, van mijn oksels naar mijn schaamstreek. Ze roken tussen mijn vingers en tenen. Een van de dames doopte haar vinger in olie en stak die in mijn achterste. Het deed pijn, maar ik probeerde geen kik te geven. Toen de hofdame haar vinger terugtrok, sprongen de andere dames onmiddellijk op om eraan te ruiken.

De maand die voorafging aan de beslissende dag was in een oogwenk voorbij. 'Morgen zal de keizer over mijn lot beslissen,' zei ik tegen moeder.

Zonder een woord te zeggen begon ze wierookstokjes aan te steken en knielde neer voor een portret van Boeddha dat aan de muur hing.

'Waar zit je aan te denken, Orchidee?' vroeg Rong.

'Mijn droom om de Verboden Stad te bezoeken zal bewaarheid worden,' antwoordde ik, terwijl ik dacht aan de woorden van Grote Zuster Fann: 'Als je één blik op die pracht hebt geworpen, heb je het gevoel dat het leven de moeite waard is geweest.' 'Ik zal nooit meer een gewoon mens zijn.'

Mijn moeder bleef de hele nacht op. Voor ik ging slapen legde ze uit wat het woord *yuan* betekende in het taoïsme. Het kwam erop neer dat ik mijn lotsbestemming moest volgen en moest veranderen als een rivier die tussen de rotsen door stroomt.

Ik luisterde zwijgend en beloofde haar dat ik eraan zou denken hoe belangrijk het was gehoorzaamheid te betrachten en te leren 'het spuug van anderen te slikken als dat nodig was'.

Ik had het bevel gekregen me voor zonsopgang te melden bij de Poort van de Hemelboog. Moeder had haar laatste geleende geld uitgegeven en een draagstoel voor me gehuurd. De draagstoel was behangen met opvallende blauwe zijde. Moeder had daarnaast drie eenvoudige draagstoelen gehuurd voor Kuei Hsiang, Rong en zichzelf. Ze zouden me begeleiden tot de poort. De dragers zouden vóór het krieken van de dag voor de deur staan. Ik maakte geen problemen over de manier waarop moeder het geld uitgaf. Ik begreep dat ze me op een eervolle wijze uitgeleide wilde doen.

Om drie uur 's morgens maakte moeder me wakker. Ze was vervuld van hoop en energie omdat ik was verkozen tot een der keizerlijke metgezellinnen. Ze probeerde haar tranen te bedwingen terwijl ze mijn gezicht opmaakte. Ik hield mijn ogen stijf dichtgeknepen. Ik wist dat mijn tranen zouden stromen en de make-up zouden bederven als ik ze zou openen.

Toen mijn broer en zusje wakker werden was ik al gekleed in Grote Zuster Fanns prachtige japon. Moeder maakte de linten vast. Toen alles gereed was ontbeten we met pap. Rong gaf me twee walnoten, die ze had bewaard van vorig jaar. Ze stond erop dat ik ze zou opeten om me geluk te brengen, en ik voldeed aan haar wens.

De dragers arriveerden. Rong hielp me mijn japon van de grond te houden tot de dragers me in de stoel tilden. Kuei Hsiang had kleren van onze vader aan. Ik zei tegen hem dat hij eruitzag als een Vaandeldrager, maar dat hij nog wel moest leren zijn kleed goed dicht te knopen.

De meisjes en hun familieleden verzamelden zich bij de Poort van de Hemelboog. Ik zat in de draagstoel. Het was koud. Mijn vingers en tenen werden stijf. De poort bood een indrukwekkende aanblik tegen de achtergrond van de paarse hemel. In de poort waren negenennegentig koperkleurige, komvormige hulzen aangebracht, als schildpadden die op een enorm paneel waren geplakt. Deze bedekten de enorme bouten die het hout bij elkaar hielden. Een van de dragers vertelde mijn moeder dat de poort, die net zo dik was als de muur, was gebouwd in 1420. Hij was vervaardigd van de hardste houtsoort. Boven de poort, op de muur, stond een stenen toren.

De zon kwam op. Een compagnie keizerlijke wachters stroomde door de poort naar buiten. Ze werden gevolgd door een groep eunuchen, allen in gewaden gehuld. Een van de eunuchen haalde een boek te voorschijn en begon met hoge, schelle stem namen af te roepen. Hij was een lange man van middelbare leeftijd en had een apengezicht: ronde ogen, een platte neus, een mond met dunne lippen die van oor tot oor liep en zijn neus en bovenlip stonden ver uit elkaar. Hij had een aflopend voorhoofd. Hij sprak de lettergrepen op zangerige toon uit. De drager vertelde ons dat dit het hoofd van de eunuchen was en dat hij Shim heette.

Zodra een naam was afgeroepen overhandigden de eunuchen zilveren munten in een gele doos aan het betreffende gezin. 'Vijfhonderd taël van Zijne Majesteit de keizer!' klonk de stem van hoofdeunuch Shim weer.

Toen mijn naam werd afgeroepen barstte moeder in tranen uit. 'Je moet nu gaan, Orchidee. Pas op je tellen.'

Ik stapte voorzichtig uit de draagstoel.

Moeder liet de doos die ze had gekregen bijna vallen. Ze werd door de wachters terug begeleid naar haar draagstoel en ze zeiden dat ze naar huis moest gaan.

'Beschouw jezelf als iemand die aan boord gaat van een schip vol genade op een zee van lijden,' riep moeder terwijl ze me vaarwel wuifde. 'Je vaders geest zal bij je zijn!'

Ik beet op mijn lip en knikte. Ik hield mezelf voor dat ik gelukkig moest zijn, want dankzij de vijfhonderd taël zou mijn familie in staat zijn te overleven.

'Zorg goed voor moeder!' zei ik tegen Rong en Kuei Hsiang.

Rong zwaaide en hield een zakdoek tegen haar mond.

Kuei Hsiang bleef stokstijf staan. 'Wacht, Orchidee. Ga nog niet weg.'

Ik haalde diep adem en keerde me naar de roze poort.

De zon kwam achter de wolken vandaan toen ik in de richting van de Verboden Stad begon te lopen.

'Hier lopen de keizerlijke dames!' zong hoofdeunuch Shim.

De wachters bij de ingang stelden zich aan weerskanten in een rij op, waarmee ze een doorgang schiepen waar wij doorheen schreden.

Ik keek nog een laatste keer achterom. De menigte werd door de zon beschenen. Rong zwaaide met haar zakdoek en Kuei Hsiang hield de doos met taëls boven zijn hoofd. Moeder was nergens te bekennen. Waarschijnlijk zat ze weggedoken in haar draagstoel te huilen.

'Vaarwel!' De tranen stroomden over mijn wangen toen de Poort van de Hemelboog achter me dichtsloeg.

Als ik hoofdeunuch Shims stem niet had gehoord, die voortdurend bevelen uitdeelde en zei dat we naar links of naar rechts moesten, zou ik gedacht hebben dat ik in een droomwereld was beland.

Terwijl ik daar liep doemde er een groep schitterende gebouwen op. Ze straalden plechtigheid uit en waren enorm groot. Hun geel beglaasde daken glansden in het zonlicht. De weg waarop ik liep was geplaveid met marmeren platen. Maar pas toen ik de Hal van Opperste Harmonie zag, besefte ik dat dit slechts het begin was.

Gedurende de daaropvolgende twee kaarsbrandtijden passeerden we rijk versierde hekwerken, ruime binnenplaatsen en gangen met houtsnijwerk op elke balk en beelden in alle hoeken.

'Jullie lopen door de zijgangen, die gebruikt worden door de bedienden en hoffunctionarissen,' zei hoofdeunuch Shim. 'Alleen Zijne Majesteit gebruikt de hoofdingang.'

We liepen door ontelbare lege ruimtes. Er was niemand die onze schitterende gewaden kon bewonderen. Ik moest denken aan het advies van Grote Zuster Fann: 'De keizerlijke muren hebben ogen en oren. Je zult nooit weten achter welke muur de ogen van Zijne Majesteit keizer Hsien Feng of die van de Grote Keizerin, vrouwe Jin, verborgen zitten.'

De lucht in mijn longen voelde zwaar aan. Ik wierp een steelse blik om me heen en vergeleek mezelf met de andere meisjes. We hadden allemaal ons gezicht opgemaakt in dezelfde Mantsjoe-stijl. Op de onderlip was een rode stip aangebracht en het haar was in twee delen om het hoofd gewonden. Sommige meisjes hadden hun vlechten opgestoken boven op het hoofd en versierd met glinsterende juwelen en bloemen, vogeltjes of insecten van jade. Anderen hadden een kunstmatige schotel van zijde gefabriceerd en het haar daarop vastgezet met ivoren spelden. Mijn vlecht was opgestoken met een zwaluwstaartpruik en het had Grote Zuster Fann uren gekost om hem vast te zetten op een dun zwart plankje. Midden op het plankje was een grote paarse zijden roos bevestigd, en twee roze rozen aan weerszijden. Verder zaten er verse witte jasmijnbloesems en orchideeën in mijn haar verwerkt.

Het meisje dat naast me liep had een zwaar doorvlochten hoofdtooi op. Hij had de vorm van een vliegende gans en was gedrapeerd met parels en diamanten. Gele en vermiljoene draden waren in patronen gevlochten. De hoofdtooi deed me denken aan het soort dat in Chinese opera's wordt gebruikt.

Als schoenmaakster lette ik natuurlijk op wat de meisjes aan hun voeten hadden. Ik had altijd gedacht dat ik misschien niet veel wist, maar wel alles van schoenen. Maar wat ik daar zag deed mijn kennis verbleken. De schoenen van de meisjes waren bezet met parels, jade, diamanten en geborduurde patronen van lotusbloemen, pruimenbloesem, magnolia's, de hand van Boeddha en perzikbloesem. Aan de zijkant van de schoenen waren allerlei symbolen van geluk, lange levensduur en vissen en vlinders aangebracht. Omdat wij van Mantsjoe-afkomst waren, bonden wij onze voeten niet in zoals de Chinese dames dat deden, maar we wilden de gelegenheid modieus te zijn niet voorbij laten gaan en daarom droegen we schoenen met extra hoge plateauzolen. De bedoeling daarvan was dat onze voeten kleiner zouden lijken, zoals die van Chinese vrouwen.

Mijn voeten begonnen pijn te doen. We passeerden open plekken met bamboe en grotere bomen. Het pad vernauwde zich en de trappen werden na elke bocht steiler. Hoofdeunuch Shim spoorde ons aan flink door te lopen en alle meisjes liepen te hijgen. Juist toen ik dacht dat het pad doodliep, ontvouwde zich voor onze ogen een groots uitzicht. Ik hield mijn adem in toen ik opeens een zee van gouden daken zag. In de verte kon ik de massieve poorthuizen van de Verboden Stad zien.

'Deze plek wordt de Panoramaheuvel genoemd.' Hoofdeunuch Shim zette zijn handen in de zij en ademde diep in. 'Het is de hoogstgelegen plek van Peking. De oude *feng shui*-experts geloofden dat in dit gebied de vitaalste energie en de geest van de wind en het water huisden. Meisjes, neem even de tijd dit in je geheugen te prenten, want de meesten van jullie zullen nooit meer de kans krijgen dit nogmaals te zien. We hebben geluk dat het een heldere dag is. De zandstormen uit de Gobiwoestijn houden zich rustig.'

Ik volgde de richting waarin hoofdeunuch Shims vingers wezen en zag een witte pagode. 'Die in Tibetaanse stijl gebouwde tempel herbergt de geesten van de goden die generaties lang de Ch'ing-dynastie hebben beschermd. Let op bij wat je doet, meisjes. Overtuig jezelf ervan dat je de goden nooit afleidt of beledigt.'

Toen we weer heuvelafwaarts liepen nam hoofdeunuch Shim een ander pad, dat naar de Tuin van Vrede en Lange Levensduur leidde. Het was voor het eerst dat ik echte pippalabomen zag. Ze waren enorm en de bladeren waren zo groen als gras. Ik had er afbeeldingen van gezien in boeddhistische manuscripten en op tempelfresco's. Ze werden beschouwd als het symbool van Boeddha en waren zeldzaam. Hier stonden honderden van dit soort bomen, overal waar je keek. Hun bladerkroon hing als een gordijn op de grond. In de tuin had men mooie grote stenen geplaatst die een lust voor het oog waren. Toen ik mijn ogen opsloeg zag ik prachtige paviljoens liggen, aan het oog onttrokken door cipressen.

Na al die bochten was ik mijn gevoel voor richting kwijtgeraakt. We waren zeker twintig paviljoens gepasseerd voordat we eindelijk werden geleid naar een blauwachtig paviljoen, versierd met houtsnijwerk in de vorm van pruimenbloesem. Het had een spiraalvormig dak, ingelegd met blauwe tegels.

'Het Paviljoen van Winterbloesem,' kondigde hoofdeunuch Shim aan. 'Hier woont de Grote Keizerin, vrouwe Jin. Jullie zullen hier over enkele minuten zowel Zijne als Hare Majesteit ontmoeten.'

We kregen het bevel op stenen bankjes plaats te nemen, terwijl Shim ons snel een les gaf in de etiquette die we moesten volgen. We moesten elk een eenvoudige zin uitspreken, waarin we Zijne en Hare Majesteit gezondheid en een lange levensduur toewensten. 'Nadat je de heilwens hebt uitgesproken moet je verder zwijgen en alleen antwoord geven als het woord tot je gericht wordt.'

We waren allemaal nerveus geworden. Een van de meisjes begon onbedaarlijk te snikken. Ze werd meteen door de eunuchen weggeleid. Een ander meisje begon in zichzelf te mompelen. Ook zij werd afgevoerd.

Ik werd me bewust van de voortdurende aanwezigheid van de eunuchen. Het grootste deel van de tijd stonden ze zwijgend en onaangedaan tegen de muur. Grote Zuster Fann had me gewaarschuwd dat de ervaren eunuchen onaangename schepsels waren en dat ze gedijden op andermans ellende. 'De jonge eunuchen zijn beter,' had ze gezegd, 'met name de nieuwkomers, die nog onschuldig zijn. De gemeenheid van de eunuchen openbaart zich pas als ze volwassen worden, als ze beseffen wat ze kwijt zijn.'

Volgens Grote Zuster Fann waren de machtige eunuchen de baas in de Verboden Stad. Ze waren meesterintriganten. Doordat ze veel hadden geleden konden ze verbazingwekkend veel pijn en marteling doorstaan. De nieuwkomers kregen elke dag zweepslagen. Voordat ze hun zoontjes naar het paleis brachten, kochten de ouders van de eunuchen drie stukken koeienhuid. De nieuwe eunuchen wikkelden de koeienhuid om hun rug en heupen op de plaatsen waar de zweep zou neerkomen. De koeienhuid had de bijnaam 'De echte Boeddha' gekregen.

Later zou ik erachter komen dat de straf voor de ernstigste overtreding door een eunuch verstikking was. De straf werd uitgevoerd in aanwezigheid van alle eunuchen. De veroordeelde eunuch werd vastgebonden op een bank en over zijn gezicht werd een stuk natte witte zijde gelegd. Het proces van verstikking leek op dat van het maken van maskers. Iedereen keek toe terwijl de beulen laag na laag natte stof op het gezicht van het slachtoffer legden, dat worstelde om te kunnen blijven ademen. De ledematen van het slachtoffer werden vastgehouden tot hij niet meer bewoog.

In de beginjaren van mijn verblijf in de Verboden Stad vervloekte ik dergelijke straffen. De wreedheid ervan stond me tegen. Maar naarmate de tijd verstreek veranderde ik van mening. Ik vond de discipline noodzakelijk. De eunuchen waren in staat tot het plegen van grote misdaden en waren uitzonderlijk wreed. De woede die ze in zich hadden was zo oncontroleerbaar dat alleen de dood die kon bedwingen. In vroeger tijden hadden de eunuchen opstanden en ergere dingen veroorzaakt. Tijdens de regeerperiode van de Chou-dynastie hadden de eunuchen een paleis geheel verbrand. Grote Zuster Fann zei dat een intelligente eunuch die zich opgewerkt had tot favoriet van de keizer, zoals Shim had gedaan, boven de gehele natie stond en aan slechts één persoon verantwoording hoefde af te leggen. Deze mogelijkheid om niet alleen te overleven maar ook een legende te worden was de reden dat jaarlijks meer dan vijftigduizend arme gezinnen hun zoontjes naar de hoofdstad stuurden.

Van Grote Zuster Fann had ik geleerd de status van de eunuchen te herkennen aan hun kleding, en het was nu tijd die kennis toe te passen. De eunuchen die een hoge positie bekleedden droegen fluwelen gewaden die bestikt waren met dure juwelen en ze werden bediend door leerlingen. Ze hadden hun eigen theemakers, kleders, boodschappers, boekhouders en voor de vorm echtgenotes en concubines. Ze adopteerden kinderen om de familienaam voort te zetten en kochten bezittingen buiten de Verboden Stad. Ze werden rijk en bestierden hun huishouden als een keizer. Toen een beroemde eunuch erachter kwam dat zijn vrouw hem bedroog met een bediende, hakte hij haar in stukken en voerde haar aan zijn hond.

Ik barstte zo langzamerhand van de honger. Onze groep van tweehonderd was verdeeld in groepjes van tien, die in de tuin verspreid stonden. We zaten op houten of stenen platforms of op door het water glad geworden rotsen. Voor ons lagen hier en daar kunstmatig aangelegde vijvers, waarin lotusbloemen dreven en waarvan het wateroppervlak verstoord werd door opspringende koi-vissen. Tussen ons in stonden bewerkte houten schermen en bamboerekken.

De eunuch die aan mijn groep was toegewezen droeg een bronzen decoratie op zijn hoofddeksel en een kwartel op zijn borst. Hij deed me aan mijn broer Kuei Hsiang denken. De eunuch had een van nature roze mond en meisjesachtige gelaatstrekken. Hij was mager en kwam verlegen over. Hij bleef op afstand en zijn ogen schoten voortdurend heen en weer tussen de meisjes en zijn baas, een eunuch die een witte decoratie op zijn hoofddeksel had en een wielewaal op zijn borst.

'Mijn naam is Orchidee.' Fluisterend liep ik naar de magere eunuch toe en stelde me voor. 'Ik heb erge dorst en ik vroeg me af...'

'Sssst!' Nerveus legde hij zijn wijsvinger tegen zijn lippen.

'Hoe heet je? Hoe moet ik je aanspreken?' vervolgde ik.

'An-te-hai.'

'Wel, An-te-hai, mag ik misschien een beetje water?'

Hij schudde het hoofd. 'Ik mag niet praten. Vraag me alstublieft niets.'

'Ik zou mijn mond houden als...'

'Het spijt me.' Hij draaide zich om en verdween snel achter de bamboebosjes.

Hoe lang kon ik dit nog volhouden? Ik keek om me heen en hoorde de magen van de andere meisjes knorren. Door het gekletter van een nabijgelegen waterstroom kreeg ik nog meer dorst. De meisjes verstilden langzaam tot een antiek tableau. Het beeld bestond uit sierlijke bomen, bungelende klimplanten, wiegende bamboestengels en jonge maagden.

Ik bleef naar dit schouwspel staren tot ik een gestalte zag die zich als een slang door het bamboe bewoog.

Het was An-te-hai. Hij was teruggekomen en had een beker in zijn hand. Hij liep snel en geluidloos. Ik besefte dat de eunuchen erop getraind waren om zich te bewegen als onzichtbare geesten. An-te-hais zachte voetzolen raakten de grond, terwijl zijn voeten als bootjes heen en weer gingen.

Hij bleef voor me staan en gaf me de beker.

Ik glimlachte en boog.

An-te-hai had zich al omgedraaid en was weggelopen voordat ik weer overeind was gekomen.

Ik voelde alle ogen op me gericht toen ik de beker naar mijn lippen bracht. Ik wist hoe ze zich voelden, dus ik nam een slokje en gaf de beker door.

'O, dank je zeer.' Het meisje naast me nam de beker aan. Ze was slank en had een ovaal gezicht. Ze had heldere, diep liggende ogen met zware oogleden. Ik maakte uit haar accent en bevallige bewegingen op dat ze uit een rijke familie kwam. Haar zijden jurk was geborduurd met ingewikkelde patronen en ze was behangen met diamanten. Haar hoofdtooi was gemaakt van gouden bloemen. Ze had een lange hals en straalde een natuurlijke waardigheid uit.

De beker ging van hand tot hand tot er geen druppel meer in zat. De meisjes leken zich een beetje te ontspannen. Het mooie meisje met het ovale gelaat en de exotische ogen zwaaide naar me vanaf haar bankje. Toen ik naar haar toe liep, schoof ze een stukje op.

'Ik ben Nuharoo.' Ze glimlachte.

'Yehonala.' Ik ging naast haar zitten.

Zo leerden Nuharoo en ik elkaar kennen. We konden geen van tweeën bevroeden dat we zojuist een band hadden gesmeed die ons hele leven zou blijven bestaan. We werden aan het hof met onze achternaam aangesproken om aan te geven tot welke clan we behoorden. Zonder verdere uitleg begrepen we dat we behoorden tot de twee machtigste clans van het Mantsjoe-ras: de Yehonala en de Nuharoo. De twee clans waren vroeger rivalen van elkaar en hadden door de eeuwen heen talloze oorlogen met elkaar gevoerd. Pas toen de koning van de Nuharoo-clan trouwde met de dochter van de koning van de Yehonala-clan werden de twee families met elkaar verenigd en namen uiteindelijk de macht over China over en schiepen de Hemelse Zuiverheid, ook bekend als de Ch'ing-dynastie.

Nuharoos haar rook naar lelies. Ze zat doodstil en staarde naar de bamboerekken alsof ze die met haar ogen naar zich toe wilde trekken. Ze straalde tevredenheid uit. Lange tijd bewoog ze zich niet. Het leek of ze de details van elk afzonderlijk blad bestudeerde. Haar concentratie werd niet verstoord door de passerende eunuchen. Ik vroeg me af waaraan ze dacht; of ze net als ik verlangde naar haar familie en zich zorgen maakte over haar toekomst. Ik wilde weten wat haar had bewogen mee te doen aan de selectie. Ik wist zeker dat het niets te maken zou hebben met honger of geld. Droomde ze ervan keizerin te worden? Hoe was ze opgegroeid? Wie waren haar ouders? Ze vertoonde geen enkel spoor van nervositeit. Het leek alsof ze gewoon wist dat ze zou worden uitverkoren. Alsof ze alleen was gekomen om het nieuws te vernemen.

Na een lange tijd keek Nuharoo me aan en glimlachte nogmaals. Ze had een bijna kinderlijke glimlach, onschuldig en zorgeloos. Ik was ervan overtuigd dat ze nog nooit had geleden. Ze had thuis vast bedienden gehad die haar koelte toewuifden in hete zomernachten. Haar gebaren verrieden dat ze manieren geleerd had. Had ze op rijkeluisscholen gezeten? Wat las ze? Hield ze van opera? Als dat zo was, had ze vast een held of heldin die ze bewonderde. Stel je voor dat we van dezelfde opera's hielden, en stel je voor dat we allebei het geluk zouden hebben te worden uitverkoren...

'Hoe schat je onze kansen in?' vroeg ik Nuharoo nadat ze me had verteld dat haar vader een verre oom was van keizer Hsien Feng.

'Ik denk er nauwelijks over na,' zei ze rustig. Haar lippen openden zich als bloemblaadjes. 'Ik doe wat mijn familie van me verlangt.'

'Dus jouw ouders kunnen houtnerven interpreteren.'

'Pardon?'

'De lotsbestemming.'

Nuharoo wendde zich van me af en glimlachte vriendelijk en afwezig. 'Yehonala, hoeveel kans denk jij te maken?'

'Jij behoort tot de keizerlijke familie en je bent mooi,' zei ik. 'Ik voel me niet zo zeker over mijn kansen. Mijn vader was taotai voordat hij stierf. Als mijn familie niet zoveel schulden had gehad en ik niet was gedwongen met mijn achterlijke neef Ping te trouwen, zou ik niet...' Ik moest ophouden want de tranen sprongen in mijn ogen.

Nuharoo voelde in haar zakken en haalde een kanten zakdoekje te voorschijn. 'Het spijt me voor je.' Ze gaf me het zakdoekje. 'Wat een afschuwelijk verhaal.'

Ik wilde haar zakdoekje niet bevuilen dus veegde ik de tranen met de rug van mijn hand weg.

'Vertel verder,' zei ze.

Ik schudde mijn hoofd. 'Mijn ellendige verhaal is niet goed voor je gezondheid.'

'Dat geeft niet. Ik wil het horen. Ik ben voor het eerst buitenshuis. Ik heb nooit gereisd, zoals jij.'

'Gereisd? Zo leuk was het niet.' Toen ik mijn verhaal vervolgde, schoten er allerlei herinneringen aan mijn vader door mijn hoofd. De rottingsgeur die uit de kist opsteeg en de vliegen die eromheen zwermden. Ik probeerde afstand te nemen van het verdriet door van onderwerp te veranderen.

'Ben jij naar school gegaan toen je opgroeide, Nuharoo?'

'Ik had privéonderwijzers,' antwoordde ze. 'Drie stuks. Elk met zijn eigen vak.'

'Wat was je favoriete vak?'

'Geschiedenis.'

'Geschiedenis! Ik dacht dat dat alleen iets voor jongens was.' Ik herinnerde me een boek dat ik voor mijn vader verstopt had, *Een verslag over de drie koninkrijken.*

'Het betrof geen algemene geschiedenis, zoals jij denkt,' legde Nuharoo glimlachend uit. 'Het betrof de geschiedenis van de keizerlijke hofhouding. Het ging over het leven van keizerinnen en concubines. Mijn lessen concentreerden zich op de deugdzaamste van hen.' Ze zweeg even en voegde eraan toe: 'Het was de bedoeling dat ik het voorbeeld zou volgen van keizerin Hsiao Ch'in. Al vanaf de tijd dat ik een jong meisje was hebben mijn ouders me voorgehouden dat ik op een dag zou behoren bij de dames wier portret in de keizerlijke galerijen hangt.'

Geen wonder dat ze eruitzag alsof ze hier thuishoorde. 'Ik weet zeker dat je een goede indruk zult maken,' zei ik. 'Ik ben bang dat ik weinig weet van dit aspect van het leven. Ik weet niet eens hoe het zit met de rangen en standen van de keizerlijke dames, al weet ik veel over hoe het werkt bij de eunuchen.'

'Ik zal het je met alle plezier leren.' Haar ogen straalden.

Iemand riep: 'Op je knieën!'

Er kwam een groep eunuchen aanhollen die zich in een rij voor ons opstelden. We vielen op onze knieën.

Hoofdeunuch Shim kwam door de gewelfde deur aanlopen. Hij nam een geposeerde houding aan en tilde met zijn rechterhand de zijkant van zijn gewaad op. Hij deed een stap naar voren zodat hij volledig zichtbaar was.

Vanaf mijn geknielde positie zag ik hoofdeunuch Shims blauwe, bootvormige laarzen. Hij bleef zwijgen. Ik kon zijn macht en autoriteit voelen. Merkwaardig genoeg bewonderde ik zijn houding.

'Zijne Majesteit keizer Hsien Feng en Hare Majesteit de Grote Keizerin, vrouwe Jin ontbieden…' Met hoge en zangerige stem riep hoofdeunuch Shim een aantal namen af, '… en Nuharoo en Yehonala!'

VIER

Ik hoorde het geluid van mijn bungelende hoofdtooi en oorbellen. De meisjes die voor me liepen wiegden elegant heen en weer in hun prachtige zijden gewaden en hoge plateauschoenen. De eunuchen liepen om ons zevenen heen in voortdurende opvolging van de aanwijzingen van hoofdeunuch Shim.

We kwamen door talloze binnenplaatsen en gewelfde deuren. Eindelijk arriveerden we in de ingangshal van het Paleis van Vrede en Lange Levensduur. Mijn onderhemd was doorweekt van het zweet. Ik was bang dat ik mezelf zou vernederen.

Ik wierp een blik op Nuharoo. Ze was zo kalm als de maan die in een vijver weerspiegeld wordt. Een lieftallige glimlach speelde om haar lippen. Haar make-up was nog volkomen intact.

We werden naar een zijkamer gebracht en kregen even de gelegenheid ons op te knappen. Men zei dat Zijne en Hare Majesteit in de hal zaten. Toen Shim naar binnen ging om ons aan te kondigen, werd de sfeer gespannen. Onze voorzichtige bewegingen deden onze sieraden klingelen als slecht gemaakte windklokjes. Ik was een beetje duizelig.

Ik hoorde hoofdeunuch Shims stem, maar ik was te nerveus om te kunnen verstaan wat hij zei. Zijn woorden klonken vervormd, als een operazanger die een geest uitbeeldde en op gestileerde toon sprak.

Een meisje naast me viel opeens flauw. Haar knieën konden haar niet meer dragen. Voordat ik haar te hulp kon schieten kwamen de eunuchen aansnellen en droegen haar weg.

Ik hoorde een zoemend geluid in mijn oren. Ik haalde een paar keer diep adem zodat ik niet net als zij mijn zelfbeheersing zou verliezen. Mijn ledematen waren stijf en ik wist niet waar ik mijn handen moest laten. Hoe meer ik probeerde mezelf te beheersen, hoe moeilijker het werd. Ik begon te beven. Om mezelf af te leiden staarde ik naar de kunstwerken die rond de deurpost waren aangebracht. Vier enorme karakters waren in goud op een zwarte ondergrond gekalligrafeerd: wolk, absorptie, ster en glorie.

Het meisje dat was flauwgevallen kwam terug. Ze was zo wit als een doek.

'Zijne Majesteit en Hare Majesteit!' kondigde hoofdeunuch Shim aan toen hij binnenkwam. 'Veel geluk, meisjes!'

Met Nuharoo voorop en ik als laatste werden we met ons zevenen door een doorgang geleid die gevormd werd door eunuchen.

Keizer Hsien Feng en de Grote Keizerin vrouwe Jin waren gezeten op een *kang*, een met felgele zijde beklede zetel, zo groot als een bed. Hare Majesteit zat rechts en Zijne Majesteit links. De rechthoekige zaal was groot en had een hoog plafond. Tegen de beide zijmuren van de ruimte stonden koraalbomen in potten. De bomen zagen er te perfect uit om echt te zijn. De hofdames en de eunuchen stonden tegen de muren met hun handen voor zich gevouwen. Achter de zetel stonden vier eunuchen die elk een lange steel met een waaier van pauwenveren vasthielden. Achter hen hing een enorm wandtapijt met daarop een Chinees karakter in alle kleuren van de regenboog: *shou*, of Lange Levensduur. Toen ik scherper keek, zag ik dat het karakter was opgebouwd uit honderden geborduurde vlinders. Naast het wandtapijt stond een heel oude zwam, zo hoog als een mens, in een gouden pot. Tegenover de zwam hing een schilderij dat getiteld was *Het onsterfelijke land van de Koningin-Moeder van het middelste koninkrijk*. Er stond een taoïstische godin op afgebeeld, die op een kraanvogel in de lucht vloog en neerkeek op een magisch landschap van paviljoens, rivieren, dieren en bomen, aan de voet waarvan kinderen speelden. Voor het schilderij stond een bewerkte kist van rood sandelhout. Het houtsnijwerk bestond uit een buitensporige hoeveelheid kalebassen, bloesem en bladeren, die diep in het hout waren gekerfd. Jaren later zou ik te weten komen dat de kist gebruikt werd om de geschenken te bewaren die als eerbetoon aan de keizer waren gegeven.

We kow-towden alle zeven, waarbij we met ons voorhoofd meermalen de grond aanraakten, en bleven geknield zitten. Het leek alsof ik zojuist op een toneel was aangekomen. Ofschoon ik mijn hoofd gebogen hield, kon ik de prachtige vazen, de prachtig bewerkte poten van de waterbassins, de lantaarns die met tot op de grond hangend kant bekleed waren en de grote, met zijde beklede gelukssloten, die in alle hoeken van de ruimte stonden, zien.

Ik wierp een steelse blik op de Zoon van de Hemel.

Keizer Hsien Feng zag er jonger uit dan ik me had voorgesteld. Hij was begin twintig en had een delicate huid. Zijn grote ogen hadden iets omhoog staande ooghoeken. Hij keek vriendelijk en bezorgd, maar zonder nieuwsgierigheid. Hij had een typisch Mongoolse neus, recht en lang, en een vastberaden mond. Zijn wangen waren koortsachtig rood. Hij vertrok geen spier toen hij ons zag binnenkomen.

Het leek alsof ik droomde. De Zoon van de Hemel was gekleed in een gouden gewaad, dat tot de grond reikte. In de stof waren draken, wolken, golven, de zon, de maan en ontelbare sterren verwerkt. Om zijn middel zat een gele zijden gordel gebonden. Aan deze gordel hingen groene jade, parels, kostbare edelstenen en een geborduurd zakje. Zijn mouwen waren hoefvormig.

De laarzen die Zijne Majesteit aanhad waren de mooiste die ik ooit had gezien. Ze waren gemaakt van tijgerhuid, waren groen geverfd en ingelegd met piepkleine gelukbrengende dieren: vleermuizen, vierbenige draken en *chee-lin* – een kruising van een leeuw en een hert, het symbool van magie.

Keizer Hsien Feng leek niet geïnteresseerd te zijn in deze bijeenkomst. Hij zat in zijn stoel te schuifelen alsof hij zich verveelde. Hij leunde naar links en naar rechts. Hij keek herhaaldelijk naar twee schalen, die tussen hem en zijn moeder in stonden. De ene was van zilver en de andere van goud. Op de zilveren schaal lagen stukjes bamboe waarop onze namen waren aangebracht.

De Grote Keizerin vrouwe Jin was een mollige vrouw met een gezicht als een uitgedroogde pompoen. Hoewel ze pas begin vijftig was hingen de rimpels van haar voorhoofd tot haar nek. Grote Zuster Fann had me verteld dat ze de favoriete concubine was geweest van keizer Tao Kuang, de voorganger van de huidige keizer. Over vrouwe Jin werd gezegd dat ze de mooiste vrouw in China was. Waar was haar schoonheid gebleven? Haar oogleden hingen over haar ogen en haar scheve mond was naar de rechterkant van haar gezicht vertrokken. De rode stip op haar onderlip was zo groot dat het een enorme rode knoop leek.

Het gewaad dat Hare Majesteit droeg was gemaakt van glanzend geel satijn en was versierd met een overvloed aan natuurlijke en mythologische symbolen. Op het gewaad waren diamanten zo groot als een ei, jade en kostbare edelstenen vastgenaaid. Bloemen, robijnen en juwelen bungelden aan haar hoofd en bedekten de helft van haar gezicht. Haar gouden en zilveren halssnoeren waren waarschijnlijk zwaar, want Hare Majesteit leek voorover te hangen onder het gewicht. Van haar polsen tot haar ellebogen waren haar armen bedekt met armbanden, waardoor ze haar onderarmen niet kon bewegen.

Na ons lang en zwijgend geobserveerd te hebben nam de Grote Keizerin het woord. Haar rimpels dansten en haar schouders waren achteruit getrokken alsof ze vastgebonden zat. 'Nuharoo,' zei ze, 'je bent ons hogelijk aanbevolen. Ik heb begrepen dat jij je studie van de geschiedenis van de keizerlijke hofhouding hebt afgerond. Klopt dat?'

'Ja, majesteit,' antwoordde Nuharoo op nederige toon. 'Ik heb een aantal jaren gestudeerd bij leraren die mijn grootoom hertog Chai voor me in dienst heeft genomen.'

'Ik ken hertog Chai, hij is een man die veel bereikt heeft,' knikte de Grote Keizerin. 'Hij weet alles van boeddhisme en van poëzie.'

'Ja, majesteit.'

'Wie zijn jouw favoriete dichters, Nuharoo?'

'Li Po, Tu Fu en Po Chuyi.'

'Uit de late Tang- en de vroege Sung-dynastie?'

'Ja, majesteit.'

'Dat zijn ook mijn favorieten. Ken je de naam van de dichter die "De steen die op haar gemaal wacht" schreef?'

'Dat was Wang Chien, majesteit.'

'Zou je het gedicht voor me willen voordragen?'

Nuharoo stond op en begon:

> *Waar zij op haar gemaal wacht,*
> *Stroomt de rivier onophoudelijk door.*
> *Ze kijkt niet achterom,*
> *Is veranderd in steen.*
> *Dag na dag razen*
> *Wind en regen om de top.*
> *Mocht de reiziger ooit terugkeren,*
> *Zou deze steen spreken.*

De Grote Keizerin hief haar rechterarm op en veegde met haar mouw haar ogen droog. Ze wendde zich tot keizer Hsien Feng. 'Wat vind je ervan, mijn kind?' vroeg ze. 'Is dat geen ontroerend stuk?'

Keizer Hsien Feng knikte gehoorzaam. Hij stak zijn hand uit en begon met de stukjes bamboe in de zilveren schaal te spelen.

'Zeg me, mijn zoon, moet deze zetel eerst versleten zijn voordat je een beslissing neemt?' vroeg de moeder.

Zonder te antwoorden pakte keizer Hsien Feng het stukje bamboe met Nuharoos naam erop en liet het in de gouden schaal vallen.

Toen ze het geluid van het vallende stukje bamboe hoorden hielden de eunuchen en hofdames allen gelijktijdig de adem in. Ze wierpen zich aan de voeten van Zijne Majesteit en juichten: 'Gefeliciteerd!'

'De eerste gemalin van Zijne Majesteit is gekozen!' riep hoofdeunuch Shim in de richting van de buitenmuur.

'Dank u.' Nuharoo boog en raakte daarbij met haar voorhoofd lichtjes de grond aan. Ze nam de tijd haar buigingen af te maken. Na de derde keer stond ze op en liet zich meteen weer op de knieën zakken. De rest van ons deed met haar mee. Met perfect getrainde stem zei Nuharoo: 'Ik wens Uwe Majesteiten een tienduizend jaar lang leven toe. Uw geluk zal zo vol zijn als de Oost-Chinese Zee en uw gezondheid zo groen als de Zuidelijke Bergen!'

De eunuchen bogen voor Nuharoo en begeleidden haar de hal uit.

Het werd weer stil in de zaal.

We bleven geknield zitten en ik hield mijn hoofd gebogen. Niemand sprak of bewoog.

Ik wist niet wat er gaande was, dus besloot ik nogmaals stiekem op te kijken.

Mijn adem stokte toen mijn blik die van de Grote Keizerin ontmoette. Mijn knieën knikten en ik bonkte met mijn voorhoofd op de grond.

'Er is hier iemand die haast heeft,' sprak keizer Hsien Feng op licht geamuseerde toon.

De Grote Keizerin reageerde niet.

'Moeder, ik hoor het donderen,' zei Zijne Majesteit. 'De katoenplanten op het land zullen verregenen. Wat moet ik doen met al dat slechte nieuws?'

'Alles op zijn tijd, mijn zoon.'

De keizer zuchtte.

Ik kreeg de aanvechting om nogmaals naar de keizer te kijken. Maar ik herinnerde me Grote Zuster Fanns waarschuwing dat de Grote Keizerin meisjes die te graag de aandacht van de keizer wilden trekken, verachtte. De Grote Keizerin had een van de keizerlijke concubines een keer laten doodslaan omdat ze met de keizer leek te flirten.

'Kom naderbij, meisjes. Allemaal,' zei de oude dame. 'Kijk maar eens goed, mijn zoon.'

'Vanavond geen gebakken sprinkhanen voor het eten,' zei keizer Hsien Feng, alsof er niemand anders in de zaal aanwezig was.

'Naderbij, zei ik!' schreeuwde de Grote Keizerin ons toe.

Ik deed samen met de andere vijf meisjes een stap naar voren.

'Stel jezelf voor,' beval Hare Majesteit.

Een voor een zeiden we onze naam, gevolgd door de zin 'Ik wens Uwe Majesteiten een tienduizend jaar lang leven toe.'

Mijn intuïtie zei me dat keizer Hsien Feng in mijn richting keek. Ik was opgetogen en hoopte dat ik zijn aandacht zou kunnen vasthouden, maar ik wist dat ik me het niet kon veroorloven Hare Majesteit tegen me in het harnas te jagen. Ik hield mijn ogen op mijn tenen gericht. Ik werd me bewust van een beweging die de keizer maakte en waagde het een blik te werpen toen de Grote Keizerin hoofdeunuch Shim vroeg waarom al deze meisjes zo traag waren en geen pit hadden. 'Heeft u ze van de straat gehaald?'

Shim begon het uit te leggen, maar de Grote Keizerin viel hem in de rede. 'Het kan me niet schelen waar je ze vandaan hebt. Ik beoordeel slechts het resultaat, en ik ben er niet blij mee. Ik zal verdrinken in het spuug van de keizerlijke voorouders!'

'Majesteit.' De eunuch zonk op de knieën. 'Heb ik niet gezegd dat een goed klokkenspel een goede klokkenluider nodig heeft om een goede klank te krijgen? Alles hangt af van de wijze waarop de meisjes getraind worden en dat is een taak waarvan iedereen weet dat u er heel goed in bent!'

'Bedwing je tong, Shim!' De oude dame barstte in lachen uit.

De keizer zat met de stukjes bamboe op de zilveren schaal te schuiven alsof hij zich ergerde.

'Je ziet er uitgeput uit, mijn zoon,' zei de Grote Keizerin.

'Dat ben ik ook, moeder. Reken morgen maar niet op mij, want ik zal er niet zijn.'

'Dan zul je vandaag moeten beslissen. Concentreer je en kijk beter!'

'Maar dat heb ik toch al gedaan?'

'Waarom neem je dan geen besluit? Doe je plicht, mijn zoon. Voor je staan de beste meisjes die het koninkrijk de keizer te bieden heeft!'

'Ik weet het.'

'Dit is jouw grote dag, Hsien Feng.'

'Elke dag is een grote dag. Elke dag wordt er een lange metalen paal in mijn schedel gedreven.'

De Grote Keizerin zuchtte. Ze kon haar woede nauwelijks bedwingen. Ze haalde diep adem om haar zelfbeheersing te hervinden. 'Je vond Nuharoo leuk, nietwaar?' vroeg ze.

'Hoe moet ik dat nou weten?' De Zoon van de Hemel rolde met zijn ogen. 'Mijn hoofd zit vol gaten.'

De moeder beet op haar lippen.

Zijne Majesteit gleed met zijn vingers door de overgebleven stukjes bamboe, wat een hoop herrie maakte.

'Mijn botten schreeuwen erom zich te kunnen neerleggen.' De Grote Keizerin rekte zich in haar zetel uit. 'Ik ben al sinds twee uur vanmorgen op, en dat allemaal voor niets!'

Shim schuifelde op zijn knieën naar haar toe. Hij had zijn armen hoog geheven en hield een dienblad op met een natte handdoek, een poederdoos, een poederkwast en een groene fles.

De Grote Keizerin pakte de handdoek, veegde haar handen af en nam toen de poederkwast om haar gezicht te bepoederen. Daarna pakte ze het groene flesje en sproeide een waas op haar dik opgemaakte gezicht.

Een zware geur vulde de zaal.

Ik nam de gelegenheid te baat om mijn ogen op te slaan. Zijne Majesteit zat naar me te kijken. Hij trok een gek gezicht alsof hij probeerde me aan het lachen te krijgen. Ik wist niet hoe ik moest reageren.

Hij bleef grimassen maken. Hij leek er meer in geïnteresseerd me zover te krijgen dat ik de regels zou overtreden.

Een les van mijn vader schoot me te binnen: 'Jonge mensen zien een kans terwijl oude mensen dit als gevaar zouden zien.'

De Zoon van de Hemel glimlachte me toe. Ik glimlachte terug.

'Het zal een mooie, koele zomer worden.' Keizer Hsien Feng zat nog steeds met de bamboestukjes te spelen.

De Grote Keizerin draaide haar hoofd naar ons toe en fronste.

Ik moest denken aan het meisje dat was doodgeslagen en meteen werd mijn rug nat van het zweet.

De keizer hief zijn rechterhand op en wees naar me. 'Die,' zei hij.

'Yehonala?' vroeg hoofdeunuch Shim.

Ik voelde de intense blik van de Grote Keizerin op mijn gezicht branden. Ik boog mijn hoofd en onderging de lange, ondraaglijke stilte.

'Ik heb aan mijn verplichting voldaan, moeder,' sprak de keizer.

De Grote Keizerin zei niets.

'Heb je me gehoord, Shim?' zei keizer Hsien Feng terwijl hij zich tot de eunuch wendde.

'Jazeker, majesteit, ik heb u uitstekend verstaan.' Hoofdeunuch Shim glimlachte nederig, maar hij wilde de Grote Keizerin de gelegenheid geven het laatste woord te spreken.

Eindelijk kwam het verlossende 'ja'.

Ik voelde de opgetogenheid van Zijne Majesteit en de teleurstelling van Hare majesteit.

'Ik… ik wens Uwe Majesteiten een tienduizend jaar lang leven toe,' zei ik, terwijl ik probeerde mijn knikkende knieën in bedwang te houden. 'Uw geluk zal zo vol zijn als de Oost-Chinese Zee en uw gezondheid zo groen als de Zuidelijke Bergen.'

'Mooi is dat! Mijn levensduur is zojuist bekort,' viel de Grote Keizerin uit.

Mijn knieën begaven het. Met mijn voorhoofd tegen de grond begon ik te snikken.

'Ik ben bang dat ik net de schaduw van een geest heb gezien.' De Grote Keizerin verhief zich van haar zetel.

'Van wie, mevrouw?' vroeg hoofdeunuch Shim. 'Ik zal hem voor u vangen.'

'Ja, Shim. Laten we alles afblazen.'

Opeens klonk er een luid gekletter van een stukje bamboe dat op de gouden schaal werd gegooid. 'Tijd om te zingen, Shim!' beval de keizer.

'Yehonala blijft!' zong Shim.

Ik kon me naderhand weinig herinneren, alleen dat mijn leven was veranderd.

Ik schrok toen hoofdeunuch Shim voor me op zijn knieën viel en me aansprak met meesteres en zichzelf mijn slaaf noemde. Hij hielp me overeind. Ik zag niet eens wat er met de andere meisjes gebeurde of wanneer ze de zaal uit waren gebracht.

Er spookten allerlei vreemde gedachten door mijn hoofd. Ik moest denken aan een amateur-opera die ik gezien had toen we nog in Wuhu woonden. Het was na de nieuwjaarsviering en iedereen was dronken, zelfs ik, omdat mijn vader me van de rijstwijn had laten proeven. De musici waren hun instrumenten aan het stemmen. In het begin klonk het nogal somber. Vervolgens klonk het alsof er een paard werd afgeranseld. En toen, haperend en moeizaam, klonken de tonen als de wind die door de Mongoolse graslanden ritselde. De opera begon. De acteurs, gekleed in vrouwengewaden met blauwe en witte bloempatronen, kwamen op. De musici sloegen met stokjes op hun bamboe kokers terwijl de acteurs zongen en tegen hun dijen sloegen.

Krak! Krak! Krak! Ik kon me het geluid nog voor de geest halen. Het was een onaangenaam gehoor en ik begreep niet waarom de mensen er zo dol op waren. Mijn moeder vertelde me dat het een traditionele Mantsjoe-uitvoering was, vermengd met elementen van de Chinese opera. Het was van oorsprong een vorm van vermaak voor het gewone volk en eens in de zoveel tijd wilden de rijken ervan getuige zijn zodat ze 'konden proeven van de lokale lekkernij'.

Ik weet nog dat ik op de voorste rij zat. Mijn oren suisden door de luide trommels. Het geluid van de stokken op de bamboe kokers gaf me het gevoel alsof iemand met een hamer op mijn hoofd sloeg. Krak! Krak! Krak! Mijn gedachten werden uit mijn hoofd geslagen.

Hoofdeunuch Shim kwam terug. Hij had zich omgekleed. De stof van zijn gewaad was gedecoreerd met handgeschilderde rode wolken die over een heuvel met pijnbomen dreven. Op zijn wangen had hij twee tomaatrode cirkels geschilderd. De eunuch had dit waarschijnlijk te haastig gedaan, want de verf was een beetje uitgelopen. Zijn neus was ook voor de helft rood. Vanaf zijn voorhoofd tot zijn neusbrug liep een dunne witte streep. Hij leek op een geit en zijn ogen leken uit zijn oren te groeien. Hij glimlachte, waarbij hij zijn gouden tanden ontblootte.

De oude dame was een beetje opgemonterd. 'Wat ga je nu zeggen, Shim?'

'Gefeliciteerd met uw zeven nieuwe schoondochters, mevrouw. Kunt u zich nog herinneren wat de schoonmoeder zei tegen haar kersverse schoondochter in de opera *De wilde roos*?'

'Hoe zou iemand dat kunnen vergeten?' De oude dame lachte weer toen ze de dichtregel voordroeg: 'Haal je emmer, schoondochter, en ga naar de waterbron!'

Vrolijk riep hoofdeunuch Shim de andere zes meisjes binnen, onder wie ook Nuharoo. De meisjes schreden naar binnen als godinnen die uit de hemel neerdaalden. Ze gingen in een rijtje naast me staan.

Shim tilde de ene kant van zijn gewaad op en deed twee stappen, zodat hij zich midden in de zaal bevond, met zijn gezicht naar keizer Hsien Feng en de Grote Keizerin gewend. Hij draaide zijn hoofd naar het oosten en toen keek toen weer recht voor zich. Hij maakte een parmantige buiging en jubelde: 'Moge u honderden kleinkinderen krijgen en eeuwig leven!'

Wij zonken op de knieën en herhaalden wat Shim gezegd had.

Van buiten de zaal klonk het geluid van trommels en muziek.

Er kwam een stel eunuchen binnen, die elk een met zijde bedekte doos vasthielden.

'Ga staan.' De Grote Keizerin glimlachte.

Hoofdeunuch Shim schalde: 'Zijne Majesteit ontbiedt de ministers van het keizerlijke hof!'

Van buiten de zaal klonk het geluid van honderden knieën die op de grond neerkwamen. 'Uw bereidwillige dienaars, Majesteit!' zongen de ministers.

Hoofdeunuch Shim kondigde aan: 'Zijne Majesteit keizer Hsien Feng is gereed de namen van zijn gemalinnen bekend te maken, in de aanwezigheid van de keizerlijke voorouders en in de aanwezigheid van de hemel en het universum!'

'*Zah!*' antwoordde de menigte in het Mantsjoe.

De dozen werden een voor een geopend en onthulden stukken *ruyi*. Elke ruyi was een scepter met drie grote paddestoel- of bloemvormige koppen, verbonden met een steel. De koppen waren vervaardigd uit goud, smaragd, robijn en saffier, en de stelen waren gemaakt van bewerkte jade of gelakt hout. Elke ruyi vertegenwoordigde een titel en een rang. *Ru* betekende 'als' en *yi* betekende 'u wenst'; ruyi betekende 'alles wat u wenst'.

Keizer Hsien Feng pakte een ruyi van het blad en liep naar ons toe. De betreffende ruyi bestond uit bewerkt, goud gelakt hout en drie in elkaar gevlochten pioenen.

Ik hield nog steeds mijn adem in, maar ik voelde geen angst meer. Welke ruyi ik ook zou ontvangen, mijn moeder zou morgen trots op me zijn. Ze zou de schoonmoeder zijn van de Zoon van de Hemel, en mijn broer en zusje zouden familie van de keizer zijn! Ik vond het alleen jammer dat mijn vader dit niet meer kon meemaken.

Keizer Hsien Feng liet zijn vingers over de ruyi glijden. De flirterige uitdrukking op zijn gezicht was verdwenen. Hij leek nu onzeker. Hij aarzelde en fronste zijn wenkbrauwen. Hij nam de ruyi in de ene hand en toen in de andere en wendde zich toen met rode wangen tot zijn moeder.

Ze knikte hem bemoedigend toe. De keizer begon om ons heen te lopen als een bij die rond de bloemen zoemt.

Plotseling gaf het jongste meisje in de rij een gesmoorde kreet. Ze leek niet ouder dan dertien.

Keizer Hsien Feng liep naar haar toe.

Het meisje verslikte zich en begon te huilen.

Keizer Hsien Feng legde de ruyi in haar hand, als een volwassene die een huilend kind een snoepje geeft.

Het meisje sloot haar hand om de ruyi, viel op de knieën en zei: 'Dank u.'

Hoofdeunuch Shim riep uit: 'Soo Woozawa, dochter van Yee-mee-chi Woozawa, is verkoren tot keizerlijke gemalin van de vijfde rang. Haar titel luidt "Vrouwe van Absolute Reinheid".'

Vanaf dat moment verliep alles van een leien dakje. De keizer deelde de overige ruyi in noodtempo uit.

Toen ik aan de beurt was, kwam keizer Hsien Feng naar me toe en legde een ruyi in mijn hand.

Shim kraaide: 'Yehonala, dochter van Hui Cheng Yehonala, is verkoren tot keizerlijke gemalin van de vierde rang. Haar titel is "Vrouwe van Grootste Deugdzaamheid".'

Ik bekeek mijn ruyi. Hij was vervaardigd van witte jade. De koppen hadden niet de vorm van een paddestoel, maar waren uitgesneden als drijvende wolken en waren verbonden aan een wichelroede. Ik herinnerde me dat mijn vader me had verteld dat de drijvende wolken en de roede volgens de keizerlijke symbolen het sterrenbeeld van de Draak vertegenwoordigden.

De volgende ruyi gingen naar de meisjes Yun en Li. Zij werden benoemd tot keizerlijke gemalin van de tweede en derde rang en kregen de titel 'Vrouwe van Verhevenheid'. Hun ruyi hadden de vorm van een *lingzhi*-paddestoel, die bekendstond om zijn geneeskrachtige eigenschappen. De koppen waren versierd met vleermuizen, het symbool van gezegendheid en voorspoed.

Na Yun en Li waren Mei en Hui aan de beurt. Zij kregen de zesde en zevende rang en werden betiteld als 'Vrouwe van Grote Harmonie'. Ik wist niet meer wie wie was, omdat Mei en Hui erg op elkaar leken en dezelfde kleding droegen. De koppen van hun ruyi bevatten een stenen klokkenspel, het symbool van festiviteiten.

Nuharoo was de laatste. Zij werd uitgeroepen tot keizerin en kreeg de mooiste ruyi. De scepter was van goud, ingelegd met prachtige juwelen en jade. De versierde steel was bewerkt met oogstsymbolen: graanhalmen en takken met fruit, perziken, appels en druiven. Drie gouden granaatappels vormden de koppen; dit stond voor een groot nageslacht en onsterfelijkheid. Nuharoos ogen schitterden en ze maakte een diepe buiging.

Aangevoerd door Nuharoo stonden we alle zeven op, knielden weer neer en herhaalden dit een aantal malen. We kow-towden voor keizer Hsien Feng en de Grote Keizerin. Eenstemmig zongen we de voorgeschreven heilwensen: 'Ik wens Uwe Majesteiten een tienduizend jaar lang leven toe. Moge uw geluk zo vol zijn als de Oost-Chinese Zee en uw gezondheid zo groen als de Zuidelijke Bergen!'

VIJF

Het leek een droom toen ik onder begeleiding van een groep eunuchen in een draagstoel werd teruggebracht naar mijn familie. Ik was als een duur geschenk in een gouden gewaad gewikkeld. De hoofdeunuch zei tegen mijn moeder dat ik thuis moest blijven tot de dag van de keizerlijke huwelijksceremonie.

Ik had geschenken van de keizer voor mijn vader, moeder, zusje en broer meegekregen. Mijn vader kreeg een set van acht kokers waarmee veren konden worden bevestigd op het hoofddeksel dat mandarijnen aan het hof droegen. Elke afzonderlijke holle porseleinen koker werd gebruikt om een pauwenveer in vast te maken, met bovenop een ring die aan de hoed bevestigd kon worden. Het geschenk zou overgaan op mijn broer.

Mijn moeder kreeg een speciaal gelakte ruyi, bewerkt met voorspoed brengende symbolen. De koppen waren bewerkt met de drie sterrengoden, die zegen, rijkdom en een lange levensduur brachten. In het midden was een vleermuis uitgebeeld die een stenen klokje vasthield en twee vissen, het symbool voor overvloed. Onderaan zaten rozen en chrysanten, die welvaart vertegenwoordigden.

Rong kreeg een prachtig bewerkte geluksdoos van sandelhout, die een stel bewerkte beeldjes van jade bevatte. Kuei Hsiang ontving een stel geëmailleerde riemgespen, die aan de bovenkant versierd waren met drakenkoppen. Aan de gespen kon hij zijn spiegeltje, zakje, zegel, een wapen of een geldbeursje hangen.

De hofastroloog had uitgerekend dat we op de tiende dag van de maand om twee uur 's middags de Verboden Stad moesten betreden. De keizerlijke wachters zouden me ophalen als het zover was. De hoofdeunuch gaf mijn familie een aantal instructies met betrekking tot de hofrituelen en etiquette. Geduldig nam hij de details met ons door. Kuei Hsiang zou de plaats van mijn vader innemen. En Rong zou een speciale jurk ontvangen voor de gelegenheid. Mijn moeder ontving tienduizend taël om haar huis opnieuw in te richten. Haar mond viel open toen de kisten met taëls werden binnengebracht. Al snel werd ze bang dat we beroofd zouden worden. Ze verzocht Kuei Hsiang om de ramen en deuren te allen tijde dicht te houden. De hoofdeunuch zei tegen mijn moeder dat ze zich geen zorgen hoefde te maken, want het huis werd al zwaar bewaakt. 'Er komt nog geen vlieg doorheen, meesteres.'

Ik vroeg de hoofdeunuch of het toegestaan was dat ik vrienden bezocht. Ik wilde Grote Zuster Fann gedag zeggen.

'Nee,' zei hij.

Ik was teleurgesteld. Ik vroeg Rong de jurk terug te brengen die ik van Grote Zuster Fann had geleend, en om driehonderd tael mee te nemen als afscheidscadeau. Rong vertrok onmiddellijk en kwam terug met de zegen van Grote Zuster Fann.

Moeder en Rong waren dagen aan het winkelen terwijl Kuei Hsiang en ik het huis schoonmaakten en inrichtten. We namen arbeiders in dienst om het zware werk te doen. We brachten een nieuw dak aan, repareerden de oude muren, lieten er nieuwe ramen in zetten en repareerden het kapotte hek. Mijn oom maakte van de gelegenheid gebruik om een splinternieuwe roodhouten deur te bestellen die met zorg was bewerkt met een afbeelding van de god van het geld. We vervingen het oude meubilair en verfden de muren. We namen de beste timmerlieden en kunstenaars van de stad in dienst. Ze beschouwden deze opdracht allemaal als een grote eer. De raamkozijnen en deurposten werden versierd met prachtige patronen in navolging van de keizerlijke stijl. De handwerklieden maakten wierookhouders, altaren en trappen. Soms moesten ze gebruik maken van messen zo klein als een tandenstoker om de gewenste details te kunnen aanbrengen.

Toen het werk gereed was kwam de hoofdeunuch langs om het huis te inspecteren. Hij gaf geen commentaar en zijn gezichtsuitdrukking verried niets. Maar de volgende dag kwam hij terug met een groep mensen. Ze braken alles af en zeiden dat ze helemaal opnieuw moesten beginnen. Het dak, de muren, de ramen en zelfs ooms nieuwe deur – alles moest eruit.

'Het decreet kan niet worden afgegeven als uw deur op de verkeerde richting uitkijkt!' zei de hoofdeunuch tegen moeder en oom.

Moeder en oom vroegen zenuwachtig om advies.

'In welke richting denkt u te moeten knielen om Zijne Majesteit te bedanken?' vroeg de eunuch, om vervolgens zelfs het antwoord te geven: 'Naar het noorden! Omdat de keizer altijd zijn blik op het zuiden richt.'

Mijn familie liep achter de hoofdeunuch aan terwijl hij door het huis liep en alles aanwees.

'De kleur van de verf is verkeerd.' Met zijn hand beschreef hij cirkels in de kamer. 'Het moet warm beige zijn in plaats van koud beige. Zijne Majesteit verwacht vrolijkheid!'

'Maar Orchidee zei dat de keizer niet hier zou komen,' zei moeder. 'Heeft Orchidee het verkeerd begrepen?'

De eunuch schudde ontkennend het hoofd. 'U moet leren begrijpen dat u niet meer uzelf bent. U hoort nu bij Zijne Majesteit en u vertegenwoordigt de keizerlijke esthetiek en principes. Wat u met het huis gedaan heeft past niet bij de verschijning van de Zoon van de Hemel! Als ik u uw gang zou laten gaan zou mijn hoofd niet lang op mijn schouders blijven zitten. Moet je die gordijnen zien! Ze zijn van katoen! Heb ik u niet gezegd dat katoen voor gewone mensen is en zijde bij de keizerlijke familie hoort? Zijn mijn woorden niet tot u doorgedrongen? Het zal uw dochter ongeluk brengen als u probeert goedkoop uit te zijn!'

Na mijn aanhoudende smeekbeden stond de hoofdeunuch ons toe het huis te verlaten terwijl zijn mannen de renovatie afmaakten. Moeder nam ons mee naar de meest prestigieuze theehuizen in een duur winkelgebied dat Wangfooching werd genoemd. Voor het eerst gaf moeder geld uit alsof ze rijk was. Ze gaf de hulpkelner, de keukenhulpen en zelfs de man die toezicht hield op de oven een fooi. De eigenaren brachten persoonlijk de mooiste wijnen aan onze tafel. Het verheugde me moeder zo gelukkig te zien. Door het feit dat ik uitgekozen was, was haar gezondheid in één klap enorm verbeterd. Ze zag er goed uit en was in een bijzonder goede stemming. We dronken en vierden feest. Er was voor mij geen echte aanleiding om trots te zijn, want mijn schoonheid was niet mijn verdienste. Maar ik was tevreden over mezelf omdat ik de moed had opgebracht me in te schrijven. Als ik dat niet had gedaan of me niet goed had gedragen was de gelegenheid aan mijn neus voorbij gegaan.

Moeder wilde weten of de pas gekozen keizerlijke concubines wel met elkaar zouden kunnen opschieten in de Verboden Stad. Ik wilde haar niet ongerust maken, dus zei ik dat ik al een paar vriendinnen had gemaakt. Ik beschreef Nuharoos schoonheid, haar bewonderenswaardige manieren en kennis. Ook gaf ik een beschrijving van vrouwe Yun. Ik wist vrijwel niets over haar karakter of haar familieachtergrond, dus beperkte ik me tot haar schoonheid. Ik noemde ook vrouwe Li. Ik ging in op de verschillen in karakter tussen hen. Terwijl Yun een durfal was en zich weinig aantrok van de mening van anderen, vroeg Li zich af of het misschien door haar kwam dat de mensen moesten hoesten.

Rong werd een beetje jaloers toen ik het over vrouwe Soo had, de jongste, die had gehuild ten overstaan van de Majesteiten. Soo was een gevoelig meisje, dat behoefte had aan tederheid en zorg. Ze was een wees, die op vijfjarige leeftijd was geadopteerd door haar oom en het was duidelijk dat ze zowel verdrietig als bang was. De Grote Keizerin had haar laten onderzoeken door de artsen, die concludeerden dat ze geestelijk niet in orde was. Soo bleef huilen nadat ze officieel was gekozen. De eunuchen noemden haar Treurwilgje. De Grote Keizerin maakte zich zorgen over de 'eitjes' die Soo zou voortbrengen. 'Geen kwaliteitseitjes, geen aanzien,' had ze tegen ons allemaal gezegd. Als Soo niet zou veranderen, zou Hare Majesteit haar weggeven.

'Arm kind,' zuchtte moeder.

Ik vertelde verder over vrouwe Mei en vrouwe Hui, de twee die tweelingen leken. Ze waren niet zo mooi, maar hadden sterke lichamen. Zij waren de favorieten van de Grote Keizerin. Hun borsten waren zo groot als meloenen en hun achterwerk had de omvang van een wastafel. Ze waren erg goed in vleierijen en hingen als huisdieren om Nuharoo heen. Terwijl ze vrolijk en opgewonden waren als de Grote Keizerin in de buurt was, gedroegen ze zich houterig en stil als ze alleen waren. Ze hielden niet van lezen, schilderen of borduren. Hun enige hobby was zich hetzelfde te kleden.

'Leek de Grote Keizerin op de schilderijen die we hebben gezien, was ze mooi en elegant?'

'Ze was ongetwijfeld erg mooi toen ze jong was,' antwoordde ik. 'Maar nu zou ik zeggen dat haar gewaad mooier is dan zijzelf.'

'Hoe was ze?' vroegen moeder en Rong. 'Wat verwacht ze van je?'

'Dat is een moeilijke vraag. Enerzijds wordt van ons verwacht dat we de regels volgen "als leden van de keizerlijke familie",' deed ik Hare Majesteit na. '"Jullie geven het voorbeeld voor de moraal van het land. Jullie zuiverheid is een weerspiegeling van het onderricht van onze voorouders. Als ik jullie erop betrap dat je wellustige lectuur uitwisselt, zul je hangen, net als je voorgangsters." Anderzijds verwacht de Grote Keizerin van ons dat we zo vaak mogelijk de liefde met keizer Hsien Feng bedrijven. Ze zei dat het haar streven is dat we zo veel mogelijk erfgenamen produceren. De keizer wordt geacht zijn vader en grootvader te overtreffen. Keizer Kang Hsi, Hsien Fengs overgrootvader, had vijfenvijftig kinderen en keizer Chien Lung, Hsien Fengs grootvader, bracht zevenentwintig kinderen voort.'

'Dat zal geen probleem zijn,' glimlachte Kuei Hsiang terwijl hij een handjevol geroosterde nootjes in zijn mond gooide. 'Zijne Majesteit heeft meer dan drieduizend vrouwen tot zijn beschikking. Ik wed dat hij ze niet eens allemaal kan bedienen.'

'Maar er zijn belemmeringen,' zei ik tegen moeder. Hsien Fengs prestaties, die werden bijgehouden door hoofdeunuch Shim in de Rapportage over de Keizerlijke Vruchtbaarheid, waren niet indrukwekkend. De Grote Keizerin had de keizer ervan beschuldigd dat hij 'het drakenzaad opzettelijk verspilde'. Het gerucht ging dat Zijne Majesteit zijn gunsten te veel aan een enkele concubine verleende en vergat dat het zijn plicht was elke nacht met verschillende dames te slapen. De Grote Keizerin sprak kwaad over concubines die zich in het verleden bezitterig hadden opgesteld ten opzichte van Zijne Majesteit. Ze zag hen als 'gemene serpenten' en aarzelde niet hen streng te straffen.

Ik vertelde moeder dat de Grote Keizerin ons had meegenomen naar de Hal van Bestraffing, waar ik voor het eerst de beroemde schoonheid vrouwe

Fei te zien kreeg. Vroeger was zij de favoriete concubine van keizer Tao Kuang, maar nu leefde ze in een glazen pot. Toen ik zag dat vrouwe Fei geen armen en benen had ging ik zowat van mijn stokje. 'Vrouwe Fei werd erop betrapt dat ze de keizer voor zichzelf wilde houden, en de enige die ze voor de gek kon houden was zichzelf,' zei de Grote Keizerin koel. De enige reden dat vrouwe Fei in leven werd gehouden was om als afschrikwekkend voorbeeld te dienen.

Ik zou de afschuw nooit vergeten die ik die middag voelde bij de aanblik van vrouwe Fei. Haar hoofd rustte op de rand van de pot, haar gezicht was smerig en groen slijm droop van haar kin.

Moeder greep me bij de schouders. 'Beloof me dat je voorzichtig en verstandig zult zijn, Orchidee.'

Ik knikte.

'Hoe zit het met de duizenden uitverkoren schoonheden?' vroeg Kuei Hsiang. 'Wordt Zijne Majesteit aangemoedigd om elke vrouw te bezitten op wie zijn oog valt? Mag hij ook een dienstmeid die het binnenhof veegt tot de zijne maken?'

'Hij kan doen wat hij wil, al zal zijn moeder het niet stimuleren dat hij een veegster neemt,' antwoordde ik.

Rong wendde zich tot moeder. 'Waarom zou Zijne Majesteit een dienstmeid willen als hij zulke mooie gemalinnen en concubines heeft?'

'Het enige wat ik kan zeggen is dat de keizer het misschien vervelend vindt dat hij niet de kans krijgt elke nacht door te brengen met de vrouw van wie hij houdt.'

We bleven een tijdje zwijgen. 'Waarschijnlijk haat de keizer de vrouwen die zijn moeder en de eunuchen hem opdringen,' vervolgde moeder. 'Hij moet zich voelen als een varken dat aan de neus wordt geleid.'

'Hoe ga je het aanpakken, Orchidee?' vroeg Rong. 'Als je de regels gehoorzaamt zul je de aandacht van de keizer niet trekken, maar als je probeert hem te verleiden en Zijne Majesteit wil je bezitten dan hakt de Grote Keizerin misschien je armen en benen eraf!'

'Laten we naar de Tempel van Genade gaan en de geest van je vader raadplegen,' zei moeder.

We moesten honderden treden beklimmen om bij de tempel te komen, die op de top van de Ganzenheuvel stond. We staken wierook aan en betaalden de hoogste toegangsprijs. Maar ik kreeg geen raad van mijn vaders geest. Ik maakte me zorgen en was me er sterk van bewust dat ik er alleen voor stond.

Vaders graf lag in het gedeelte van de heuvel dat uitkeek op het noordwestelijke deel van Peking. Zijn kist lag begraven onder gras dat tot de knie reikte. De beheerder van het kerkhof was een oude man die een aardewerken pijp rookte. Hij zei dat we ons geen zorgen hoefden te maken over grafschenners. 'De doden in dit gedeelte staan erom bekend dat ze veel schulden hadden,' zei hij, en gaf ons het advies dat we onze vader het beste zouden eren als we een plekje voor hem kochten dat hogerop lag, in het zonnige gedeelte.

Ik gaf de man vijftig taël en vroeg hem de wilde honden bij mijn vader weg te houden, die lichamen opgroeven om hun bloed te drinken. De man schrok zo van mijn vrijgevigheid dat zijn pijp uit zijn mond viel.

Er werden grote kisten met geschenken van het keizerlijke paleis gebracht. Ons hele huis stond vol. De kisten werden opgestapeld op tafels en bedden. Er was geen plaats om te zitten of te slapen. De geschenken bleven binnenstromen. Op een ochtend werden er zes Mongoolse paarden afgeleverd. Er waren schilderijen, antieke voorwerpen, rollen zijde en borduurwerk uit Soochow. Ik kreeg prachtige juwelen, schitterende gewaden, hoofdtooien en schoenen. Mijn moeder ontving gouden theestellen, zilveren potten en koperen schalen.

De buren kregen het bevel ons hun huizen ter beschikking te stellen om de spullen op te slaan. In de buurt werden grote gaten in de grond gegraven die moesten dienen als koelruimte voor de voorraad vlees en groenten, bestemd voor het op handen zijnde feestbanket. Er werden honderden flessen eeuwenoude wijn besteld en tachtig lammeren, zestig varkens en tweehonderd kippen en eenden.

Het banket vond plaats op de achtste dag van de maand. De hoofdeunuch, die de leiding had, nodigde duizend mensen uit, onder wie edelen, ministers, hoffunctionarissen en familieleden van de keizer. Elke gast kreeg twintig gangen voorgeschoteld en er werd drie dagen lang gegeten.

Maar ik kon de tijd haast niet doorkomen. Door de muren heen kon ik het gezang, gelach en geschreeuw van de dronken gasten horen, maar ik mocht niet bij het banket zijn. Ik mocht mezelf niet eens meer aan het daglicht blootstellen. Ik was opgesloten in een kamer die versierd was met rode en gouden linten. Er waren pompoenen opgehangen die met kindergezichtjes waren beschilderd en ik moest ernaar kijken om mijn vruchtbaarheid te bevorderen.

Mijn moeder kwam me voedsel en water brengen en mijn zusje kwam me gezelschap houden. Mijn broer was in opleiding bij de hoofdeunuch om te leren mijn vaders plichten te vervullen – om me weg te geven wanneer de grote dag was aangebroken. Om de zes uur kwam er een boodschapper van de keizer om mijn familie op de hoogte te houden van de gebeurtenissen in de Verboden Stad.

Pas later hoorde ik dat Nuharoo niet alleen de voorkeur had van de Grote Keizerin, maar ook van de clanoudsten. Al een jaar voor de selectie was besloten dat zij keizerin zou worden. Het hof had acht maanden gediscussieerd voordat de beslissing werd genomen. De eervolle behandeling die de familie van Nuharoo ten deel viel was vijf keer zo groot als bij mijn familie. Zij zou de Verboden Stad binnengaan door de centrale poort, terwijl de rest van ons door een zijpoort zou komen.

Jaren later zou men zeggen dat ik jaloers was op Nuharoo, maar ik was dat op dit moment helemaal niet. Ik was overdonderd door mijn geluk. Ik kon de vliegen niet vergeten die boven de kist van vader zoemden, en evenmin vergat ik dat mijn moeder was gedwongen haar haarspeld te verkopen. Ik kon niet vergeten dat ik verloofd was geweest met neef Ping. Ik dankte de hemel op mijn blote knieën voor wat mij nu overkwam.

Tijdens mijn verblijf in dat rode kamertje vroeg ik me af wat de toekomst brengen zou. Ik had nog zoveel vragen over mijn leven als vierde concubine van keizer Hsien Feng. Maar de belangrijkste vraag was: wie was keizer Hsien Feng? We waren bruid en bruidegom, maar we hadden elkaar nog nooit gesproken.

Ik droomde ervan dat ik Zijne Majesteits favoriete zou worden. Ik was ervan overtuigd dat alle concubines deze droom koesterden. Zouden we in harmonie kunnen leven? Zou Zijne Majesteit erin slagen zijn zaad gelijkelijk onder ons te verspreiden?

Mijn jeugd in het Yehonala-huishouden had me niet voorbereid op wat me nu te wachten stond. Mijn vader had geen concubines. 'Die kon hij niet betalen,' grapte mijn moeder een keer. In feite had hij er helemaal geen behoefte aan – hij kreeg nooit genoeg van mijn moeder. Vroeger dacht ik dat het zo hoorde; een man en een vrouw die alleen maar oog voor elkaar hadden. Hoe erg ze ook moesten lijden, hun geluk bestond eruit dat ze elkaar hadden. Dit was ook het thema van mijn favoriete opera's. De personages doorstonden alle kwellingen en leefden nog lang en gelukkig. Ik was hoopvol gestemd geweest tot ik werd opgescheept met neef Ping. Nu leek het of ik op een meloenschil balanceerde – ik had geen idee waartoe het allemaal zou leiden. Het enige wat ik kon doen was proberen in evenwicht te blijven.

Grote Zuster Fann zei altijd dat het huwelijk in werkelijkheid een marktplaats was, waar vrouwen met elkaar wedijverden om de hoogste bieder. En in zaken moet je appels van citroenen kunnen onderscheiden – je bent zoveel waard als er voor je geboden wordt.

Op de dag dat mijn vader stierf had ik geleerd sprookjes van werkelijkheid te onderscheiden toen zijn vroegere vrienden op de stoep stonden om geld te innen dat hij hun schuldig was. Ook had ik iets van mijn oom geleerd door de manier waarop hij ons behandelde. Mijn moeder vertelde me een keer dat je je hoofd moest buigen als je onder een laaghangend dak door liep, om verwondingen te voorkomen. 'Hopen op betere tijden geeft me geen waardigheid,' zei Grote Zuster Fann altijd. 'Er is geen moeder ter wereld die haar kind wil verkopen, maar toch gebeurt het.'

Mijn oom en neef Ping kwamen me bezoeken, en ze moesten voor me knielen. Toen oom een buiging maakte en me aansprak met majesteit, begon Ping te lachen en zei: 'Maar vader, dat is Orchidee!' De hoofdeunuch gaf hem een oorvijg voordat hij zijn zin had afgemaakt.

Oom kon onze relatie niet meer goedmaken. Hij was nu alleen aardig tegen me omdat hij wilde meeprofiteren van mijn nieuwe positie. Hij was te snel vergeten wat hij had gedaan. Dat was jammer, want ik had hem graag willen helpen.

Zodra oom en Ping de deur uit waren kwam Rong naar me toe. Na een tijdje over koetjes en kalfjes te hebben gepraat, kwam ze ter zake. 'Als je een mogelijkheid ziet, Orchidee, zou ik graag met een prins of een hofminister willen trouwen.' Ik beloofde haar dat ik mijn ogen open zou houden. Huilend omhelsde ze me. Mijn vertrek viel haar zwaarder dan mij.

26 juni 1852 was uitgeroepen tot huwelijksdag van Zijne Majesteit keizer Hsien Feng. De avond tevoren had Kuei Hsiang een wandelingetje gemaakt door de straten van Peking en hij was helemaal opgewonden door alles wat hij gezien had.

'Overal wordt feestgevierd,' rapporteerde mijn broer. 'Elk gezin heeft een grote ceremoniële lantaarn aan de deur gehangen. Vanaf de daken wordt vuurwerk afgestoken. De mensen zijn gekleed in helderrode en groene kleding. De grote boulevards zijn kilometers lang met lantaarns verlicht. Overal hangen vlaggen met de spreuk: "Wij wensen dat de keizerlijke verbintenis eeuwig zal duren!"'

De feestelijkheden in de Verboden Stad begonnen bij zonsopgang. Van poort tot poort waren rode lopers neergelegd om de bruiden en gasten te ontvangen. Van de Poort van de Hemelboog tot het Paleis van Opperste Harmonie, van het Paleis van Hemelse Zuiverheid tot het Paleis van Universele Overvloed waren honderdduizenden rode, zijden lantaarns opgehangen. De lantaarns waren versierd met afbeeldingen van sterren en strijdbijlen. Er hingen ook parasols die vervaardigd waren van perzikkleurig satijn, geborduurd met lotusbloemen. De pilaren en balken waren omwikkeld met rode zijde, geborduurd met het karakter 'shee': 'geluk'.

's Morgens werden tafels opgesteld in de enorme Hal van Hemelse Zuiverheid, waarop het Register van Keizerlijke Huwelijken werd neergelegd. Buiten de hal stonden twee keizerlijke orkesten klaar – een aan de oostzijde en het andere aan de westzijde. De hal hing vol met ceremoniële vlaggen. Over een afstand van ongeveer vijf kilometer, van de Poort van Eeuwige Harmonie tot de Poort van de Hemelboog, stonden achtentwintig draagstoelen gereed om de bruiden thuis op te halen.

De draagstoel die mij zou vervoeren was de grootste die ik ooit had gezien. Hij was aan drie kanten voorzien van ramen, die geblindeerd waren met rode stof waarop het karakter shee was aangebracht. De overkapping was bedekt met gouddraad. Erbovenop stonden twee podiumachtige platforms. Op het ene platform stonden twee gouden pauwen die elk een rode kwast in de snavel hielden – het symbool van de hoogste autoriteit, intelligentie en deugdzaamheid. Op het andere platform stonden vier gouden feniksen – symbool van schoonheid en vrouwelijkheid. Midden op de overkapping lag de Bal van Harmonie – het symbool van eenheid en eeuwigheid. Ik werd begeleid door honderd eunuchen, tachtig hofdames en tweeduizend erewachters.

Ik ontwaakte voor het krieken van de dag en was verbaasd te zien dat mijn kamer vol mensen was. Mijn moeder lag geknield voor me. Achter haar stonden acht vrouwen. De avond tevoren was ik van hun komst op de hoogte gesteld. Het waren *manfoos*, keizerlijke eredames, echtgenotes van gerespecteerde clanleden. Ze waren op verzoek van keizer Hsien Feng gekomen om me te helpen me te kleden voor de ceremonie.

Ik probeerde een opgewekt gezicht te trekken, maar de tranen sprongen me in de ogen.

De manfoos smeekten me te zeggen wat me dwarszat.

Ik zei: 'Ik heb er problemen mee overeind te gaan staan terwijl mijn moeder knielt.'

'Orchidee, je moet eraan wennen de etiquette te volgen,' zei moeder. 'Je bent nu vrouwe Yehonala. Je moeder voelt zich vereerd jouw dienares te mogen zijn.'

'Het is tijd voor het bad van Hare Majesteit,' zei een van de manfoos.

'Staat u me toe overeind te komen, vrouwe Yehonala?' vroeg moeder.

'Staat u op! Alstublieft!' riep ik, terwijl ik van het bed af sprong.

Moeder kwam langzaam overeind. Het was duidelijk dat haar knieën haar vreselijk pijn deden.

De eredames trokken zich snel terug naar een zijkamer en begonnen mijn bad klaar te maken.

Moeder leidde me naar de badkuip. Het was eigenlijk een enorme emmer, die door de hoofdeunuch was afgeleverd. Moeder trok het gordijn dicht en stak haar hand in het water om de temperatuur te voelen.

De manfoos boden aan me te helpen met ontkleden. Ik duwde hen weg en stond erop dat ik mezelf zou uitkleden.

Moeder hield me tegen. 'Denk eraan dat het Zijne Majesteit in verlegenheid brengt als je je inspant.'

'Ik zal de regels volgen zodra ik in het paleis ben.'

Moeder weigerde te luisteren en uiteindelijk ontdeden de manfoos me van mijn kleren, excuseerden zich en trokken zich snel terug.

Moeder zeepte me in. Ze begon mijn schouders en rug te wrijven en streelde mijn zwarte haar. Ik had nog nooit zo lang in bad gelegen. Door haar aanraking bracht ze het gevoel over dat ze mij voor het laatst voor zichzelf had.

Ik bestudeerde haar gezicht: haar melkwitte huid, haar keurig gekamde haar, de rimpels rond haar ogen. Ik wilde uit het bad klimmen en haar omhelzen. Ik wilde zeggen: 'Moeder, ik ga niet weg!' Ik wilde haar laten weten dat ik zonder haar nooit gelukkig zou kunnen zijn.

Maar ik hield mijn mond. Ik was bang dat ik haar zou teleurstellen. Ik wist dat ik volgens haar redenering mijn vaders droom had waargemaakt en de eer van de hele Yehonala-clan had gered. De avond tevoren had de hoofdeunuch me de regels uitgelegd. Nadat ik de Verboden Stad had betreden zou ik mijn moeder niet meer mogen bezoeken. Moeder kon een verzoek indienen om me te zien, maar dat mocht alleen in noodgevallen. De minister van de Keizerlijke Hofhouding moest verifiëren of de zaak dringend of ernstig genoeg was voordat hij toestemming verleende. Hetzelfde voorschrift gold als ik het paleis wilde verlaten om mijn familie te bezoeken.

De gedachte dat ik niet naar mijn familie zou kunnen gaan beangstigde me en ik begon te huilen.

'Kop op, Orchidee.' Moeder pakte een handdoek en begon me af te drogen. 'Je moest je schamen, om zo te huilen.'

Ik sloeg mijn natte armen om haar heen. 'Ik hoop dat uw gezondheid door dit geluk dat ons ten deel is gevallen zal verbeteren.'

'Ja, ja,' zei moeder glimlachend. 'De boom van mijn levensduur is sinds gisteren een stuk gegroeid.'

Rong kwam de kamer binnen, gekleed in een lichtgroen zijden gewaad met gouden vlinders erop. Ze zonk op de knieën en boog voor me. Haar stem klonk opgetogen toen ze zei: 'Ik ben trots dat ik familie van de keizer ben.'

Voordat ik Rong kon antwoorden riep een eunuch buiten de kamer: 'Hertog Kuei Hsiang is hier om vrouwe Yehonala te bezoeken.'

'Ik ben vereerd.' Dit keer kwamen de woorden moeiteloos over mijn lippen.

Mijn broer struikelde binnen. 'Orchidee... eh, vrouwe... vrouwe Yehonala, Zijne... eh, Zijne Majesteit keizer Hsien Feng heeft–'

'Eerst knielen,' corrigeerde moeder hem.

Kuei Hsiang begon onhandig te knielen. Zijn linkervoet bleef achter zijn gewaad hangen en hij viel om.

Rong en ik begonnen te giechelen.

Kuei Hsiang maakte een slordige buiging. Hij hield zijn handen gevouwen op zijn maag, waardoor het leek of hij maagpijn had.

'Ongeveer de brandtijd van een kaars geleden,' zei Kuei Hsiang nadat hij goed zat, 'was Zijne Majesteit klaar met zich kleden en is hij in zijn draken-stoel gestapt.'

'Hoe ziet zijn draagstoel eruit?' vroeg Rong opgewonden.

'Die is voorzien van rechte, gele zijden baldakijnen die rusten op negen drakenbeelden. Zijne Majesteit heeft zich naar het Paleis van Welwillendheid begeven om daar de Grote Keizerin te treffen. Tegen deze tijd heeft hij de ceremonie in de Hal van Opperste Harmonie waarschijnlijk afgerond en is hij bezig het Register van Keizerlijke Huwelijken te inspecteren. Daarna zal hij de felicitaties van zijn ministers in ontvangst nemen. En daarna...'

Er klonk een luide knal.

'De ceremonie in het buitenste hof is begonnen!' riep Kuei Hsiang. 'Zijne Majesteit zet nu zijn handtekening in het register. Over enkele ogenblikken zal hij de erewachters bevelen de keizerlijke bruiden op te halen!'

Ik zat erbij als een pioenroos in het ochtendlicht. Mijn bruidsjurk had vele kleuren rood. Vol magenta met gele spikkeltjes, wijnrood met roomwit, warm lavendel dat bijna blauw leek. De jurk was samengesteld uit acht lagen zijde en geborduurd met krachtige lentebloemen, zowel echte als fantasiebloemen. Door de stof zaten gouddraad en zilverdraad geweven. Er zaten vele stukken jade, parels en andere edelstenen op genaaid. Ik had nog nooit zoiets moois, maar tegelijkertijd zwaars en oncomfortabels aangehad.

Mijn haar was opgestoken tot een toren van ongeveer dertig centimeter hoog, waarin parels, jade, koraal en diamanten waren verwerkt. Aan de voor-kant waren drie grote, versgeplukte, paarsroze pioenen gestoken. Ik was bang dat het allemaal los zou raken en dat de versierselen eraf zouden vallen. Ik durfde me niet te bewegen en mijn nek voelde nu al stijf aan. Er liepen eu-nuchen rond die gedempt met elkaar spraken. Het huis stroomde vol met hoffunctionarissen die ik nog nooit had gezien. Iedereen was gekleed en be-woog zich volgens een onzichtbaar script, alsof ze op het toneel stonden.

Moeder greep de eunuchen voortdurend bij de mouwen en vroeg steeds of er iets verkeerd was gegaan. De eunuch raakte geïrriteerd en hij stuurde zijn assistenten, tienerjongens, om haar af te leiden. De jongens lieten haar niet uit haar stoel komen. Ze glimlachten en smeekten haar het hun niet moei-lijk te maken.

De voornaamste ruimte in het huis was ontruimd om plaats te maken voor de *chieh-an*, een tafel die speciaal vervaardigd was om het keizerlijke register met het stenen keizerlijke zegel op te leggen. De kamers links en rechts waren eveneens ontruimd en daarin had men tafels neergezet met wierookbranders.

Vóór de tafels lag een mat waarop ik moest knielen wanneer ik het huwelijksdecreet in ontvangst nam. Aan weerszijden van de mat stonden eunuchen, gekleed in glanzende gele gewaden. Ik was uitgeput, maar de hoofdeunuch zei dat het nog een hele tijd zou duren voordat de ceremonie zou beginnen.

Er gingen twee kaarsbrandtijden voorbij. Eindelijk hoorde ik hoefgetrappel. De acht eredames werkten snel mijn make-up bij. Ze bespoten me met een sterk ruikend parfum en controleerden mijn jurk en hoofdtooi voordat ze me uit mijn draagstoel hielpen.

Toen ik mezelf overeind hees voelde ik me als een roestig rijtuig. Mijn met juwelen beladen ceintuurs rinkelden toen ze over de stoel gleden en op de vloer terechtkwamen.

De straten waren vol met keizerlijke wachters en eunuchen. Kuei Hsiang, die bij de poort had staan wachten, heette de ambassadeur van Zijne Majesteit welkom. Kuei Hsiang knielde, sprak de naam van mijn vader uit en hield een korte welkomsttoespraak. Terwijl hij sprak raakte hij driemaal met zijn voorhoofd de grond aan en boog negen keer. Even later hoorde ik de ambassadeur mijn naam roepen. De eredames stelden zich snel aan weerszijden van mij op. Ik stapte naar buiten en schreed langzaam naar de chieh-an.

Voor me stond een zwaar opgemaakte eunuch met een gezicht als een konijn. Hij was de ambassadeur en droeg een glanzend geel gewaad. Op zijn hoofddeksel waren een pauwenveer bevestigd en een rode diamant. Hij keek me niet aan. Nadat hij drie buigingen had gemaakt, 'inviteerde' hij drie voorwerpen. Het eerste was een geel kistje waaruit hij een geelzijden rol haalde. Dat was het decreet. Het tweede was het Register van Keizerlijke Huwelijken. Het laatste voorwerp bleek een stenen zegel, waarin mijn naam en titel gegraveerd waren.

Ik liep achter de eunuch aan en vervulde de ceremonie aan de tafels. Ik boog en raakte met mijn voorhoofd zo vaak de grond aan dat ik er duizelig van werd. Ik maakte me zorgen dat er dingen uit mijn haar zouden vallen. Toen dit gedaan was kreeg ik de zegen van mijn familie.

Eerst kwam mijn moeder, gevolgd door Rong, mijn oom en neef Ping. Ze knielden, maakten een buiging voor de ambassadeur en toen voor mij. Moeder beefde zo hevig dat een stuk van haar hoofdtooi opzij dreigde te glijden.

'Staat u op,' zei ik vlug in een poging dit te voorkomen.

De eunuchen droegen het register en het zegel naar de tafels met wierookbranders. De eunuchen leken te buigen onder het gewicht van de voorwerpen.

Zoals was voorgeschreven deed ik mijn satijnen cape af en boog voor het register en het zegel. Daarna bleef ik geknield zitten en wendde me naar het noorden.

De ambassadeur ontrolde het decreet en begon de tekst voor te lezen. Hij had een diepe, welluidende stem, maar ik begreep geen woord van wat hij zei. Het duurde even voordat ik besefte dat de tekst in twee talen was, Mantsjoe en Mandarijn, beide in een ouderwetse spraakvoordracht. Mijn vader had me een keer verteld dat hij bij zijn werk de Mantsjoe-teksten van verslagen meestal oversloeg en meteen overging op het Chinees, om tijd te sparen.

Het gewicht op mijn hoofd gaf me het gevoel dat ik een slak was met een slakkenhuis op zijn rug. Terwijl het voorlezen doorging wierp ik een blik in de richting van de gang. Het wemelde er van de wachters. Op het middenterras stonden twee draagstoelen geparkeerd. Waarom twee, vroeg ik me af. Was ik niet de enige die zou worden opgehaald?

Toen de ambassadeur klaar was met voorlezen ontdekte ik waarom er een tweede draagstoel gereedstond. De eunuchen legden het decreet, het register en het stenen zegel terug in hun kistjes. Vervolgens werden de voorwerpen 'uitgenodigd' in de tweede draagstoel 'plaats te nemen'. De ambassadeur legde uit dat deze voorwerpen nu bij mij hoorden.

'De keizerlijke feniks gaat vertrekken!' Toen de ambassadeur dit riep, vielen mijn familieleden voor de laatste keer op de knieën. Moeders make-up was nu helemaal doorgelopen en ze veegde haar tranen met haar handen weg, zich niet bewust van haar verfomfaaide uiterlijk.

Een orkest begon te spelen. De Chinese trompetten schalden zo luid dat het pijn deed aan mijn oren. Een groep eunuchen rende voor me uit, onderwijl knallend vuurwerk ontstekend. Onder mijn voeten knarsten de rode papiertjes, gele rietjes, groene bonen en kleurrijk gedroogd fruit. Ik probeerde mijn hoofd opgeheven te houden om te zorgen dat de hoofdtooi op zijn plaats bleef zitten.

Met zachte hand werd ik naar mijn draagstoel geleid. Nu was ik werkelijk een slak. Met een heftige beweging, waardoor ik bijna omviel, tilden de dragers de stoel op.

Buiten de poort waren de paarden in beweging gekomen. Vaandeldragers torsten de drakenvlaggen en gele parasols. Onder hen bevonden zich amazones, die gekleed gingen in zestiende-eeuwse Mantsjoe-krijgskleding. Aan de flanken van hun paarden hingen gele linten waaraan kookgerei was gebonden.

Achter de vrouwelijke krijgers liep een kudde roodgeverfde dieren. Ze leken op een rollende rivier van bloed. Toen ik nogmaals keek zag ik dat het schapen en ganzen waren. Er werd gezegd dat deze dieren het goed beheren van een fortuin symboliseerden, en dat het rood de levenskracht vertegenwoordigde.

Ik liet het gordijn zakken zodat niemand mijn tranen zou zien. Ik bereidde me erop voor dat ik mijn familie lange tijd niet zou weerzien. Ik probeerde mezelf ervan te overtuigen dat dit de wens van moeder was. Ik moest denken aan een gedicht dat ze me vaak voorlas toen ik klein was:

> *Als een zingende rivier*
> *Breek je los in vrijheid*
> *Ik ben de berg op de achtergrond*
> *En houd je blij in het oog*
> *Herinneringen aan ons*
> *Rijk en zoet.*

Mijn herinneringen waren inderdaad rijk en zoet. Ze waren alles wat ik had, en ik droeg ze met me mee. Toen ik voelde dat de draagstoel weer in evenwicht was trok ik het achterste gordijn een stukje opzij en keek naar buiten.

Mijn familieleden waren uit het zicht verdwenen. Stofwolken en ceremoniële wachters blokkeerden het zicht.

Plotseling ontwaarde ik Kuei Hsiang. Hij zat nog steeds op handen en knieën, met zijn voorhoofd tegen de grond geplakt.

Ik kon me niet meer goed houden en ik knakte als een Chinese luit die midden in zijn spel doormidden breekt.

ZES

Ik zag niet veel van de feestelijkheden op de dag dat ik keizerlijke concubine werd. Ik zat in mijn draagstoel en hoorde de torenklokken van de Poort van de Hemelboog luiden.

Nuharoo was de enige die door de Poort van Hemelse Zuiverheid kwam, de hoofdingang van de keizerlijke achtertuinen. De rest van ons werd via zijpoorten door de binnenplaatsen gedragen. Ik stak in mijn draagstoel de Gouden Water-Rivier over via een van de vijf bruggen die hem overspanden. De rivier vormde de grens van het verboden gebied; de vijf bruggen vertegenwoordigden elk een van de vijf confuciaanse deugden: trouw, standvastigheid, eerlijkheid, bescheidenheid en vroomheid. Daarna passeerde ik de Poort van Correct Gedrag en kwam op de zoveelste binnenplaats, de grootste in de Verboden Stad. Mijn draagstoel kwam langs de Troonzaal, waarvan de enorme bewerkte pilaren en het prachtige verdiepingendak uitrezen boven het uitgestrekte Drakentegel Terras.

Bij de Poort van Hemelse Bedrijvigheid werd ik afgezet. Het was nu een uur of twaalf 's middags. Er stonden nog meer zojuist gearriveerde draagstoelen. Het betrof de draagstoelen van de vrouwes Yun, Li, Soo, Mei en Hui. De meisjes stapten stilletjes uit. We knikten elkaar toe en bleven wachten.

De eunuchen kwamen ons vertellen dat keizer Hsien Feng en keizerin Nuharoo waren begonnen met de huwelijksceremonie.

Het gaf een vreemd gevoel. Ofschoon het me overduidelijk was gemaakt dat ik slechts een van keizer Hsien Fengs drieduizend vrouwen was, wenste ik toch dat ik in Nuharoos schoenen stond.

Al snel kwam de hoofdeunuch terug en zei dat het tijd was ons naar onze woonverblijven te begeven. Het mijne werd het Paleis van Samengebrachte Schoonheid genoemd; ik zou daar vele jaren doorbrengen. En daar ook kwam ik erachter dat keizer Hsien Feng zijn zaad nooit gelijkelijk over zijn vrouwen zou verdelen.

Het Paleis van Samengebrachte Schoonheid werd omringd door eeuwenoude bomen. Als het waaide maakten de bladeren een hoop lawaai. Het geluid deed me denken aan mijn favoriete dichtregel: 'De wind belichaamt zijn aanwezigheid door de trillende bladeren.' Ik probeerde de poort te ontdekken waardoor ik gekomen was. Hij bevond zich aan de westkant en leek de enige ingang te zijn. Het gebouw voor me leek op een tempel, met een vleugeldak en hoge muren. De balken en pilaren onder het geel betegelde dak waren in heldere kleuren geschilderd. De deur- en raampanelen waren bewerkt met vruchtbaarheidssymbolen: rond fruit, groenten, de hand van Boeddha, ontluikende bloemen, oceaangolven en wolken.

Op de binnenplaats verscheen een rustige groep goed geklede mannen en vrouwen. Ze knielden voor me.

Ik keek hen aan, maar wist niet wat er van me verwacht werd.

'Het moment van geluk is aangebroken, vrouwe Yehonala,' zei een van hen uiteindelijk. 'Staat u ons alstublieft toe u naar uw verblijf te begeleiden.' Ik besefte dat dit mijn bedienden waren.

Ik tilde mijn japon op en wilde net in beweging komen toen er van achter de muren een donderend geluid klonk.

Mijn benen begaven het bijna en de bedienden snelden toe om me overeind te houden. Ze zeiden dat het geluid afkomstig was van een Chinese gong. Op dit moment betraden keizer Hsien Feng en keizerin Nuharoo de Grote Bruidskamer.

Grote Zuster Fann had me over de keizerlijke huwelijksrituelen verteld. Ik wist van het bruidsbed met het gele gazen gordijn, dat bedekt was met vruchtbaarheidssymbolen. Ik herinnerde me Grote Zuster Fanns beschrijving van de lichtgele, satijnen sprei, waarop honderd spelende kinderen waren geborduurd.

Jaren later vertrouwde Nuharoo me toe dat de geur in de keizerlijke kamer de zoetste was die ze ooit had geroken. De geur steeg op uit het bruidsbed zelf, dat was vervaardigd uit welriekend sandelhout. Ze beschreef de manier waarop ze was ontvangen. Ze droeg drie gouden feniksen op haar hoofd en werd begeleid door hoofdeunuch Shim, die haar onderscheidingstekenen met zich meedroeg.

Nadat ze uit haar draagstoel was gestapt was ze door de Hal van Moederlijke Zegen gelopen. Vervolgens betrad ze de bruidskamer, die zich bevond in het Paleis van Aardse Rust. In deze met zoete geuren bezwangerde kamer had ze haar felgele kostuum verruild voor een warmgeel gewaad. Er werd een warmgeel stuk zijde over haar hoofd en ogen gelegd en zij en keizer Hsien Feng beloofden elkaar trouw en dronken uit de huwelijksbeker.

'De muren van de kamer waren zo rood dat ik dacht dat me iets aan mijn ogen mankeerde,' herinnerde Nuharoo zich jaren later glimlachend. 'De kamer leek bijna leeg omdat hij zo extreem groot was. Aan de noordkant stonden de tronen en aan de zuidkant stond een groot, stenen bed dat door een vuur eronder werd verwarmd.'

Ik had me er een juiste voorstelling van gemaakt. De inrichting van de kamer en de rituelen kwamen overeen met Nuharoos beschrijving. Maar toen ik het meemaakte, stelde ik me het alleen voor om het moment door te komen. Ik had niet gedacht dat ik zo teleurgesteld zou zijn.

Ik hield mezelf voor dat ik geen reden tot huilen had. Ik zei tegen mezelf dat het hebzuchtig van me was om meer te wensen dan me was gegund. Maar toch bleef ik verdrietig. Ik probeerde me Ping voor de geest te halen, met zijn door opium aangetaste gebit. Maar mijn gedachten lieten zich niet leiden. Ik moest denken aan een lied uit mijn favoriete opera, *De liefde van de kleine Jade* – het verhaal van een dienstmeisje en haar geliefde, die soldaat was. Toen ik eraan dacht dat de soldaat voor zijn geliefde een stuk zeep had gekocht als huwelijkscadeau en hoe blij ze daarmee was, stroomden de tranen over mijn wangen.

Waarom was ik niet tevreden met deze kamer vol kostbaarheden? Mijn bedienden kleedden me in een prachtig abrikooskleurig gewaad, bedrukt met zoete pruimenbloesem – kleding waarvan ik vaak had gedroomd. Ik liep naar de kleedspiegel en zag een verbijsterend mooie vrouw. In mijn haar was een haarspeld gestoken in de vorm van een libel, bezet met robijnen, saffieren, parels, toermalijnen, tijgeroog en ijsvogelveren. Ik draaide me om en bekeek het meubilair in de kamer: de met edelstenen bezette en van overvloedige oogsttaferelen voorziene meubelpanelen. Links van mij stonden pronkkasten van rood sandelhout, versierd met jade en edelstenen; rechts van mij stond een rozenhouten wastafel, ingelegd met parelmoer. Achter me stonden kamerschermen die bekleed waren met de kostbaarste schilderijen.

Innerlijk schreeuwde ik het uit: Wat wil je, kun je, durf je nog meer te wensen, Orchidee?

Ik vond het er koud, maar ik moest overdag mijn deur open laten. Ik ging op mijn bed zitten, dat bedekt was met een beige sprei. Tegen de muur lagen acht opgevouwen dekbedden van de fijnste zijde en katoen. De bedgordijnen, die tot de vloer reikten, waren geborduurd met witte wisteria. Op de rode rand waarmee ze waren afgebiesd waren roze en groene pioenen geborduurd.

Ik zag hoofdeunuch Shim langs mijn raam lopen, gevolgd door een groep jonge eunuchen. 'Waarom zijn de lantaarns niet ontstoken?' Hij klonk boos. Toen zag hij mij door het raam. Hoofdeunuch Shim zonk met een nederige glimlach op de knieën en zei: 'Vrouwe Yehonala, uw slaaf Shim, tot uw dienst.'

'Staat u alstublieft op.' Ik stapte naar buiten.

'Hebben de slaven zich al voorgesteld, vrouwe Yehonala?' vroeg Shim, die nog steeds geknield zat.

'Nog niet,' antwoordde ik.

'Dan moeten ze gestraft worden. Het is hun plicht.' Hij stond op en knipte met zijn vingers.

Er verschenen twee grote eunuchen, die elk een leren, manslange zweep bij zich hadden.

Ik begreep het niet. Ik wist niet wat hoofdeunuch Shim van plan was.

'De schuldigen moeten zich in een rij opstellen,' beval hij.

Bevend gingen mijn bedienden naast elkaar staan.

Er werden twee emmers water gebracht. De grote eunuchen doopten hun zweep erin.

'Hoofdeunuch Shim,' riep ik. 'Begrijpt u alstublieft dat het niet de schuld is van mijn bedienden dat ze zich nog niet aan mij hebben voorgesteld. Ik had nu pas tijd voor hen.'

'Schenkt u uw slaven vergiffenis?' vroeg hoofdeunuch Shim, terwijl er een gemene grijns over zijn gezicht gleed. 'U mag niets minder dan perfectie van uw slaven verwachten, vrouwe Yehonala. De slaven moeten gestraft worden. De traditie van de Verboden Stad kan worden samengevat in één zin: de zweep dwingt respect af.'

'Neemt u me niet kwalijk, hoofdeunuch Shim. Ik zie mezelf geen zweep-slagen uitdelen aan mensen die niets verkeerds hebben gedaan.' Ik had met-een spijt van mijn woorden, maar het was al te laat.

'Ik weet zeker dat uw bedienden wél schuldig zijn.' Shim was geïrriteerd. Hij draaide zich om en gaf een van de jonge eunuchen een trap.

Ik voelde me in mijn eer aangetast en trok me terug in mijn verblijf.

Hoofdeunuch Shim nam er de tijd voor om de werkelijke reden van zijn be-zoek te onthullen. We zaten in mijn zitkamer, waar ook nog meer dan twin-tig bedienden en eunuchen aanwezig waren. Met bezorgd geduld legde hij me uit hoe het er in de Verboden Stad toeging. Hij vertelde me over de ver-schillende ministeries en handwerkwinkels, waarvan de meeste onder zijn ver-antwoordelijkheid leken te vallen. Hij was de baas van de ministeries die toe-zicht hielden op de kluizen met goud- en zilverstaven, bont, porselein, zijde en thee; ook was hij verantwoordelijk voor de ministeries die het hof moes-ten voorzien van offerdieren, graan en fruit voor religieuze ceremonies. Hij hield toezicht op de eunuchen die in de kennels werkten waar pekinezen wer-den gefokt. Hij leidde de ministeries die de paleizen, tempels, tuinen en krui-denboerderijen moesten onderhouden.

Ik stond rechtop met opgeheven hoofd. Al was dit alleen maar machts-vertoon van hoofdeunuch Shim, ik was toch blij met de informatie. Hij ver-telde me over de verschillende lokaties aan het hof, over de scholen waar de prinsen werden opgeleid en over de keizerlijke wapenkamer, waar de paleis-politie zijn wapentuig vandaan haalde. 'Mijn plichten strekken zich uit tot de keizerlijke provisiekamer, de keizerlijke weef- en verfwerkplaatsen en ook de diensten die zorg dragen voor keizer Hsien Fengs boten, garderobe, spelen, drukkerijen, bibliotheken en de zijdeworm- en honingboerderijen.'

Ik was het meest geïnteresseerd in de keizerlijke theaters. En in de keizerlijke handwerkplaatsen, die werk van de meest getalenteerde kunstenaars en handwerklieden van China voortbrachten.

'Ik heb vele verantwoordelijkheden,' besloot hoofdeunuch Shim zijn verhaal. 'Maar bovenal is het mijn taak toe te zien op de authenticiteit van de troonopvolgers van keizer Hsien Feng.'

Ik besefte dat hij van me verwachtte dat ik zijn machtspositie zou erkennen. 'Zegt u me alstublieft wat ik moet doen, hoofdeunuch Shim,' begon ik, 'want ik ben een eenvoudig plattelandsmeisje uit Wuhu en ik zal u dankbaar zijn voor uw raad en bescherming.'

Hij leek tevreden over mijn manieren en zei dat hij was gekomen om twee opdrachten van mijn schoonmoeder uit te voeren. De eerste was me te belonen met een kat.

'De dagen zullen lang voor u duren, hier in de Verboden Stad,' zei hoofdeunuch Shim, terwijl hij naar een van de eunuchen gebaarde die met een doos aankwam. 'En de kat zal u gezelschap houden.'

Ik maakte de doos open en zag een prachtig wit schepsel. 'Hoe heet hij?' vroeg ik.

'Sneeuw,' antwoordde Shim. 'Het is uiteraard een vrouwtje.'

Ik tilde de kat voorzichtig op. Ze had prachtige tijgerogen en zag er bang uit. 'Welkom, Sneeuw!'

Op de tweede plaats kwam hoofdeunuch Shim me informeren over mijn jaarlijkse toelage. 'Die zal bestaan uit vijf goudstaven, duizend zilveren taëls, dertig rollen satijn, zijde en katoen, vijftien buffel-, schapen-, slangen- en konijnenhuiden en honderd zilveren knopen. Dat lijkt veel, maar tegen het einde van het jaar zult u tekort komen, omdat u de salarissen moet betalen van uw zes eunuchen, zes hofdames, vier dienstmeisjes en drie koks. De dienstmeisjes dragen zorg voor uw persoonlijke behoeften, terwijl de eunuchen schoonmaken, de tuin onderhouden en boodschappen afleveren. De eunuchen zijn daarnaast verantwoordelijk voor uw nachtrust. In het eerste jaar zullen ze elkaar afwisselen; vijf van hen slapen direct buiten uw kamer en één aan uw voeteneinde. U kunt pas bepalen welke eunuch in uw kamer zal slapen als de Grote Keizerin vindt dat u zover bent.'

De bedienden staarden me met uitdrukkingsloze gezichten aan. Ik had geen idee wat ze dachten.

'Ik heb u de beste bedienden toegewezen,' zei hoofdeunuch Shim met een scheve glimlach. 'Degenen die snurken heb ik aan vrouwe Mei gegeven en degenen die lui zijn aan vrouwe Hui. De gemeneriken heb ik bij vrouwe Yun geplaatst en...' Hij wierp me een blik toe en zweeg, wachtend tot ik iets zou zeggen.

Het was aan het hof een onuitgesproken traditie om een eunuch die zo'n toewijding tentoonspreidde te belonen. Dat wist ik natuurlijk, maar mijn wantrouwen ten opzichte van Shim weerhield me ervan de gelegenheid te baat te nemen. Ik vroeg me af wat hij over mij zou zeggen tegen Nuharoo en de vrouwes Yun, Li, Soo, Mei en Hui. Ik was ervan overtuigd dat hij genoeg trucs achter de hand had om iedereen te misleiden.

'Mag ik weten hoe het de andere vrouwen van Zijne Majesteit vergaat?' vroeg ik. 'Waar zijn zij ondergebracht?'

'Wel, keizerin Nuharoo zal deze hele week met keizer Hsien Feng doorbrengen in het Paleis van Aardse Rust. Daarna zal ze verhuizen naar het Paleis van de Hemelse Ontvangst, waar ze zal gaan wonen. Vrouwe Yun heeft het Paleis van het Universele Erfgoed toegewezen gekregen, vrouwe Li het Paleis van de Eeuwige Vrede, vrouwe Mei het Paleis van Grote Genade en vrouwe Hui het Paleis van Voortdurend Geluk.'

'En Soo?'

'Vrouwe Soo is teruggestuurd naar haar ouders in het zuiden. Er moet voor haar gezondheid gewaakt worden. Het Paleis van Plezierige Zonneschijn is voor haar gereserveerd als ze weer terugkomt.'

'Waarom wonen de andere dames allemaal in paleizen die aan de oostzijde van de Verboden Stad liggen? Is er naast mij nog iemand die aan de westzijde woont?'

'U bent de enige aan de westzijde, vrouwe Yehonala.'

'Mag ik weten waarom?'

Hoofdeunuch Shim dempte zijn stem. 'Mevrouw, u zou in problemen kunnen komen als u te veel vragen stelt. Desondanks ben ik bereid het verlies van mijn tong te riskeren en u te antwoorden. Maar voordat ik dat doe moet ik weten of u me vertrouwt. Wilt u me uw woord van eer geven?'

Ik aarzelde even en knikte toen bevestigend.

Shim boog zich naar me toe en fluisterde in mijn oor: 'Het idee u hier onder te brengen zou van zowel keizer Hsien Feng als van de Grote Keizerin afkomstig kunnen zijn. Ziet u, als de Grote Keizerin het bedacht heeft… Vergeeft u me, het maakt me nerveus u dit te vertellen… Het is de gewoonte van Hare Majesteit haar favorieten aan de oostzijde te laten verblijven. Dat is makkelijk voor haar, zodat ze hen kan ontbieden wanneer ze behoefte aan gezelschap heeft.'

'Bedoelt u dat ze me niet mag en me niet in de buurt wil hebben?'

'Dat heb ik niet gezegd. Dat is uw eigen conclusie.'

'Is het dan niet zo?'

'Daarop geef ik geen antwoord.'

'En keizer Hsien Feng? Wat als het zijn idee was?'

'Als het idee van Zijne Majesteit afkomstig is, betekent het dat hij u aanbidt – en u daarom zo ver mogelijk bij zijn moeder vandaan wil houden. Met andere woorden, hij maakt het moeilijk voor de Grote Keizerin om hem te bespioneren als hij besluit u te bezoeken. Daarmee kunt u zichzelf feliciteren, mevrouw.'

Kort nadat hij was vertrokken, stuurde ik een bediende achter hem aan met tweehonderd zilveren taël als geschenk. Het was wel veel, maar ik vond het nodig. Zonder hoofdeunuch Shim zou ik als een blinde op een pad vol met valstrikken rondlopen. Desondanks voelde ik dat hij iemand was om te vrezen.

De avond begon te vallen. De hemel werd donker. De boombladeren leken zwart, alsof het groen met inkt bevlekt was. De wolken veranderden voortdurend van vorm. Kraaien keerden terug naar hun nest hoog in de bomen. Hun gekras klonk schril, alsof ze een moeilijke dag achter de rug hadden.

Ik riep mijn bedienden en zei dat ik graag wilde dineren. De eunuchen en hofdames bogen en brachten mijn bestelling naar de keuken. De laatste eunuch in de rij bleef geknield zitten en probeerde mijn aandacht te trekken. Het irriteerde me en ik zei dat hij moest verdwijnen.

Maar toen hij zijn ogen opsloeg, herkende ik hem. Het was de jonge eunuch die ik op de dag van de selectie had ontmoet, degene die me water had gebracht.

'An-te-hai?' riep ik, bijna opgewonden, uit.

'Ja, mevrouw!' antwoordde hij, al even enthousiast. 'An-te-hai, uw trouwe slaaf.'

Ik ging staan en spreidde mijn armen.

Hij deed een paar stappen terug, waardoor ik me weer bewust werd van mijn positie.

Ik ging weer zitten en we glimlachten elkaar toe.

'Zo, An-te-hai, wat wil je?'

'Vrouwe Yehonala, ik weet dat u me terstond ter dood kunt laten brengen als mijn woorden u niet bevallen. Maar ik moet u iets zeggen.'

'Je hebt mijn toestemming.'

Hij aarzelde even en keek me toen recht in de ogen.

'Ik zorg goed voor u,' zei hij.

'Dat hoef je mij niet vertellen.'

'Mag ik uw hoofdeunuch zijn?'

Ik stond op. 'Hoe durf je een dergelijke vraag te stellen, nu ik net hier ben.'

An-te-hai raakte met zijn voorhoofd de grond aan. 'Straf me, vrouwe Yehonala.' Hij stak zijn hand uit en begon zichzelf links en rechts in het gezicht te slaan.

Ik wist niet wat ik moest doen. Hij bleef maar doorgaan, alsof hij iemand anders sloeg in plaats van zichzelf.

'Genoeg!' schreeuwde ik.

De eunuch hield op. Hij had een vreemde, verlangende blik in zijn ogen, die zich met de tranen van een afgewezen minnaar vulden.

'Waarom denk je dat jij me beter zou kunnen dienen dan iemand anders?' vroeg ik.

An-te-hai keek me aan en zei: 'Omdat ik iets te bieden heb wat anderen niet hebben.'

'En wat is dat dan?'

'Advies, mevrouw. Naar mijn bescheiden mening heeft u momenteel niet bepaald de tijd en het geluk mee. Mijn advies kan u helpen verder te komen in dit oord. Ik ben bijvoorbeeld expert op het gebied van de keizerlijke etiquette.'

'Je bent erg zeker van jezelf, An-te-hai.'

'Ik ben de beste die er in de Verboden Stad te vinden is.'

'Hoe kan ík daar zeker van zijn?'

'Probeert u het uit, mevrouw. Dan komt u er vanzelf achter.'

'Hoeveel jaar geleden ben je in de Verboden Stad gekomen?'

'Vier jaar geleden.'

'En wat heb je bereikt?'

'Ik ben tot een overtuiging gekomen, mevrouw.'

'Een overtuiging?'

'Dat het hoofd dat op mijn schouders staat niet onderschat moet worden. Ik heb mezelf alles geleerd wat er te weten is over de keizerlijke samenleving. Ik ken de namen van de bouwers van de Verboden Stad, het Zomerpaleis en de Grote Ronde Tuin. Ik kan zelfs op de astrologische kaart aanwijzen waar ze liggen. Ik kan u uitleggen waarom er geen bomen zijn geplant tussen de Paleizen van Opperste Harmonie, Centrale Harmonie en het Bewaren van Harmonie.'

'Ga door, An-te-hai.'

'Ik ben bevriend met concubines van keizer Hsien Fengs vader en grootvader. Zij wonen in het Paleis van Welwillende Rust. Ik ben op de hoogte van al hun verhalen en weet hoe hun relatie met Zijne Majesteit in elkaar zit. Ik kan u vertellen hoe het paleis in de winter verwarmd wordt en hoe het koel wordt gehouden in de zomer. Ik weet waar hun drinkwater vandaan komt. Ik ben op de hoogte van de moorden en ken de geesten van de Verboden Stad. De verhalen achter de mysterieuze branden en het plotseling verdwijnen van mensen. Ik ken de poortwachters en ben een persoonlijke vriend van veel van de wachters, wat betekent dat ik de paleizen als een kat in en uit kan gaan.'

Ik probeerde niet te laten merken dat ik onder de indruk was.

Hij vertelde me dat keizer Hsien Feng twee bedden in zijn slaapkamer had staan. Beide bedden werden elke avond opgemaakt en de gordijnen ervan werden naar beneden gelaten, zodat niemand zou weten in welk bed Zijne Majesteit lag. An-te-hai liet me weten dat zijn kennis zich verder uitstrekte dan de keizerlijke hofhouding alleen, tot het buitenhof en het functioneren van de regering aan toe. Zijn geheim waardoor hij al die informatie kon vergaren was dat hij iedereen in de waan liet dat hij niets kwaads in de zin had.

'Dus je bent een spion in hart en nieren.'

'Voor u, mevrouw, ben ik bereid te zijn wat u maar wenst.'

'Hoe oud ben je precies?'

'Over een paar maanden word ik zestien.'

'Wat zit er achter dit voorstel, An-te-hai?'

De eunuch zweeg even voordat hij antwoord gaf. 'Ik wil een kans. Ik ben al een hele tijd op zoek naar een waardige meesteres. Als eunuch begrijp ik wel dat ik me niet met mijn toekomst mag bezighouden, want die bestaat niet. Maar ik wil niet de rest van mijn leven in een hel doorbrengen. Het enige wat ik vraag, mevrouw, is de gelegenheid mijn loyaliteit te bewijzen.'

'Ga staan,' zei ik. 'Je kunt nu gaan, An-te-hai.'

Hij kwam overeind en deed zwijgend een paar stappen in de richting van de deur.

Ik zag dat hij een beetje mank liep en herinnerde me dat hij degene was die hoofdeunuch Shim een trap had gegeven op de binnenplaats.

'Wacht,' riep ik. 'Vanaf heden, An-te-hai, zul jij mijn hoofdeunuch zijn.'

Ik verkleedde me in een beige japon voordat ik naar mijn eetstoel werd geleid. Mijn eettafel was zo groot als mijn poort. Het oppervlak en de poten waren prachtig bewerkt. Terwijl ik zat te wachten tot ik bediend werd, werd ik op de hoogte gebracht van de namen van mijn eunuchen en hofdames.

Mijn eunuchen hadden unieke namen. Ze heetten Ho-tung, Rivier van het Oosten; Ho-nan, Rivier van het Zuiden; Ho-tz'u, Rivier van het Westen; Ho-pei, Rivier van het Noorden; Ho-yuan, Bron en Ho-wei, Riviermond. Ofschoon hun namen allemaal begonnen met hetzelfde karakter 'Ho', dat 'rivier' betekent, waren ze absoluut geen familie van elkaar. De namen van mijn hofdames begonnen allemaal met de letter 'chun', die 'lente' betekent. Zij heetten Chun-cheng, Lente Dageraad, Chun-hsia, Lente Zonsondergang; Chun-yueh, Lentemaan en Chun-meng, Lentedroom. Ze zagen er stuk voor stuk redelijk aantrekkelijk en schoon uit. Ze reageerden prompt op mijn wensen en vertoonden geen bepaalde karaktertrekken. Hun kapsels waren ongeveer hetzelfde. Waar de eunuchen staarten hadden, droegen de hofdames hun haar in een knot. In mijn aanwezigheid hielden ze hun handen langs hun zij en hadden hun ogen op de grond gericht.

Ik zat, omringd door eunuchen en hofdames, zo lang aan de gigantische tafel, dat mijn maag begon te knorren. Er was nog steeds geen eten te bekennen. Ik richtte mijn aandacht op de zaal. Die was groot en ongezellig; alleen aan de muur tegenover mij hing een portret van een dorpsgezin. In de rechterbovenhoek stond een mooi gedicht geschreven:

Het rieten dak hangt laag boven de grond
Naast de beek groeit het groene gras
Wie spreekt daar in dronken, zoetgevooisde, zuidelijke tong?
Een grijsaard met zijn vrouw in hun toevluchtsoord.

Oostelijk van de beek wiedt de oudste zoon het onkruid
Hun tweede zoon maakt een ren voor de kippen die hij houdt
Mij bevalt de jongste zoon die, niets omhanden hebbend,
Aan de beek ligt en lotuszaadjes een voor een van hun schil ontdoet.

Wie had hier vóór mij gewoond? vroeg ik me af. Dat moest een van de keizerlijke concubines van wijlen keizer Tao Kuang geweest zijn. Ze was waarschijnlijk dol op schilderijen geweest. Het was in een eenvoudige, verfrissende stijl geschilderd. Ik verwonderde me over de tegenstelling tussen de grootse omgeving en de nederige afbeelding.

Het schilderij deed me denken aan de warmte van mijn eigen familie. Ik kon me nog herinneren dat mijn zusje, mijn broer en ik aan de eettafel zaten te wachten tot mijn vader thuiskwam. Ik herinnerde me een keer dat mijn vader een grap maakte. Toen we allemaal in lachen uitbarstten, vloog de rijst uit onze mond. Rong stikte bijna in haar tofusoep en mijn broer viel van zijn stoel en brak zijn aardewerken kom. Mijn moeder kon zich niet meer goed houden. Ook zij barstte in lachen uit en noemde haar man 'een kromme balk die het huis doet instorten'.

'Uw maaltijd is gearriveerd, mevrouw.' An-te-hais stem onderbrak mijn herinneringen.

Als in een droom zag ik een optocht uit de keuken komen. Een rij eunuchen, die elk een stomende schaal vasthielden, kwam elegant mijn kant op. De potten en terrines hadden zilveren deksels. Al snel stond de tafel vol met gerechten.

Ik begon te tellen. Het waren er negenennegentig!

Negenennegentig gerechten, alleen voor mij?

An-te-hai kondigde aan wat er was opgediend: 'Gestoofde berenklauwen, een mengsel van groenten en hertenlever, gefrituurde kreeft met sojasaus, slakken met komkommer en knoflook, gemarineerde kwartel, geroosterd met zoetzure saus, gesneden tijgervlees in flensjes gewikkeld, hertenbloed met ginseng en kruiden, knapperig eendenvel gedoopt in een pittige uiensaus, varkensvlees, rundvlees, kip, zeevruchten…'

Er zaten gerechten bij die ik nog nooit gezien had en waarvan ik nog nooit had gehoord.

Er leek geen einde aan de parade te komen. Uit de gezichtsuitdrukking van mijn bedienden maakte ik op dat dit heel gewoon was. Ik probeerde mijn geschoktheid te verbergen. Toen alle schotels waren neergezet, maakte ik een handgebaar. De bedienden trokken zich terug en gingen zwijgend tegen de muur staan.

Ik voelde me verlegen achter die monsterlijke tafel.

'We wensen u een heerlijke maaltijd toe!' zongen mijn bedienden eenstemmig.

Ik pakte mijn eetstokjes.

'Nog niet, mevrouw,' zei An-te-hai terwijl hij zich naar me toe haastte.

De eunuch liep rond de tafel met een paar eetstokjes en een bordje. Hij nam een beetje van elk gerecht en propte alles in zijn mond.

Terwijl ik An-te-hai zag kauwen moest ik denken aan het verhaal dat Grote Zuster Fann me had verteld over de moeder van keizer Hsien Feng, Chu An, die had geprobeerd prins Kung te vergiftigen. Bij die gedachte had ik opeens geen trek meer.

'U kunt nu veilig eten.' An-te-hai veegde zijn mond af en verwijderde zich van de tafel.

'Is het de bedoeling dat ik dit allemaal in mijn eentje opeet?' vroeg ik.

'Dat wordt niet van u verwacht, mevrouw. Volgens de hofetiquette moet u bij iedere maaltijd negenennegentig gerechten geserveerd krijgen.'

'Maar het is een enorme verspilling!'

'Nee, u zult niets verspillen, mevrouw. U kunt altijd uw bedienden belonen met enkele gerechten. De slaven hebben honger en ze krijgen nooit genoeg te eten.'

'Vinden ze dat niet vervelend?'

'Nee. Ze zullen zich vereerd voelen.'

'Maakt de keuken voor jullie geen eten klaar?'

'Wij eten hetzelfde als de paarden, alleen krijgen we minder in vergelijking met die beesten. Mijn rantsoen bestaat uit drie zoete aardappels per dag.'

Ik at zoveel ik kon. Ik hoorde mezelf komkommers tussen mijn tanden fijnmalen, op berenpezen kauwen en varkensribben afkluiven. De bedienden bleven naar de grond staren. Ik vroeg me nogmaals af waaraan ze stonden te denken. Toen ik vol zat, legde ik mijn eetstokjes weg en pakte mijn dessert, een zoet broodje van rode bonen en zwart sesamzaad.

An-te-hai kwam naderbij, alsof hij wist dat ik iets wilde zeggen.

'Ik vind het niet prettig dat er mensen naar me kijken als ik aan het eten ben,' zei ik. 'Kan ik ze niet wegsturen?'

'Nee, mevrouw, ik ben bang van niet.'

'Worden de meesteressen van de andere paleizen op dezelfde manier bediend?'

'Ja, inderdaad.'

'Door dezelfde keuken?'

'Nee, door hun eigen keuken. Elk paleis heeft zijn eigen keuken en koks.'

'Pak alsjeblieft een krukje en kom me gezelschap houden bij het eten.'

An-te-hai gehoorzaamde.

Toen ik een kopje pakte, reikte An-te-hai naar de theepot die een eind bij me vandaan op de tafel stond. Hij schonk de chrysanthenthee in mijn kopje.

Ik kwam er al snel achter dat An-te-hai de gave had mijn wensen voor te zijn. Wie was hij? vroeg ik me af. Hoe kwam het dat zo'n lieve, intelligente jongen eunuch was geworden? Uit wat voor familie kwam hij? Hoe was hij opgegroeid?

'Mevrouw.' Toen ik het laatste stuk van het broodje op had, leunde An-te-hai naar me toe. Hij sprak met zachte stem. 'Het is misschien een goed idee om keizer Hsien Feng en keizerin Nuharoo een boodschap te sturen waarin u hun een plezierige maaltijd toewenst.'

'Zou Nuharoo het niet vervelend vinden om in haar samenzijn met keizer Hsien Feng gestoord te worden?' vroeg ik.

Toen An-te-hai bleef zwijgen, begreep ik dat ik zijn raad beter kon opvolgen.

'Het gaat niet om de heilwens,' zei An-te-hai even later. 'Het gaat om de indruk die u ermee maakt. Het gaat erom dat uw naam zichtbaar is op een van de stukjes bamboe van keizer Hsien Feng. Om Zijne Majesteit aan uw bestaan te herinneren. De andere dames in hun paleizen doen het ook.'

'Hoe weet je dat?'

'Mijn bloedbroeders in de andere paleizen houden me op de hoogte.'

Ik spoelde mijn mond met groene thee. Er werd van me verwacht dat ik na het eten een dutje zou doen, maar ik kon mijn geest niet ontspannen. Ik zag een strijdgewoel voor me, waarin elke concubine als soldaat vermomd was. Volgens An-te-hai hadden mijn rivalen hun verdedigingswerken al opgeworpen. Velen van hen hadden de Grote Keizerin kleine maar attente geschenken gestuurd om haar te bedanken dat ze waren uitgekozen.

Ik hoopte dat keizer Hsien Feng een rechtvaardig man was. Hij werd tenslotte betiteld als de wijste man van het universum. Ik zou tevreden zijn als hij me eens per maand zou ontbieden. Ik zou nooit verwachten dat ik hem helemaal voor mezelf zou hebben. Ik zou er trots op zijn hem te helpen de dynastie op te bouwen, net als de deugdzame vrouwen die in de keizerlijke galerij hingen. Het idee Zijne Majesteit een harmonieus thuis te bieden sprak me aan. Ik zou graag zien dat wij zevenen een eenheid zouden vormen tegen de rest van de dames aan het hof. Ik zag voor me dat wij, de gekozen echtgenotes, elkaar zouden respecteren en helpen om onze kleine gemeenschap tot een thuis voor ons allemaal te maken.

An-te-hai sprak me niet tegen. Maar na verloop van tijd kwam ik achter zijn ware gevoelens door de manier waarop hij met zijn voorhoofd tegen de vloer bonkte. Als het klonk als *tunk, tunk, tunk* betekende het dat hij het niet geheel met me eens was en dat we erover zouden discussiëren. Maar als het klonk als *ponk, ponk, ponk* deed ik er goed aan naar hem te luisteren, want dan vond hij dat ik onzin zat te verkopen. An-te-hai probeerde me ervan te overtuigen dat de dames in de andere paleizen mijn natuurlijke vijanden waren. 'Net als luizen zijn voor de planten – ze moeten u opeten om te overleven.' Hij stelde voor dat ik eraan zou werken om de overhand te krijgen. 'Op ditzelfde moment is er iemand die overweegt u te wurgen,' zei hij.

Toen de eunuchen de tafel kwamen afruimen kon ik me haast niet meer bewegen. Er werd nu van me verwacht dat ik een bad zou nemen. Mijn badkuip stond een meter boven de grond op een podium, met emmers warm en koud water en stapels handdoeken eromheen. De badkuip was zo groot dat ze hem in mijn dorp als een vijver zouden hebben beschouwd. Hij was gemaakt van prachtig hout in de vorm van een enorm lotusblad en was voortreffelijk beschilderd. De details van het lotusblad waren verbazingwekkend levensecht.

Ik was niet gewend om dagelijks in bad te gaan. In Wuhu waste ik mezelf 's winters om de paar maanden en in de zomer zwom ik in het meer. Ik vroeg An-te-hai of ik in het keizerlijke meer mocht zwemmen als het warm weer werd.

'Nee,' antwoordde de eunuch. 'Zijne Majesteit wenst dat de lichamen van zijn vrouwen altijd bedekt zijn.'

De hofdames kwamen zeggen dat mijn bad gereedstond.

An-te-hai zei dat ik mocht kiezen of ik door de eunuchen of door de dienstmeisjes gebaad wilde worden. Ik zei dat ik natuurlijk voor de dienstmeisjes koos. Het zou gênant zijn mijn lichaam in aanwezigheid van de eunuchen te ontbloten. Uiterlijk leken ze op normale mannen. Ik kon me niet voorstellen dat ze mijn lichaam zouden aanraken. Het zou lang duren voordat ik eraan gewend zou raken dat An-te-hai aan mijn voeteneind sliep.

Ik vroeg me af of An-te-hai mannelijke behoeften had. Hij leek onverschillig toen ik me in zijn aanwezigheid omkleedde. Deed hij net alsof? In dat geval moest hij over veel zelfbeheersing beschikken. Wat me begon te bevallen aan hem was dat hij in staat was boven zijn persoonlijke tragedie uit te stijgen. Misschien verwende ik mijn eunuchen te veel, een zwakheid die door veel mensen als slecht werd beschouwd. Ik kon er niets aan doen dat ik medelijden met hen had. In werkelijkheid had ik behoefte aan datzelfde medeleven.

De vrouwen in China droomden ervan in mijn schoenen te staan zonder dat ze wisten hoeveel ik moest lijden. Ik verzachtte mijn eigen leed door me te identificeren met de eunuchen. Hun pijn stond op hun gezicht geschreven. Ze waren gecastreerd en iedereen begreep hun onfortuinlijke lot. Maar het mijne was verborgen.

Het was een vreemd gevoel om door zoveel handen te worden aangeraakt. Deze mensen smeekten me zelf geen vinger uit te steken. Als ik op welke manier dan ook zelf iets zou doen, zou dat als beledigend worden opgevat.

Het water was warm en rustgevend. Toen ik met mijn hoofd tegen de rand van het bad leunde, gingen de dienstmeisjes op hun knieën zitten. Met z'n vijven tegelijk begonnen ze me in te zepen. Ze wreven en schrobden. Ik werd verondersteld hiervan te genieten, maar ik raakte het beeld van een kip niet kwijt die in heet water werd gedompeld en vervolgens geplukt werd.

De handen van de dienstmeisjes gleden over mijn lichaam. Ofschoon ze voorzichtig deden, voelden ze als indringers. Ik probeerde mezelf voor te houden wat An-te-hai had gezegd; dat ik op de wereld was om keizer Hsien Feng te behagen, niet mezelf. Ik wenste dat de keizer me zo zou zien. Ik vroeg me af wanneer hij zou verschijnen.

Mijn lichaam gistte als een gestoomd broodje. De dienstmeisjes zweetten. Ze hadden mijn schouders, vingers en tenen gemasseerd. Hun jurken waren nat, hun haar zat in de war. Ik werd al moe als ik naar hen keek en ik kon niet wachten tot deze beproeving voorbij zou zijn. An-te-hai had me gewaarschuwd dat ik mijn dienstmeisjes niet mocht bedanken. Hij drukte me op het hart dat ik mijn gevoelens niet mocht laten blijken. Ik mocht mensen er niet aan herinneren dat ik net zo gewoon was als zij.

Toen ze me hadden afgedroogd en me een rood nachtgewaad hadden aangetrokken, verdwenen de dienstmeisjes. Vervolgens werd ik door de eunuchen in warme dekens gewikkeld en naar mijn slaapkamer teruggebracht.

Mijn paleis bestond uit drie delen. Het eerste was het woongedeelte, waarin zich drie grote kamers bevonden met ramen die uitkeken op het zuiden. De kamers waren met elkaar verbonden en vormden een rechthoek. Het middelste deel was de ontvangstruimte, waar een bescheiden troon stond voor mijn echtgenoot, voor het geval hij me zou bezoeken. Achter de troon tegen de muur stond een altaar. Boven het altaar hing een groot schilderij van een Chinees landschap. Het linkerdeel werd de westelijke kamer genoemd. Daar sliep ik. Aan de ene kant van de kamer, bij het raam, stonden een tafel en twee stoelen. Naast de stoelen stonden twee groene bamboeplanten. De rechterkamer werd de oostelijke kamer genoemd. Dit was mijn kleedkamer. Er stond een bed in. In dat bed moest ik slapen als Zijne Majesteit zou besluiten de nacht in mijn paleis door te brengen. Om zijn nachtrust te garanderen schreven de regels voor dat hij niet een hele nacht het bed zou delen met een van zijn vrouwen. Het bed in de oostelijke kamer was altijd opgemaakt en werd gekoeld of verwarmd, afhankelijk van het seizoen. Achter deze kamers lagen mijn eetkamer, badkamer, zitkamer en voorraadkamers.

De tuin, die mijn lievelingsplek zou worden, vormde het tweede gedeelte van mijn paleis. Hij was ongeveer een hectare groot en bevatte natuurlijke weiden en beekjes. Er lag een vijvertje in dat het Hemelse Meer genoemd werd. Ik liet de waterplanten met opzet wild groeien omdat het me aan Wu-hu deed denken. Ik was altijd dol op planten geweest en was van nature een enthousiast tuinierster. Ik zette mijn tuin vol met de schitterende planten die de natuur te bieden had. Naast grote, bloeiende bomen als de rode zijden katoenboom en magnolia's stonden er enorme pioenrozen in elke denkbare kleur. Ook had ik dieprode rozen met een paars hart, hoefvormige witte lelies, vlammend rode bergtheebloemen en gele winterpruimbloemen, die ik 'trekkebenen' noemde. De pruimbloemen hadden wasachtige blaadjes en bloeiden alleen als het sneeuwde, alsof ze van de kou hielden. Als An-te-hai 's morgens mijn ramen opende dreef de sterke geur mijn slaapkamer binnen. Ze 'trokken mijn benen' de tuin in en ik móést hun schoonheid gaan bewonderen, al was ik nog steeds in pyjama. An-te-hai plukte vaak een paar takken met winterpruimbloesem voordat ik wakker werd, om te voorkomen dat ik kou zou vatten als het erg koud was, of zette een enkele bloem in een vaasje op mijn ontbijttafel.

Ik hield van vele bloemen. Ik hield zowel van elegante exemplaren als van het soort dat ik 'dwergjes' noemde. Ik was dol op de vlindervormige ochtendglorie en de paarse bodembedekker met zijn tijgerkopjes. Ik was gespecialiseerd in pioenen en chrysanten. Ofschoon de keizerlijke gemeenschap vond dat chrysanten alleen goed genoeg waren voor simpele boeren, kweekte ik ze met veel enthousiasme. Ik had elke denkbare soort. Het mooiste vond ik de 'gouden klauw'. De bloem daarvan opende zich als de hand van een danser en hield het ochtendlicht in zijn palm gevangen. Niemand had deze soort ooit ergens anders gezien. Aan het einde van de herfst reikten de planten tot mijn schouders, en ik kon er geen genoeg van krijgen.

Als ik 's nachts de slaap niet kon vatten, ging ik naar mijn tuin. Daar hoorde ik de geluiden uit mijn jeugd. Ik kon de vissen in het water horen praten. Ik dwaalde door de struiken terwijl ik de bladeren en de bloemen betastte. Ik vond het heerlijk de dauw op mijn vingertoppen te voelen.

Jaren later ging het verhaal over een eunuch die om middernacht een elfje in mijn tuin had zien lopen. Dat elfje was ik waarschijnlijk geweest. Er was een tijd dat ik niet meer wilde leven. Misschien was het een van de nachten waarin ik mijn leven wilde beëindigen.

Het derde deel van mijn paleis bestond uit het terrein aan weerszijden van de hoofdkamers. Hier woonden mijn eunuchen, hofdames en dienstmeisjes. Hun ramen keken uit op het binnenplein, waardoor ze het meteen zouden zien als ik naar de poort zou lopen en ook eventuele indringers die probeerden door de poort naar binnen te komen. De eunuchen patrouilleerden in wisseldienst, dus er was altijd iemand wakker.

An-te-hai lag in diepe slaap verzonken op de vloer. Hoofdeunuch Shim had gelogen toen hij zei dat hij mij geen bedienden had gegeven die snurkten. An-te-hai snurkte als een zaagmachine. Later zou ik dat echter anders gaan zien; na jaren van eenzaamheid, smart en angst zou An-te-hais gesnurk me als hemelse muziek in de oren klinken. Ik zou niet in slaap kunnen komen zonder dat geluid.

Ik lag wakker en mijn gedachten richtten zich op keizer Hsien Feng. Ik vroeg me af of hij en Nuharoo van elkaar genoten. Ik vroeg me af wanneer hij me zou ontbieden. Ik had het een beetje koud en herinnerde me dat An-te-hai had gezegd dat mijn bed moeilijk te verwarmen was. De verwarming onder mijn *kang* werkte niet goed. Hij dacht dat Shim daarvoor had gezorgd; dat de hoofdeunuch me iets duidelijk wilde maken: ik kon een comfortabel leventje leiden door hem regelmatig geld toe te stoppen, of ik zou het koud hebben in de winter en warm in de zomer. Ik kon het mezelf moeilijk of makkelijk maken, was zijn boodschap: de keus was aan mij.

'Zolang u een van de drieduizend concubines bent, kunt u niet aan hem ontsnappen,' had An-te-hai gezegd.

Ik had er geen moeite mee te slapen in een bed dat niet volgens de keizerlijke norm was verwarmd. Maar het was belangrijk om toe te werken naar het doel de favoriete van de keizer te worden. Dat was de enige manier om respect te krijgen. Ik had geen tijd te verliezen. Binnenkort zou ik achttien worden. In de keizerlijke schoonheidstuin werd je vanaf je achttiende beschouwd als een verwelkende bloem.

Ik probeerde niet te denken aan wat ik werkelijk van het leven verwachtte. Ik ging mijn bed uit en schreef een gedicht over uit een dichtbundel.

> *De oostelijke tak van de Yangtze stroomt door*
> *En de liefdeszaadjes die we eens zaaiden blijven groeien*
> *In mijn dromen vervaagde je gezicht*
> *Ik bleef wakker en hoorde de schreeuw van de vogels in de nacht.*

> *De lente is nog niet groen*
> *Mijn grijze haar is te zien*
> *Onze scheiding is te lang geleden om nog verdriet te hebben.*

> *Keer op keer steekt het verleden de kop op*
> *In de nacht van het prachtige Lantaarnfeest.*

ZEVEN

De eerste maand gleed snel voorbij. Elke ochtend ontwaakte ik bij de eerste zonnestralen met mijn kat, Sneeuw, naast me. Ik was gehecht geraakt aan dit zachte wezentje. Ik wist hoe mijn dag eruit zou zien. Die zou weer bestaan uit afwachten en hopen dat Zijne Majesteit me zou bezoeken.

An-te-hai zei dat ik moest zorgen voor bezigheden om de tijd door te komen. Hij suggereerde borduren, vissen en schaken.

Ik begon met schaken, maar verloor na een paar spelletjes de interesse. De eunuchen lieten me steeds winnen. Ik had het gevoel dat mijn intelligentie werd beledigd, maar ze waren te bang om me in het spel als gelijke te benaderen.

Ik raakte gefascineerd door de keizerlijke klokken, die bij het meubilair van de Verboden Stad hoorden en tegen alle muren hingen of stonden. Het leukste vond ik de specht. Het vogeltje zat in een keramische boomstam en kwam alleen te voorschijn om het uur te verkondigen. Ik was dol op het geluid dat hij maakte. An-te-hai vond de pikkende bewegingen van het vogeltje leuk, omdat hem dat aan een buiging deed denken. Als hij in de gelegenheid was probeerde hij op tijd te zijn om de 'buigingen' in ontvangst te nemen.

De andere klok die ik mooi vond had een merkwaardige vorm. Het leek op een familie van wieltjes die in elkaar greep. Er zat een glazen omhulsel omheen waardoor ik het binnenwerk kon zien. Als in een harmonieus gezin deed elk radertje zijn werk en leverde energie, zodat de klok kon zingen.

Ik bestudeerde de klokken en vroeg me af waar ze vandaan kwamen. De meeste waren afkomstig uit verre landen. Het waren geschenken van buitenlandse vorsten en prinsen aan de Chinese keizers van voorbije dynastieën. De ontwerpen bewezen dat de makers liefde voor het leven koesterden en daardoor ging ik me afvragen of de verhalen die ik over die wilde barbaren had gehoord wel waarheid bevatten.

Mijn enthousiasme voor de tijdmechanismen nam snel af. Ik kon bijna niet meer naar hun puntige wijzers kijken. Ze kropen zo langzaam rond dat ik ze vooruit wilde duwen. Ik gaf An-te-hai opdracht er kleden over te hangen. 'Geen buigingen meer,' hoorde ik hem tegen de specht zeggen.

Op een dag verveelde ik me al voordat ik was opgestaan.

'Heeft mevrouw goed geslapen?' klonk de stem van An-te-hai vanaf het binnenplein.

Ik zat op de rand van het bed en nam niet de moeite hem te antwoorden.

'Goedemorgen!' Vriendelijk glimlachend kwam de eunuch de kamer binnen. 'Uw slaven staan klaar om u te wassen, mevrouw.'

Mijn ochtendwasbeurt was een belevenis. Voordat ik uit bed kwam, paradeerden de eunuchen en dienstmeisjes langs met gewaden. Ik moest er een kiezen van de dertig. Zoveel prachtige gewaden, al was de helft niet mijn smaak.

Daarna moest ik schoenen uitkiezen en een hoofddeksel en sieraden. Nadat ik was opgestaan begaf ik me naar een kamer waar de kamerpot stond. Daarbij werd ik door zes dienstmeisjes vergezeld. Het hielp niet dat ik zei dat ik alleen wilde zijn. Deze mensen hadden van hoofdeunuch Shim geleerd om in een dergelijke situatie doofstom te zijn.

Het was een grote, lege ruimte. In het midden stond een prachtig bewerkte en beschilderde gele pot. Hij leek op een grote pompoen. In de hoeken van de ruimte stonden kleine lantaarns. Aan de muren hingen draperieën die geborduurd waren met blauwe en witte bloemen.

Ik moest nodig, maar het lukte me niet. Er was geen raam waardoor de stank zou kunnen ontsnappen. De dienstmeisjes stonden om me heen en staarden me aan. Keer op keer beval ik hun me met rust te laten, maar ze weigerden. Ze smeekten me door hen te laten helpen. Een van hen had een natte handdoek om mijn billen af te vegen, een ander hield een zeepbakje vast, een derde had een dienblad met een stapeltje zijdepapier en de vierde een zilveren schaal. De laatste twee hadden elk een emmer, een met warm en een met koud water.

'Zet die spullen neer,' zei ik. 'Jullie kunnen gaan.'

Allemaal mompelden ze: 'Ja, mevrouw,' maar ze kwamen niet in beweging.

Ik verhief mijn stem. 'Het zal stinken.'

'Nee, u stinkt niet,' antwoordden ze in koor.

'Doe me een lol!' schreeuwde ik. 'Verdwijn!'

'We vinden het niet erg. We zijn dol op uw stank.'

'An-te-hai!'

An-te-hai haastte zich de kamer in. 'Ja, mevrouw.'

'Roep onmiddellijk hoofdeunuch Shim en vertel hem dat mijn bedienden me niet gehoorzamen.'

'Dat werkt niet, mevrouw.' An-te-hai maakte een koker van zijn handen en fluisterde daardoor in mijn oor. 'Ik ben bang dat hoofdeunuch Shim hier niets aan zal doen.'

'Waarom niet?'

'Het is voorgeschreven dat de vrouwen van de keizer op deze manier bediend worden.'

'Wie dat heeft bedacht is een idioot.'

'O, nee, mevrouw, zegt u dat niet!' zei An-te-hai geschokt. 'Het was Hare Majesteit de Grote Keizerin die de regels heeft opgesteld!'

Ik zag de Grote Keizerin voor me, zittend op haar pot en omringd door dienstmeisjes. 'Ze denkt waarschijnlijk dat haar drollen diamanten zijn en dat haar winden naar parfum ruiken. Heeft Hare Majesteit ook regels opgesteld over de omvang, vorm, lengte, kleur en geur van de drollen?'

'Alstublieft, mevrouw.' An-te-hai werd nerveus. 'U wilt uzelf en mij niet in de problemen brengen.'

'Problemen? Ik wil alleen in privacy kunnen poepen!'

'Het gaat niet om het poepen, mevrouw,' murmelde An-te-hai, alsof zijn mond vol voedsel zat.

'Waar gaat het dan om?'

'Het gaat om elegantie, mevrouw.'

'Elegantie? Hoe kun je nou elegant schijten?'

Het werd niet alleen saai maar ook vermoeiend om me elke dag te laten opmaken, mijn haar te laten oliën en kammen, me in een gewaad te laten hijsen en dat strak om mijn middel vast te laten maken, alleen om 's middags alles weer te moeten uittrekken. De eunuchen en hofdames sjouwden met dienbladen en scharrelden om me heen met gewaden, onderkleding, accessoires, versierselen, ceintuurs en haarspelden. Ik kon niet wachten tot het ritueel voltooid was. Ik had er de voorkeur aan gegeven als ze me gezegd hadden waar ik de spullen kon vinden, zodat ik zelf mijn gang kon gaan. Maar ik kon de regels niet veranderen. Ik begon in te zien dat het keizerlijke leven uitsluitend om minuscule details draaide. Mijn grootste probleem was mijn ongeduld.

Als mijn haar werd gedaan hield An-te-hai me gezelschap. Hij amuseerde me met verhalen en grapjes. Hij stond achter me terwijl ik in de spiegel keek.

Eerst kamde de kapper mijn haar glad met reukwater. Vervolgens oliede hij het met het extract van bergzonnebloemen. Nadat hij het had doorgekamd stak hij het op. Op zekere ochtend probeerde hij het op te steken in de vorm van een zwaan.

Het gedoe verveelde me en ik begon me te ergeren.

Om de spanning te breken vroeg An-te-hai of ik wilde horen over de riem van keizer Hsien Feng.

Ik zei dat ik niet geïnteresseerd was.

'De riem heeft uiteraard de keizerlijke kleur, helder geel,' begon An-te-hai, terwijl hij deed alsof hij me niet gehoord had. 'Origineel Mantsjoe-handwerk, functioneel maar prachtig.' Toen hij merkte dat ik niet protesteerde, ging hij verder. 'De riem is versterkt met paardenhaar en versierd met witte, gevouwen, zijden linten. De riem is van vader op zoon doorgegeven door Zijne Majesteits voorouders en wordt gedragen bij belangrijke ceremonies. De hofastroloog heeft precieze specificaties over hoe Zijne Majesteit dergelijke voorwerpen moet dragen. Meestal draagt keizer Hsien Feng ook een ivoren koker met tandenstokers, een mes in een schede, gemaakt van de hoorn van een neushoorn en twee met pareltjes geborduurde reukzakjes. Oorspronkelijk werden die gemaakt van grof linnen en bevatten naald en draad om een gebroken teugel te repareren.'

Ik glimlachte, want ik waardeerde de bedoelingen van de eunuch. An-te-hai wist altijd mijn leergierigheid te prikkelen.

'Weet Nuharoo dit ook allemaal?' vroeg ik.

'Ja, mevrouw, inderdaad.'

'Was dat een van de redenen dat ze werd gekozen?'

An-te-hai hield zijn mond. Ik merkte dat hij me niet wilde grieven.

Ik liet het onderwerp vallen en zei: 'An-te-hai, vanaf nu ben je verantwoordelijk voor het opfrissen van mijn kennis van het keizerlijk leven.' Ik vermeed het woord 'onderwijzen'. Ik had gemerkt dat An-te-hai zich beter op zijn gemak voelde en me voorzag van betere informatie als ik me opstelde als zijn meesteres, en niet als zijn leerlinge.

'Ik wil graag dat je een voorstel doet over wat ik aan moet bij de komende viering van het Chinese nieuwjaar.'

'Wel, allereerst moet u nooit iets aantrekken wat niet past bij uw rang. Maar tegelijkertijd moet u niet fantasieloos overkomen. Dat wil zeggen dat u moet kunnen voorspellen wat de Grote Keizerin en keizerin Nuharoo waarschijnlijk zullen dragen.'

'Ja, dat klinkt logisch.'

'Ik denk dat hun jade hangers de vorm zullen hebben van lotusbladeren en dat hun andere sieraden zullen bestaan uit parels en roze toermalijn. Ze zullen ervoor zorgen dat ze keizer Hsien Feng niet overtreffen. Zijn hanger is bewerkt in de vorm van drie geiten, een teken van voorspoed dat hij uitsluitend op de avond van het Chinese nieuwjaar draagt.'

'En wat moet mijn hanger voorstellen?'

'Elk teken of symbool dat u wenst, als u de twee dames maar niet overtreft. Zoals ik al zei moet u zich ook weer niet te gewoontjes kleden, omdat u niet aan de aandacht van Zijne Majesteit wilt ontsnappen. U moet alles doen wat in uw macht ligt om op te vallen tussen de duizenden concubines. Misschien zult u uw echtgenoot alleen bij dit soort gelegenheden te zien krijgen.'

Ik wenste dat ik An-te-hai kon uitnodigen het ontbijt samen met mij te nuttigen in plaats van mij te bedienen, me te zien eten en vervolgens naar zijn woning te gaan om een koude zoete aardappel te eten.

Hij stelde mijn gevoelens op prijs en had er geen moeite mee mijn slaaf te zijn. Ik wist dat hij zijn toekomst van mij afhankelijk had gemaakt. Als ik Hsien Fengs favoriete zou worden, zou zijn positie verbeteren. Maar Zijne Majesteit besteedde totaal geen aandacht aan me. Hoe lang moest ik nog wachten? Zou ik ooit een kans krijgen? Waarom hoorde ik niets van hoofd-eunuch Shim?

Het was zeven weken geleden dat ik het Paleis van Geconcentreerde Schoonheid had betrokken. De geel geëmailleerde daken vielen me niet meer op. Hun schittering was in mijn ogen vervaagd. De taak 's morgens mijn kleding uit te kiezen verveelde me tot tranen toe. Ik besefte zo langzamerhand dat niemand mijn zorgvuldige kleding zou zien. Zelfs mijn eunuchen en hofdames waren niet aanwezig om mijn perfecte schoonheid te bewonderen. Zij hadden de opdracht zich niet te laten zien als ze niet geroepen werden. Ik bleef meestal alleen achter nadat ik was aangekleed.

Elke dag weer stond ik, van 's morgens vroeg tot na de middag, met een stijve nek midden in het prachtige, maar lege paleis. Talloze malen droomde ik van keizer Hsien Fengs bezoek. In mijn dromen kwam hij naar me toe, nam mijn hand in de zijne en omhelsde me hartstochtelijk.

De laatste tijd zat ik vaak aan de rand van mijn vijver. Uitgedost als een clown zat ik naar de schildpadden en padden te kijken. De ochtendzon scheen in de tuin en twee van de schildpadden zwommen lui rond in de vijver. Ze bleven een tijdje op het oppervlak drijven en kropen toen op een plat stuk rots om uit te rusten. Dan kroop de ene langzaam boven op de andere. Zo bleven ze urenlang bewegingsloos liggen, en ik zat bij hen.

'De prachtige, opengesperde ogen zijn levenloos, al is haar houding kaarsrecht en haar kostuum schitterend…' – de dichtregels uit de ouderwetse opera's spookten rond in mijn hoofd.

An-te-hai kwam met een dienblad met een kopje thee uit de struiken te voorschijn.

'Heeft mevrouw een goede dag?' An-te-hai zette de thee voor me neer.

Ik zuchtte en zei dat ik geen trek had in thee.

An-te-hai glimlachte. Hij boog zich voorover en duwde de schildpadden voorzichtig terug in het water. 'U bent te ongeduldig, mevrouw. Dat is niet goed.'

'Het leven in de Verboden Stad duurt te lang, An-te-hai,' zei ik. 'Zelfs de seconden zijn bijna niet om door te komen.'

'De dag zal aanbreken,' zei An-te-hai met een overtuigde uitdrukking op zijn gezicht. 'Zijne Majesteit zal u ontbieden, mevrouw.'

'Denk je?'

'U moet geloven dat hij dat zal doen.'

'Waarom zou hij?'

'Waarom niet?' An-te-hai kwam overeind uit zijn geknielde positie.

'Spreek niet meer over valse hoop, An-te-hai!'

'U kunt zich niet veroorloven het vertrouwen te verliezen, mevrouw. Hoop is immers het enige wat u bezit? Zijne Majesteit heeft u aan de westzijde van zijn paleis geplaatst. Volgens mij is dat een teken van grote interesse. Alle waarzeggers die ik heb geraadpleegd zeggen dat hij u zal ontbieden.'

Ik werd hierdoor wat opgevrolijkt en pakte mijn kopje thee.

'Mag ik vragen…' – de eunuch glimlachte alsof ook hij zich beter voelde – 'of mevrouw voorbereid is in het geval hij u vanavond ontbiedt? Met andere woorden, is mevrouw bekend met het paarritueel?'

In verlegenheid gebracht antwoordde ik: 'Natuurlijk.'

'Als u nadere toelichting wenst, ben ik u graag van dienst.'

'Jij?' Ik kon mijn lachen niet bedwingen. 'Kijk uit dat je niet te ver gaat, An-te-hai.'

'Alleen u weet of ik me goed gedraag, mevrouw.'

Ik zweeg.

'Ik zal met genoegen vergif slikken als u dat wenst,' zei An-te-hai zachtjes.

'Doe gewoon je plicht en klets niet,' zei ik glimlachend.

'Heb even geduld, mevrouw. Ik zal u iets laten zien.' Vlug pakte An-te-hai de thee en het dienblad en liep weg. Even later kwam hij terug met een kartonnen doos. In de doos zat een paar zijderupsen.

'Ik heb deze gehaald uit het Paleis van Welwillende Rust,' zei An-te-hai. 'Daar wonen de oudere concubines – achtentwintig stuks, achtergelaten door keizer Hsien Fengs vader en grootvader. Dit zijn hun huisdiertjes.'

'Wat doen ze met motten?' vroeg ik. 'Ik dacht dat ze de hele dag zaten te borduren.'

'Wel, de dames kijken naar de motten en spelen ermee,' zei An-te-hai. 'Net als de keizers en prinsen zich vermaken met krekels. Het enige verschil is dat de motten van de zijderups niet met elkaar vechten.'

'Wat is er leuk aan het kijken naar motten?'

'U moest eens weten, mevrouw.' An-te-hai klonk opgewonden, alsof hij op het punt stond een geheim te onthullen. 'De dames vinden het prachtig om de motten te zien paren, en dan trekken ze de beestjes tijdens het paren uit elkaar. Zal ik het u laten zien?'

Toen ik me probeerde voor te stellen wat An-te-hai wilde doen, zwaaide ik met mijn handen in de lucht. 'Nee! Neem die doos mee terug, ik wil het niet weten!'

'Zoals u wenst, mevrouw, ik zal het u vandaag niet laten zien. Maar er zal een dag komen dat u wel geïnteresseerd zult zijn. Dan zult u de lol ervan inzien, net als de andere dames.'

'Wat gebeurt er als je de motten uit elkaar trekt?' vroeg ik.

'Ze bloeden dood.'

'En dat is de "lol" waarover je het hebt?'

'Precies,' zei An-te-hai glimlachend, die me voor het eerst niet begreep.

'Mensen die dat doen zijn ziek van geest,' zei ik, terwijl ik mijn hoofd naar de bergen in de verte keerde.

'Tja, als je wanhopig bent kan het helpen,' zei An-te-hai rustig.

Ik draaide me om en keek in de doos.

De twee motten waren bezig één te worden. De helft van het mannetje was verdwenen in het vrouwtje.

'Wilt u dat ik de doos wegbreng, mevrouw?'

'Maak dat je wegkomt, An-te-hai, en laat de doos hier.'

'Natuurlijk, mevrouw. De motten zijn gemakkelijk te voeren. Als u meer dan een paar wilt hebben: op de vierde dag van elke maand komt de zijderupsverkoper naar het paleis.'

De diertjes lagen vredig op het stro. Ernaast lagen twee kapotte cocons. De twee kleine witte lichaampjes hadden vleugeltjes die bedekt waren met dik, askleurig poeder. Af en toe trilden de vleugeltjes. Waren ze bezig plezier te maken?

De zon was van positie veranderd. De platte rots lag nu in de schaduw. Het was warm en aangenaam in de tuin. Ik zag mijn gezicht in het water weerspiegeld. Mijn wangen hadden de kleur van perziken en mijn haar weerkaatste het licht.

Ik probeerde mijn gedachten een halt toe te roepen. Ik wilde het moment niet bederven door aan mijn toekomst te denken. Maar ik wist wel dat ik de motten en de schildpadden benijdde. Mijn jeugdigheid zei me dat ik mijn verlangen niet kon blussen, net zomin als ik kon voorkomen dat de zon scheen en de wind waaide.

Het werd middag. In mijn gezichtsveld verscheen een gammel karretje dat werd voortgetrokken door een ezel. Het bleek een roestig waterkarretje. Erachter liep een oude man met een zweep. Op de enorme houten ton wapperde een geel vlaggetje. De oude man kwam de waterkannen in mijn paleis vullen. An-te-hai beweerde dat het karretje meer dan vijftig jaar oud was. Het deed al dienst sinds het bewind van keizer Chien Lung. De keizer wilde het beste water hebben en had daartoe experts uit Peking gevraagd om watermonsters van bronnen in het hele land te bestuderen en te vergelijken. De keizer had persoonlijk toegezien op het meten en wegen van het water en had elk monster geanalyseerd op de mineraalinhoud.

Het water van de Jadebergbron behaalde de beste resultaten. Vanaf dat moment werd de bron uitsluitend bestemd voor het gebruik van de inwoners van de Verboden Stad. De poorten van Peking sloten om tien uur 's avonds en dan mocht er niemand meer door behalve het waterkarretje met het gele vlaggetje. De ezel liep altijd in het midden van de boulevards. Er werd gezegd dat zelfs prinsen te paard voor de ezel opzij moesten gaan.

Ik zag de waterman zijn taak vervullen en weer door de poort verdwijnen. Ik hoorde de stappen van de ezel wegsterven. Ik werd door de duisternis omsloten. Een ellendig gevoel maakte zich van me meester.

Toen ik later de zijderupsdoos opendeed, bleken de motten verdwenen. In plaats daarvan lagen er honderden bruine stipjes op het stro.

'Baby's! De motten hebben baby's!' riep ik uit als een waanzinnige.

Er ging weer een week voorbij en er kwam geen enkel nieuws. Er was ook niemand op bezoek gekomen. De stilte rond mijn paleis werd oorverdovend. Als Sneeuw op mijn schoot kwam liggen was ik tot tranen bewogen. De dagen kropen voorbij; ik gaf de kat te eten, nam een bad en speelde met het beestje totdat het me verveelde. Ik las boeken en schreef nog meer gedichten over uit vroeger tijden. Ik begon ook met schilderen. De schilderijen gaven mijn gemoedsstemming weer. Ze bestonden bijna altijd uit een eenzame boom in een landschap of een bloeiende boom in een uitgestrekt sneeuwlandschap.

Op de achtenvijftigste dag na mijn aankomst in de Verboden Stad werd ik eindelijk ontboden door keizer Hsien Feng. Ik kon mijn oren haast niet geloven toen An-te-hai de uitnodiging overbracht waarin ik gevraagd werd Zijne Majesteits gaste te zijn bij een opera.

Ik bestudeerde de uitnodiging. Hsien Fengs handtekening en zegel zagen er groots en prachtig uit. Ik legde de kaart onder mijn kussen en raakte hem steeds weer aan tot ik in slaap viel. De volgende ochtend stond ik voor zonsopgang op. Tijdens het opmaak- en kleedritueel voelde ik me springlevend en opgewonden. Ik droomde van Zijne Majesteits waardering. Aan het einde van de dag was alles gereed. Ik bad dat mijn schoonheid me geluk zou brengen.

An-te-hai zei dat keizer Hsien Feng een draagstoel zou sturen. Brandend van verlangen wachtte ik af. An-te-hai vertelde me waar ik heen zou gaan en wie ik zou ontmoeten. Hij wees erop dat theaterstukken al generaties lang het favoriete tijdverdrijf van de keizers vormden. Ze waren zeer populair tijdens de vroege Ch'ing-dynastie in de zeventiende eeuw. In de keizerlijke villa's werden grote podia gebouwd. Alleen al in het Zomerpaleis, waar ik heen zou gaan, stonden vier podia. Het grootste daarvan was drie verdiepingen hoog. Dit werd het Grote Changyi Magnifieke Geluidspodium genoemd.

Volgens An-te-hai werden tijdens elk maannieuwjaar en op de verjaardagen van de keizer en keizerin stukken opgevoerd. Deze uitvoeringen waren altijd op z'n minst extravagant en duurden meestal van de vroege ochtend tot de late avond. De keizer nodigde prinsen en hoge functionarissen uit en het was een grote eer om gevraagd te worden. Op de achttiende verjaardag van keizer Chien Lung werden er tien opera's uitgevoerd. Het populairste stuk was *De Apenkoning*. Het personage van de aap was overgenomen uit een klassieke roman uit de tijd van de Ming-dynastie. De keizer was zo dol op deze opera dat hij elke interpretatie ervan had gezien. Het was de langste opera die ooit was geproduceerd; hij duurde tien dagen. De uitbeelding van een denkbeeldige hemel die het spiegelbeeld was van het menselijke, aan de aarde gebonden bestaan, hield de toehoorders tot het laatst in zijn ban. En men zei dat zelfs dan sommigen wilden dat een aantal scènes meteen herhaald werden.

Ik vroeg An-te-hai of de keizerlijke familieleden werkelijke kennis hadden van de opera's of gewoon enthousiaste fans waren.

'Ik zou zeggen dat de meesten zogenaamde experts waren,' zei hij, 'met uitzondering van keizer Kang Hsi, de betovergrootvader van keizer Hsien Feng. Volgens de schriftelijke overlevering hield Kang Hsi toezicht op de scripts en de muzikale arrangementen, en begeleidde zijn kleinzoon, Chien Lung, het schrijven van heel wat libretto's. Maar de meeste mensen kwamen voor het eten en de nabijheid van Zijne Majesteit. Het is natuurlijk altijd belangrijk om cultureel bewustzijn te tonen. In een decadente cultuur is het in zwang je smaak tentoon te spreiden.'

'Zou iemand over zijn kennis durven op te scheppen in aanwezigheid van de keizer?' vroeg ik.

'Er is er altijd wel eentje die niet begrijpt dat de anderen hem zien als een houtduif die een salto maakt – en zijn achterwerk laat zien.'

Als voorbeeld vertelde An-te-hai me een verhaal. Het speelde zich af in de Verboden Stad tijdens het bewind van keizer Yung Cheng, de overgrootvader van Hsien Feng. De keizer zat te genieten van een uitvoering die ging over de gouverneur van een kleine stad die zijn zwakte overwon en zijn verwende zoon een lesje leerde door hem te straffen. De acteur die de gouverneur speelde was zo goed dat de keizer hem na de uitvoering een privé-audiëntie toestond. De man werd beloond met taëls en geschenken en Zijne Majesteit zwaaide hem veel lof toe. De acteur vergat zijn plaats en vroeg of Zijne Majesteit wist hoe de naam van de echte, historische gouverneur luidde.

'Hoe durf je vragen te stellen,' deed An-te-hai de keizer na, terwijl hij met zijn rechterhand zijn denkbeeldige gewaad een zwaai gaf. 'Ben je vergeten wie je bent? Hoe kan ik het land leiden als ik toesta dat ik uitgedaagd word door een bedelaar als jij?' Er werd een edict uitgevaardigd en de acteur werd naar buiten gesleurd en doodgeslagen terwijl hij zijn kostuum nog aanhad.

Dit verhaal toonde me het ware gezicht van de pracht en praal van de Verboden Stad. Ik twijfelde eraan of de executie van de domme acteur het imago van Zijne Majesteit goed had gedaan. Een dergelijke bestraffing riep alleen maar doodsangst op en die vergrootte de afstand tussen de keizer en de harten van zijn onderdanen. Uiteindelijk zou angst hem alleen verlies opleveren. Wie zou bereid zijn je overal te volgen als je alleen angst inboezemde?

Achteraf bekeken heeft dit verhaal me waarschijnlijk beïnvloed bij een onbelangrijk voorval dat tijdens mijn regeerperiode plaatsvond, een incident waarop ik erg trots was. Ik zat voor het Grote Changyi Magnifieke Geluidspodium om mijn zestigste verjaardag te vieren. De opera heette *De Yu-Tang Hal*. De bejubelde acteur Chen Yi-chew speelde het personage mejuffrouw Shoo. Hij stond te zingen: 'Aangekomen in de rechtzaal kijk ik omhoog/ aan weerszijden staan de beulen met hun lange messen/ ik voel me als een schaap in de muil van de leeuw...' Maar bij het woord 'schaap' hield Chen opeens op met zingen. Hij besefte dat het schaap mijn geboorteteken was en dat anderen misschien zouden denken dat hij mij vervloekte als hij zou doorzingen. Chen probeerde het woord in te slikken, maar het was te laat – iedereen had het al gehoord, want het was een bekende opera en iedereen kende de tekst. De arme man probeerde zichzelf te redden door het woord te manipuleren. Hij rekte zijn adem en liet de laatste letters doorklinken tot hij buiten adem was. Het orkest raakte in verwarring en de percussionisten sloegen op hun trommels om de fout te verdoezelen. Toen bewees Chen-Yi dat hij een ware podiumveteraan was – hij verzon ter plekke een nieuwe tekst, zodat 'een schaap in de muil van de leeuw' werd vervangen door 'een vis die in de netten verstrikt raakt'.

Voordat de leden van de hofhouding de kans kregen te rapporteren dat er een 'fout' was gemaakt en de acteur gestraft moest worden, prees ik Chen voor zijn briljante vondst. Uiteraard zei niemand iets over de veranderde tekst. Als eerbetoon aan mijn vriendelijkheid besloot de acteur de nieuwe tekst te handhaven. In de tegenwoordige versie van *De Yu-Tang Hal* is de tekst 'een schaap in de muil van de leeuw' dan ook vervangen door 'een vis die in de netten verstrikt raakt'.

Terwijl we zaten te wachten op de komst van Zijne Majesteits draagstoel, vroeg ik An-te-hai nieuwsgierig welke opera's vooral populair waren in de Verboden Stad.

'De Peking-opera.' An-te-hais ogen lichtten op. 'De belangrijkste melodieën zijn afkomstig uit de *Kun* en *Yiyang*-opera's. Elke keizer of keizerin heeft zijn of haar favoriet gehad. Operastijlen ontwikkelen zich in de loop der tijd, maar de *Kun*-libretto's blijven over het algemeen ongewijzigd.'

Ik vroeg hem wat de favoriete opera's waren van de keizerlijke familie, in de hoop dat er een bij zou zitten die ik kende.

'*De romantiek van de lente en de herfst.*' An-te-hai telde ze op zijn vingers af. '*De schoonheid van de Shang-dynastie, Literatuur in vredestijd, Het wonderkind dat het keizerlijk examen wint, De strijd van de ijzeren vaandeldragers.*' Hij noemde bijna dertig opera's.

Ik vroeg An-te-hai of hij wist welke opera vandaag zou worden opgevoerd. Hij dacht dat het *De strijd van de ijzeren vaandeldragers* zou zijn. 'Dat is keizer Hsien Fengs lievelingsstuk,' legde hij uit. 'Zijne Majesteit geeft niet veel om de klassieken. Die vindt hij saai. Hij houdt meer van stukken waarin veel krijgskunst en acrobatische toeren voorkomen.'

'Deelt de Grote Keizerin zijn smaak?'

'O, nee. Hare Majesteits voorkeur gaat uit naar gestileerde stemmen en beroemde acteurs. Ze volgt zelf operalessen en wordt als kenner beschouwd. De mogelijkheid bestaat dat keizer Hsien Feng in de stemming is om zijn moeder een plezier te doen. Ik heb gehoord dat Nuharoo hem zover probeert te krijgen wat vromer te zijn. Wie weet zal Zijne Majesteit het operagezelschap opdragen het favoriete stuk van Hare Majesteit, *Tienduizend jaar geluk*, op te voeren.'

Toen An-te-hai Nuharoo in verband met keizer Hsien Feng noemde, werden mijn gedachten geprikkeld en mijn jaloezie gewekt. Ik vond het niet leuk dat ik zo kleinzielig deed, maar ik kon er niets aan doen. Ik vroeg me af hoe de andere concubines met hun afgunst omgingen. Hadden zij het bed al met Hsien Feng gedeeld?

'Vertel me over jouw dromen, An-te-hai.' Ik ging zitten. Opeens overviel me het besef dat de weg naar de verlossing onbegaanbaar was. Er stroomde een gevoel van wanhoop door me heen. Ik kreeg het gevoel dat ik in een afgesloten kamer werd gestopt, waar ik haast niet kon ademen. Het was niet waar dat ik gelukkig zou zijn als mijn maag maar vol was. Ik kon niet aan mijn ware aard ontsnappen; ik was een vrouw die wist dat ze leefde om lief te hebben. Mijn positie van keizerlijke gemalin bood me alles behalve dat.

De eunuch wierp zich op de grond en smeekte om vergeving. 'Ik kan zien dat u overstuur bent, mevrouw. Heb ik iets verkeerds gezegd? Straft u me, want woede zal Zijne Majesteits gezondheid ondermijnen.'

Ik kreeg het gevoel dat ik altijd verliezer zou zijn. Mijn frustratie veranderde in verdriet. Waar kon ik heen? Maar in mijn hoofd klonk een stem die zei: en toch wil ik nog steeds tomaten kweken in augustus, al is het te laat.

'Je hebt niets verkeerds gezegd,' zei ik tegen An-te-hai. 'Vertel me nu je dromen.'

Toen hij zich ervan vergewist had dat ik niet boos op hem was, begon de eunuch: 'Ik koester twee dromen, mevrouw. Maar de kans dat ik ze kan verwezenlijken is ongeveer zo groot als de kans op het vangen van een levende vis in kokend water.'

'Beschrijf de dromen.'

'Mijn eerste droom is mijn lid terug te krijgen.'

'Je lid?'

'Ik weet precies wie mijn penis in zijn bezit heeft en waar hij die heeft opgeslagen,' zei An-te-hai. Terwijl hij sprak veranderde hij in een jongeman die ik nog nooit had gezien. Zijn ogen schitterden en er kwam een blos op zijn wangen. Zijn stem klonk anders. Er klonk hoop en vastberadenheid in door.

'De man die mij gecastreerd heeft bezit een hele collectie penissen. Hij bewaart ze in potten met conserveringsmiddel en heeft ze verstopt. Hij wacht tot we succesvol worden, zodat hij ons de penissen voor een fortuin kan verkopen. Als ik dood ben, moet mijn lichaam ongeschonden in mijn kist liggen, mevrouw. Dat willen alle eunuchen. Als ik niet compleet begraven word, zal ik in mijn volgende leven gehandicapt zijn.'

'Geloof je dat echt?'

'Ja, majesteit.'

'En wat is je andere droom?'

'Mijn andere droom is mijn ouders eer te bewijzen. Ik wil hun laten zien dat ik geslaagd ben. Mijn ouders hebben veertien kinderen gekregen. Acht van hen zijn de hongerdood gestorven. Mijn grootmoeder, die mij heeft opgevoed, heeft nog nooit in haar leven een behoorlijke maaltijd gegeten. Ik weet niet of ik haar ooit nog zal zien, ze is erg ziek en ik mis haar verschrikkelijk.' An-te-hai probeerde door zijn tranen heen te glimlachen. 'Ziet u, mevrouw, ik ben een eekhoorntje met de ambities van een draak.'

'Dat bevalt me juist zo aan je, An-te-hai. Ik wou maar dat mijn broer Kuei Hsiang jouw ambitieniveau had.'

'U vleit me, mevrouw.'

'Ik neem aan dat je mijn droom zo langzamerhand wel kent,' zei ik.

'Een beetje wel, mevrouw, dat durf ik u wel te bekennen.'

'Die lijkt net zo onbereikbaar als jouw dromen, nietwaar?'

'Geduld en vertrouwen, mevrouw.'

'Maar keizer Hsien Feng heeft me niet naar zijn bed geroepen. En de pijn en schaamte doen me niets meer.' Ik deed geen moeite mijn tranen weg te vegen, die over mijn wangen rolden. 'Ik ben erin geslaagd in de Verboden Stad te komen, maar ik heb het gevoel dat de afstand tussen mijn bed en dat van Zijne Majesteit groter is dan ooit. Ik weet niet wat ik moet doen.'

'U wordt steeds magerder, mevrouw. Het doet me pijn als ik zie dat u uw bord wegschuift.'

'An-te-hai, vertel me, wat zie je me worden?'

'Een bloeiende pioenroos, mevrouw?'

'Aanvankelijk wel. Maar ik ben aan het verwelken en binnenkort zal de lente voorbij zijn en zal de bloem verdwijnen.'

'U kunt er ook met een andere blik naar kijken, mevrouw.'

'Vertel op.'

'Wel, in mijn ogen bent u geen verwelkte bloem maar eerder een kameel.'

'Een kameel?'

'Kent u het gezegde "Een dode kameel is groter dan een paard"?'

'Wat betekent dat?'

'Het betekent dat u nog steeds een betere kans maakt dan het gewone volk.'

'Maar in werkelijkheid heb ik niets.'

'U heeft mij.' Op zijn knieën kroop hij naderbij. Hij sloeg zijn ogen op en keek me aan.

'Jij? Wat kan jij uitrichten?'

'Ik kan erachter komen welke concubines het bed hebben gedeeld met Zijne Majesteit en hoe ze dat voor elkaar hebben gekregen.'

ACHT

Het eerste waar mijn oog op viel bij het Grote Changyi Magnifieke Geluidspodium was niet keizer Hsien Feng of zijn gasten, en ook niet de prachtige
operadecors en de kostuums van de acteurs. Het was de diadeem op het hoofd
van Nuharoo, die was samengesteld uit parels, koraal en ijsvogelveren in het
patroon van het karakter 'shou', wat 'lange levensduur' betekende.

Ik werd door een zwaarbewaakte poort en door een gang geleid naar het
openluchttheater op een binnenplein. De stoelen waren al bezet. Het publiek
was prachtig uitgedost. Eunuchen en hofdames liepen de gangpaden op en
neer met potten thee, kopjes en dienbladen met etenswaren. De opera was al
begonnen, de gongs en klokken klonken, maar je hoorde nog steeds geroe-
zemoes. Later zou ik te weten komen dat het gebruikelijk was dat het publiek
tijdens de uitvoering doorpraatte. Ik vond dit storend, maar zo was de keizerlijke traditie.

Ik keek om me heen. Keizer Hsien Feng zat naast Nuharoo in het midden
van de voorste rij. Zowel hij als Nuharoo was gekleed in keizerlijke gele zijden gewaden, geborduurd met draken- en feniksmotieven. Zijn diadeem werd
bekroond door een grote Mantsjoe-parel en was ingelegd met zilveren, vast-
gestrikte linten en kwastjes. Zijn kinband was gemaakt van sabelbont.

Hsien Feng volgde de opvoering met grote interesse. Nuharoo zat er elegant bij, maar haar aandacht was niet op het toneel gericht. Ze zat om zich
heen te kijken zonder haar hoofd te bewegen. Aan haar rechterzijde zat onze schoonmoeder, de Grote Keizerin. Ze had een vermiljoenkleurig zijden gewaad aan, dat geborduurd was met blauwe en paarse vlinders. De Grote Keizerin was nog dramatischer opgemaakt dan de acteurs op het toneel. Haar
wenkbrauwen waren zo donker en dik geverfd dat het twee streepjes houts-
kool leken. Haar kaak bewoog van links naar rechts terwijl ze nootjes zat te
eten. Haar roodgeschilderde mond deed me denken aan een verrotte dadel-
pruim. Haar ogen zwiepten als een bezem over het publiek. Achter haar zaten de keizerlijke schoondochters, de vrouwes Yun, Li, Mei en Hui. Ze waren prachtig gekleed en vertrokken geen spier van hun gezicht. Achterin en
aan de zijkanten zaten de keizerlijke prinsen met hun families en andere gasten.

Hoofdeunuch Shim kwam me begroeten. Ik verontschuldigde me voor
mijn late komst, al was het niet mijn schuld – de draagstoel was niet op tijd

gekomen. Hij zei dat er niets aan de hand was, als ik er maar voor zorgde dat ik mijn gemaal en mijn schoonmoeder niet stoorde. 'Zijne Majesteit eist nooit echt dat zijn concubines aanwezig zijn,' zei Shim. Ik besefte tot mijn grote teleurstelling dat ik slechts als formaliteit was uitgenodigd. Hoofdeunuch Shim hielp me op mijn zitplaats tussen vrouwe Li en vrouwe Mei in. Ik bood mijn excuses aan voor de onderbreking en ze beantwoordden zwijgend mijn buigingen.

We richtten onze aandacht op de opera. Die was getiteld *De drie veldslagen tussen de Apenkoning en de Witte Vos*. Ik werd getroffen door het talent van de acteurs, die volgens vrouwe Mei eunuchen waren. Met name de Witte Vos maakte grote indruk op me. 'Haar' stem was uniek en prachtig en 'ze' danste zo sensueel dat ik vergat dat ze een hij was. Om een dergelijk niveau van vaardigheid en soepelheid te bereiken moesten de acteurs al heel jong met hun opleiding begonnen zijn.

In de opvoering was het moment van actie bereikt. De apen vertoonden hun acrobatische toeren. Al draaiend en koprollen makend voerde de Apenkoning een salto uit over de schouders van de kleinere apen. Als slot maakte hij een enorm hoge sprong en landde soepel op een boomtak, een decorstuk dat uit geverfd hout was vervaardigd.

Het publiek juichte.

De Apenkoning sprong op een wolk, bestaande uit een bord dat aan touwen aan het plafond hing. Er werd een groot wit doek opgegooid dat de hemelse waterval voorstelde, de wolk werd omhoog gehesen en de acteur verliet het toneel.

'Shang! Beloon hem! Shang!' schreeuwde keizer Hsien Feng luid applaudisserend.

De menigte deed met hem mee en brulde: 'Shang! Shang! Shang!'

Het hoofd van Hsien Feng ging op en neer als de trom van een koopman. Bij elke gongslag schopte hij lachend zijn voeten vooruit. 'Uitstekend!' riep hij, terwijl hij naar de acteurs wees. 'Jullie hebben lef! Geweldige lef!'

De Grote Keizerin gaf schalen met noten en seizoensgerechten door. Ik had sinds de vorige avond niets gegeten, dus bediende ik me van de bessenbroodjes, dadels, zoete bonen en noten. Afgezien van de Grote Keizerin leek ik de enige die werkelijk van de opera genoot. De andere dames zagen er verveeld uit. Nuharoo deed haar best geïnteresseerd te kijken; vrouwe Li zat te gapen en vrouwe Mei zat met vrouwe Hui te kletsen.

Alsof ze haar schoondochters bij de les wilde houden deelde de Grote Keizerin papieren waaiers uit.

We stonden op, bogen in de richting van Hare Majesteit, gingen weer zitten en sloegen onze waaiers open.

Het was tijd voor de actiescène. Aangevoerd door hun koning omsingelden de apen op handen en voeten hun vijand, de stervende Witte Vos, die zijn gehoor toezong:

Neem mijn raad aan, mijn vriend,
Rijkdom interesseert jou niet
Maar zolang je jong bent
Geniet dan van elk moment.
Als een keur van bloemen zich aanbiedt
Pluk er dan zoveel je kunt.
Ach! Wacht niet tot de bloemen verwelkt zijn
Voordat je een twijg meeneemt.

Het publiek applaudisseerde voor zijn lied, en vrouwe Yun stond op. Ik nam aan dat ze naar het toilet moest. Maar iets in haar beweging trok mijn aandacht. Ze draaide met haar achterwerk en haar buik leek opgezwollen.

'Ze is zwanger!' Nuharoo, Li, Mei, Hui en alle andere aanwezigen slaakten dezelfde kreet.

Nuharoo staarde haar intens aan en wendde zich toen af. Ze pakte haar waaier en bewoog die met heftige polsbewegingen heen en weer.

Mijn stemming zakte tot het nulpunt. Nuharoos diadeem en vrouwe Yuns buik brandden in mijn huid als twee roodgloeiende staven.

Keizer Hsien Feng nam niet eens de moeite me te begroeten. In de pauze stond hij op en vertrok. Ik zag hem weggaan, op de voet gevolgd door eunuchen en hofdames die waskommen, kwispedoors, waaiers, schalen met pistachenootjes, soepterrines en dienbladen droegen.

Hoofdeunuch Shim zei dat onze gemaal binnen korte tijd zou terugkomen. We wachtten, maar Zijne Majesteit verscheen niet meer. De menigte richtte de aandacht weer op de opera. Mijn hoofd leek op een pot vol dode gedachten. Ik bleef zitten tot het spektakel was afgelopen; mijn oren suisden door het geluid van de trommels.

De Grote Keizerin was tevreden over de uitvoering. 'Ik vond deze versie veel beter dan de originele *Apenkoning!*' zei ze tegen de leider van het operagezelschap. 'Daarbij viel ik in slaap! Maar nu heb ik gelachen en gehuild.' Ze complimenteerde de acteurs en beval Shim zijn geldriem los te maken.

Hare Majesteit wenste de hoofdrolspelers te ontmoeten, de jongemannen die de Apenkoning en de Witte Vos speelden. De acteurs kwamen van achter het toneel met hun make-up nog op hun gezicht. Hun gezichten zagen eruit alsof ze in sojasaus gedoopt waren.

De Grote Keizerin negeerde de Apenkoning en begon een overdreven enthousiast gesprek met de Witte Vos. 'Ik vind uw stem geweldig.' Ze haalde een zak met taëls te voorschijn en overhandigde die aan hem. 'U hebt me dronken van geluk gemaakt.' Ze pakte zijn hand en liet niet meer los. 'Een ware zangvogel. Mijn zangvogeltje!' Ze staarde de acteur met verliefde ogen aan, terwijl ze mompelde: 'Mooie jongen! Verrukkelijk schepsel!'

In mijn ogen was de acteur niet overdreven mooi, ofschoon ik zijn zang en dans hogelijk bewonderde. Zijn Witte Vos bezat de wezenlijke kern van vrouwelijke schoonheid. Ik had een man nog nooit zo poëtisch de rol van een vrouw zien spelen. De invloed van de kunst was wonderbaarlijk, want de Grote Keizerin stond bekend als eunuchenhater.

De Grote Keizerin wendde zich tot ons. 'Wat vonden jullie van de opera?'

We begrepen haar bedoeling: we moesten ons steentje bijdragen. De keizerlijke gemalinnen en concubines, inclusief ikzelf, tastten in de geldbuideltjes die we bij ons droegen.

De acteurs kow-towden en trokken zich terug.

Hare majesteit verhief zich van haar zetel en we begrepen dat het tijd was om te vertrekken.

We knielden en zeiden: 'Tot een volgende keer; we wensen u een vredig seizoen!'

Onze schoonmoeder marcheerde weg zonder ons een knikje waardig te gunnen.

'De keizerlijke draagstoelen gaan op weg!' riep hoofdeunuch Shim, waarop de dragers met onze draagstoelen aankwamen.

We bogen voor Nuharoo en daarna voor elkaar, waarbij geen woord werd gesproken.

Het gordijntje van mijn draagstoel was neergelaten. Ik vocht tegen mijn verbittering en schaamde me voor mijn zwakheid. Het hielp niet dat ik mezelf voorhield dat het mijn eigen keus was geweest naar de Verboden Stad te gaan en dat ik niet het recht had te klagen of me ellendig te voelen.

Toen ik mijn gezicht aan het schoonmaken was, zag ik in de spiegel dat An-te-hai achter me was komen staan. Hij vroeg of ik mijn kleedster nodig had om me te helpen met uitkleden. Voordat ik kon antwoorden zei hij dat hij me wel kon helpen als ik daar geen bezwaar tegen had.

Ik stond het toe.

An-te-hai pakte een kam en begon voorzichtig de versierselen uit mijn haar te halen.

'Voelt u er iets voor om morgen naar de oostelijke tuin te gaan, mevrouw?' vroeg hij. 'Ik heb een paar interessante planten ontdekt–'

Ik zei dat hij zijn mond moest houden, omdat ik voelde dat mijn woede een uitweg zocht.

An-te-hai zweeg. Zijn vingers waren rustig met mijn haar bezig. Hij trok er een bloem van jade uit en maakte toen mijn diamanten halssnoer los. Hij legde de sieraden een voor een op de kaptafel.

Ik kon me niet meer beheersen en begon te huilen.

'De wetende geest is krachtig genoeg om rampen af te wenden,' zei An-te-hai zachtjes, alsof hij in zichzelf sprak.

De dam binnen in me brak door en het woedende water stroomde. 'Maar voor mij betekent weten dat ik moet lijden.'

'Het lijden is het begin van de genezing, mevrouw.'

'Toe maar, strooi nog wat zout in de wonde, An-te-hai. De waarheid is dat ik volkomen gefaald heb.'

'Er is geen vrouw in dit oord die dingen kan laten gebeuren zonder daar een prijs voor te betalen.'

'Het is Nuharoo gelukt, en vrouwe Yun ook!'

'Maar dat is niet de volledige waarheid, mevrouw. Uw perspectief moet worden aangepast.'

'Over welk perspectief heb je het? Mijn leven is ontworteld door een tornado. Ik ben de lucht in gezogen en nu val ik te pletter. Wat kan ik doen, behalve de strijd opgeven?'

An-te-hai staarde me in de spiegel aan. 'Niets, mevrouw, niets is erger dan de handdoek in de ring gooien.'

'Hoe moet ik dan verder?'

'U moet de weg bestuderen die de tornado aflegt.' Hij pakte een borstel en begon mijn haar weer te borstelen.

'Welke weg?'

'Een tornado is het hevigst aan de buitenkant.' De eunuch hield met zijn ene hand mijn haar omhoog en borstelde het met snelle bewegingen met de andere hand. 'De wind is krachtig genoeg om koeien en rijtuigen op te tillen en ze terug op de aarde te laten vallen. Maar in het oog van de tornado is het stil…' Hij zweeg even en volgde met zijn ogen mijn haar tot mijn knieën. 'U heeft prachtig haar, mevrouw. Het is zijdeachtig zwart, wat inhoudt dat u sterk en gezond bent. Dat betekent hoop in de striktste zin van het woord.'

'En de tornado?'

'O, ja, de tornado, de stilte in het oog. Daar is het relatief rustig. Daar moet u zien te komen, mevrouw. U moet de paden vermijden waarvan u weet dat die weinig mogelijkheden bieden, en u concentreren op nieuwe wegen die nog niet zijn betreden en die veel obstakels lijken te hebben.'

'Je hebt goed nagedacht, An-te-hai,' zei ik.

'Dank u, mevrouw. Ik heb voor u een manier bedacht om een levensechte opera te creëren, waarin u zelf de hoofdrol speelt.'

'Vertel op, An-te-hai.'

An-te-hai ontvouwde zijn plan als een adviseur die zijn strategie aan een generaal voorlegt. Het was eenvoudig, maar leek veelbelovend. Ik zou een keizerlijke offerceremonie uitvoeren – een plicht die was voorbehouden aan keizer Hsien Feng.

'Ik vind dat u de ceremonie in naam van Zijne Majesteit moet vervullen, mevrouw,' zei An-te-hai, terwijl hij mijn juwelendoosjes dichtdeed. Hij ging zitten en keek me aan. 'Het offer zal een bijdrage leveren aan de vroomheid van Zijne Majesteit en zal hem goed van pas komen in de hemel.'

'Weet je zeker dat Zijne Majesteit dit wenst?'

'Absoluut,' antwoordde de eunuch. 'Niet alleen Zijne Majesteit, maar ook de Grote Keizerin.'

An-te-hai legde uit dat er talloze dagen waren waarop de keizerlijke voorouders geëerd moesten worden en dat de keizerlijke familie op het schema achterliep. 'Zijne Majesteit heeft zelden de energie om de ceremonies bij te wonen.'

'Zijn de Grote Keizerin en de andere concubines wel geweest?'

'Dat wel, maar ze hebben geen zin om het elk jaar te doen. Keizer Hsien Feng is bang voor de toorn van zijn voorouders, dus heeft hij hoofdeunuch Shim gevraagd om Nuharoo en vrouwe Yun in zijn plaats te sturen. Maar die hebben zijn verzoek geweigerd met het excuus dat ze zich niet goed voelden.'

'Waarom heeft hoofdeunuch Shim mij niet gestuurd?'

'Tja, hij wil u niet de gelegenheid geven om een goede indruk op Zijne Majesteit te maken.'

'Ik heb mijn best gedaan een wit voetje bij hem te halen!'

'Wel, u heeft het recht de ceremonie in naam van uw gemaal uit te voeren.'

'Zorg dat mijn draagstoel morgenochtend vroeg klaarstaat.'

'Ja, mevrouw.'

'Wacht even, An-te-hai. Hoe zal het de keizer ter ore komen dat ik dit voor hem heb gedaan?'

'De eunuch die de leiding in de tempel heeft zal uw naam opschrijven. Hij is verplicht Zijne Majesteit op de hoogte te brengen wanneer er iemand namens hem respect betuigt aan zijn voorouders.'

Ik was niet op de hoogte van de rituelen om de voorouders te eren. Volgens An-te-hai hoefde ik mezelf alleen ter aarde te werpen en buigingen te maken naar de verschillende portretten en stenen beelden. Het klonk niet erg opwindend.

De volgende dag toog ik bij dageraad met mijn draagstoel op weg, terwijl An-te-hai naast me liep. We passeerden het Jachthuis van Frisse Geur en de Poort van Spirituele Heldhaftigheid. Binnen een uur waren we bij de Tempel van Eeuwige Vrede aangekomen. Ik zag een ruim gebouw voor me met honderden vogelnesten onder de dakrand.

Ik werd ontvangen door een jonge monnik, die ook eunuch was. Hij had rode wangen en er zat een moedervlek tussen zijn wenkbrauwen. An-te-hai maakte mijn naam en titel bekend en de monnik haalde een groot register te voorschijn. Hij pakte een penseel, doopte dat in inkt en schreef mijn naam in blokletters in het register.

Ik werd de tempel in geleid. Nadat we onder een paar bogen door waren gelopen zei de monnik dat hij een paar zaken moest regelen en verdween achter een rij pilaren. An-te-hai liep achter hem aan.

Ik keek om me heen. De gigantische hal, die meerdere verdiepingen telde, stond vol goudkleurige standbeelden. Alles was met goudverf bedekt. Er waren tempels in de tempel. De kleinere tempels waren op dezelfde manier ontworpen als de hoofdtempel.

Door een gewelfde zijdeur verscheen een oudere monnik. Zijn sneeuwwitte baard reikte tot zijn knieën. Zwijgend overhandigde hij me een fles met wierookstaafjes. Ik liep achter hem aan naar een serie altaren.

Ik stak de wierook aan, knielde en boog voor de verschillende beelden. Ik had geen idee welke voorouder ik eerde. Ik verplaatste me door de hele tempel en herhaalde de handeling keer op keer. Toen ik een stuk of tien voorouders had vereerd was ik moe. De monnik zat met gesloten ogen in een hoek. Hij uitte een monotoon gezang terwijl hij met zijn ene hand tikte op zijn zanginstrument, een *mooyu*, of houten vis. Met zijn andere hand gleed hij langs zijn gebedssnoer. Zijn eentonige gezang herinnerde me aan de professionele rouwer die we in ons dorp inhuurden bij begrafenissen.

Het was erg warm in de tempel. Omdat er toch niemand keek, liet ik mijn buigingen minder diep worden. Na een tijdje knikte ik alleen nog. Ik hield de monnik in de gaten zodat hij mijn bedrog niet zou merken. Ik bleef naar hem kijken tot het geluid van zijn mooyu wegstierf. Hij was waarschijnlijk in slaap gevallen. Ik veegde het zweet van mijn gezicht maar hield voor de zekerheid mijn buigende houding vol. Mijn ogen zwierven van hoek naar hoek. De tempel was vol met allerlei godheden. Naast de officiële Mantsjoe-god, Shaman, stonden er beelden van taoïstische goden, boeddhistische goden en Kuan Kong, een Chinese volksgod.

'Er was eens een prins die tijdens een vereringsritueel ontdekte dat het kleien paard van de Chinese god had gezweet,' sprak de monnik plotseling, alsof hij me al die tijd had geobserveerd. 'De prins trok de conclusie dat de god waarschijnlijk zijn paard tijdens het patrouilleren in de paleizen had afgepeigerd. Vanaf dat moment werd Kuan Kong een sleutelfiguur voor aanbidders in de Verboden Stad.'

'Waarom zit elke godheid in zijn eigen hokje?' vroeg ik.

'Omdat hun persoonlijkheid aandacht verdient,' antwoordde de monnik. 'De eerbiedwaardige Tsongkapa bijvoorbeeld was de stichter van de Gele Boeddhistische Sekte. Hij zit op een gouden zetel tegen die muur daar, omringd door honderden kleine kopieën van zichzelf. Aan zijn voeten ligt een boeddhistische sutra in de Mantsjoe-taal.'

Mijn ogen gleden naar het achterste gedeelte van de hal, waar een groot, verticaal, zijden schilderij hing. Het was een portret van keizer Chien Lung, gekleed in een boeddhistisch gewaad. Ik vroeg de monnik of Chien Lung, mijn schoongrootvader, gelovig was geweest. De monnik vertelde me dat hij niet alleen een toegewijd boeddhist was, maar ook de Mee Tsung-godsdienst beoefende, die oorspronkelijk uit het boeddhisme afkomstig was. 'Zijne Majesteit sprak Tibetaans en kon ook de sutra's in de Tibetaanse taal lezen,' zei de monnik, en begon weer op zijn mooyu te tikken.

Ik was uitgeput. Ik begreep nu waarom de andere concubines niet hierheen wilden.

De monnik stond op van zijn gebedsmat en zei dat het tijd was om verder te gaan. Ik volgde hem naar een altaar op een open binnenplaats. Hij leidde me naar een stuk marmer, waar ik moest knielen, en hij begon weer met zijn monotone gezang.

Het was rond het middaguur en de zon scheen rechtstreeks op mijn rug. Ik bad dat deze ceremonie snel voorbij zou zijn.

Volgens An-te-hai zou dit de laatste handeling moeten zijn. De monnik zat, eveneens geknield, naast me en zijn baard raakte de grond. Na drie diepe buigingen stond hij op. Hij sloeg een register van aktes open en begon in Mandarijnen-Chinees de namen op te lezen van voorvaderen, gevolgd door hun levensbeschrijving. De beschrijvingen waren allemaal hetzelfde, alleen loftuitingen en geen enkele kritiek. In elke paragraaf kwamen de woorden 'deugd' en 'eer' voor. De monnik zei dat ik vóór het noemen van elke naam vijfmaal de grond met mijn voorhoofd moest aanraken. Ik deed wat hij me had opgedragen.

Het aantal namen op de lijst van de monnik was eindeloos en mijn voorhoofd deed pijn. Ik onttrok de kracht om door te gaan aan mijn overtuiging dat het bijna afgelopen was.

Maar dat bleek niet zo te zijn.

De monnik ging door met oplezen. Mijn neus bevond zich op enkele centimeters van zijn voeten en ik kon zijn eeltknobbels zien. Mijn voorhoofd zal zo langzamerhand wel bloeden, dacht ik. Ik beet op mijn lippen. Eindelijk had hij de hele lijst afgewerkt, maar toen zei hij dat ik het hele ritueel nog eens moest herhalen in het Mantsjoe.

Ik bad dat An-te-hai me zou komen redden. Waar was hij?

De monnik was nu in het Mantsjoe begonnen. Hij dreunde maar door en het enige wat ik verstond waren de namen van de voorvaderen. Ik stond op het punt van mijn stokje te gaan toen ik An-te-hai zag. Hij haastte zich naar me toe en hielp me overeind.

'Het spijt me, mevrouw. Ik wist niet dat deze monnik zou blijven doorgaan tot zijn slachtoffer bewusteloos zou raken. Ik dacht dat mijn broeders een grapje maakten toen ze me over hem vertelden.'

'Kunnen we nu weg?' vroeg ik.

'Ik ben bang van niet, mevrouw. Uw goede daad zal pas in het register worden opgenomen als alles volgens het boekje is afgehandeld.'

'Ik zal het niet overleven!'

'Maakt u zich geen zorgen,' fluisterde An-te-hai. 'Ik heb hem zojuist een flinke som gelds aangeboden. Hij heeft me verzekerd dat de rest van de ceremonie weinig tijd in beslag zal nemen.'

Aan de rand van de open plek stonden stenen afgodsbeelden, met een muur aan de westkant. Aan de zuidoostzijde stond een vijftien meter hoge vlaggenmast. Boven op de mast was een vogelhuisje aangebracht. Er werd gezegd dat de vogels de boodschappen van de keizer naar de geesten brachten. Aan de muur hing een vreemd voorwerp. Toen ik dichterbij kwam zag ik dat het een bruine katoenen zak was.

'De zak heeft toebehoord aan de stichter van de dynastie, koning Nurhachi,' legde de oude monnik uit. 'Hij bevat de beenderen van de vader en grootvader van de koning. Nurhachi heeft die teruggebracht naar de stam nadat de twee mannen door hun vijanden waren afgeslacht.'

De monnik klapte in de handen. Er verschenen twee vrouwen wier gezicht met modder was ingesmeerd. 'De heksen van de Shaman-stam,' stelde de monnik hen voor. De vrouwen droegen dikke gewaden met afbeeldingen van zwarte spinnen. Hun hoofddeksels waren bedekt met koperen schubben. Van hun hoofd, oren en hals bungelden kralen van fruitpitten. Aan hun ledematen waren belletjes vastgemaakt. Om hun nek en middel hingen trommels van verschillende grootte. Ze hadden elk een bruine 'staart' van een meter lang, gemaakt van gevlochten leerstroken, aan hun achterwerk. Ze begonnen om me heen te dansen. Hun adem stonk naar knoflook. Hun gezang bestond uit imitaties van dierengeluiden.

Ik had nog nooit zo'n verontrustende dans aanschouwd. De meeste tijd zaten de vrouwen op hun hurken. De 'staarten' leken meer op een sliert ontlasting.

'Beweeg u niet!' riep de monnik toen hij zag dat ik mijn benen probeerde te strekken.

De dansers sprongen weg en begonnen om de vlaggenmast heen te draaien. Ze waggelden rond als kippen zonder kop en zwaaiden met hun handen in de lucht. Ze krijsten: 'Varken! Varken!'

Vier eunuchen kwamen aan met een gekneveld varken. Het dier gilde. De dansers sprongen heen en weer over zijn lijf. Het varken werd weggedragen.

Er werd een gouden schaal gebracht met een spartelende vis erop. De monnik vertelde me dat de vis uit een nabijgelegen vijver afkomstig was. De jonge monnik kwam terug en bond de vis handig vast met een rood lint.

'Op je hurken!' De oudere monnik sleurde me overeind en pakte mijn rechterhand. Voordat ik besefte wat er gebeurde, kreeg ik een mes in mijn hand gestopt en werd ik gedwongen de vis open te snijden.

An-te-hai en de jonge monnik ondersteunden me met hun knieën en armen, zodat ik niet in elkaar zou zakken.

Er werd een geblancheerde varkenskop gebracht op een groot dienblad. De oude monnik zei dat dit het gillende varken was dat ik zojuist had gezien. 'Alleen een vers geslacht en gekookt varken geeft de garantie op magie.'

Ik deed mijn ogen dicht en haalde een paar keer diep adem. Iemand pakte mijn linkerhand en probeerde mijn verstijfde vingers los te krijgen. Ik deed mijn ogen weer open en zag de dansers, die me een gouden kom aanboden.

'Houd hem vast!' beval de oude monnik.

Ik voelde me te zwak om tegen te stribbelen.

Men bracht een haan. Ik kreeg weer een mes in mijn handen. Het mes dreigde steeds tussen mijn vingers door te glippen. De monnik nam de kom van me over en beval me de haan beet te pakken. 'Snijd hem zijn strot door en giet zijn bloed in de kom!'

'Ik… kan het niet…' Ik voelde dat ik ging flauwvallen.

'Houd vol, mevrouw,' zei An-te-hai. 'Het is bijna voorbij.'

Het laatste wat ik me herinnerde was dat ik wijn over de keien goot, waar de vis, het varken en de haan in hun eigen bloed lagen.

Onderweg terug in de draagstoel moest ik overgeven. An-te-hai vertelde me dat er elke dag een varken door de Poort van Donder en Storm werd gebracht, dat op het middaguur werd geofferd. Het was de bedoeling dat de rest van het varkenslijf na de ceremonie werd weggegooid, maar dat gebeurde niet. De eunuchen van de tempel verstopten het vlees, sneden het in stukken en verkochten het tegen een goede prijs. 'Het brouwsel in de enorme wok waarin de varkens worden gekookt is al tweehonderd jaar hetzelfde,' zei An-te-hai. 'Het vuur eronder is nog nooit uitgegaan. De eunuchen verkopen het vlees huis aan huis met de woorden: "Dit is geen gewoon vlees. Het is ondergedompeld geweest in de hemelse soep! Het zal u en uw gezin geluk en fortuin brengen!"'

Na mijn bezoek aan de tempel veranderde er niets. Tegen het einde van de herfst was al mijn hoop om keizer Hsien Fengs aandacht te vangen vervlogen. Ik luisterde hele nachten naar het tjirpen van de krekels. De krekels in de keizerlijke achtertuin klonken anders dan die in Wuhu. De krekels in Wuhu maakten korte geluidjes, met drie seconden pauze ertussen. De keizerlijke krekels zongen ononderbroken door.

An-te-hai vertelde me dat de krekels werden gefokt door de oudere concubines, die woonden in het Paleis van Welwillende Rust. Als het warm weer was, begonnen de krekels te tjirpen zodra het donker werd. Er werden duizenden krekels gehouden in *yoo-hoo-loos*, flesvormige kalebassen die werden gemaakt door de concubines.

Het stormseizoen was dit jaar vroeg begonnen en de bloemen werden door de wind neergeslagen. Overal lagen witte bloemblaadjes en de geur was zo sterk dat mijn kamer ervan doortrokken was. De wortels van mijn pioenrozen waren doorweekt door de dagen durende regens en begonnen weg te rotten. Het struikgebladerte was bedekt met bruine vlekken. Overal lagen plassen water. Ik hield op met buiten wandelen nadat An-te-hai op een waterschorpioen had getrapt. Zijn hiel werd zo dik als een ui.

Elke dag had ik dezelfde routine. 's Morgens werd ik opgemaakt en gekleed en 's avonds ging alles weer uit. Ik wachtte op Zijne Majesteit en ondernam verder niets. Het geluid van de krekels klonk in mijn oren steeds verdrietiger. Ik probeerde niet aan mijn familie te denken.

An-te-hai ging naar het Paleis van Welwillende Rust en kwam terug met een mand vol prachtig bewerkte yoo-hoo-loos. Hij wilde me laten zien hoe ik de kalebassen moest kweken en bewerken. Hij beloofde dat dat mijn eenzaamheid zou verlichten, zoals het al voor vele concubines had gedaan. De kalebas, benadrukte hij, was een teken van voorspoed en impliceerde de wens van 'vele afstammelingen'.

'Hier heeft u de zaadjes van vorig jaar.' An-te-hai gaf me een handvol zaadjes, die leken op zwarte sesamzaadjes. 'U plant ze in de lente. Na de bloeiperiode zullen de kalebassen ontstaan. U kunt een rasterwerk ontwerpen dat de kalebas in de gewenste vorm dwingt – rond, rechthoekig, vierkant of asymmetrisch. Als hij rijp is, wordt de schil hard. Dan plukt u de kalebas van zijn stam, verwijdert de zaden en bewerkt hem tot een kunststuk.'

Ik bestudeerde de kalebassen die An-te-hai had meegebracht. De patronen en kleuren waren ingewikkeld en overvloedig. Een bepaald lentemotief kwam steeds weer terug. Ik werd met name geroerd door een stuk waarop in een boom spelende baby's waren gekerfd.

Na het avondeten nam An-te-hai me mee om een bezoek te brengen aan het Paleis van Welwillende Rust. We droegen allebei kalebassen met ons mee. In plaats van de draagstoel te laten komen, besloot ik te voet te gaan. We staken drie binnenpleinen over. Toen we het paleis naderden, roken we een sterke wierookgeur. We werden omgeven door rookwolken. Ik hoorde weeklagende geluiden en dacht dat het wellicht biddende monniken waren.

An-te-hai stelde voor dat we eerst langs het Paviljoen van Stromen zouden gaan om de kalebassen terug te brengen. Toen we door de poort kwamen en de tuin betraden, werd ik getroffen door de grote tempels die overal op de heuvels stonden. Waar je ook keek stonden boeddhabeelden. De kleinste hadden de omvang van een ei; de grootste waren zo groot dat ik op hun voeten kon zitten. De namen van de tempels waren gegraveerd op gouden plaquettes: Paleis van Uitstekende Gezondheid, Paleis van Eeuwige Vrede, Hal van Genade, Huis van de Gelukswolk, Huis van Eeuwige Kalmte. Sommige waren gebouwd op bestaande paviljoens, andere op bestaande kamers en tuinen. Het wemelde er van de pagodes en altaren.

'De oudere concubines hebben hun woonverblijf omgebouwd tot tempel,' fluisterde An-te-hai. 'Ze brengen hun hele leven door met bidden. Ze hebben allemaal een smal bed staan achter een boeddhabeeld.'

Ik wilde weten hoe de concubines eruitzagen, dus ging ik op het monotone gezang af. Ik daalde een pad af dat leidde naar de Hal van Overvloedige Jeugd. An-te-hai zei dat dit de grootste tempel was. Toen ik de hal betrad zag ik dat de vloer bedekt was met biddende gestaltes. Er hing een dikke wierookmist. De aanbidders stonden in een golfbeweging op en lieten zich weer op de knieën vallen. Ze zongen op één toon en gleden met hun handen voortdurend langs de kralen die aan een met was bedekte draad waren geregen.

Ik besefte dat An-te-hai niet bij me stond. Ik was vergeten dat eunuchen in bepaalde godsdienstige ruimtes niet werden toegelaten.

Het gezang werd luider. De enorme Boeddha in het midden van de hal glimlachte dubbelzinnig. Even voelde ik me buiten de werkelijkheid staan. Ik werd een met de concubines op de vloer. Ik zag mezelf kalebassen bewerken. Ik zag mijn huid rimpels krijgen en diepe huidplooien ontwikkelen. Mijn haar werd grijs en mijn tanden vielen uit mijn mond.

'Nee!' schreeuwde ik.

De yoo-hoo-loo die ik droeg viel uit mijn handen.

Het gezang hield op. Honderden hoofden draaiden zich in mijn richting. Ik kon me niet bewegen.

De concubines staarden me aan. Hun tandeloze monden openden zich. Hun haar was zo dun dat het leek of ze kaal waren.

Ik had nog nooit zulke akelige vrouwen gezien. Hun rug was gebogen en hun ledematen deden me denken aan knoestige bomen op de bergen. Hun vervlogen schoonheid was niet langer zichtbaar. Ik kon me niet voorstellen dat ze ooit een keizer tot hartstocht hadden weten te bewegen.

De vrouwen staken hun dunne armen in de lucht. Hun klauwachtige handen maakten krabbende bewegingen.

Ik kreeg een overweldigend gevoel van medelijden voor hen. 'Ik ben Orchidee,' hoorde ik mezelf zeggen. 'Hoe gaat het met u?'

Ze stonden op en knepen hun ogen tot spleetjes. Ze hadden een roofzuchtige uitdrukking op hun gezicht.

'We hebben een indringer!' klonk een oude, bevende stem. 'Wat zullen we met haar doen?'

'Knijp haar dood!' krijsten de wijven.

Ik wierp mezelf op de grond en kow-towde herhaaldelijk. Ik legde uit dat het verkeerd van me was geweest om binnen te dringen. Ik bood mijn verontschuldigingen aan en beloofde dat ze me nooit meer zouden zien.

Maar de vrouwen waren vastbesloten me te pakken en me in stukken te scheuren. Een vrouw begon aan mijn haar te trekken, een ander gaf me een kaakslag. Ik smeekte om vergiffenis terwijl ik probeerde de poort te bereiken.

De vrouwen lachten hysterisch terwijl ze me schopten, duwden en heen en weer schoven.

Ik werd tegen een muur vastgepind. Verschillende sterke handen grepen me bij de keel. Ik voelde hun vingers met lange nagels druk uitoefenen zodat me de adem werd benomen. De gerimpelde gezichten kwamen steeds dichterbij, als donderwolken die de hemel verduisteren. 'Slet!' vloekten ze. 'Bid tot Boeddha voordat je sterft.'

Plotseling werd de menigte afgeleid. An-te-hai was boven op de poort geklommen en bekogelde hen met kalebassen die met stenen gevuld waren. 'Tandeloze spoken!' gilde hij. 'Ga terug! Terug in je lijkkisten!'

NEGEN

Ik stuurde An-te-hai erop uit om hoofdeunuch Shim te halen. Toen Shim arriveerde, ontving ik hem in mijn officiële hofkleding, helemaal opgemaakt en met hoofdtooi. Hij keek verbaasd.

'Vrouwe Yehonala.' Shim knielde en hield zijn ogen op de vloer gericht. 'U hoeft zich niet zo formeel op te stellen. Shim is uw slaaf en verdient een dergelijk respect niet.' Hij zweeg even en sloeg zijn ogen half op. De geloken oogleden deden hem op een hagedis lijken. 'Het is niet mijn bedoeling u te bekritiseren, maar u moet voorzichtig zijn, vrouwe Yehonala. Op deze manier kunt u ons allebei in problemen brengen.'

'Ik ben wanhopig, hoofdeunuch Shim,' zei ik. 'Neemt u alstublieft plaats.'

Bij deze woorden gaf ik An-te-hai een teken, waarop hij met een bewerkt gouden kistje aankwam.

'Hoofdeunuch Shim, ik heb een nederig geschenk voor u.' Ik maakte het kistje open en pakte de ruyi eruit die ik van keizer Hsien Feng had gekregen.

Toen hij de ruyi zag, vloog Shim bijna uit zijn stoel. Hij sperde zijn ogen zo ver open dat ik dacht dat die uit zijn hoofd zouden vallen. 'Dat is... dat is het verlovingsgeschenk van Zijne Majesteit voor u, vrouwe Yehonala! Het is een uniek stuk, een gelofte. Als u de waarde ervan niet kent, staat u me dan toe...'

'Het doet me deugd dat u de waarde onderkent,' zei ik glimlachend. 'Toch wil ik het graag aan u geven.'

'Waarom, vrouwe Yehonala, waarom?'

'Ik vraag in ruil daarvoor een gunst van u, hoofdeunuch Shim.' Ik dwong hem me aan te kijken. 'Om u de waarheid te zeggen is de ruyi het enige wat ik nog bezit. Ik wil hem aan u schenken omdat ik begrijp hoeveel uw hulp waard is.'

'Vrouwe Yehonala, alstublieft. Ik... kan dat niet aannemen.' Hij kwam even omhoog en viel weer op de knieën.

'Staat u op, hoofdeunuch Shim.'

'Dat durf ik niet!'

'Ik sta erop.'

'Maar, vrouwe Yehonala!'

Ik wachtte tot hij weer op zijn benen stond. 'Deze ruyi...' – ik benadrukte elke woord – 'zal nog meer waard zijn als ik de moeder word van keizer Hsien Fengs kind.'

Hoofdeunuch Shim kreeg een bevroren uitdrukking op zijn gezicht. Hij leek gebiologeerd door deze mogelijkheid.

'Ja, vrouwe Yehonala.' Hij raakte met zijn voorhoofd de vloer aan.

Ik liet hem even begaan en zei toen: 'Ik dank u voor uw hulp.'

Hoofdeunuch Shim kwam langzaam overeind. Hij schudde zijn mouwen omlaag en haalde diep adem. Even later was hij weer zichzelf. Hij leek tevreden en bang tegelijk. Hij nam de ruyi van me over en hield die tegen zijn borst.

'Op welke datum wenst u dat ik een ontmoeting met Zijne Majesteit arrangeer, mevrouw?' vroeg hij, terwijl hij de ruyi in de binnenzak van zijn gewaad stopte.

'Maakt het iets uit?' Ik was niet voorbereid op zo'n snelle reactie.

'Dat maakt een groot verschil, mevrouw. U wilt Zijne Majesteit immers in uw vruchtbare periode ontmoeten?'

'Dat is waar.' Ik rekende de data snel uit.

'En de datum is?'

'De veertiende dag van de volgende volle maan.'

'Prima, mevrouw. Ik zal de datum meteen in mijn boek zetten. Als alles goed verloopt, zult u op de veertiende dag van de volgende volle maan worden ontboden bij Zijne Majesteit. Tot dan, mevrouw.' Hij deed een stap achteruit en maakte aanstalten naar de deur te lopen.

'Wacht.' Ik vertrouwde hem niet. Hoe was het mogelijk dat een ontmoeting met keizer Hsien Feng zo gemakkelijk geregeld kon worden? 'Hoofdeunuch Shim, mag ik u nog een vraag stellen? Wat gebeurt er als Zijne Majesteit op die dag andere dames wil zien? Hoe kunt u ervoor zorgen dat hij mij wil?'

'Maakt u zich geen zorgen, mevrouw.' Hij glimlachte. 'Ik ken manieren om de wind in de Verboden Stad om te buigen.'

'En daarmee wilt u zeggen…'

'Dat wil zeggen dat indien Zijne Majesteit de wens uitspreekt een van de andere dames te ontvangen – bijvoorbeeld vrouwe Li – ik tegen hem zal zeggen: "Majesteit, vrouwe Li is onrein."'

'En vrouwe Mei dan?'

'Het spijt me, Majesteit, ook vrouwe Mei is onrein.'

'Dus ze zullen allemaal hun menstruatie hebben, behalve degene van wie u wilt dat ze met de keizer slaapt?'

'Inderdaad; dat is me al vaak gelukt.'

'Ik reken erop dat u zorgt dat het in orde komt, hoofdeunuch Shim.'

'U hoeft zich geen zorgen te maken, mevrouw. Ik zal Zijne Majesteits lust aanwakkeren door hem te vertellen wat een verrukkelijk wezen u bent.'

Maar ik maakte me wel zorgen. Ik had twaalf dagen de tijd om me voor te bereiden en ik had geen idee hoe ik een man in bed moest behagen. Ik had onmiddellijk onderricht nodig. Ik dacht aan Grote Zuster Fann en wenste dat ik met haar kon praten, maar het was voor mij onmogelijk om de Verboden Stad te verlaten. Als ik toestemming wilde krijgen om weg te gaan zou ik moeten liegen. Ik stuurde An-te-hai naar de keizerlijke hofhouding om te rapporteren dat mijn moeder ziek was en ik naar huis moest. Twee dagen later kreeg ik permissie tien dagen verlof te nemen. An-te-hai zei dat ik geluk had gehad. Slechts enkele weken geleden had vrouwe Li hetzelfde verzoek ingediend – haar moeder was werkelijk ziek – en haar verzoek was geweigerd. Keizer Hsien Feng wilde zijn pleziertjes niet missen en liet haar niet gaan. Vrouwe Li's moeder was gestorven.

'Dat bewijst dat ik volkomen onbelangrijk ben voor Zijne Majesteit,' zei ik verbitterd.

Ik arriveerde rond het middaguur bij mijn huis en stuurde An-te-hai meteen weg om Grote Zuster Fann te halen. Mijn moeder, Rong en Kuei Hsiang waren dolblij me te zien. Moeder wilde met me gaan winkelen, maar ik smeekte haar binnen te blijven en niet uit bed te komen totdat ik weer was vertrokken. Ik legde uit dat ik tegen de keizer had gelogen en dat ik onthoofd zou kunnen worden als men erachter kwam.

Moeder was gechoqueerd en vond mijn gedrag onvergeeflijk. Maar toen ik haar verteld had wat er aan de hand was, had ze er geen probleem meer mee in bed te blijven. Ze zei dat ze zich ziek voelde en verzocht Rong een stapel handdoeken naast haar bed te leggen. Rong zette een pan met sterk geurende medicinale kruiden op het fornuis voor het geval er spionnen uit de Verboden Stad zouden komen.

Grote Zuster Fann arriveerde. 'Ik ben onder de indruk, Orchidee! Zeer onder de indruk! Je lijkt op een pepertje in de herfst: je wordt per dag roder en heter!' Ze had geen tijd me te zeggen hoezeer ze me had gemist. 'Ik weet waar je kunt leren wat je nodig hebt, maar je moet je vermommen.' Ik ruilde van kleding met Rong. Grote Zuster Fann overhandigde An-te-hai een stapeltje vrouwenkleren.

'Ik neem Orchidee mee op bezoek bij een vriendin,' zei Grote Zuster Fann tegen mijn moeder.

Toen we buiten liepen, zei Grote Zuster Fann dat we op weg waren naar het Huis van de Lotus.

'Grote Zuster Fann!' Ik kende de reputatie van het huis en aarzelde.

'Ik zou willen dat we een andere keus hadden, Orchidee,' zei ze verontschuldigend.

Ik bleef besluiteloos midden op straat staan.

'Waar denk je aan, Orchidee?'

'Dat ik het hart van Zijne Majesteit wil winnen!' De woorden rolden als vanzelf uit mijn mond.

'Kom dan met me mee, Orchidee. We maken alleen van het huis gebruik omdat ze ons iets kunnen leren: hoe een man te behagen.'

We huurden een ezelkarretje. Na een halfuur kwamen we aan in het westelijke deel van Peking. De straten werden smaller en het stonk er. Aan het eind van een drukke straat, waar de winkeliers hun manden met verrotte vruchten en groenten hadden neergezet, stapten we uit. Ik verborg mijn gezicht achter een sjaal en liep met Grote Zuster Fann en An-te-hai snel door. We hielden halt voor een groot gebouw. Ter hoogte van de tweede verdieping hing een uithangbord met daarop de woorden 'Huis van de Lotus'.

Gedrieën betraden we een schaars verlichte hal. Alle muren waren voorzien van muurschilderingen met afbeeldingen van overdadige slaapkamers, waar weelderig geklede mensen zich vol overgave wijdden aan elk denkbaar standje. De personages waren stijlvol getekend. Toen mijn ogen eenmaal aan het duister gewend waren zag ik hoe armoedig alles eruitzag – overal was de verf afgebladderd en het pleisterwerk beschadigd. Het rook er vreemd naar een mengsel van parfum en verschraalde rook.

Achter een balie kwam een vrouw met een kikkerachtig gezicht te voorschijn. Ze had een pijp in haar mond. Breed glimlachend begroette ze Grote Zuster Fann. 'Welke wind voert je hierheen, mijn vriendin?'

'De zuidelijke wind, madam,' antwoordde Fann. 'Ik ben gekomen om u om een gunst te vragen.'

'Je hoeft niet bescheiden te zijn,' zei de hoerenmadam, terwijl ze Grote Zuster Fann op de schouders klopte. 'Ik weet dat de god van het geld met je is, anders zou je niet hier zijn. Mijn tempel is te klein voor een omvangrijke aanbidster als jij.'

'U moet zichzelf niet te bescheiden voordoen, madam,' zei Grote Zuster Fann. 'Toevallig woont de god met wie ik wil praten in uw kleine tempel. Kom hier.' Ze trok me naar zich toe en stelde me voor als haar nichtje van het platteland, en An-te-hai als mijn zusje.

De hoerenmadam nam me van top tot teen op. Ze wendde zich tot Grote Zuster Fann. 'Ik ben bang dat ik niet veel voor haar kan geven. Dat meisje is veel te mager. Je kunt van een spin zonder achterwerk geen behoorlijk web verwachten. Het kost me al te veel geld om haar wat dikker te krijgen.'

'O, maakt u zich niet ongerust.' Grote Zuster Fann boog zich naar de hoerenmadam over. 'Mijn nichtje komt hier alleen om advies in te winnen.'

'Kleine zaken doe ik niet meer, sorry.' De hoerenmadam pakte van een plank achter de balie een tandenstoker en begon daarmee tussen haar tanden te porren. 'Het is een slappe tijd, weet je.'

Grote Zuster Fann gaf me een knipoog.

Ik schraapte mijn keel.

An-te-hai deed een stap naar voren en overhandigde me een tas.

Ik liep naar de balie en haalde iets onder uit de tas.

Mijn libelvormige haarspeld, ingelegd met edelstenen en parels, glinsterde in het licht. Ik legde hem op de balie.

'O, mijn hemel!' De hoerenmadam hield haar adem even in en probeerde geen verbazing te tonen. Ze sloeg beide handen voor haar mond en bestudeerde de haarspeld. Ze hief haar hoofd op en keek me wantrouwig aan. 'Dit is gestolen goed.'

'Nee, hoor,' zei ik rustig. 'Ik heb hem geërfd.'

'Zo is dat,' echode Grote Zuster Fann. 'Haar familie zit al eeuwen in het juweliersbedrijf.'

'Ik twijfel er niet aan dat hij echt is,' zei de hoerenmadam terwijl ze me onderzoekend aankeek. 'Ik vraag me alleen af waarom een dergelijk zeldzaam, kostbaar stuk zich buiten de Verboden Stad bevindt.'

Ik draaide me om en bekeek de muurschilderingen om de blik van de madam te ontwijken.

'Is het voldoende betaling voor uw raadgevingen?' vroeg Grote Zuster Fann.

'Je bent te goed.' De hoerenmadam pakte haar pijp en begon er gedroogde bladeren in te stoppen. 'Het enige waaraan ik twijfel is of het wel veilig voor me is als ik hem houd. Als hij gestolen is…' Ze zweeg. Haar hand beschreef de cirkel van een strop.

'Laten we maar naar een ander huis gaan, tante.' Ik stak mijn hand uit naar de haarspeld.

'Wacht!' De hoerenmadam legde haar hand over de mijne. Voorzichtig maar stevig greep ze de haarspeld vast. Haar gezicht veranderde in een glimlachende roos. 'Ach, mijn lieve kind, je kunt je tante toch niet in verlegenheid brengen? Ik heb toch niet gezegd dat ik hem niet wilde hebben? Het is goed dat je naar mij toe bent gebracht, want ik ben de enige vrouw in de stad die je kan geven wat je nodig hebt. Mijn kind, ik zal je de les van je leven leren. Ik zal bewijzen dat ik die onschatbare haarspeld waard ben.'

We zaten in de hoofdkamer. Er stond een groot bed met decoratieve stijlen die tot het plafond reikten. Het bed was gemaakt van roodhout en was bewerkt met pioenen, aubergines, tomaten, bananen en bessen, die mannelijke en vrouwelijke geslachtsorganen uitbeeldden. Er hingen witgewassen, geparfumeerde gordijnen. De zijwanden waren voorzien van ingebouwde planken waarop kleine beeldjes stonden uitgestald. De meeste stelden boeddhistische goden voor die aan het paren waren. De daad was kunstig en in elegante houdingen weergegeven. Vrouwelijke goden bestegen de mannelijke in meditatieve posities. De ogen van de geliefden waren half geopend of gesloten. Tussen de beeldjes stonden schalen opgesteld die beschilderd waren met roze pioenen en aubergines. De pioenen hadden donkere, harige stampers en de bovenkant van de aubergines was glad en lichtpaars.

'Het is er allemaal op gericht de geest in een staat van opwinding te brengen,' zei de hoerenmadam terwijl ze de thee serveerde. 'Als de meisjes voor het eerst bij mij beginnen, leer ik hun een vaardigheid die de waaierdans wordt genoemd. De hoerenmadam opende een kist en haalde er een aantal voorwerpen uit: een rond kussentje, een stapel papiergeld en een stuk of tien eieren op een dienblad van bamboe.

'Ik leg deze voorwerpen op elkaar; het geld onderop, dan het kussentje en de eieren bovenop. Het meisje gaat erop zitten. Ze krijgt een minuut de tijd om het papiergeld in de vorm van een waaier te krijgen. De eieren mogen daarbij niet breken.'

Hoe was dat mogelijk?

De hoerenmadam knipte met haar vingers.

Door een zijdeur kwamen twee meisjes binnen. Ze waren een jaar of achttien en waren gekleed in dunne, brokaten gewaden. Ofschoon ze een vriendelijk gezicht hadden, toonden ze geen enkele hartelijkheid. Ze spuwden zonnebloemzaadjes uit, schopten hun slippers uit en klommen op het bed. Ze spreidden hun benen en gingen als kippen schrijlings op de eieren zitten.

De hoerenmadam knipte nogmaals met haar vingers en de meisjes begonnen hun achterwerken heen en weer te bewegen.

Het was een komisch gezicht en ik kon mijn lachen niet bedwingen.

Grote Zuster Fann gaf me een por tussen de ribben.

Ik bood mijn verontschuldigingen aan, maar kon mijn zelfbeheersing nauwelijks bewaren.

'Als je dit zelf gaat oefenen zal het lachen je vergaan, geloof me maar,' zei de hoerenmadam. 'Het kost erg veel moeite dit onder de knie te krijgen.'

Ik vroeg wat het nut van deze beweging was.

'Die helpt je bij de spierontwikkeling en de controle over je lichaam,' antwoordde de hoerenmadam. 'Je schaamlippen worden er gevoeliger door.'

Schaamlippen?

'Volg mijn raad op en ga oefenen, dan zul je gaan begrijpen waarvoor het is. Als je je deze vaardigheid eigen hebt gemaakt, zul je de man die onder je ligt onderdompelen in een zee van genot en zal hij jouw naam onthouden.'

Dat sprak me aan. Ja, ik zou graag willen dat keizer Hsien Feng mijn naam zou onthouden. Ik wilde dat Zijne Majesteit het genot in zijn herinnering zou bewaren in combinatie met degene die hem dat bezorgd had.

Ik keek naar de melkwitte, heen en weer wiegende achterwerken en probeerde me de meisjes voor te stellen in bed met een man. Mijn wangen begonnen te branden. Niet uit schaamte, maar door de wetenschap dat ik dit ook zelf zou gaan proberen.

'We zitten al lang in deze business,' zei de hoerenmadam in een poging mijn twijfel weg te nemen. 'De mannen blijven komen, hoeveel het ze ook kost. We brengen hen weer tot leven. We ontketenen het beest in de jongemannen en laten de ouderen hun jeugd herbeleven.'

Mijn blik was op de meisjes gericht, die nu op handen en voeten balanceerden.

'Deze houding heeft zijn waarde bewezen.' De hoerenmadam glimlachte geheimzinnig. 'Zie je, meisjes uit goede families wordt geleerd mijn huis te verafschuwen. Diezelfde meisjes beseffen niet dat zij de reden zijn dat ik in zaken ben. Die nette meisjes weten niet wat die van mij wel weten; daarom eindigen zij met het huishouden, en mijn meisjes met hun echtgenoten en hun geld!'

'Hoe lang duurt het om de... dans onder de knie te krijgen?' vroeg ik. Ik wilde hier zo snel mogelijk weg.

'Drie maanden.' De hoerenmadam trok een stoel naar zich toe en ging zitten.

Ik had maar tien dagen!

'Je hurkt elke dag boven de eieren en gaat heen en weer met je achterwerk.' De hoerenmadam stak haar pijp aan en nam een trek. 'Na drie maanden zijn je schaamlippen wat dikker en voller geworden dan die van een normale vrouw. Als een man die lippen om zich heen voelt, maak je hem gek. Hij zal bereid zijn voor je te sterven, en jij zult hem van zijn geld kunnen afhelpen.'

Ik probeerde te vergeten waar ik was, maar dat viel niet mee.

Grote Zuster Fann wierp me een 'dit-heb-ik-niet-gehoord-blik' toe.

An-te-hai sloeg zijn blik niet neer. Hij was gebiologeerd door het schouwspel.

De meisjes verhieven zich van de eieren. Hun lichamen glansden van het zweet.

'Ga maar kijken wat ze gedaan hebben,' gebaarde de hoerenmadam naar me. Ik liep naar hen toe.

De hoerenmadam haalde het dienblad met eieren en het kussentje weg. Er kwam een perfecte waaier te voorschijn – de stapel papiergeld had de gewenste vorm gekregen.

'Probeer het nu zelf,' zei de hoerenmadam. 'We leven in een mannenwereld.'

De meisjes boden aan me te helpen met het uittrekken van mijn kleren.

Ik voelde me voor gek staan. Mijn lichaam werd gespannen.

'Je toekomst hangt af van je prestaties,' zei de hoerenmadam met vlakke, emotieloze stem. 'Je moet de man het gevoel geven dat je een tovenares bent, anders komt hij niet bij je terug.'

'Ja,' antwoordde ik zwakjes.

'Stribbel dan niet langer tegen. Een goed leven komt je niet zomaar aanwaaien.' De hoerenmadam leidde me naar het bed en gebaarde dat ik moest neerhurken. 'Het is nu eenmaal zo dat voor niets de zon opgaat.'

In verlegenheid gebracht beval ik Grote Zuster Fann en An-te-hai de kamer te verlaten.

De twee vertrokken zonder een woord te zeggen.

Ik klom op het bed en hurkte neer als een kip. Het was zo'n rare houding dat mijn benen vrijwel meteen pijn deden. Ik draaide rond met mijn achterwerk. Het was een vreemd gevoel de eieren te raken. Ik wiebelde met mijn knieën en enkels om de houding te handhaven.

'Ga door.' De hoerenmadam stak haar hand uit om het blad met eieren onder me in evenwicht te houden. 'Perfectioneren heeft tijd nodig.'

'Ik heb geen tijd.' Ik draaide met mijn achterste en begon naar adem te happen. 'Ik heb maar tien dagen.'

'Je moet wel gek zijn als je denkt dit in tien dagen te kunnen leren.'

'Als ik niet gek was, zou ik hier niet zijn.'

'Alleen een dwaas verwacht dat ze hete pap in één slok naar binnen kan werken.'

'Dat begrijp ik, maar ik moet het voor elkaar krijgen voordat…' Voordat ik mijn zin kon afmaken klonk er een gekraak onder me.

Het waren de eieren. Ik had ze verpletterd.

De hoerenmadam pakte een handdoek om te voorkomen dat het eigeel zou weg druipen. Ze verving de gebroken eieren snel door nieuwe.

Ik nam mijn positie weer in, waarbij ik mezelf met mijn handen in evenwicht hield. Mijn lichaam voelde aan alsof het niet bij me hoorde. Ik draaide rond en probeerde mijn toenemende spierpijn te verdragen.

'Het zal een vreselijke kwelling zijn dit in tien dagen te doen.' De hoerenmadam bewonderde nu mijn kracht. 'Je moet af en toe pauzeren. Anders breek je de eieren weer.'

'Ja, daar heeft u gelijk in. Maar ik kan het me niet veroorloven te stoppen.'

'Er is nog een andere manier om mannen te lokken.' De hoerenmadam stond op uit haar stoel. Ze nam de pijp uit haar mond en tikte de as eruit tegen haar schoenzool. 'Wil je het horen?'

Ik knikte bevestigend.

De meisjes overhandigden me een warme handdoek.

Ik kroop van het bed af en veegde mijn achterste schoon.

'Ik kan je niet helpen aan je lotsbestemming te ontkomen.' De hoerenmadam stopte nog wat gedroogde bladeren in haar pijp en stak hem aan. Ze maakte een smakkend geluid toen ze de rook inhaleerde. 'Want dat kan niet. Maar het helpt enorm als je de aard van mannen leert begrijpen. Je moet de betekenis leren van het gezegde "Het gras is bij de buurman altijd groener."'

'Gaat u alstublieft door, madame,' zei ik.

'Je bent best een aantrekkelijk meisje, maar als het licht uit is, maakt het voor een man niets uit of je nou mooi bent of oerlelijk. Ik heb in de loop der jaren zo vaak meegemaakt dat mannen hun aantrekkelijke vrouwen in de steek laten voor lelijke concubines, en daarna de concubines inruilen voor nog lelijker prostituees.'

'Hoe kun je als vrouw zo'n man vasthouden?'

'Ik zei al, het zit tussen de oren. Eigenlijk hebben mannen behoefte aan bemoediging, hoe sterk ze ook lijken,' zei de hoerenmadam.

Kijkend naar een erotisch schilderij waarop een man zijn ogen niet kon afhouden van de borsten van een vrouw, vervolgde de hoerenmadam: 'Trek je niets aan van zijn uiterlijk en zijn gedrag. Probeer ook zijn manieren te negeren. Wees erop voorbereid: hij kan eruitzien als een pandabeer, stinken als een gierput, een instrument hebben zo klein als een walnoot of zo groot als een winterpeen in plaats van een wortel. Het kan uren duren voordat hij aan zijn gerief komt. Je moet je concentreren op de muziek in zijn hoofd. Je moet de pan aan de kook houden. Je moet denken aan de schilderingen in mijn huis. Die zullen je helpen hem te betoveren. Kijk naar deze heer, die de borsten van zijn vrouw omvat alsof het zoete perziken zijn. Beloon hem met de geluiden die je maakt. Niet met woorden. Alleen geluid. Dompel hem erin onder alsof het honing is. Produceer aroma's. Verander *uhn* in *woo* en vice versa. Maak hem duidelijk dat hij geweldig is.'

'Maar dat weet hij toch al? Dat blijkt toch uit mijn gewilligheid? Tegen de tijd dat ik echt met hem in bed beland, heb ik hem dat toch al duizend keer laten weten?'

'Je zult verbaasd staan, jongedame.'

'Hoe bedoelt u?'

'Je hebt toch nog niet met je schaamlippen gesproken?'

'O, ja, dat is waar.'

'Gebruik je vaardigheden!'

'Ja, natuurlijk.' Mijn verlegenheid sloeg om in geamuseerdheid.

'Wie weet beleef je er zelf ook nog plezier aan.' De hoerenmadam glimlachte.

'En als...' ik zweeg even, omdat ik niet wist hoe ik de vraag moest formuleren. Ik besloot het er op te wagen. 'Als hij het niet prettig vindt wat ik doe?'

'Dat bestaat niet. Mannen vinden het heerlijk,' zei de hoerenmadam vol vertrouwen. 'Maar de timing is erg belangrijk en natuurlijk ook zijn gezondheidstoestand.'

'En als ik hem niet aardig vind?'

'Dat heb ik je toch al uitgelegd! Doe gewoon wat je moet doen. Je bent niet op hem uit, maar op zijn geld.'

'En als hij me beledigt en me zijn bed uit stuurt? Of als ik mijn walging niet kan verbergen?'

'Moet je horen, het draait in deze business niet om gevoelens. Dat is nooit het geval geweest en dat zal ook nooit zo zijn. Dat is nu eenmaal het lot van een vrouw. Je moet roeien met de riemen die je hebt. Je kunt niet alleen maar dromen over een koninklijk jacht!'

'Hoe kan ik net doen alsof ik opgewonden ben als ik niets voel?'

'Dan speel je het! Zo moeilijk is dat niet! Het ergste is dat je te oud bent tegen de tijd dat je de kunst tot in perfectie beheerst. De jeugd verdampt als dauw, 's morgens word je geboren en 's avonds ben je dood.'

De hoerenmadam liet zich op een stoel zakken. Haar borstkas ging op en neer alsof ze zojuist van de verdrinkingsdood was gered.

De twee meisjes zaten met uitdrukkingsloze gezichten naast elkaar.

Ik trok mijn kleren aan en maakte aanstalten om weg te gaan.

'Nog één ding,' zei de hoerenmadam vanuit haar stoel. 'Vertel nooit dat je teleurgesteld bent, hoe gekwetst of kwaad je ook bent. Probeer niet met hem te discussiëren.'

'Ik weet niet eens of er wel een gesprek gevoerd zal worden.'

'Sommige mannen vinden het prettig na afloop even te praten.'

'Wel, zolang hij geïnteresseerd blijft, houd ik het spel wel vol.'

'Goed zo.'

'Ik zou hem ook graag – ik bedoel, als de situatie het toelaat – af en toe een vraag willen stellen. Mag dat?'

'Als je maar domme vragen stelt.'

'Domme vragen? Waarom?'

'Elke vrouw die toont dat ze hersens heeft wordt in de steek gelaten.'

'Waarom?'

'Waarom? Mannen houden er niet van om uitgedaagd te worden. Dat ervaren ze als vernederend.'

'Dus ik moet net doen alsof ik dom ben?'

'Daarmee doe je jezelf een plezier.'

'Maar…' Ik kon me niet voorstellen dat ik me expres dom zou voordoen. 'Zo zit ik niet in elkaar.'

'Dan leer je het maar!' De hoerenmadam staarde me met opengesperde ogen aan. Het licht bescheen haar gezicht, waardoor het bleek werd, bijna blauwachtig.

'Ik dank u, madame,' zei ik.

Ze haalde de haarspeld uit haar zak en veegde hem met haar mouw af. 'We hebben het hier over overleven. Zoals ik al zei, ik wil uw haarspeld waardig zijn.'

'Het was een goede les.' Ik maakte een lichte buiging. 'Vaarwel en bedankt.'

De hoerenmadam likte aan de haarspeld. 'Wat voor soort man betreft het, als ik het vragen mag?'

'Wist ik het maar.' Ik liep naar de deur en schoof het gordijn opzij.

TIEN

De blauweregen hing als een waterval van het dak. In de struiken sjirpten vogels, krekels en andere insecten. Het moment was aangebroken. Keizer Hsien Feng had me ontboden.

Ik ging in de pioenentuin zitten om wat te kalmeren. De terrassen waren de mooiste architectonische ornamenten van mijn paleis. Vlak bij de rand van de vijver waren donkerder getinte bloemen geplant. Naarmate de tuin zich tegen de heuvel op ontrolde werden de kleuren van de bloemen lichter, waardoor de illusie werd gecreëerd dat de tuin in de verte vervaagde. Het uitzicht inspireerde me en liet me inzien wat je kon bereiken met wat het leven te bieden had.

Als lunch bestelde ik mijn lievelingsgerecht, Yang-chou-noedels. An-te-hai en ik vierden mijn goede gesternte. Ik schreef een gedicht, getiteld 'Yang-chou-noedels'.

> Het ene blad komt terecht in de wok, het andere danst in de lucht
> De bladeren ontspruiten aan het koksmes
> Het ene moment zie ik zilveren vissen spartelen in schuimige golven
> Het volgende moment zijn het wilgenbladeren die de oostenwind berijden.

De officiële voorbereidingen namen enkele uren in beslag. Vanuit het paleis van de keizer werden eunuchen gestuurd om te assisteren. Gezamenlijk baadden en parfumeerden mijn eunuchen en hofdames me. Mijn naakte lichaam werd in een witzijden kleed gewikkeld, en gelegen op een draagbaar werd ik door vier eunuchen weggevoerd. Ik was onderweg naar de slaapkamer van Zijne Majesteit Hsien Feng in de Hal van Spirituele Vorming, die drie paleizen zuidelijker lag dan het Paleis van Geconcentreerde Schoonheid, waar ik woonde.

We passeerden het Paleis van Grote Harmonie en het Paleis van Heldere Deugdzaamheid en begaven ons door de grote gangen van het Paleis van Vredige Lange Levensduur. De avond viel, de temperatuur daalde en ik had het koud in het dunne kleed. An-te-hai was zo attent geweest een extra deken mee te nemen, die hij over me heen legde.

Zodra we bij de vertrekken van Zijne Majesteit waren aangekomen, kreeg An-te-hai de opdracht zich terug te trekken. Ik werd ontvangen door hoofdeunuch Shim, die de dragers zachtjes naar binnen loodste. Na een paar bochten kwam ik in een met rode kaarsen verlichte kamer, waar van muur tot muur geelzijden gordijnen hingen. Midden in de kamer stond het bed van Zijne Majesteit.

De eunuchen die me hadden vergezeld vertrokken en werden vervangen door een groep eunuchen van Hsien Feng, die gekleed waren in fijne, geelzijden gewaden. Snel haalden ze geborduurde lakens, dekens en dekbedden te voorschijn. Nadat ze het bed hadden opgemaakt tilden ze me voorzichtig op de rand van het enorme bed en verlieten de kamer.

Er kwam weer een andere groep eunuchen binnen. Elk van hen droeg een verwarmde koperen pot. Daarmee verwarmden ze de lakens en dekbedden. Vervolgens ontdeden ze me van het kleed waarin ik gewikkeld was. Ze legden me op de kant van het bed die het dichtst bij de muur was en bedekten me met verwarmde dekens. Al die tijd hadden ze geen enkele uitdrukking op hun gezicht. Als hun handen me aanraakten, leek het alsof ze een kussen pakten. Toen alles gereed was, lieten ze het bedgordijn zakken en trokken zich terug.

Het was doodstil in de kamer. De lucht was bezwangerd van wierook. Door een spleet in het gordijn observeerde ik de kamer, die volhing met kalligrafieën en schilderijen. Op het grootste schilderij stond een boeddha afgebeeld die een rivier overstak. De boeddha was geheel in puur goud geschilderd. Hij was heel groot met een enorme buik en hij voer op een dun lotusblad. Hij leek zich geen zorgen te maken dat hij zou zinken, want hij had zijn ogen dicht en een flauwe glimlach om zijn mond. In zijn handen hield hij de beroemde pot der wijsheid. Rechts van het schilderij stond een blauwe boekenkast vol boeken. Aan het plafond hingen twee lantaarns die tot de grond reikten en die waren versierd met kalligrafieën. Alles in de kamer was bewerkt en met goudverf bedekt. Overal in de kamer zag je beeltenissen van draken en kraanvogels. Op panelen aan weerszijden van een van de ramen stond te lezen: 'Jaar in, jaar uit geluk' en 'Vrede in alles'. Op een plank achter het bed lag een *qin*, een zevensnarig instrument, gemaakt van gepolitoerd hout.

Ik had dorst en besefte dat ik die dag nauwelijks iets gegeten had. Ik at en sliep de laatste tijd slecht. Ik had al mijn energie besteed aan de poging me een voorstelling te maken van het minnekozen met Zijne Majesteit. Ik vroeg me af hoe hij zou beginnen, welk deel van mijn lichaam hij als eerste zou onderzoeken, en of hij tevreden zou zijn met wat hij zag. Ik vroeg me af of hij me zou vergelijken met zijn andere vrouwen. Wat zou er gebeuren als ik hem niet beviel? Zou hij me dan wegsturen? Of zou hij zelf weggaan?

Hoofdeunuch Shim had me duidelijk gemaakt dat het mijn eigen verantwoordelijkheid zou zijn als ik ongeschikt werd bevonden en in de steek werd gelaten. Het gerucht ging dat Zijne Majesteit de laatste tijd onderhevig was aan wisselende stemmingen. An-te-hai had van een andere eunuch gehoord dat de keizer op een avond zes concubines had laten komen, de een na de ander, die geen van allen aan zijn verwachting voldeden. Hij had ze eruit geschopt en tegen Shim gezegd dat hij de vrouwen nooit meer wilde zien. Als de Zoon van de Hemel 'nooit' zei, had dat grote betekenis – ze werden uit hun paleizen gezet en verbannen naar het meest verafgelegen deel van de Verboden Stad, waar ze de rest van hun leven yoo-hoo-loos zouden kweken en bewerken.

Zou mij vanavond hetzelfde overkomen? Wat moest of kon ik doen als dat zou gebeuren? Ik herinnerde me dat Grote Zuster Fann me had verteld dat Zijne Majesteit zijn concubines beschouwde als iets wat hem werd opgedrongen. Die gedachte maakte me zo van streek dat ik vergat de zegen van de hemel af te smeken. Ik lag in het bed met mijn gezicht naar de muur gekeerd. Ik was van top tot teen ijskoud.

De rode kaarsen verspreidden een zoete jasmijngeur. Ik voelde me volkomen uitgeput. Waarom zou ik de last die ik moest torsen nog zwaarder maken? Toen kwam mijn jeugdige opstandigheid naar boven. Ik zei tegen mezelf dat ik een 'wandelende ijslolly' was. Ik gaf mezelf op mijn kop omdat ik het mezelf zo moeilijk maakte. 'Voel het zonlicht!' riep mijn jeugdige ik uit. 'Waarom laat je de moed zakken, Orchidee? Sinds de dood van je vader was je de weg kwijt tot je een moeilijk begaanbaar pad koos!'

Ik hoorde een mannenstem uit de aangrenzende hal aan de rechterkant komen. Dat kon alleen Zijne Majesteit keizer Hsien Feng zijn.

Mijn angst nam toe. De stem klonk onprettig, alsof Zijne Majesteit ruzie met iemand had. De woorden klonken boos en gespannen. Even was het stil en toen vloekte de stem: 'Keizerlijke rioolrat!'

Ik hoorde voetstappen naderbij komen. Ik trok de dekens en kussens over me heen en probeerde de moed te verzamelen om mijn gemaal voor het eerst te begroeten. Het was al maanden geleden dat ik hem voor het laatst had gezien. Ik kon me werkelijk niet meer herinneren hoe hij eruitzag. Hoofdeunuch Shim had me gezegd dat ik mijn echtgenoot niet gedag mocht zeggen. Mijn naaktheid vergrootte mijn nervositeit alleen maar. Mijn nachthemd lag op een krukje naast het bed. Daarnaast lag Zijne Majesteits blauwzijden slaaphemd, dat hij zou aantrekken als hij ging slapen.

'Nee! Wie denken ze dat ik ben! Loop naar de hel! Ik sta het niet toe!' schreeuwde de man, van wie ik nu zeker wist dat het keizer Hsien Feng was, vanuit de aangrenzende ruimte. '... Nou ja, als ze geen troepen hadden gestuurd. Wat hebben de Britten en de Fransen gedaan? Ze hebben me gedwongen achthonderdduizend taël meer te betalen dan ik van plan was. Nu willen ze dat ik Tientsin openstel. Terwijl Tientsin de toegangspoort tot Peking is! Ze willen me een wurgcontract laten tekenen... Wat bedoelen ze met een wijziging van het verdrag? Het is een smoes van die barbaren! Ik heb de havens van Kanton, Shanghai, Foochow en Taiwan al opengesteld. Meer hoef ik toch niet te doen...'

Zijn stem begon zachter te klinken. Hij barstte in snikken uit. 'Ik schaam me zo... China's waardigheid is opgeofferd. Ik durf me niet meer bij het altaar te vertonen. Kun je er niets aan doen? Ik doe geen oog meer dicht. Ja, ik heb gedronken. Dat is de enige manier om aan mijn nachtmerries te ontsnappen! Wat bedoel je ermee, dat het mijn beslissing was?'

Het bleef even stil en toen hoorde ik het geluid van brekend porselein.

Buiten floot de noordenwind. Na een lange stilte hoorde ik Hsien Feng zijn neus snuiten. Daarna klonken schuifelende voetstappen. Ik zag de schaduw van Zijne Majesteit naar het bed toe komen en trok het dekbed over mijn hoofd. Hij ging op de rand van het bed zitten en trok diep zuchtend zijn kleed uit.

'Thee, majesteit?' klonk de stem van hoofdeunuch Shim uit de gang.

'Ik drink mijn eigen pis wel!' antwoordde Zijne Majesteit.

'We wensen Zijne Majesteit een uitstekende nacht!'

De voetstappen op de binnenplaats stierven weg.

Ik wist niet zeker of keizer Hsien Feng wist dat ik in zijn bed lag. Het laatste wat ik wilde was hem verrassen. Moest ik een geluid maken om hem te laten weten dat hij niet alleen was?

Zijne Majesteit schopte zijn laarzen uit en smeet zijn riem met daaraan de kralen en amuletten opzij. Hij droeg een wit hemd. Zijn zwarte vlecht lag als een slang om zijn hals gekruld. Zonder zijn nachthemd aan te trekken kroop hij in bed en leunde tegen de kussens achterover.

Hij draaide zijn hoofd om en onze blikken kruisten elkaar.

Hij toonde geen enkele verbazing. Een meisje in zijn bed was voor hem net zoiets als een extra dekbed. Ik zag geen sprankje interesse in zijn grote schuin staande ogen. Hij was nog net zo aantrekkelijk als in mijn terugkerende herinnering aan onze eerste ontmoeting: een gladgeschoren kin, een rechte Mantsjoe-neus en een bootvormige mond met vastberaden lippen. Ik had nog nooit een man met zulke perfecte gelaatstrekken en zo'n zachte huid gezien.

We bleven elkaar aanstaren en ik voelde het bloed in mijn aderen kloppen.

'Moge Zijne Majesteit vele jaren leven en moge u honderden nakomelingen voortbrengen,' dreunde ik het opgedragen lesje op.

'Nog zo'n papegaai!' Hij wendde zich van me af en wreef met zijn handen over zijn gezicht. 'Allemaal papegaaien, getraind door dezelfde eunuch... jullie zijn allemaal zo dodelijk saai!'

'Majesteit...'

'Waag het niet dichterbij te komen!'

Wat moest ik doen? Mijn kans was al verkeken voordat ik had kunnen beginnen.

De tranen sprongen in mijn ogen. Ik durfde me niet te bewegen.

De man die naast me lag werd door zijn eigen gedachten in beslag genomen en ik voelde alleen grote pijn en woede in hem.

Ik besloot de gedachte hem te verleiden los te laten. Wat kon een enkele zet met een pion uitrichten als het spel reeds verloren was? In de afgelopen negen dagen had ik elke nacht geoefend op de waaierdans. Bovendien had An-te-hai me geleerd de qin te bespelen. Ik had het voldoende onder de knie gekregen om mezelf bij een paar liedjes te begeleiden. Ik had geen stem als een nachtegaal, maar hij klonk aangenaam en zoet. Ik had altijd vertrouwen in mijn stem gehad. Als mijn ouders het hadden toegestaan, had ik geprobeerd een carrière als operazangeres op te bouwen. Toen ik een jaar of tien was, had een zanger die bij ons thuis optrad me verteld dat ik talent had, talent dat kon worden uitgebouwd als ik bereid was hard te werken.

Wat zou ik mijn vader moeten vertellen? Hoe vaak had hij niet gezegd: 'Als je jongen wilt krijgen moet je zo dapper zijn het hol van de leeuw binnen te gaan.' Ik bevond me al in het hol van de leeuw, maar er waren geen jongen. Ik herinnerde me een ander verhaal dat hij me had verteld. Dat ging over een troep apen die probeerden de weerspiegeling van de maan in het water te vangen. De apen verzamelden zich in een grote boom en vormden vervolgens een lange keten die van de boom tot het water reikte. De onderste aap in de keten probeerde de maan met een mand uit het water te scheppen. Het was een ingenieus plan, maar vader wees erop dat sommige dingen gewoon onmogelijk zijn en dat het wijs is je grenzen te accepteren.

Kon ik op dit moment iets uitrichten? Het zijden kussen voelde zacht en koel tegen mijn wang. Ik was niet meer in staat na te denken. In mijn hoofd hoorde ik een aria: 'Als een riviersteen die de heuvel op wordt geduwd, als een haan die tanden krijgt…'

Ik ontwaakte door een tik tegen mijn schouder.

'Hoe durf je in slaap te vallen terwijl Zijne Majesteit wakker is!'

Ik ging zitten. Ik wist even niet waar ik was.

'Waar ben je geweest?' zei de man voor me spottend. 'In Soochow of in Hangchow?'

Ik was vreselijk geschrokken. 'Neemt u me niet kwalijk, majesteit, ik ben de laatste tijd niet mezelf. Het was niet mijn bedoeling u boos te maken. Ik was moe en was zo onvoorzichtig om in slaap te vallen.'

'Wat een onzin!'

Ik kneep mezelf in mijn dij in een poging bij mijn positieven te komen.

'Hoe kun jij nou moe zijn?' zei keizer Hsien Feng honend. 'Wat heb je gedaan, naast borduren?'

Ik bleef zwijgen, maar mijn hersens werkten op volle toeren.

'Geef antwoord op mijn vraag.' Zijne Majesteit stapte uit bed en begon in zijn openvallende hemd te ijsberen. 'Als je hebt zitten borduren, vertel me er dan over. Ik kan wel wat afleiding gebruiken.'

Ik voelde aan dat Zijne Majesteit niet in een gesprek over borduren of wat dan ook geïnteresseerd was. Wat ik ook zou zeggen, ik zou erdoor in de problemen komen. De man was een wandelende bom. Ik wilde zeggen dat ik had verwacht met hem te copuleren, niet met hem te converseren.

Zijne Majesteit keek me aan.

Ik besefte dat ik naakt was en stak mijn hand uit naar het krukje om mijn nachthemd te pakken.

Hij schopte het krukje om en mijn nachthemd viel op de grond. 'Wil je niet een tijdje van dat kostuum verlost blijven?'

Verbaasd door zijn woorden keek ik hem aan. Zijn stem deed me denken aan die van de dorpsjongens die ik had gekend, achttienjarige jongens wier stem nog steeds klonk als die van een jong haantje.

'Ik wel,' beantwoordde de Zoon van de Hemel zijn eigen vraag. 'Misschien zou ik dan zelfs eventjes gelukkig zijn.'

Ik barstte van de nieuwsgierigheid en besloot het risico te nemen. 'Majesteit, staat u me toe u iets te vragen?'

'Ja, je mag alles vragen behalve of je mijn zaad krijgt.'

Ik begreep wat hij bedoelde en voelde me beledigd. De lust tot spreken verging me.

'Ga je gang, slavin. Ik heb je toestemming gegeven.'

Mijn stem liet me in de steek. Ik werd overmand door wanhoop. Ik dacht aan wat ik allemaal had gedaan om deze kans te krijgen. Ik kon de klok horen tikken en in mijn gedachten klonk de stem van hoofdeunuch Shim: 'Uw tijd is verstreken, vrouwe Yehonala!'

Ik probeerde het verlies te accepteren, maar mijn geest verzette zich. Elke zenuw in mijn lichaam protesteerde tegen mijn wil om mijn lessen in praktijk te brengen.

'Ik zal vragen of ze iemand anders sturen.' Zijne Majesteit boog zich naar me toe. Hij rook naar sinaasappelschil. 'Ik ben in de stemming om verwend te worden.' Zijn adem gleed over mijn gezicht en hij leek zich te amuseren. 'Ik wil een papegaai. Koekoek! Koekoek! Zing of zink. Koekoek!'

Alle hoop had me verlaten en ik kon nog steeds geen woord uitbrengen.

'Hoofdeunuch Shim staat achter de deur te wachten,' vervolgde Zijne Majesteit. 'Ik zal zeggen dat hij je mee kan nemen.' Hij maakte aanstalten naar de deur te lopen.

Ik gaf toe aan mijn ware aard. De wanhoop had mijn vechtlust aangewakkerd en opeens was ik mijn angst kwijt. Voor mijn geestesoog zag ik een strop aan een balk van het keizerlijke paleis bungelen en heen en weer gaan als de mouwen van de maangodin. Ik voelde een onverwachte, maar werkelijke vreugde nu ik de touwtjes in handen nam. Ik stapte uit bed en trok mijn nachthemd aan. 'Ik wens u een goede nacht, majesteit,' zei ik en rende naar de deur.

Als ik ouder of ervarener was geweest zou ik mijn daad waarschijnlijk betreurd hebben, maar ik was achttien en mijn bloed kookte. De situatie had me woest gemaakt. Ik begreep dat ik onthoofd zou worden voor mijn onvergeeflijke gedrag en ik wilde op mijn eigen manier mijn laatste daad stellen.

'Halt!' riep keizer Hsien Feng achter me. 'Je hebt zojuist de Zoon van de Hemel beledigd!'

Ik draaide me om en zag de grijns op zijn gezicht.

'Als u het bevel gaat geven mij te straffen,' zei ik, terwijl ik hem met rechte schouders en opgeheven hoofd aankeek, 'kan ik alleen hopen dat u zo genadig bent het vonnis snel te voltrekken.'

Bij deze woorden trok ik de ceintuur om mijn nachthemd aan. Ik had alles bereikt wat in mijn macht lag. Sinds ik was verhuisd naar de Verboden Stad was ik geen gewoon persoon meer. Hoe zou Grote Zuster Fann reageren als ze hoorde dat ik de Zoon van de Hemel had aangesproken als gelijke? Bij de gedachte aan haar gezicht moest ik glimlachen. Ze zou het verhaal van de 'legendarische Orchidee' rondvertellen tot de blaren op haar lippen stonden.

Bijna opgetogen zei ik tegen Zijne Majesteit dat ik gereed was voor de eunuchen die me zouden wegvoeren.

Hsien Feng bewoog zich niet. Hij leek verrast door de situatie. Maar het kon me niets meer schelen wat hij voelde. Al mijn toekomstverwachtingen waren de bodem in geslagen. Mijn ziel was vrijgelaten.

'Je interesseert me,' zei de keizer, en er speelde een flauwe glimlach om zijn lippen.

Dit is waarschijnlijk de keizerlijke martelmethode, dacht ik.

'Zeg dat je spijt hebt van wat je hebt gedaan.' Hij liep naar me toe tot zijn gezicht op centimeters van het mijne was. Zijn ogen stonden vriendelijk. 'Al heb je spijt, het is toch al te laat. Het heeft geen zin om genade te smeken. Ik ben niet in de stemming om vergiffenis te schenken. Niet in het minst. Ik heb geen vergiffenis meer in me.'

'Alleen al daarom heb ik medelijden met u,' seinde ik met mijn blik. Ik was blij dat ik niet in zijn schoenen stond. Hij kon het bevel geven mij ter dood te brengen, maar over zijn eigen dood had hij geen macht. Wat was dan de betekenis van die macht? Hij was een gevangene van zichzelf.

Zijne Majesteit wilde per se weten wat ik dacht. Na enige aarzeling besloot ik open kaart te spelen. Ik zei dat ik medelijden met hem had, hoewel hij machtig leek te zijn. Ik zei dat het niet erg indrukwekkend was dat hij geen gelijke had uitgekozen om te straffen maar mij, een weerloze slavin. Ik zei dat ik het hem niet kwalijk zou nemen als hij mij bestrafte, omdat ik begreep dat hij zijn frustraties toch op iemand moest kunnen afreageren, en wat was er eenvoudiger dan een concubine te onthoofden?

Ik verwachtte dat hij door mijn woorden in woede zou ontsteken. Ik verwachtte dat hij de eunuchen zou roepen en me weg zou laten slepen en dat de wachters me met hun zwaarden zouden steken. Maar Zijne Majesteit deed het tegenovergestelde. Hij werd rustig in plaats van woedend. Mijn woorden leken hem werkelijk te raken. Zijn gezichtsuitdrukking ging lijken op het werk van een weinig getalenteerde beeldhouwer, die probeerde een vrolijk gezicht te vormen maar in plaats daarvan een bitter gelaat produceerde.

Zijne Majesteit liet zich langzaam op de rand van het bed zakken en gebaarde dat ik naast hem moest komen zitten. Ik gehoorzaamde. Buiten klonk het harde, maar niet onplezierige geluid van een yoo-hoo-loo. Het maanlicht wierp de schaduw van een magnolia op de vloer. Ik voelde me merkwaardig vredig.

'Zullen we gewoon wat met elkaar praten?' vroeg hij.

Ik had geen zin te antwoorden, dus bleef ik zwijgen.

'Heb je niets meer te zeggen?'

'Ik heb alles al gezegd, majesteit.'

'Je zit... te glimlachen!'

'Heb ik u beledigd?'

'Nee, ik vind het leuk. Blijf glimlachen... Hoor je niet wat ik zeg?'

Toen hij dit zei, voelde ik mijn gelaatsuitdrukking bevriezen.

'Wat mankeert je? Je glimlach is verdwenen. Haal hem terug! Ik wil die glimlach weer op je gezicht zien! Haal hem terug. Nu meteen.'

'Ik doe mijn best, majesteit.'

'Hij is er niet meer! Je hebt mijn glimlach gestolen! Hoe durf...'

'Is het zo goed, majesteit?'

'Nee, dat is geen glimlach. Dat is een grijns. En nog lelijk ook. Heb je hulp nodig?'

'Ja.'

'Vertel me dan wat ik moet doen.'

'Zijne Majesteit zou me kunnen zeggen hoe ik heet.'

'Hoe je heet?'

'Weet u mijn naam?'

'Wat een akelige vraag! Nee, natuurlijk niet.'

'Ik ben uw echtgenote. Ik ben uw gemalin van de vierde rang.'

'O, ja?'

'Mijn naam, majesteit?'

'Wil je zo vriendelijk zijn me te helpen herinneren?'

'Of ik dat wil? Is er iemand in dit rijk die het geluk heeft gehad de Zoon van de Hemel te horen zeggen "Wil je zo vriendelijk zijn"?'

'Wat is je naam? Kom op!'

'Het is niet de moeite.'

'Zijne Majesteit wenst de moeite te nemen!'

'Dat kan hij beter niet doen. Het zal hem nachtmerries bezorgen.'

'Hoezo?'

'Ik heb geen idee of ik wel een goede geest zal worden. En een slechte geest jaagt de levenden na. Ik neem aan dat u zich daarvan bewust bent.'

'Juist, ja.' Hij stond op en liep op blote voeten naar een gouden schaal die op zijn bureau stond. Op de schaal lag een stukje bamboe met mijn naam erop. 'Vrouwe Yehonala.' Hij pakte het stukje bamboe en bedekte het met zijn hand. 'Hoe noemt je familie jou, Yehonala?'

'Orchidee.'

'Orchidee.' Hij knikte en herhaalde de naam voor zichzelf terwijl hij het stukje bamboe weer op de schaal liet vallen. 'Wel, Orchidee, misschien heb je nog een laatste wens die ik kan inwilligen?'

'Nee, ik wil mijn leven zo snel mogelijk beëindigen.'

'Die wens zal ik zeker inwilligen. Nog iets anders?'

'Nee.'

'Nou,' zei de keizer, 'misschien wil je, voordat je sterft, weten hoe je hier vanavond bent terechtgekomen.' Ondanks zijn poging streng te klinken kon de keizer een glimlach niet onderdrukken.

'Ja, dat zou ik wel willen horen,' bracht ik er met moeite uit.

'Wel, het begon allemaal met een verhaal dat hoofdeunuch Shim me vertelde... Kom even bij me liggen, Orchidee. Dat kan toch geen kwaad? Misschien word je daardoor wel een goede geest.'

Toen ik in bed klom, raakte ik verstrikt in mijn nachthemd.

'Uit, doe dat hemd uit,' zei keizer Hsien Feng terwijl hij naar mijn nachthemd wees.

Verlegen ontblootte ik mijn lichaam. In wat voor merkwaardig toneelspel ben ik beland, dacht ik.

'Het verhaal ging over keizer Yuan Ti van de Han-dynastie.' De stem van Zijne Majesteit klonk warm en energiek. 'Net als ik bezat hij duizenden concubines die hij nooit te zien kreeg. Hij had zo weinig tijd dat hij ze alleen kon uitkiezen aan de hand van hun portret, dat geschilderd was door de hofschilder, Mao Yen-shou. De concubines bedolven de schilder onder de geschenken, in de hoop dat hij ervoor zou zorgen dat ze er zo begerenswaardig mogelijk uitzagen. De mooiste van alle concubines was een achttienjarig meisje, Wang Ch'ao-chun genaamd. Ze had een sterk karakter en geloofde niet in omkoperij. Ze dacht dat het voldoende zou zijn als de schilder haar afbeeldde zoals ze was. Maar Mao Yen-shou maakte er natuurlijk een afschuwelijk portret van. Het schilderij deed geen recht aan haar schoonheid. Met als resultaat dat keizer Yuan Ti haar niet leerde kennen.

In die tijd kwamen veel hoogwaardigheidsbekleders eer bewijzen aan het hof, onder wie Shang Yu, de Grote Khan, die heerste over de Turkomanen van de Hunnenstam. Keizer Yuan Ti bood hem een van zijn concubines als vrouw aan omdat hij de vriendschapbanden met deze machtige buurman wilde verstevigen. En keizer Yuan Ti schonk hem Wang Ch'ao-chun, die hij nog nooit had gezien.

Toen de bruid voor hem verscheen om afscheid te nemen, was de keizer met stomheid geslagen door haar schoonheid. Hij had niet geweten dat er zich in zijn harem zo'n onovertroffen schoonheid bevond. Hij wilde haar ter plekke bezitten, maar het was te laat – Wang Ch'ao-chun behoorde hem niet langer toe.

Zodra het paar was vertrokken, gaf Yuan Ti het bevel Mao Yen-shou te onthoofden. Maar ondanks dit werd de keizer voor altijd achtervolgd door de herinnering aan deze maagd en door treurnis om het geluk dat hem ten deel had kunnen vallen.'

Keizer Hsien Feng staarde me aan. 'Ik heb je ontboden omdat ik een dergelijke treurigheid niet wilde ervaren. Je bent inderdaad zo mooi als hoofdeunuch Shim beschreef. Je bent de reïncarnatie van Wang Ch'ao-chun. Maar Shim heeft verzuimd me te vertellen dat je ook nog karakter hebt. Je bent beter dan de sinaasappelschilthee die ze me laten drinken. Die smaakt heerlijk, maar schenkt me geen genot.

Het is tegenwoordig steeds hetzelfde. Ik zou niet van Wang Ch'ao-chun kunnen genieten, al zou ze werkelijk bestaan. En wat jou betreft, vraag ik het me ook af. Ik ben bang dat ik alleen maar kan denken aan de kaart van China, die steeds kleiner wordt. Vijanden belagen ons van alle kanten. Ze hebben me bij de keel en spuwen me in het gezicht. Ik ben helemaal kapot. Waarom zou ik slapen – hoe zou ik kunnen – met jou of welke andere concubine ook? Om de ergst denkbare nachtmerrie te beleven? Ik ben niet in staat een erfgenaam te produceren. Ik verschil in niets van een eunuch.'

Hij begon te lachen. Er bleek een vreselijk verdriet uit zijn gedrag en stem, wat me ontroerde. Ik wist over welke kaart hij het had. Het was dezelfde kaart die mijn vader me had laten zien. De man voor me deed me aan mijn vader denken. Die had ook zo graag de eer van de Mantsjoe hersteld, en toch verliet hij op het eind zijn post. Ik voelde de schaamte die Zijne Majesteit moest dragen. Diezelfde schaamte was de oorzaak van de dood van mijn vader.

Ik bekeek Hsien Feng eens goed en vond hem een echte Vaandeldrager. Hij had zich nergens iets van aan kunnen trekken en van de tuin en een feestmaal van concubines kunnen genieten, maar hij had ervoor gekozen zich zo druk te maken dat hij impotent was geworden.

De behoefte hem te troosten verdrong mijn angst. Ik ging op mijn knieën zitten. Ik maakte de linten van mijn nachthemd los, opende mijn armen en trok hem tegen mijn borst zoals een moeder een kind vasthield. Hij bood geen enkele weerstand en ik bleef lange tijd zo met hem zitten.

Hij slaakte een zucht en trok zich terug om me te kunnen aankijken.

Ik reikte naar het laken om mijn borsten ermee te bedekken.

'Niet doen,' zei hij, terwijl hij het laken wegtrok. 'Het bevalt me wat ik zie.'

'Mijn terdoodveroordeling?'

Hij grinnikte. 'Je krijgt de kans te blijven leven als je me helpt vannacht goed te slapen.'

Er drong wat licht door in het donkerste hoekje van mijn hart en ik glimlachte.

'Haar glimlach is terug!' riep hij opgetogen, als een kind dat een vallende ster ziet.

'Is het voor Uwe Majesteit al tijd om te slapen?'

'Zo makkelijk gaat dat tegenwoordig niet.' Hij zuchtte.

'Het zal helpen als u uw gedachten loslaat.'

'Dat is onmogelijk, Orchidee.'

'Houdt Uwe Majesteit van spelletjes?'

'Spelletjes interesseren me niet meer.'

'Kent Uwe Majesteit "Vreugdevolle ontmoeting"?'

'Dat is een oud liedje. Van Chu Tun-ju van de Sung-dynastie, dacht ik.'

'Wat heeft Uwe Majesteit een uitstekend geheugen!'

'Ik waarschuw je, Orchidee, nog geen enkele arts is erin geslaagd me in slaap te krijgen!'

'Mag ik uw qin hebben?'

Hij pakte het instrument en overhandigde het aan me.

Ik sloeg een akkoord aan en begon te zingen.

> *Ik leun op de westelijke leuning van de stadsmuur*
> *Van Ching-ling in de herfst*
> *De zon hangt laag en zendt haar stralen over het land*
> *Om de grote rivier te zien stromen.*
>
> *Op de centrale vlakte is het een chaos*
> *In paniek stuiven de beambten uit elkaar*

Wanneer moeten we onze grenzen heroveren?
De wind van Yang-chou blaast mijn tranen weg.

Keizer Hsien Feng luisterde zwijgend en begon te huilen. Hij vroeg me nog een liedje te zingen. 'Als je een acteur was van een operagezelschap, zou ik je belonen met driehonderd taël,' zei hij, terwijl hij mijn hand pakte.

Ik zong. Ik had er geen zin meer in na te denken over de vreemde wending die de gebeurtenissen hadden genomen. Nadat ik 'Vaarwel, Zwarte Rivier' en 'De dronken concubine' had gezongen, wilde Zijne Majesteit nog meer horen. Ik verontschuldigde me en zei dat ik me hierop niet had voorbereid.

'Nog één liedje.' Hij trok me tegen zich aan. 'Het maakt niet uit welk.'

Mijn vingers gleden over de snaren. Even later schoot me een deuntje te binnen.

'Het heet "Onsterfelijk op de Eksterbrug" en het is geschreven door Ch'in Kuan.' Ik schraapte mijn keel en wilde beginnen.

'Wacht even, Orchidee. "Onsterfelijk op de Eksterbrug"? Waarom heb ik daar nog nooit van gehoord? Is het een populair liedje?'

'Vroeger wel.'

'Dat is niet eerlijk, vrouwe Yehonala. De keizer van China moet van alles op de hoogte zijn.'

'Wel, daarom ben ik hier, majesteit. Voor mij stelt deze tekst alle andere liefdesgedichten in de schaduw. Het gaat over de oude legende van de veehoeder en de maagd – of de wever – twee sterren die door de Melkweg van elkaar gescheiden zijn. Ze ontmoetten elkaar eens per jaar op de Eksterbrug, op de zevende dag van de zevende maanstond, als de herfstwind de dauw omhelsde.'

'Velen kennen de pijn die een scheiding veroorzaakt,' zei de keizer zachtjes. 'Het verhaal doet me aan mijn moeder denken. Ze heeft zich verhangen toen ik zes jaar was. Ze was een mooie vrouw en wij zijn van elkaar gescheiden door de Melkweg.'

Het verbaasde me dat hij dit zei, maar ik slaagde erin mijn commentaar voor me te houden. In plaats daarvan begon ik te zingen.

Als kunstwerken drijven de wolken voorbij
Vallende sterren vol verdriet
Achter de Melkweg ontmoet de veehoeder zijn maagd
Als de gouden herfstwind de dauw van jade omhelst
Alle liefdesscènes op aarde vervagen, hoeveel het er ook zijn
Hun hartstocht stroomt als een rivier
Dit blijde moment lijkt een droom

Kunnen zij het verdragen eenzaam huiswaarts te gaan?
Als de liefde blijft bestaan
Waarom moeten ze dan dag en nacht samen zijn?

Keizer Hsien Feng was al in slaap gevallen voordat het laatste akkoord klonk.

Ik legde het instrument naast het bed en wenste dat dit moment eeuwig kon duren. Maar ik moest vertrekken. Volgens de traditie moest ik om middernacht teruggebracht worden naar mijn paleis. Nog even en de eunuchen zouden me komen halen. Zou ik ooit nog worden ontboden? Waarschijnlijk zou keizer Hsien Feng me vergeten zijn als hij wakker werd.

Ik werd bevangen door een melancholisch gevoel. Het lot had me geen intimiteit gebracht. Ik probeerde de gedachten aan mijn ruyi, mijn haarspeld en de energie en hoop die ik in de voorbereiding had gestoken van me af te zetten. Ik had niet de kans gekregen mijn waaierdans uit te voeren. Als keizer Hsien Feng me had willen bezitten, had ik hem genot kunnen schenken.

Terwijl ik naast hem lag, zag ik de kaarsen in de rode lantaarns een voor een uitdoven. Ik probeerde me niet verslagen te voelen. Wat had ik eraan om in te storten? Het zou de keizer hooguit ergeren.

De smart dompelde me onder in stilte. Mijn hart zweefde rond in een oceaan, gewurgd door zeewier. De kaars in de laatste lantaarn flakkerde en ging uit. Het werd pikdonker in de kamer. Pas nu zag ik dat de wolken de maan volledig aan het zicht onttrokken. Andere insectgeluiden voegden zich bij de zang van de yoo-hoo-loos. De nachtelijke muziek klonk prachtig. Ik lag in het donker en zag keizer Hsien Feng rustig ademhalen in zijn slaap. Mijn blik volgde als een penseel de contouren van zijn lichaam.

Er viel een straal maanlicht op de vloer. De kleur was wit met een vleugje geel. Ik moest denken aan mijn moeders gelaatskleur in de tijd dat ze mijn vader langzaam zag sterven. De rimpels werden iedere dag dieper en namen een stukje van haar weg. Toen was haar gezicht op een dag volledig veranderd door de rimpels. Haar huid hing in vellen naar beneden, als door de zwaartekracht naar de aarde getrokken. Mijn moeders jeugd was opeens verdwenen.

Ik verliet langzaam en stilletjes het bed. Ik legde de qin op de tafel tegen de muur. Ik trok mijn nachthemd aan en keek uit het raam. Ik staarde naar de maan en herkende mezelf – een groot, betraand gezicht.

Hsien Feng lag met opgetrokken knieën te slapen, een man, verzonken in mannendromen. Net als iedereen in China had ik de Zoon van de Hemel altijd gezien als een goddelijke figuur, de draak die het universum doorboorde. Vanavond had ik een man gezien wiens smalle schouders de last van de natie nauwelijks konden dragen; een man die moest huilen bij mijn liedjes, een man die was opgegroeid zonder moederliefde. Als dat geen tegenspoed was… Wat moest het vreselijk voor hem geweest zijn toen zijn moeder zich-zelf verhing en iedereen tegen hem loog terwijl hij de waarheid wist! De iro-nie van het verhaal was dat hij nooit de eenvoudige man zou kunnen zijn die hij wilde zijn. Bij de audiëntie morgenochtend zou hij weer zijn rol moeten spelen.

Het verlies van mijn ruyi en mijn haarspeld had me in ieder geval deze avond opgeleverd. Ik was blij met wat ik bereikt had. Al zou Zijne Majesteit me morgen vergeten zijn, de herinnering aan vanavond kon hij me niet af-nemen. Die behoorde mij toe. Als ik morgen in mijn graf gelegd zou worden, zou ik deze avond met me meedragen.

Het maanlicht verplaatste zich en scheen nu door de bewerkte raamkozij-nen. De schaduw op de vloer leek een borduurwerk. Ik legde mijn wang te-gen de zachte, zijden lakens van het keizerlijk bed en vlijde mijn lichaam te-gen de Zoon van de Hemel aan. Ik wilde hem bedanken voor het feit dat hij onze titel en rang opzij had gezet en had toegestaan dat we elkaar raakten als eenvoudige zielen.

Bij deze gedachte ontspande ik me, al was ik nog steeds bang. Ik bereidde me erop voor de Hal van Spirituele Verzorging te verlaten en er nooit meer terug te keren.

Keizer Hsien Feng draaide zich om. Zijn linkerarm lag boven het laken. In het maanlicht leek zijn arm zo dun als die van een klein jongetje. Ik zou hem laten slapen. Zijn gezicht was nu naar me toe gekeerd. Zijn wenkbrauwen wa-ren niet langer gefronst. Waarschijnlijk had hij een fijne droom.

Het gezang van de yoo-hoo-loos klonk nu dissonerend. Dat was een te-ken (had An-te-hai me verteld) dat de mannetjes klaar waren met paren en zich nu uit het lichaam van het vrouwtje losworstelden. De schrille, hoge klanken van de vrouwtjes waren een akelig gehoor. Hoe langer ik daar zat, hoe onverdraaglijker het geluid werd. Ik moest aan mezelf toegeven dat ik verliefd was geworden op het moment en het einde daarvan vreesde. Ik kreeg een onaangenaam gevoel. Met elke seconde die verstreek werd ik wanhopi-ger.

Ik zou hem kunnen kussen, dacht ik. Ik zou hem kunnen kussen zoals ik geleerd had in het Huis van de Lotus. Ik wenste dat Zijne Majesteit hetzelf-de was als de klanten die dat huis bezochten, want die wisten wat genot was en zochten dat bij elke gelegenheid. Ik vroeg me af of keizer Hsien Feng ooit echt genot had gekend. Ik had het gevoel dat dit niet het geval was. Hij leek niet gewend te zijn aan uitingen van genegenheid. Maar dat kon ik hem niet kwalijk nemen. Hij moest het land besturen en het was zijn plicht zijn zaad elke nacht te deponeren in honderden baarmoeders. Zou ik daar ook niet im-potent van worden?

Ik hoorde zachte voetstappen. De eunuchen kwamen me halen.

Keizer Hsien Feng bewoog zich nog steeds niet. In gedachten zei ik hem vaarwel.

Er werd zachtjes op de deur geklopt.

Ik stond in het maanlicht.

De deur werd voorzichtig opengeduwd. De schaduw van hoofdeunuch Shim blokkeerde het maanlicht. Hij wierp zich op de grond en boog in de richting van de slapende keizer. 'De tijd is gekomen vrouwe Yehonala te halen, majesteit.'

Er kwam geen antwoord van het bed.

Hoofdeunuch Shim herhaalde zijn woorden.

Het enige antwoord van keizer Hsien Feng was zijn gesnurk.

Zonder aarzeling maakte hoofdeunuch Shim een handgebaar, waarop er vier andere eunuchen binnenkwamen. Ze kwamen naar me toe met de draagbaar. Ze namen me onder de armen, plaatsten me op de baar en droegen me naar buiten.

Net toen Shim de deur wilde dichtdoen, klonk er plotseling een jammerend 'Nee!' uit de kamer.

Shim gebaarde naar zijn mensen dat ze moesten wachten en liep terug. Hij stak zijn hoofd om de slaapkamerdeur. 'Majesteit?'

Er kwam geen antwoord.

Hij aarzelde even en gebaarde toen dat de eunuchen me moesten laten gaan.

Ik liet me van de baar glijden en sloop op blote voeten Zijne Majesteits slaapkamer in.

Hoofdeunuch Shim trok de deur achter me dicht.

Ik wist niet wat me overkwam.

Zijne Majesteit kroop tegen me aan. De aanraking van zijn huid wond me op. Hij was nog steeds in diepe slaap verzonken. Het duurde zeker een uur voordat ik eindelijk in slaap viel. In mijn dromen werd ik opgeslokt door een draak met de snuit van een haai. Ik werd omringd door wolken. Ik probeerde me van het monster los te rukken. Ik werd bij de schouders gepakt en voelde een zware druk op mijn borst. De draak had me in zijn klauwen. 'Ik ben potent,' fluisterde het beest.

Ik werd wakker. Keizer Hsien Feng streelde me. Ik kreeg hetzelfde gevoel als toen ik op de eieren zat. Hij had koude handen, maar zijn lichaam was warm en zijn aanraking zacht. Hij liet zijn handen over mijn lichaam glijden.

Ik omhelsde hem als een klimplant een boom.

Hij bleef me betasten en zijn ademhaling werd zwaar. Hij leek verrast door zijn eigen opwinding. Het ene moment duwde hij me weg, het volgende nam hij me weer in zijn armen.

Ik probeerde me te herinneren wat ik in het Huis van de Lotus had geleerd. Maar mijn geest leek een stoofpot waarin mijn gedachten als soep rond-dreven.

'Neem hem in je,' fluisterde hij. 'Ben je er klaar voor?'

'Klaar… voor wat, majesteit?'

'Doe niet zo stom. Draai je kont naar me toe. Ben je niet op mijn zaad uit?'

'Wat verwacht Uwe Majesteit nu dat ik zeg?'

'Zeg de zinnen.'

'Zinnen? Welke zinnen? Ik ben… de zinnen kwijt. U wilt toch niet ver-veeld worden door zinnen die u al honderden malen gehoord heeft?'

'Houd je mond, in naam van de voorouders!' Keizer Hsien Feng liet me los.

Ik bekeek zijn naakte lichaam en vond hem aantrekkelijk. Ik kan er maar beter van genieten, dacht ik, want ze zullen nooit toestaan dat ik ooit nog een naakte man te zien krijg.

Hij vroeg waaraan ik dacht en ik gaf hem eerlijk antwoord.

'Wat een doortrapte geest!' zei hij langzaam. 'Je bent kalm en niet bang. Je bekijkt de Zoon van de Hemel zoals je naar een boom zou kijken.'

Ik besloot er niet op in te gaan.

'Kijk eens hier, ik ben verplicht een bebloed laken te produceren. Shim staat al te wachten om het op te halen, zodat hij het kan overhandigen aan de hoffunctionarissen, die het zullen onderzoeken en hun bevindingen zul-len vastleggen. Ze zullen wachten op tekenen dat er een erfgenaam op komst is. Ze zullen de dagen op hun vingers natellen. De artsen zullen worden op-geroepen en die zullen dag en nacht paraat zijn om een zwangerschap vast te stellen.'

Op een of andere manier raakte ik opgewonden door zijn saaie opsom-ming en mijn angst verdween.

'Er zijn hele legers van jullie,' vervolgde hij. 'Mijn gevoelens interesseren jullie niet. Jullie komen in mijn slaapkamer om me van mijn zaad te bero-ven. Jullie egoïstische, hebzuchtige, bloedzuigende wolvinnen!'

'Ik zou van ons samenzijn genieten.' De woorden rolden als door een vreemde kracht gedreven uit mijn mond.

Hij was verbijsterd. 'Meen je dat… echt?'

'Ik ben niet bang u mijn kont aan te bieden.' Mijn stem sprak de woorden als vanzelf. 'Ik ben hier om de liefde met u te bedrijven. Ik heb een hoge prijs voor dit moment betaald. Het heeft me niet alleen mijn ruyi en mijn haar-speld gekost, maar heeft me ook bij mijn familie weggehaald.' Ik begon te huilen en had niet de behoefte me in te houden. 'Ik heb mezelf niet toege-staan toe te geven aan het gemis van mijn moeder en broer en zusje, maar op dit moment mis ik ze verschrikkelijk! Ik heb nog geen traan gelaten, ondanks het feit dat ik mijn gehele jeugd in eenzaamheid moest doorbrengen, maar nu huil ik wel. Ik ben misschien egoïstisch, maar ik ben niet hebzuchtig en ook geen bloedzuigende wolvin! Ik ben op niemands zaad uit, maar ik snak wel naar genegenheid!'

'Jij…' Hij kwam naderbij en trok me zachtjes naar zich toe. 'Dit zijn niet de officiële zinnen. Wie heeft deze zinnen voor je opgesteld? Jij? Jijzelf? Komt er nog meer?'

Ik kreeg opeens de behoefte hem genot te schenken. 'Majesteit, bespaar me het antwoord. Ik zat te denken… als u het wenst… ik ken bepaalde dansen.'

Zonder het te willen zag ik twee parende zijderupsen voor me op het moment dat de helft van het mannetjeslichaam was opgeslokt door dat van het vrouwtje. Ik voelde gedeeltelijk opwinding en gedeeltelijk walging.

Hij lag kreunend boven op me, woorden murmelend die ik niet kon verstaan. Ik kon bijna niet geloven dat ik de verwachte pijn niet voelde. Mijn lichaam verwelkomde de indringer.

Keizer Hsien Feng lag te worstelen alsof hij een moeilijke taak moest volbrengen.

Ik voelde me ook niet op mijn gemak. Mijn achterwerk in de lucht steken hoorde niet bij de waaierdans. We leken wel twee aapjes die een prettige positie probeerden te vinden. Uiteindelijk raakte ik uitgeput en ging op mijn rug liggen. Zijn gezicht dook boven me op. Zijn zweet droop in mijn mond. Ik maakte mijn rug hol en stak mijn borsten vooruit.

'Ga door,' riep hij met stokkende adem uit.

Ik kon mezelf horen denken: Pas de kunst toe die je in het Huis van de Lotus hebt geleerd! Maar ik kon mijn achterste niet bewegen. Met onhandige bewegingen draaide ik me om en ging op mijn buik liggen.

Hsien Feng bedekte me met zijn lichaam als een deken. Ik voelde me opeens zo op mijn gemak dat ik ervan moest huilen.

Hij bewoog in een vast ritme. De tekst van een operalied schoot door mijn hoofd: 'Laat de toekomst vervagen, liefste, want de zon zal niet feller schijnen en de dag zal niet gelukkiger zijn…' Het genotsgevoel werd steeds sterker tot het me volledig in zijn macht had.

Tussen zijn gehijg door fluisterde de Zoon van de Hemel woordjes. Ik meende dat ik het woord 'zaad' opving.

Voor de dageraad wilde hij nog meer. Toen kreeg ik de kans mijn waaierdans te demonstreren. Ik was nieuwsgierig naar het effect. Het werkte. Zijne Majesteit vond me een tovenares. Hij waardeerde het met name dat ik hem op het toppunt van hartstocht 'liefste' noemde, in plaats van 'majesteit.'

De daaropvolgende avonden werd ik steeds weer ontboden. Mijn geliefde was zeer verbaasd dat hij iedere keer in staat was zijn zaad in me te deponeren. Hij gaf zich volledig aan zijn genot over en smeekte me dingen uit te proberen. Ik begon me zorgen te maken over de Grote Keizerin. Ze zou me ervan beschuldigen dat ik haar zoon voor mezelf wilde houden en haar van haar 'honderden' kleinkinderen beroofde. Het liefdesgenot hield ons nachten wakker. Zijne Majesteit hield me in zijn armen. Mijn energie leek onuitputtelijk en ik liet mezelf steeds weer volledig gaan.

's Morgens keken we elkaar aan alsof we al jaren geliefden waren.

'Eksterbrug,' zei Zijne Majesteit op een dag. 'Dat is het mooiste verhaal dat ik ooit gehoord heb. De keizerlijke docenten zouden me dit nooit geleerd hebben. Mijn hoofd is volgestopt met onzin. Mijn studie is beperkt gebleven tot beelden van een gebroken rijk. Ik heb nooit iets van de lessen begrepen. Hoe kon alles verloren zijn terwijl elke keizer een wijs man was? De docenten slaagden er nooit in me uit te leggen hoe het kwam dat we zoveel schuldig waren aan hen die ons bestolen hebben.'

Ik luisterde aandachtig.

'De docenten hebben me altijd voorgehouden dat wraak mijn levensmissie was,' vervolgde hij. 'Dus mij werd geleerd te haten. Ze dreigden dat ik geen plaats in de tempels van mijn voorouders zou krijgen als ik mijn plicht niet vervulde. Die plicht is het herstellen van de kaart van China. Moet hoe kan ik dat in vredesnaam voor elkaar krijgen? China is verdeeld en ik word ongewapend ten strijde gestuurd! Mijn leven komt hierop neer: vernederd te worden door de barbaren.'

Hij gaf me het gevoel dat hij me als vriend beschouwde. Toen vroeg hij op een nacht: 'Welk geschenk zou je graag van mij willen hebben?'

'Ik wil niet zeggen "u terug te zien", maar ik ben bang dat ik dat begin te wensen.' Ik probeerde me te beheersen, maar mijn tranen verrieden me.

'Maak je geen zorgen, Orchidee. Ik heb de macht om je alles te kunnen geven.'

Mijn hart putte troost uit zijn belofte, maar mijn verstand waarschuwde me geen vertrouwen te hebben in zijn woorden, die op een moment van passie werden uitgesproken. Ik hield mezelf voor dat hij morgen een andere concubine zou laten komen. Een andere concubine die even wanhopig was als ik; een andere concubine die eveneens haar spaarcentjes aan hoofdeunuch Shim had overhandigd.

Tegen de tijd dat de zon opkwam, was ik terug in het Paleis van Geconcentreerde Schoonheid. Nadat ik me had gewassen liep ik naar buiten de tuin in.

Het was een heldere dag en de zon scheen volop. De rozen en magnolia's waren net uitgekomen. Aan de takken van de bomen op de binnenplaats hingen tientallen vogelkooitjes. Om deze tijd kwamen de eunuchen de keizerlijke vogels trainen. De vogels kwamen uit het hele land. Na een trainingsperiode zouden de beste naar keizer Hsien Feng gestuurd worden. Die zou ze dan als geschenken verdelen onder de concubines van zijn overleden vader.

De eunuchen leerden de vogels zingen, praten en kunstjes doen. De meeste waren exotische vogels met grappige namen, zoals Wetenschapper, Dichter, Dokter en Tang-priester. De vogels die goed presteerden werden beloond met krekels en wormen. De vogels die slecht presteerden werden uitgehongerd. Er waren ook duiven. Ze waren allemaal wit en mochten vrij rondvliegen. An-te-hais favoriete hobby was het trainen van duiven. Hij bond fluitjes en belletjes aan hun pootjes en liet ze dan gaan. Ze bleven boven mijn paleis cirkelen en brachten lieflijke geluiden voort. Als de wind uit de juiste richting kwam deed het geluid me denken aan muziek van vroeger.

Er was een zeer intelligente papegaai die An-te-hai Confucius had genoemd. De vogel kon zinnen van drie karakters voordragen uit de *San Tzu Ching*. Hij zei bijvoorbeeld: 'De mens is onschuldig bij zijn geboorte.' An-te-hai gaf Confucius aan hoofdeunuch Shim als verjaardagscadeau, die de vogel op zijn beurt aan keizer Hsien Feng voor zijn verjaardag gaf, die hem mij vervolgens cadeau deed. Tegen die tijd kon de vogel niet goed meer praten. Hij sprak een woord verkeerd uit, waardoor de betekenis van de zin veranderde. Wat de papegaai Confucius nu zei, was: 'De mens is slecht bij zijn geboorte.' Ik vroeg me af of dit het werk van Zijne Majesteit was. Ik droeg An-te-hai op de vogel niet te corrigeren.

Ook was ik dol op de pauwen die An-te-hai fokte. Overal in mijn paleis liepen pauwen rond. An-te-hai trainde hen mij te volgen. Hij noemde hen 'mijn keizerlijke dames'. Ze woonden in mijn tuin en plantten zich daar voort. Als An-te-hai me de tuin in zag gaan, blies hij op een fluitje, waarop de pauwen kwamen aanlopen om me te begroeten. Dat was geweldig. De vogels maakten een kakelend geluid, waardoor het leek of ze met elkaar babbelden. Als ze in de stemming waren, ontvouwden ze hun blauwgroene 'kleed' en wedijverden onderling wie het mooist was.

'Moge het geluk u blijven vergezellen, mevrouw,' begroette An-te-hai me op een ochtend met een diepe buiging.

'Moge het geluk u blijven vergezellen!' De andere eunuchen, de hofdames, dienstmeisjes en zelfs de koks echoden deze wens in elke hoek van het paleis – iedereen wist nu dat ik de keizerlijke favoriete was.

'Is de ochtendboot al uitgevaren op het kanaal?' vroeg ik An-te-hai. 'Ik wil graag een bezoek brengen aan de tempel op de Uitkijkheuvel.'

'U kunt overal gaan wanneer u maar wilt, mevrouw,' zei An-te-hai. 'Vanmorgen heeft keizer Hsien Feng bevolen dat u elke avond naar hem toe moet komen. U staat op de top van de Verboden Stad, mevrouw. Als u dat wenst zal het hof een versteende boom laten bloeien en een verrotte wingerd laten klimmen.'

Op de top van de Uitkijkheuvel had je het beste zicht op de geheime, kalme, elegante keizerlijke hoofdstad Peking. De heuvel was eigenlijk kunstmatig aangelegd om de afdaling van de verderfelijke en slechtgezinde geesten van het noorden naar de Verboden Stad te voorkomen. Vanaf de top zag de stad eruit als een sprookjesbos, vol bloeiende bomen en struiken, nog beboster dan het platteland zelf. Door het struikgewas heen schemerden de glanzende, oude geelgouden tegels en de felgeel geëmailleerde tempeldaken, poorthuizen en paleizen. De scharlakenrode en smaragdgroene paviljoens toonden hun prachtig versierde, omhoog krullende dakranden.

Toen ik daar op de top van de heuvel stond, werd ik overweldigd door de gedachte dat ik gezegend was met hemelse energie. De Zoon van de Hemel had de liefde met me bedreven. Sterker nog, hij bleef het doen.

Ik ademde de frisse lucht diep in en mijn oog viel op het gouden dak van het Paleis van Welwillende Rust. Ik herinnerde me de jaloerse oudere concubines. Ik herinnerde me hoe ze me als hongerige gieren hadden aangestaard. Steeds moest ik denken aan een verhaal dat An-te-hai me had verteld: over het lot van een favoriete concubine van de Ming-dynastie na de dood van de keizer. Ze liep in de val van een samenzwering aan het hof waarbij haar collega-concubines betrokken waren, en ze werd levend begraven.

Ik kreeg onverwacht bezoek van Nuharoo. Ze had me daarvoor nog nooit bezocht. Ik was ervan overtuigd dat het te maken had met het feit dat Hsien Feng de nachten met mij doorbracht. Ik twijfelde er niet aan dat haar eunuchen voor haar spioneerden, net als An-te-hai dat voor mij deed.

Ik begroette haar nerveus, maar zonder angst.

Ze had de uitstraling van een prachtige magnolia en ze begroette me door lichtjes door de knieën te gaan. Ik moest haar schoonheid wel bewonderen. Als ik een man was geweest zou ik haar altijd willen bezitten. Ze was gekleed in een abrikooskleurig, satijnen gewaad en ze was zo elegant als een godin die uit de hemel is neergedaald. Haar adellijke gedrag was haar aangeboren. Haar met haarlak bespoten haar was achterover gekamd in de vorm van een ganzenstaart. De parelstreng aan haar gouden haarspeld bungelde een paar centimeter boven haar voorhoofd. Haar aanwezigheid deed me het vertrouwen in mijn eigen schoonheid verliezen. Ik was ervan overtuigd dat ik keizer Hsien Fengs genegenheid kwijt zou raken als hij nog één blik op haar zou werpen.

Volgens de gebruiken moest ik als begroeting voor haar knielen en kowtowen. Maar ze deed een stap naar voren en pakte me bij de armen voordat ik de kans kreeg dit te doen.

'Mijn lieve jongere zusje,' zei ze, in overeenstemming met haar rang. In feite was ze een jaar jonger dan ik. 'Ik heb wat goede kruidenthee en wilde champignons voor je meegebracht. Ze zijn uit Mantsjoerije hierheen vervoerd. Je kunt ze nu wel gebruiken.' Ze maakte een handgebaar, waarop haar eunuchen dichterbij kwamen en me een prachtig ingepakt geel kistje overhandigden.

Ik kon geen spoor van jaloezie bij haar ontdekken. Ze sprak met vaste stem.

'Dit is de beste *tang kuei* die er is,' legde Nuharoo uit, terwijl ze een gedroogde wortel pakte. 'Hij wordt geplukt op rotsen hoog boven de wolken. Hij is gerijpt in de meest frisse lucht en schone regen. Ze zijn elk minstens dertig jaar oud.' Ze nam plaats en pakte het kopje thee dat An-te-hai voor haar had neergezet.

'Je bent gegroeid sinds de laatste keer dat ik je gezien heb.' Ze glimlachte An-te-hai toe. 'Voor jou heb ik ook iets meegenomen.' Ze maakte weer een gebaar en haar eunuch bracht een blauw zijden doosje.

An-te-hai wierp zich aan haar voeten en kow-towde voordat hij het doosje aanpakte. Nuharoo moedigde hem aan het open te maken. Er zat een zak taëls in. Ik wist zeker dat An-te-hai nog nooit zoveel geld bij elkaar had gezien. Hij klemde het doosje in zijn handen en kroop op zijn knieën naar Nuharoo toe. 'An-te-hai verdient dit niet, majesteit!'

'Doe er maar iets leuks mee,' zei Nuharoo glimlachend.

Ik wachtte tot ze zou beginnen over onze gemeenschappelijke gemaal. Ik wachtte op de woorden waarmee ze uiting zou geven aan haar frustratie. Ik wenste bijna dat ze een beledigende opmerking zou maken. Maar niets van dit alles gebeurde. Ze zat kalmpjes aan haar thee te nippen.

Ik vroeg me af hoe ze erin slaagde zo standvastig en kalm te blijven. Ik zou er moeite mee hebben als ik haar was. Ik zou weerstand voelen tegen mijn rivale en wensen dat ik haar plaats kon innemen. Deed ze zich anders voor dan ze zich voelde? Of had ze al een plan bedacht om me uit de weg te ruimen en deed ze nu zo aardig om me te misleiden?

Haar kalmte zat me dwars. Uiteindelijk kon ik me niet langer beheersen. Ik begon een bekentenis af te leggen. Ik stelde haar op de hoogte van het feit dat keizer Hsien Feng nachten met me had doorgebracht. Ik smeekte Nuharoo om vergiffenis en ik was bang dat mijn stem niet oprecht genoeg klonk.

'Je hebt niets verkeerds gedaan,' zei ze op effen toon.

In verwarring gebracht ging ik door. 'Maar dat heb ik wel gedaan. Ik heb u niet om raad gevraagd.' Ik vond het moeilijk om verder te spreken. Ik was er niet aan gewend te liegen. 'Ik was... ik was bang. Ik wist niet zeker wat ik u moest vertellen. Ik heb geen ervaring met de hofetiquette. Ik had u op de hoogte moeten houden. Ik ben bereid uw terechtwijzing te accepteren.' Ik had een droge mond gekregen, pakte mijn kopje thee en nam een paar slokken.

'Yehonala.' Nuharoo zette haar kopje neer en veegde haar mond lichtjes af met de punt van haar zakdoek. 'Je hebt je om de verkeerde reden zorgen gemaakt. Ik ben hier niet om keizer Hsien Feng op te eisen.' Ze stond op en nam mijn handen in de hare. 'Ik ben gekomen om twee redenen. Allereerst natuurlijk om je te feliciteren.'

Er klonk een stemmetje in mijn hoofd: Nuharoo, je kunt onmogelijk gekomen zijn om me te bedanken dat ik Hsien Feng van je heb afgepakt. Ik geloof niet in je oprechtheid.

Nuharoo knikte me toe alsof ze gedachten kon lezen. 'Ik ben blij voor jou en ook voor mezelf.'

In navolging van de etiquette bedankte ik haar. Maar mijn gezichtsuitdrukking verried me. Ik ben bang dat die zei: Ik geloof er niets van. Misschien zag ze het wel, maar ze koos ervoor niet te reageren.

'Zie je, zusje,' zei Nuharoo vriendelijk en zachtjes, 'mijn positie als keizerin brengt met zich mee dat ik meer zorgen heb dan jij je wellicht kunt voorstellen. Het is me geleerd dat ik zodra ik het paleis binnenging niet alleen getrouwd was met Zijne Majesteit, maar met de hele keizerlijke gemeenschap. Mijn enige zorg is dat het goed gaat met de dynastie. Het is mijn plicht erop toe te zien dat mijn gemaal zijn verplichtingen nakomt. En een van die verplichtingen houdt in dat hij zo veel mogelijk nakomelingen moet voortbrengen.' Ze zweeg even en haar ogen zeiden: Begrijp je nu waarom ik je kom bedanken, Yehonala?

Ik boog voor haar. Ik was van mening dat ze dit alleen deed uit gekwetstheid. Ik moest haar ten minste laten weten dat ik haar begreep.

Alsof ze wist wat ik ging zeggen, hief ze haar rechterhand op. 'De tweede reden van mijn bezoek is je te vertellen dat vrouwe Yun is bevallen.'

'O, ja? Dat is... geweldig!'

'Het is een meisje.' Nuharoo zuchtte. 'En het hof is teleurgesteld. Evenals de Grote Keizerin. Ik heb medelijden met vrouwe Yun, maar nog meer met mezelf. De hemel heeft mij niet het geluk geschonken in verwachting te raken.' Ze kreeg tranen in de ogen en pakte haar zakdoekje om haar ogen te deppen.

'Wel, u heeft de tijd.' Ik pakte haar hand om haar te troosten. 'De keizer is tenslotte pas een jaar getrouwd.'

'Dat neemt niet weg dat hij al sinds zijn tienerjaren vrouwen aangeboden heeft gekregen. Toen keizer Tao Kuang de leeftijd had van Hsien Feng, tweeëntwintig, had hij al zeventien kinderen. Waar ik me zorgen over maak...' Ze keek om zich heen en stuurde de eunuchen met een handgebaar de kamer uit, 'is dat Zijne Majesteit impotent is. Dat is niet alleen mijn ervaring, maar ook die van vrouwes Li, Mei en Hui. Ik weet niet hoe jouw ervaring is. Zou je me dat willen vertellen?' Ze keek me vol verwachting aan en ik voelde dat ze zou blijven aandringen tot haar nieuwsgierigheid was bevredigd.

Ik wilde de gebeurtenissen van de afgelopen tijd niet met haar delen, dus knikte ik alleen om de gesteldheid van de keizer te bevestigen.

Nuharoo leunde opgelucht achterover in haar stoel. 'Als de keizer geen zoon produceert, zal dat mijn verantwoordelijkheid en mijn ongeluk zijn. Ik kan me niet voorstellen dat de troon om die reden zal overgaan op een andere clan. Dat zou een ramp betekenen voor ons allebei.' Ze liet mijn hand los en stond op. 'Ik zou het prettig vinden om ervan op aan te kunnen dat jij een erfgenaam voor Zijne Majesteit zult dragen, Yehonala.'

Ik merkte dat ik haar niet vertrouwde. Aan de ene kant wilde ze graag zijn zoals ze zichzelf zag – een keizerin die de geschiedenis in zou gaan als een deugdzame vrouw. Aan de andere kant had ze haar opluchting niet kunnen verbergen toen ze erachter was gekomen dat keizer Hsien Feng tijdens ons samenzijn impotent was. Wat zou er gebeurd zijn als ik haar de waarheid had verteld?

In de nacht die volgde op Nuharoos bezoek werd ik geplaagd door nacht-merries. 's Ochtends maakte An-te-hai me wakker met afschuwelijk nieuws: 'Sneeuw, mevrouw – uw kat is verdwenen!'

ELF

Ik vertelde keizer Hsien Feng dat Sneeuw nergens te vinden was en dat ik er niet in geslaagd was dit raadsel op te lossen. 'Neem dan een andere kat,' was zijn antwoord. De enige reden dat ik hem erover vertelde was dat ik merkte dat ik te bezorgd was om te voldoen aan zijn verzoek iets voor hem te zingen.

'Nuharoo kan het niet gedaan hebben,' zei hij. 'Ze is misschien niet erg intelligent, maar ze is niet gemeen.'

Dat was ik met hem eens. Nuharoo had me meer dan eens verbaasd door haar opmerkingen of gedrag. Een week eerder had de keizer ons na een audiëntie verteld dat er in een groot deel van het land al geruime tijd droogte heerste. In de provincies Hupeh, Hunan en Anhwei stierven de bewoners de hongerdood.

'Sinds de winter zijn er al vierduizend inwoners gestorven.' Zijne Majesteit ijsbeerde heen en weer tussen de staande wastafel en de troon. 'Vierduizend! Wat kan ik anders doen dan de onthoofding van de gouverneurs gebieden? De boeren zijn aan het plunderen en roven geslagen. Binnenkort zullen er in het hele land opstanden uitbreken.'

Nuharoo deed haar halssnoer en armbanden af en trok de haarspelden uit haar haar. 'Majesteit, vanaf nu behoren deze sieraden u toe. U kunt ze veilen, zodat er voedsel voor de boeren kan worden gekocht.' Bij deze woorden straalde haar gezicht nobelheid uit.

Ik zag dat keizer Hsien Feng haar gevoelens wilde sparen. Hij verzocht Nuharoo haar bezittingen terug te nemen. Toen wendde hij zich tot mij. 'Wat zou jij doen als je in mijn plaats was?'

Ik herinnerde me een idee dat ik mijn vader een keer had horen bespreken met zijn vrienden. 'Ik zou de belastingen verhogen die worden opgelegd aan de rijke landheren, kooplieden en regeringsambtenaren. Ik zou tegen hen zeggen dat het om een noodsituatie gaat en dat het land hun steun nodig heeft.'

Hoewel keizer Hsien Feng mijn suggestie niet prees waar Nuharoo bij was, beloonde hij me naderhand. Die avond hadden we een lang gesprek. Hij zei dat hij zich door zijn voorouders gezegend voelde, omdat hij een concubine had die niet alleen mooi was, maar ook nog intelligent. Ik was dolblij met het compliment, maar ook een beetje verlegen. Ik besloot dat ik eraan moest werken Zijne Majesteits lof te blijven verdienen.

Die avond was de eerste keer dat ik de waaierdans niet hoefde uit te voeren.

We zaten in bed en praatten. Zijne Majesteit sprak over zijn moeder en ik over mijn vader. Samen vergoten we heel wat tranen. Hij vroeg wat mijn duidelijkste herinneringen waren aan mijn jeugd op het platteland. Ik vertelde hem over een voorval dat mijn mening over de boeren had veranderd. Het was in 1846, toen ik elf was. Ik deed mee aan een door mijn vader, de taotai, georganiseerde poging de oogst te redden van een sprinkhanenplaag.

'Het was een hete, vochtige zomer,' zei ik. 'De groene velden strekten zich uit zover het oog kon zien. De gewassen reikten tot ons middel. Elke dag werden de rijst, tarwe en gierst voller. Het was bijna oogsttijd. Mijn vader was blij, omdat hij wist dat als alles goed bleef gaan tot de gewassen geoogst konden worden, de boeren van bijna vijfhonderd dorpen het jaar zouden overleven. Ze zouden niet langer in armoede hoeven leven.'

Toen klonk het geluid van een zwerm sprinkhanen. Ze daalden neer op de volgroeide gewassen. In één nacht was de hele regio besmet. Het leek alsof ze uit de wolken waren gevallen of uit het binnenste van de aarde waren gekropen. Deze bruine neefjes van de krekel hadden twee piepkleine schelpachtige trommeltjes naast hun vleugels. Als de vleugeltjes hiertegen flapperden gaf dat een geluid alsof iemand tegen een blik tikte. De sprinkhanen kwamen in enorme zwermen die de zon verduisterden. Ze streken neer op de gewassen en vraten de bladeren op met hun zaagtandjes. Binnen een paar dagen waren de groene velden kaal.

Mijn vader verzamelde al zijn mannen om de dorpelingen te helpen de sprinkhanen te bestrijden. De mensen trokken hun schoenen uit en sloegen zo veel mogelijk sprinkhanen dood. Mijn vader zag dat dit zinloos was en koos een andere tactiek.

Hij riep de noodtoestand uit en droeg de boeren op greppels te graven. Hij zette mensen neer op het pad dat de sprinkhanen al vretend volgden. Zodra de greppel gegraven was, gaf mijn vader een groep boeren opdracht de sprinkhanen op te jagen. 'Zwaai met je kleding,' zei hij. Het idee was de sprinkhanen in de richting van de greppel te jagen, terwijl een andere groep zich achter de greppel had opgesteld, waarin droog stro lag opgestapeld.

Duizenden mensen zwaaiden en schreeuwden zo hard ze konden, en ik was een van hen. We joegen de sprinkhanen de greppel in. Zodra ze erin zaten gaf mijn vader opdracht het stro in brand te steken. De sprinkhanen verbrandden. Ik sloeg zo snel ik kon op de sprinkhanen in, om te voorkomen dat ze zouden ontsnappen. We vochten vijf dagen en nachten door en slaagden erin de helft van de oogst te redden. Toen mijn vader de overwinning uitriep, zat hij onder de sprinkhanen en hun gebroken schildjes. Er zaten zelfs sprinkhanen in zijn zakken.

Keizer Hsien Feng luisterde geboeid naar dit verhaal. Hij zei dat hij zich een voorstelling kon maken van mijn vader. Hij wenste dat hij de man gekend had.

De volgende dag kreeg ik het bevel bij Zijne Majesteit in te trekken. Ik zou de rest van het jaar bij hem blijven. Hij gaf me een woning die verbonden was aan de audiëntiezaal; in de pauzes en in de tijd tussen de ene audiëntie en de volgende kwam hij naar me toe.

Ik durfde niet te hopen dat mijn voorspoed eeuwig zou duren. Ik deed mijn best geen verwachtingen te koesteren. Maar diep in mijn hart wilde ik behouden wat ik had doen ontluiken.

Als keizer Hsien Feng me verliet om te gaan werken, miste ik hem meteen. Ik verveelde me snel en wachtte ongeduldig op zijn terugkomst. Als ik in de tuin wandelde kon ik niets bedenken om te doen en dacht alleen na over wat er de afgelopen nacht was voorgevallen. Ik hield mezelf in stand door de details van ons samenzijn.

Elke dag controleerde ik de kalender om mezelf eraan te herinneren dat ik weer een dag had gewonnen. Mei 1854 was de mooiste tijd van mijn leven en ik was bijna twintig. Het leven was te mooi om waar te zijn voor een meisje met mijn achtergrond. Toch stond ik niet toe dat de adoratie van de keizer mijn werkelijkheidszin vervormde. Zodra ik te enthousiast werd, riep ik mezelf tot de orde als ik Nuharoo en de andere concubines zag. Ik hield mezelf voor dat ik moest beseffen dat mijn geluk van het ene moment op het andere afgelopen zou kunnen zijn. Ik probeerde zo veel mogelijk te genieten van wat ik had.

Toen het seizoen veranderde, verhuisde Zijne Majesteit naar Yuan Ming Yuan, de Grote Ronde Tuin, en nam mij met zich mee. Het was het mooiste van zijn vele zomerpaleizen. Generaties keizers waren hierheen gegaan om zich te koesteren in de eenzaamheid. Het was er fabelachtig mooi. Het paleis lag ten noordwesten van de Verboden Stad, zevenentwintig kilometer van Peking verwijderd. Er waren tuinen in tuinen, meren, weiden, mistige uithollingen, exquise pagodes, tempels en natuurlijk paleizen. Je kon er van zonsopgang tot zonsondergang ronddwalen zonder hetzelfde uitzicht twee keer te zien. Het duurde een tijdje voordat ik besefte dat Yuan Ming Yuan zich dertig kilometer ver uitstrekte!

De hoofdtuinen waren in 1709 aangelegd door keizer Kang Hsi. Er ging een verhaal over hoe Kang Hsi de plek had ontdekt. Op een dag was hij tijdens een rit te paard gestuit op een geheimzinnige ruïne. Hij raakte in de ban van de wildernis en de omvang ervan en was ervan overtuigd dat dit niet zomaar een plek was. En hij had gelijk. Het was een eeuwenoud park dat bedolven was geraakt onder het zand dat uit de Gobiwoestijn was overgewaaid.

Hij kwam erachter dat het had toebehoord aan een prins van de Ming-dynastie en dat dit het jachtgebied van de prins was geweest.

Opgetogen door deze ontdekking besloot de keizer een tuinpaleis op de ruïne te bouwen. Later werd dit zijn favoriete toevluchtsoord en hij bleef er wonen tot zijn dood. Sindsdien hadden zijn opvolgers de wonderen van de plek verbeterd en vermeerderd. In de vele jaren die er waren verstreken waren er steeds meer paviljoens, paleizen, tempels en tuinen aan toegevoegd.

Wat mij verbaasde was dat geen enkel paleis op een ander leek. Toch gaf het geheel geen gevoel van disharmonie. Het doel van de Chinese kunst en architectuur was iets te bereiken wat zo volmaakt was dat het leek alsof het per toeval zo ontstaan was. Yuan Ming Yuan weerspiegelde de taoïstische liefde voor natuurlijke spontaniteit en de confuciaanse overtuiging dat de mens het vermogen bezat de natuur te overtreffen.

Hoe meer ik te weten kwam over de architectuur en het vakmanschap, hoe meer ik werd aangetrokken door individuele kunstwerken. Al snel begon mijn zitkamer op een galerie te lijken. Het stond er vol met prachtige voorwerpen, van vloervazen tot bewerkte graankorrels – beeldjes die uit een enkele graankorrel waren gesneden. In mijn kamer stonden verder waterbekkens op hoge poten, ingelegd met diamanten. De muurvitrines werden mijn etalage; achter het glas lagen geluksbrengende haarlokken, opvallende horloges, pennendozen en decoratieve parfumflesjes. An-te-hai stelde elk afzonderlijk stuk zo op dat het een plezier was om naar te kijken. Mijn lievelingsstuk was een theetafel die was ingelegd met parels ter grootte van knikkers.

Keizer Hsien Feng was ziek geworden door de spanningen die het regeren met zich meebracht. Na audiënties kwam hij met een treurig gezicht bij me. Hij was weer in een sombere stemming. Hij vond het vreselijk om 's morgens op te staan en hij wilde af van de verplichting audiënties te houden. Hij stribbelde met name tegen als zijn handtekening werd vereist onder decreten en edicten.

Toen de perzikbloesem uitkwam, begon het verlangen naar intimiteit van Zijne Majesteit weg te ebben. De boeren waren nu openlijk in opstand gekomen, vertelde hij me. Hij schaamde zich voor zijn onvermogen verandering in te situatie te brengen. Zijn ergste nachtmerrie was werkelijkheid geworden: de boeren hadden zich aangesloten bij de Taiping-rebellen. Uit elke uithoek kwamen rapporten over plunderingen en vernielingen. Bovendien, en dat was misschien nog het meest zorgwekkend, bleven de buitenlandse machten erop aandringen dat hij meer havens voor de handel moest openstellen. China liep achter met de herstelbetalingen van de Opiumoorlog en werd bedreigd met nieuwe invasies.

Al snel was keizer Hsien Feng te gedeprimeerd om zijn kamer te verlaten.

Hij kwam alleen nog naar me toe om me te vragen hem te vergezellen naar de keizerlijke plaatsen van aanbidding. Op heldere dagen maakten we uitstapjes naar de voorstad van Peking. Ik zat urenlang in mijn draagstoel en ik mocht niets eten behalve een dieet van bittere bladeren – de ceremonies vereisten 'een onbesmet lichaam'.

Als we er gearriveerd waren, smeekten we de voorouders om hulp. Ik deed mee met mijn gemaal, wierp mezelf op de grond en maakte buigingen tot mijn knieën geschaafd waren.

Onderweg terug naar het paleis voelde Zijne Majesteit zich altijd beter. Hij dacht dat zijn gebeden verhoord zouden worden en dat hij binnenkort goed nieuws zou ontvangen. Maar zijn voorouders hielpen hem niet – er kwamen rapportages dat de barbaarse schepen de havens van China naderden en voorzien waren van wapens waarmee ze ons leger konden uitschakelen in de tijd die het kostte de maaltijd te gebruiken.

De Grote Keizerin vreesde voor de gezondheid van haar zoon en droeg hem op het kalmer aan te doen. 'Laat het werk even liggen, mijn zoon. De zieke wortels van je lichaam moeten zich herstellen.'

'Ga je met me mee naar bed, Orchidee?' Zijne Majesteit liet zijn zware drakenkleed op de grond vallen en we kropen samen in bed. Maar hij was zichzelf niet meer. Hij kon het genotsgevoel niet meer oproepen. Ik kon hem niet opwinden.

'Ik heb geen yang-element meer in me.' Hij zuchtte. 'Het is gewoon een slap vel. Moet je kijken hoe zielig hij erbij hangt.'

Ik probeerde alles. Ik deed de waaierdans en veranderde ons bed in een erotisch toneel. Elke avond bedacht ik weer een nieuwe godin. Ik deed stripteases en haalde acrobatische toeren uit. De standjes had ik uit een erotisch boek gehaald dat An-te-hai voor me had gevonden.

Niets van wat ik deed had enig effect. Zijne Majesteit gaf het op. Zijn gelaatsuitdrukking brak mijn hart. 'Ik ben een eunuch.' Zijn trieste glimlach greep me meer aan dan zijn tranen.

Als hij in slaap was gevallen, ging ik aan het werk met de koks. Ik wilde dat Zijne Majesteit een gezonder, voedzamer dieet ging volgen. Ik stond erop dat er uitsluitend verse groente van het platteland werd gebruikt en vers vlees in plaats van ingevroren en ingemaakte gerechten. Ik overtuigde Zijne Majesteit ervan dat hij me het meest zou behagen als hij zijn eetstokjes oppakte. Maar hij had geen trek. Hij klaagde dat zijn hele lichaam pijn deed. De artsen zeiden: 'Uw innerlijk vuur brandt zo hevig dat er in uw slokdarm allemaal blaren zitten.'

Zijne Majesteit bleef de hele dag in bed liggen. 'Ik zal het niet lang meer maken, Orchidee, ik weet het zeker,' zei hij, terwijl hij naar het plafond staarde. 'Misschien is het maar beter zo.'

Ik herinnerde me dat mijn vader zich net zo had gedragen nadat hij van zijn post ontheven was. Ik wenste dat ik tegen keizer Hsien Feng kon zeggen hoe egoïstisch en wreed dit ten opzichte van zijn volk was. 'Sterven is makkelijk en leven is nobel,' mompelde ik alsof ik dronken was.

In een poging hem op te vrolijken liet ik zijn favoriete opera's uitvoeren. De gezelschappen traden op in onze zitkamer. De zwaarden van de acteurs, hun stokken en de denkbeeldige paarden bevonden zich op enkele centimeters afstand van Zijne Majesteit. Dat trok zijn aandacht. Een paar dagen lang zorgde dit voor de welkome afleiding. Maar het duurde niet lang. Op een dag liep hij tijdens een optreden de kamer uit. Het was afgelopen met de opera's.

De keizer leefde op ginsengsoep. Hij was futloos en viel vaak in zijn stoel in een diepe slaap. Hij werd midden in de nacht wakker en zat dan alleen in het donker. Hij verheugde zich niet meer op de slaap, omdat hij bang was dat hij nachtmerries zou krijgen. Hij durfde zijn ogen niet dicht te doen. Als hij het niet meer kon verdragen, stortte hij zich op de stapel hofdocumenten, die elke avond door zijn eunuchen werd gebracht. Dan ging hij zitten werken tot hij niet meer kon. Nacht na nacht hoorde ik hem wanhopig snikken.

Er werd een prachtige haan in zijn tuin gezet die hem bij dageraad moest wekken. Hsien Feng hoorde liever hanengekraai dan het slaan van de klokken. De haan had een grote rode kam, een zwart verendek en smaragdgroene staartveren. Het was een bullebak van een beest met gemene ogen en een gebogen snavel. Zijn klauwen waren zo groot als die van een gier. De keizerlijke haan wekte ons met luide kreten, vaak voordat de dageraad aanbrak. Het geluid deed me denken aan gejuich: Oooow, oow, oow... O. Ooow, oow, oow. Zijne Majesteit werd er inderdaad wakker van, maar hij kon de energie niet opbrengen om op te staan.

Op een avond smeet Hsien Feng een stapel documenten op het bed en vroeg mij er eens naar te kijken. Hij stompte zich op de borst en gilde: 'Aan alle bomen hangt een strop voor me klaar. Waarom zou ik aarzelen?'

Ik begon te lezen. Door mijn geringe opleiding kwam ik niet verder dan de betekenis van de belangrijkste woorden. Maar het was niet moeilijk te begrijpen wat de problemen waren. Iedereen sprak er al over sinds ik de Verboden Stad had betreden.

Ik weet niet precies meer wanneer keizer Hsien Feng me regelmatig ging vragen zijn documenten te lezen. Ik wilde hem zo graag helpen dat ik het verbod negeerde dat een concubine iets mocht weten van hofzaken. De keizer was te moe en te ziek om zich iets van die beperkingen aan te trekken.

'Ik heb zojuist het bevel gegeven een stuk of tien eunuchen te onthoofden die aan de opium verslaafd zijn geraakt,' zei Zijne Majesteit op een avond tegen me.

'Wat hebben ze misdaan?' vroeg ik.

'Ze hadden geld nodig om de drug te kopen, dus hebben ze dat uit de schatkist gestolen. Ik kan niet geloven dat deze ziekte ook al mijn eigen achtertuin besmet heeft. Stel je eens voor hoe het in het land is!'

Hij kwam met moeite uit bed en liep naar zijn bureau. Hij bladerde door een dik document en zei: 'Ik ben hard bezig een verdrag te bestuderen dat de Britten ons hebben opgedrongen en ik word voortdurend afgeleid door onverwachte gebeurtenissen.'

Voorzichtig vroeg ik of ik hem kon helpen. Hij gooide me het verdrag toe. 'Jij zult er ook doodziek van worden als je er te lang in leest.'

Ik las het document achter elkaar door. Ik had me altijd afgevraagd wat de buitenlanders de macht gaf China te dwingen om te doen wat zij wilden, zoals het openstellen van havens of het verkopen van opium. Ik had me afgevraagd waarom we niet gewoon konden weigeren en hen verjagen. Nu begon ik het te begrijpen. Ze hadden geen respect voor de keizer van China. Het leek voor hen vast te staan dat Hsien Feng zwak en weerloos was. Maar de wijze waarop het hof met de situatie omging vond ik werkelijk vreemd. De zogenaamde briljante geesten van het rijk hielden onverstoorbaar vol dat de vijfduizend jaar oude Chinese beschaving een macht op zichzelf was. Ze geloofden dat China onaantastbaar was. Steeds weer benadrukten ze in hun geschriften dat China onmogelijk kon verliezen omdat het land de moraal en principes van de hemel vertegenwoordigde.

En dit terwijl de waarheid zo overduidelijk was dat zelfs ik die kon zien: China was verschillende malen aangevallen en de keizer was te schande gemaakt. Ik had het hun wel willen toeschreeuwen. Hadden de decreten van keizer Hsien Feng de macht buitenlandse invasies of boerenopstanden te voorkomen? Had Zijne Majesteit niet lang genoeg gewacht tot de magische plannen van zijn adviseurs vruchten zouden afwerpen?

Ik hield mijn gemaal de hele dag in de gaten wanneer hij de verdragen zat te bestuderen. Elke zin deed hem pijn. Hij vertrok zijn gezicht, maakte onwillekeurige bewegingen met zijn vingers en drukte zijn handen tegen zijn buik alsof hij zijn ingewanden eruit wilde trekken. Hij vroeg me zijn thee tot het kookpunt te verwarmen. Hij goot de brandende vloeistof door zijn keel.

'U bent bezig uzelf te koken!' riep ik uit.

'Het helpt,' zei hij met een vermoeide blik in zijn ogen.

Ik verstopte me op het toilet en moest iedere keer huilen als ik Hsien Fengs thee aan de kook bracht. Ik zag dat zijn pijn terugkwam zodra hij weer aan het werk ging.

'Wat moet ik met deze ellende?' zei hij elke avond voor het slapengaan.

'Morgenochtend zal de haan weer kraaien en ziet alles er in de zon anders uit,' zei ik terwijl ik hem instopte.

'Ik kan het hanengekraai niet meer verdragen,' zei hij. 'Trouwens, ik heb het al een tijdje niet gehoord. Ik hoor het geluid van mijn lichaam dat kapotgaat. Ik hoor mijn nek kraken als ik me omdraai. Mijn tenen en vingers voelen aan als hout. De gaten in mijn longen worden waarschijnlijk steeds groter. Het lijkt wel of er slakken in zitten.'

Ondanks alles waren we verplicht de adellijke illusie vol te houden. Zolang keizer Hsien Feng leefde, moest hij de audiënties bijwonen. Ik offerde maaltijden en mijn nachtrust op om de documenten te kunnen lezen en hem er een samenvatting van te geven. Ik wilde zijn nek, zijn hart en zijn longen zijn. Ik wilde dat hij de haan weer zou horen kraaien en de warmte van de zon weer zou voelen. Als ik bij Zijne Majesteit was en hij zich toevallig redelijk fit voelde, begon ik hem vragen te stellen.

Ik vroeg naar de herkomst van de opium. Het leek mij toe dat de teloorgang van de Ch'ing-dynastie begonnen was bij het importeren ervan. Ik kende het verhaal slechts gedeeltelijk.

Zijne Majesteit legde uit dat de besmetting ontstaan was in het zestiende regeringsjaar van zijn vader, Tao Kuang. 'Ofschoon mijn vader de opium verbood, slaagden de corrupte ministers en kooplieden erin heimelijk hun zaken voort te zetten. In 1840 was de situatie zo uit de hand gelopen dat de halve hofhouding verslaafd was of een legalisatiebeleid aanhing. Of allebei. Mijn vader onstak in woede en beval dat het eens en voor altijd afgelopen moest zijn met de opium. Hij gebood zijn betrouwbaarste minister om de zaak aan te pakken...' Zijne Majesteit zweeg en keek me aan. 'Weet je wie dat was?'

'Commissaris Lin?'

Zijne Majesteit zat me liefhebbend aan te kijken toen ik hem mijn favoriete deel van het verhaal van Lin Tse-shu vertelde; het verhaal dat hij honderden opiumdealers had gearresteerd en meer dan vijftigduizend kilo van het spul in beslag had genomen. Niet dat Zijne Majesteit niet op de hoogte was van dit soort details. Ik voelde eenvoudigweg aan dat hij het prettig zou vinden dat moment te herbeleven. 'In naam van de keizer stelde Lin de buitenlandse kooplieden een ultimatum om hun opium in te leveren.' Mijn stem klonk zo helder als die van een professionele verhalenverteller. 'Maar hij werd genegeerd. Commissaris Lin weigerde zich erbij neer te leggen en nam de opium met geweld in beslag. Op 22 april 1840 stak Lin twintigduizend kisten opium in brand. Hij kondigde aan dat China de handel met Groot-Brittannië zou stopzetten.'

Keizer Hsien Feng knikte. 'Volgens mijn vader was de plek van de brand zo groot als een meer. Wat was Lin een held!'

Opeens kreeg Zijne Majesteit ademnood; hij stompte zich op de borst, hoestte en liet zich op het kussen vallen. Hij sloot zijn ogen. Toen hij ze weer opendeed vroeg hij: 'Is er iets met de haan gebeurd? Shim vertelde me dat de wachters gisteren wezels hebben gezien.'

Ik riep An-te-hai en schrok toen ik hoorde dat de haan verdwenen was.

'Hij is gegrepen door een wezel, mevrouw. Ik heb het zelf gezien vanmorgen. Een dikke wezel zo groot als een speenvarken.'

Ik vertelde Zijne Majesteit over de haan en hij trok een somber gezicht. 'Alle hemelse tekenen wijzen erop. De aanraking van een vinger zal de dynastie ten val brengen.' Hij beet zo hard op zijn onderlip dat er bloed te voorschijn kwam. Er klonk een sissend geluid in zijn longen.

'Kom eens hier, Orchidee,' zei hij. 'Ik wil je iets vertellen.'

Ik ging voorzichtig naast hem zitten.

'Je moet de dingen onthouden die ik je verteld heb,' zei hij. 'Als we ooit een zoon krijgen, verwacht ik van je dat je mijn woorden aan hem doorgeeft.'

'Dat zal ik doen.' Ik legde mijn handen om de voeten van Zijne Majesteit en kuste ze. 'Als we ooit een zoon krijgen.'

'Vertel hem het volgende.' Hij sprak met moeite. 'Na de acties van commissaris Lin verklaarden de barbaren China de oorlog. Ze staken de oceanen over met zestien oorlogsschepen en vierduizend soldaten.'

Ik wilde niet dat hij verder zou praten, dus zei ik dat ik dit allemaal al wist. Toen hij me niet geloofde besloot ik het hem te bewijzen. 'De vijandelijke schepen gingen voor anker in de monding van de Parelrivier en beschoten onze wachtposten in Kanton,' zei ik, me herinnerend wat mijn vader me had verteld.

Zijne Majesteit lag voor zich uit te staren. Zijn blik zoog zich vast aan de bewerkte drakenkop die aan het plafond hing. 'Zevenentwintig juli… was de droevigste dag van mijn vaders leven,' bracht hij uit. 'Dat was de dag… waarop de barbaren onze marine in de pan hakten en Kowloon bezetten.' De keizer trok zijn schouders in en kreeg een enorme hoestbui.

'Rust alstublieft, majesteit.'

'Laat me het verhaal afmaken, Orchidee. Ons kind moet dit weten… In de daaropvolgende maanden namen de barbaren de havens van Amoy, Chou Shan, Ningpo en Tinghai in… Zonder onderbreking…'

Ik nam het van hem over. 'Zonder onderbreking trokken de barbaren naar het noorden, naar Tientsin en namen de stad in.'

Keizer Hsien Feng knikte instemmend. 'Je bent goed op de hoogte van de feiten, Orchidee, maar ik wil je nog iets meer over mijn vader vertellen. Hij was tweeënzestig. Zijn gezondheid was goed, maar het slechte nieuws vernietigde hem zoals geen ziekte gedaan kon hebben. Zijn tranen kregen niet de tijd om op te drogen… Toen hij stierf sloot mijn vader zijn ogen niet. Ik ben een weinig vrome zoon en heb hem alleen nog meer schande gebracht…'

'Het is laat, majesteit.' Ik stapte uit bed in een poging hem te laten ophouden.

'Ik ben bang dat we misschien geen volgende gelegenheid krijgen, Orchidee.' Hij greep mijn handen en legde die op zijn borst. 'Je moet me geloven als ik je zeg dat ik al met één been in het graf sta. De laatste tijd zie ik mijn vader steeds vaker voor me. Hij heeft rode, gezwollen ogen, zo groot als perzikpitten. Hij komt me op mijn verplichtingen wijzen... Al toen ik een jongetje was nam mijn vader me mee naar zijn audiënties. Ik herinner me dat er bezwete boodschappers kwamen. Hun paarden waren gestorven van uitputting. Zoveel slecht nieuws. Ik herinner me hoe de woorden van de boodschappers door de zaal echoden. Ze riepen de zinnen uit alsof het de laatste van hun leven was: "Pao Shan is gevallen!" "Shanghai is gevallen!" "Chiang Nin is gevallen!" "Hangchow is gevallen!"

Als kind maakte ik een gedicht met regels die eindigden op "gevallen". Mijn vader kon alleen nog maar verbitterd glimlachen. Als hij het niet meer kon verdragen trok hij zich midden in de audiëntie terug. Dagenlang zat hij geknield voor het portret van mijn grootvader. Hij liet ons, al zijn kinderen, echtgenotes en concubines naar de Hal van Spirituele Verzorging komen. Daar gaf hij openlijk zijn schande toe. Dat was vlak nadat hij een verdrag had getekend waarin ondermeer China's eerste herstelbetalingen aan Groot-Brittannië waren vastgelegd. Het ging om eenentwintig miljoen taël. Daarnaast eisten de Britten het eigendom van Hong Kong gedurende honderd jaar. Vanaf toen kwamen en gingen de kooplieden waar ze wilden. Mijn vader stierf op de ochtend van 5 januari 1850. Vrouwe Yin kreeg zijn ogen bijna niet gesloten. Een monnik vertelde me dat mijn vaders ziel verstoord was en dat hij nooit in vrede zou rusten, tenzij ik me zou wreken op de vijand.'

Mijn echtgenoot vervolgde half slapend zijn trieste verhaal. Hij sprak over de Taiping-opstanden, die een maand na zijn kroning uitbraken. Hij beschreef het als een ziedend vuur dat zich van provincie naar provincie verspreidde, vervolgens door het hele land en ten slotte zo ver als Chihli. 'Een lelijke wond die niet wil genezen. Dat heb ik van mijn vader geërfd. Een akelige wond. Ik kan het aantal veldslagen waartoe ik opdracht heb gegeven en het aantal onthoofdingen van generaals die me geen overwinning konden brengen niet tellen.'

De hele nacht lag mijn gemaal te woelen en te schreeuwen: 'Help me toch, hemel!'

Ik sliep weinig en was bang weggestuurd te worden. Ik leefde nu al maanden samen met Zijne Majesteit en vormde zijn enige gezelschap. Hij gebruikte onze slaapkamer als kantoor en zat voortdurend brieven en edicten op te stellen. Ik maalde zijn inktsteen en zorgde ervoor dat zijn thee heet genoeg was. Hij was zo zwak dat hij vaak tijdens het schrijven in slaap sukkelde. Als ik zijn hoofd voorover zag vallen, pakte ik het penseel uit zijn hand zodat hij het document niet zou bevlekken. Soms was ik te laat en verspreidde de inktvlek zich al over het rijstpapier. Om zijn werk niet verloren te laten gaan haalde ik een schoon vel papier en schreef zijn woorden daarop over. Ik imiteerde zijn kalligrafische stijl en werd er na verloop van tijd heel bedreven in. Als hij weer wakker werd merkte hij niet dat de pagina op zijn bureau niet de originele was. Hij geloofde het pas als ik hem zijn bevlekte schrijfsel liet zien.

We slaagden erin intiem met elkaar te zijn, waarbij hij oplettend en enthousiast was. Maar als het voorbij was zonk hij terug in zijn frustratie. Hij zei dat hij het hele jaar geen goede berichten had ontvangen. Hij werd verbitterd. Hij was ervan overtuigd dat China niet meer te redden was, hoe hard hij ook werkte. 'Vervloekt door het lot,' zei hij. Hij begon audiënties af te zeggen. Hij werd teruggetrokken en verbeeldde zich steeds vaker dat hij keizer in een andere tijd was. Als hij me zijn dromen vertelde kreeg hij een weemoedige, dromerige blik in zijn ogen.

Ik werd nerveus toen ik zag hoe de documenten zich opstapelden. Ik was niet in staat van zijn aandacht te genieten in de wetenschap dat ministers en generaals op zijn instructies wachtten. Ik was bang dat men mij ervoor verantwoordelijk zou houden – de concubine die de keizer had verleid. Ik smeekte Hsien Feng zijn plicht te vervullen.

Toen mijn inspanningen niet hielpen, pakte ik de documenten en begon ze aan hem voor te lezen. Ik las de vragen die in de brieven gesteld werden hardop voor. Hsien Feng moest een antwoord bedenken. Als hij dat had gedaan schreef ik de antwoorden in zijn stijl in een decreet, waarbij ik een rood penseel gebruikte. *Lan* in de derde toon betekende 'Ik heb het overdacht.' *Chi-tao-le* betekende: 'Het is me duidelijk.' *Kai-pu-chih* betekende: 'Wat dit betreft weet ik wat me te doen staat.' En *Yi-yi* betekende: 'U heeft mijn toestemming op deze weg voort te gaan.' Hij keek na wat ik had opgeschreven en zette zijn handtekening eronder.

Deze werkwijze beviel hem. Hij prees mijn vaardigheid en alertheid. Binnen een paar weken werd ik keizer Hsien Fengs officieuze secretaris. Ik had inzage in alles wat op zijn bureau terechtkwam. Ik raakte vertrouwd met zijn manier van denken en discussiëren. Na een tijdje was ik in staat brieven zodanig in zijn stijl op te stellen dat zelfs hij het verschil niet meer zag.

Op zomerse dagen was het voor mij moeilijk de ministers die binnen kwamen lopen te ontwijken, omdat de deur openstond zodat er koele lucht kon binnenstromen. Keizer Hsien Feng zei me dat ik me moest vermommen als inktjongen om argwaan te voorkomen.

Ik stopte mijn lange haar onder een hoed en kleedde me eenvoudig, voorwendend dat ik de inktjongen was die de inktsteen moest malen. Niemand besteedde aandacht aan me; de ministers hadden wel iets anders aan hun hoofd, dus negeerden ze me.

Voor het einde van de zomer verlieten we Yuan Ming Yuan en gingen we terug naar de Verboden Stad. Door mijn vasthoudendheid voelde keizer Hsien Feng zich weer in staat voor de dageraad op te staan. Nadat we ons gewassen en aangekleed hadden namen we een kop thee en een kom met pap, gemaakt van rode bonen en sesam- en lotuszaden. Dan reden we in onze afzonderlijke draagstoelen naar de Hal van Spirituele Verzorging. Het hof had zich de ernst van Hsien Fengs ziektebeeld gerealiseerd – men wist dat zijn hart en longen zwak waren en dat zijn depressies hem veel energie kostten – en had zijn voorstel dat ik hem bij zijn werk zou assisteren geaccepteerd.

Het was slechts een halve minuut lopen van onze slaapkamer naar de werkkamer, maar de etiquette moest in acht worden genomen – een keizer liep niet op zijn eigen benen. Wat mij betrof was het tijdverspilling, maar ik leerde al snel begrijpen hoe belangrijk het ritueel was in de ogen van onze ministers en landgenoten. Gebaseerd op de gedachte dat afstand de mythe in stand houdt, wat macht oproept, was het effect dat de adel van de massa gescheiden werd.

Hsien Feng was net als zijn vader strikt als het ging om de punctualiteit van zijn ministers, maar niet als het hemzelf betrof. Het gegeven dat iedereen in de Verboden Stad op aarde was om aan zijn behoeften te voldoen was hem van jongs af aan ingeprent. Hij verwachtte toewijding en had weinig gevoel voor de behoeften van anderen. Hij plande zijn vergaderingen bij zonsopgang en vergat dat de ontbodenen derhalve 's nachts moesten reizen, of het interesseerde hem niet. Er werd nooit een vaste tijd toegezegd waarop de vergadering zou beginnen. Feit was dat niet iedere afspraak werd nagekomen. Als de zaken ingewikkeld bleken en de oorspronkelijke tijden verzet moesten worden, kregen de functionarissen dit niet te horen en moesten ze eindeloos wachten. Sommigen moesten weken wachten en kregen dan de opdracht naar huis te gaan.

Toen Zijne Majesteit besefte dat we te veel afspraken moesten afzeggen, compenseerde hij de teleurgestelde functionarissen met geschenken en handtekeningen. Toen het een keer vreselijk regende, de ontbodenen kletsnat waren geworden na hun nachtelijke reis en vervolgens afgezegd werden, beloonde Hsien Feng hen met een rol zijde en satijn om nieuwe kleren van te maken.

Tijdens zijn werk zat ik naast Zijne Majesteit. We zaten in een kamer, bedoeld als rustruimte, achter de troonzaal. De kamer werd nu bibliotheek genoemd vanwege de plafondhoge boekenkasten die alle muren bedekten. Boven mijn hoofd hing een zwart kleitablet waarin de grote Chinese karakters 'Rechtop' en 'Openhartig' gegraveerd waren. Aan de buitenkant was moeilijk te zien hoe groot het gebouw was. Het was veel groter dan ik gedacht had. Het was gebouwd in de vijftiende eeuw en stond aan de westkant van het Paleis van Welwillende Rust, maar nog wel binnen de Poort van Keizerlijke Rechtvaardigheid, de Poort van Glorieuze Deugdzaamheid en de Poort van Duurzaam Geluk. Deze laatste leidde naar een groep grote gebouwen en bijgebouwen waarin de keizerlijke kantoren gevestigd waren.

Het gebouw bevond zich ook vlak bij het bureau van de Grote Raad, die de afgelopen jaren in importantie was toegenomen. Vanaf hier kon de keizer zijn raadgevers op elk gewenst moment laten opdraven om zaken te bespreken. Meestal gaf Zijne Majesteit er de voorkeur aan zijn ministers te ontvangen in de centrale ruimte van de Hal van Spirituele Verzorging. Als hij wilde lezen of schrijven, of belangrijke functionarissen of vertrouwde vrienden wilde ontvangen, ging hij naar de westvleugel. De oostvleugel was in de zomer verbouwd en was onze nieuwe slaapkamer geworden.

Voor velen was het de eervolste gebeurtenis van hun leven om bij de keizer op audiëntie te mogen komen. Hsien Feng moest aan hun hoge verwachtingen voldoen. Er kwam geen einde aan alle ceremoniële details. De avond voor een audiëntie moesten de eunuchen het paleis van top tot teen schoonmaken. Een overgebleven zoemende vlieg was reden genoeg voor onthoofding. In de troonzaal werden wierook en andere geurstoffen verspreid. De knielmatjes moesten op de juiste wijze worden neergelegd. Voor middernacht kwamen de wachters elke centimeter van de zaal onderzoeken. Om twee uur 's morgens werden de ontboden ministers of generaals begeleid door de Poort van Hemelse Zuiverheid. Ze moesten een heel eind lopen om bij de Hal van Spirituele Verzorging te komen. Voordat ze naar de troonzaal werden gebracht werden ze ontvangen in de gastenverblijven in de westvleugel. Daar werden ze opgevangen door de hoffunctionaris die over de registratie ging. Er werd uitsluitend thee geserveerd. Op het moment dat de keizer in zijn draagstoel stapte kregen de ontbodenen hiervan bericht en moesten ze rechtop en met hun gezicht naar het oosten gekeerd blijven staan tot Zijne Majesteit arriveerde.

Voordat keizer Hsien Feng uit zijn draagstoel stapte, werd er drie keer met een zweep geknald – het teken dat het doodstil moest zijn. Op het moment dat de zweep knalde, werd iedereen geacht op de knieën te vallen. De mensen werden in rijen opgesteld, in volgorde van rang. De belangrijke raadgevers, prinsen en andere koninklijke personen zaten op de eerste rij. Als de keizer ging zitten, werd iedereen geacht negen keer te kow-towen, waarbij hun voorhoofd de vloer moest raken.

Hij vond het niet prettig werken in de troonzaal omdat de troon niet lekker zat. De leuning was gemaakt van een prachtig bewerkt houten paneel, waarop talloze groepjes draken waren aangebracht. De audiënties duurden soms uren en aan het eind had Hsien Feng een pijnlijke rug.

Elk voorwerp in de zaal was zorgvuldig opgesteld, als in een galerie. De troon stond op een verhoging, met aan weerszijden een trapje. Achter de troon stonden drie bewerkte houten schermen, versierd met gouden draken. Doordat de troon op een verhoging stond, kon de keizer meer dan honderd mensen tegelijk aankijken. De audiëntie begon zodra de eerste ontboden persoon naar het oostelijke trapje liep en de keizer een boek met memo's aanbood.

Keizer Hsien Feng raakte het boek niet aan. Zijn secretaris nam het over en legde het op een gele kist vlak bij de troon. De keizer kon naar het boek verwijzen als dat noodzakelijk was. Vervolgens liep de ontbodene weer weg, daalde via de westelijke trap af en liep naar zijn mat. Nu kreeg hij toestemming zijn zaak te bepleiten. Als hij daarmee klaar was gaf de keizer zijn commentaar.

Meestal bracht Hsien Feng een discussie op gang tussen de belangrijke raadgevers, de prinsen en de clanoudsten. Ieder gaf zijn mening en wedijverde met elkaar om de beste optie voor te leggen. Soms vielen er scherpe woorden en ontstond er ruzie. Er was een keer een incident waarbij een minister tijdens een verhitte discussie aan een hartaanval overleed. De ontbodene werd geacht zijn mond te houden tot hem een vraag werd gesteld. Daarop antwoordde hij dan eerbiedig en ingehouden. Nadat er een conclusie was bereikt, was keizer Hsien Feng gereed om een decreet uit te vaardigen. Een hofwetenschapper van de hoogste rang kreeg de opdracht het decreet in het Chinees en in het Mantsjoe op te stellen. Dan was de volgende uit de rij aan de beurt. Deze procedure werd steeds herhaald tot het middaguur.

Ik was veel meer geïnteresseerd in nieuws over de gebeurtenissen op het platteland dan in het luisteren naar ministers die nog nooit een voet buiten Peking hadden gezet. Ik vond de meeste discussies oersaai en de oplossingen niet getuigen van gezond verstand. Ik was zeer verbaasd door de verschillen tussen de koninklijke prinsen, de Mantsjoe-clanleden en de gouverneurs en generaals, meestal Han-Chinezen die naar geweerkruit roken. Ik was onder de indruk van de Chinezen omdat die veel reëler waren. Functionarissen van Mantsjoe-afkomst gingen graag discussies aan over hun ideologie. Als schoolkinderen schreeuwden ze elkaar patriottische slogans toe. De Han-functionarissen verkozen te blijven zwijgen als er ruzie was aan dit Mantsjoe-hof. Als zij een idee wilden overbrengen, presenteerden ze dat op een rustige manier en voorzagen de keizer en het hof uitsluitend van feiten.

Nadat ik een paar audiënties had meegemaakt, viel het me op dat de Chinezen niet probeerden de keizer tegen te spreken. Als hun voorstel werd afgewezen, accepteerden ze dat nederig. Vaak volgden ze de bevelen van Zijne Majesteit op, al wisten ze van tevoren dat het geen zin had. Nadat er duizenden levens verloren waren gegaan, kwamen de Chinezen dan terug met de slachtofferaantallen in de hoop dat de keizer hun voorstel opnieuw in overweging zou nemen. Als hij er dan wel mee akkoord ging, huilden ze van opluchting. Ik werd erg geroerd door hun loyaliteit, maar wenste dat Hsien Feng meer naar de Chinezen zou luisteren en minder naar de Mantsjoe-edelen.

Ik begon het gedrag van de keizer beter te begrijpen. Hij vertelde me meer dan eens dat hij dacht dat alleen iemand van Mantsjoe-afkomst in staat was tot onvoorwaardelijke trouw aan de Ch'ing-dynastie. Hij koos altijd de zijde van de Mantsjoe-functionarissen als er een meningsverschil ontstond. Hij honoreerde het voorrecht van de heersende klasse en maakte het tegenover het hof duidelijk dat hij een minister van Mantsjoe-origine eerder zou vertrouwen. Al eeuwenlang waren de Chinese ministers erin geslaagd boven deze vernederingen te staan. Ik was bijzonder onder de indruk van hun kracht en geduld.

TWAALF

Doordat ik keizer Hsien Feng assisteerde, leerde ik twee mensen kennen die in hoog aanzien stonden aan het hof, hoewel velen zich lijnrecht tegenover hen opstelden. De een was Su Shun, hoofd van de Grote Raad. De ander was prins Kung, de halfbroer van de keizer.

Su Shun was een ambitieuze en arrogante Mantsjoe van een jaar of veertig. Het was een lange man met een robuust postuur; zijn grote ogen en dunne, enigszins gebogen neus deden me denken aan een uil. Hij had dikke, ongelijke wenkbrauwen; de ene was hoger dan de andere. Hij stond bekend om zijn geestigheid en explosieve karakter. Hij vertegenwoordigde de conservatieve partij aan het hof. Mijn gemaal noemde hem 'een koopman die fantastische ideeën aan de man brengt'. Ik had bewondering voor het talent van Su Shun om indrukwekkende toespraken te houden. Hij haalde er voorbeelden uit de geschiedenis, filosofie en zelfs klassieke opera's bij. Vaak betrapte ik mezelf erop dat ik dacht: Is er dan niets wat deze man niet weet?

Su Shun was gespecialiseerd in details en hij kon ontzettend goed verhalen vertellen. Zijn gevoel voor dramatiek verhoogde het effect. Ik kon alleen op zijn stem afgaan, omdat ik achter een gordijn zat, en vaak raakte ik in de ban van zijn woorden, zelfs als ik het niet eens was met de politieke strekking ervan.

In de ogen van het hof was Su Shun een wandelende encyclopedie over vijfduizend jaar Chinese beschaving. Niemand wist zoveel als hij en hij was de enige minister die vloeiend Mantsjoe, Mandarijnen- en oud-Chinees sprak. Su Shun was erg populair bij de Mantsjoe-clans, die hem volledig steunden in zijn anti-barbarenstandpunten.

Als zevende kleinzoon van een edelman en een afstammeling van Nurhachi, de stichter van de Ch'ing-dynastie, kende Su Shun veel hooggeplaatste personen. Hij ontleende zijn macht ook aan zijn vriendschap met invloedrijke figuren, van wie velen onopvallende maar welgestelde Chinezen waren. Al vanaf jonge leeftijd had hij veel gereisd. Door zijn brede ervaring was hij in staat goed te communiceren met alle lagen van de maatschappij. Hij stond erom bekend dat hij zeer geïnteresseerd was in antieke kunstvoorwerpen. Hij was eigenaar van een aantal graftombes in Hsian, waar volgens de overlevering de eerste keizer van China begraven lag.

Su Shun werd beschouwd als een ruimhartige, loyale man. Er ging een ver-

haal over het begin van zijn carrière, toen hij assistent was van een lage ambtenaar: hij had de juwelen van zijn moeder verkocht zodat hij banketten kon
aanrichten voor zijn vrienden. Later kwam ik erachter dat Su Shun deze overvloedige maaltijden aanrichtte om informatie op allerlei gebied te verzamelen – van de roddels over Pekings populairste acteurs tot de namen van de
mensen die het meeste goud in hun tuin hadden begraven; van militaire her-
vormingen tot politieke huwelijken.

Su Shuns recente promotie tot rechterhand van keizer Hsien Feng vond
zijn oorsprong in de frustratie van Zijne Majesteit over de bureaucratie van
het hof. De hofhouding was zo corrupt dat de meeste functionarissen niet
veel meer deden dan zich laten voorstaan op hun titel en hun salaris opstrij-
ken. Velen van hen waren afstammelingen van koninklijke personen die hadden gevochten onder machtige prinsen; anderen waren rijke, maar laagge-
boren Mantsjoe die hun post hadden gekocht door middel van 'donaties' aan
provinciale gouverneurs. Deze vormden samen de elite die het aan het hof
voor het zeggen had. In de loop van de jaren hadden ze de keizerlijke schatkist geplunderd. Terwijl het met de economie van het land zeer slecht ging,
bleef het deze mensen goed gaan. Toen keizer Hsien Feng de omvang van het
probleem besefte, gaf hij Su Shun promotie, zodat hij 'de puinhoop kon op-
ruimen'.

Su Shun handelde doeltreffend en meedogenloos. Hij concentreerde zich
op een enkele, in de schijnwerpers staande corruptiezaak met betrekking tot
het keizerlijke ambtenarenexamen. Het examen werd jaarlijks afgenomen en
was van invloed op het leven van duizenden mensen in het hele land. In de
rapportage die hij keizer Hsien Feng voorlegde beschuldigde Su Shun vijf
hooggeplaatste rechters van het aannemen van smeergeld. In hetzelfde rapport presenteerde hij eenennegentig gevallen waarin de uitslagen waren ver-
valst en zette hij vraagtekens achter degene die het voorgaande jaar de eerste
plaats had behaald. De keizer gaf opdracht om de vijf rechters en de eerste-
plaatswinnaar te onthoofden om de reputatie van de ambtenarij te herstellen. De bevolking vond het prachtig en Su Shuns naam lag op ieders lippen.

Su Shun deed nog iets anders, wat hem nog meer eer bracht. Hij vervolgde bankiers die valse taëls produceerden. Een van de belangrijkste valse-
munters was toevallig zijn beste vriend, Huang Shan-li. Huang had ooit voorkomen dat Su Shun vermoord werd door een boze schuldeiser, dus iedereen
voorspelde dat Su Shun een manier zou verzinnen om zijn vriend vrij te plei-
ten. Maar Su Shun bewees dat hij vóór alles loyaal aan de keizer was.

De andere man wiens mening keizer Hsien Feng op prijs stelde was prins
Kung. De keizer bekende me een keer met moeite dat zijn eigen talenten niet
in de schaduw konden staan van die van prins Kung. Zijn andere halfbroers,
prins Ts'eng en prins Ch'un, waren ook geen partij voor prins Kung. Ts'eng

stond bekend als een 'verliezer die denkt dat hij een winnaar is' en Ch'un werd beschouwd als 'eerlijk maar niet erg intelligent'.

Aanvankelijk was ik het niet met mijn gemaal eens. Prins Kungs ernst en twistzieke karakter stootten mensen af. Maar naarmate ik Kung beter leerde kennen, begon ik hem anders te zien. Hij gedijde het best als hij uitgedaagd werd. Keizer Hsien Feng was te broos en te gevoelig en vooral uiterst onzeker. Maar niet iedereen had dit door, omdat hij zijn angst meestal verstopte achter een masker van arrogantie en besluitvaardigheid. Als hij verloor, trok Hsien Feng zich terug achter zijn fatalisme. Zijn broer had een optimistischer kijk op het leven.

Het was een vreemde ervaring met beide mannen om te gaan. Net als miljoenen andere Chinese meisjes was ik opgegroeid met verhalen over hun privélevens. Ik kende de algemene omstandigheden rond de tragische dood van keizerin Chu An al voordat Grote Zuster Fann me op de hoogte had gebracht van de details. Toen Hsien Feng me het verhaal in zijn eigen woorden vertelde, klonk het vlak en niet waarheidsgetrouw. Hij herinnerde zich geen afscheidsscène met zijn moeder. 'Er stonden geen eunuchen klaar met een wit zijden koord om haar aan te sporen,' sprak Zijne Majesteit onaangedaan. 'Mijn moeder legde me in bed en toen ik wakker werd, zeiden ze dat ze dood was. Ik heb haar nooit meer gezien.'

In de beleving van keizer Hsien Feng was tragedie een manier van leven, terwijl het voor mij een verdrietige opera was. De zesjarige Hsien Feng had waarschijnlijk zeer veel verdriet gehad en nu hij volwassen was, leed hij nog steeds. Maar hij stond zichzelf niet toe dit te voelen; misschien was hij daartoe niet meer in staat.

De keizer vertelde me een keer dat de Verboden Stad niets meer was dan een brandende strohut in een uitgestrekte wildernis.

De dragers beklommen langzaam de heuvel. Achter ons liepen de eunuchen die een vastgebonden koe, een geit en een hert met zich meezeulden. Het pad was steil. Soms moesten we uit de draagstoel stappen en een stukje lopen. Toen we op de voorouderlijke plek waren aangekomen, stelden de eunuchen een altaar op en zetten wierook, voedsel en wijn klaar. Keizer Hsien Feng boog naar de hemel en stak dezelfde monoloog af die hij al vaak had uitgesproken.

Ik zat geknield naast hem, raakte met mijn voorhoofd de grond aan en bad dat zijn vader genade zou tonen. Kortgeleden wilde Hsien Feng de duiven van An-te-hai gebruiken om boodschappen te sturen naar zijn vader in de hemel. Hij liet de fluitjes door zijn eunuchen vervangen door briefjes aan zijn vader, die hij zelf zorgvuldig had opgesteld. Uiteraard gebeurde er niets.

Ik hoopte dat de keizer in staat zou zijn zijn energie op praktischer zaken te richten. Op de terugweg van de tempel zei hij dat hij zijn broer, prins Kung, wilde bezoeken in diens residentie, de Tuin van Onderscheid, die ongeveer drie kilometer verderop lag. Bijna geloofde ik dat dit het toedoen was van de geest van zijn vader. Ik vroeg of ik met hem mee mocht. Toen hij ja zei, was ik opgetogen. Ik had prins Kung wel gezien, maar nog nooit met hem gesproken.

Hsien Fengs draagstoel was zo groot als een kamer. De zijkanten waren bekleed met zonnegeel satijn. Als je erin zat, werd je beschenen door zacht, geel licht. Ik wendde me tot Zijne Majesteit.

'Waar zit je naar te kijken?' vroeg hij.

Ik glimlachte. 'Ik vraag me af waaraan de Zoon van de Hemel denkt.'

'Dat zal ik je laten zien,' zei hij terwijl hij tussen mijn benen begon te voelen.

'Niet hier, majesteit.' Ik duwde hem weg.

'Niemand houdt de Zoon van de Hemel tegen.'

'De dragers zullen het merken.'

'Nou, en?'

'De geruchtenstroom zal op gang komen. Morgenochtend zal Hare Majesteit de Grote Keizerin spugen bij het noemen van mijn naam aan haar ontbijttafel.'

'Zou zij niet hetzelfde hebben gedaan met mijn vader?'

'Nee, majesteit, ik doe het niet.'

'Ik zal je dwingen.'

'Wacht alstublieft tot we in het paleis zijn!'

Hij trok me tegen zich aan. Ik worstelde om los te komen.

'Verlang je niet naar me, Orchidee? Denk eens na. Ik bied je mijn zaad aan.'

'Heeft u het over dat gekookte zaad? Waarvan u me vertelde dat het niet kon ontkiemen?'

De draagstoel zwaaide heen en weer. Ik probeerde me stil te houden maar dat was onmogelijk: keizer Hsien Feng was niet gewend zich in te houden. Het hoofd van de dragers en hoofdeunuch Shim begonnen te praten. Het hoofd van de dragers leek zich zorgen te maken over de veiligheid van Zijne Majesteit, wilde halt houden en kijken of het goed met hem ging. Shim wist precies wat er gaande was. De drager en de eunuch maakten ruzie.

Een van mijn schoenen viel van mijn voet. De schoen tuimelde uit de draagstoel en hoofdeunuch Shim raapte hem op. Hij hield mijn schoen voor de neus van de drager, die eindelijk begreep wat er aan de hand was. Ze hielden op met ruziën. Op datzelfde moment bereikte keizer Hsien Feng zijn climax. De draagstoel schudde wild heen en weer. Shim schoof de schoen voorzichtig weer aan mijn voet.

Ik was blij dat de keizer door onze escapade iets minder depressief was geworden. Hij complimenteerde me met mijn meegaande karakter. Maar ik deed me anders voor dan ik was. Oppervlakkig gezien was ik vriendelijk, sterk en zelfverzekerd, maar achter mijn masker voelde ik me geïsoleerd, gespannen en op een vage, maar zeer oprechte manier ontevreden. Ik was altijd bang en dacht constant aan mijn rivales. Hoe lang zou het nog duren, dacht ik, voordat een ander mijn plaats zou innemen? Hun van jaloezie vertrokken gezichten bleven voor me zweven als een winterse mist.

Ik was ervan overtuigd dat de spionnen van mijn rivales me in de gaten hielden. De 'detective' zou best een van de keizerlijke bedienden kunnen zijn. Als dat het geval was, dan zou hij vast en zeker verslag uitbrengen van onze activiteiten in de draagstoel. Een klein schandaaltje zou kunnen uitgroeien tot een drama. In de ogen van de drieduizend vrouwen in de Verboden Stad was ik een dievegge die de enige hengst had gestolen. Ik was degene die hen had beroofd van hun enige kans op moederschap en geluk.

De verdwijning van mijn kat Sneeuw was een waarschuwing geweest. An-te-hai had haar gevonden in een put, niet ver van mijn paleis. Ze was helemaal ontdaan van haar prachtige, witte vacht. Er meldde zich niemand met de naam van de moordenaar en niemand kwam medeleven betuigen. En merkwaardig toevallig werden er kort daarna drie opera's opgevoerd op het Grote Changyi Podium. Was dat een uiting van de overwinning? Het vieren van een wraakneming? Ik was de enige concubine die niet werd uitgenodigd. Ik zat in mijn eentje in mijn tuin en hoorde de muziek over de muren zweven.

An-te-hai had me nog een andere roddel verteld. Er was een waarzegger in het paleis gekomen die had voorspeld dat mij voor het einde van de winter iets vreselijks zou overkomen: ik zou in mijn slaap gewurgd worden door een geest. Ik zag in het voorbijgaan aan de gezichtsuitdrukking van de andere dames wat ze dachten. Hun ogen vroegen: Wanneer?

Ofschoon ik hun geen kwaad toewenste, bevond ik me in een positie waarin ik hun wel kwaad kon doen. Ik stond voor de keuze tussen het ruïneren van de levens van anderen of toelaten dat zij mij ten val brachten.

Ik wist precies wat ze van me wilden. Maar zou ik vrijwillig afstand doen van Zijne Majesteits genegenheid? Voordat ik hoofdeunuch Shim had omgekocht, had ik maandenlang in een koud bed gelegen. Ik weigerde zonder slag of stoot weer tussen die lakens te kruipen.

Tijdens de audiënties kwam ik tot de ontdekking dat de oplossingen vaak verscholen lagen in de woorden van degenen die verslag uitbrachten van de moeilijkheden. Zij hadden het onderwerp al een tijd bestudeerd en waren in staat suggesties voor te leggen. Wat me dwarszat was dat de ministers vaak hun werkelijke mening voor zich hielden. Ze vertrouwden erop dat de Zoon van de Hemel de zaken 'met goddelijk oog' bekeek.

Het verbaasde me dat keizer Hsien Feng echt gelóófde dat hij het oog van God was. Hij twijfelde zelden aan zijn eigen wijsheid en hij zocht naar teke‑ nen die de goddelijke oorsprong ervan bewezen. Dat kon een door de blik‑ sem getroffen boom zijn in zijn tuin, of een vallende ster tegen de avondhe‑ mel. Su Shun moedigde deze fascinatie van Hsien Feng met zichzelf aan, hem ervan overtuigend dat hij de bescherming van de hemel genoot. Maar als de dingen buiten de Verboden Stad niet liepen naar Hsien Fengs zin, dan leek hij net een lekkende waterzak – zijn zelfvertrouwen stroomde weg.

De keizer stortte in. Wanneer waarheid en begrip hem werden onthouden, wisselden zijn stemmingen nog heviger. De ene minuut was hij stellig van plan de barbaren te ontslaan en de buitenlandse ambassadeur het land uit te zetten; een minuut later was hij ten einde raad en ging ermee akkoord een verdrag te ondertekenen dat China's economische malaise alleen maar zou vergroten. In het openbaar probeerde ik de illusie van de macht van mijn ge‑ maal in stand te houden. Maar mezelf kon ik niet voor de gek houden. On‑ der mijn gouden gewaad was ik Orchidee uit Wuhu. Ik wist dat de gewassen reddeloos verloren waren als de sprinkhanen binnenvielen.

Wanneer een audiëntie soepel verliep, zei keizer Hsien Feng dat ik hem had geholpen zijn magische krachten te herstellen. Het enige wat ik deed was luisteren naar mensen als Su Shun en prins Kung. Als ik een man was ge‑ weest en me buiten het paleis had kunnen begeven was ik naar het grensge‑ bied gegaan en teruggekomen met mijn eigen strategie.

Vanuit onze draagstoel zagen we alleen maar kale heuvels. Zijne Majesteit liet het gordijntje zakken, leunde tegen zijn kussen en vervolgde zijn levensver‑ haal. 'De Taiping-rebellen hebben overal chaos veroorzaakt. De enige op wie ik kan rekenen is mijn broer. Als prins Kung het niet voor elkaar kan krij‑ gen, zal het niemand lukken, dat weet ik honderd procent zeker. Ik heb hem in het verleden per ongeluk en opzettelijk vernederd; nu grijp ik elke gele‑ genheid aan om onze band steviger te smeden. Mijn vader heeft zich niet aan zijn belofte gehouden, en ik draag zijn schuld in zijn plaats. Op de dag van mijn kroning tot keizer heb ik prins Kung de hoogst mogelijke titel verleend. Vervolgens heb ik de beste plaats om te wonen buiten de Verboden Stad aan hem toegewezen, zoals je zometeen zelf kunt zien.' Hij knikte. 'Ik heb hem een fortuin in taëls gegeven, dat hij heeft gebruikt om het paleis te verbouwen. Ik heb mijn andere broers en neven achtergesteld. De Tuin van het Onder‑ scheid is beslist niet minder mooi dan welk paleis in de Verboden Stad ook.'

Ik was op de hoogte van wat keizer Hsien Feng voor zijn broer had ge‑ daan. Om prins Kung het gevoel te geven dat hij welkom was, had Hsien Feng de traditie genegeerd dat een Mantsjoe-prins geen militaire positie mocht hebben. Hij benoemde Kung als hoofdadviseur van het keizerlijke militaire kabinet. Prins Kungs macht was even groot als die van Su Shun. Zonder zich iets van Su Shuns protesten aan te trekken, schonk Zijne Majesteit prins Kung ook het recht om zijn medewerkers zelf uit te kiezen; Kung nam onder anderen zijn schoonvader, Grote Secretaris Kuei Liang, in dienst, die toevallig Su Shuns vijand was.

We bereikten de Tuin van het Onderscheid vlak voor het middaguur. Prins Kung en zijn *fujin* – Mantsjoe voor 'echtgenote' – waren van onze komst op de hoogte gesteld en stonden te wachten bij het hek. Kung leek dolblij zijn broer te zien. Hij was tweeëntwintig, twee jaar jonger dan Hsien Feng. Ze waren ongeveer even lang. Ik zag prins Kungs scherpzinnigheid in zijn ogen toen hij me een blik toewierp. Het was een koele, taxerende blik. Ik voelde zijn achterdocht en wantrouwen. Hij vroeg zich ongetwijfeld af waarom zijn broer me bij zich hield, zeker gezien de sterke geruchten die de ronde deden.

Prins Kung voerde het traditionele welkomstritueel uit. Het kwam op mij allemaal nogal afstandelijk over. Ze gedroegen zich niet als twee broers die samen waren opgegroeid. Het leek meer op de eerbied die een dienaar zijn meester betuigt.

Keizer Hsien Feng beantwoordde de gebaren van zijn broer. Hij had weinig geduld voor de formaliteiten en werkte het ritueel zo snel mogelijk af. Voordat Fujin de zin 'Ik wens Zijne Majesteit tienduizend levensjaren toe' had kunnen uitspreken pakte hij zijn broer al bij de arm.

Ik maakte mijn buigingen en kow-tows en bleef er verder bij staan om te luisteren en te observeren. Ik zag dat de broers in sommige opzichten op elkaar leken: hun houding was elegant en arrogant tegelijk. Hun gelaatstrekken waren typisch Mantsjoe: schuinstaande ogen, een rechte neus en een volle mond. Dit was het verschil, besloot ik al snel: prins Kung had de houding van een Mongoolse ruiter. Hij liep met rechte rug, maar had o-benen. Keizer Hsien Feng bewoog zich meer als een oude wetenschapper.

We wisselden geschenken uit. Ik gaf Fujin een paar schoenen waarmee Ante-hai vlak daarvoor was teruggekomen. De schoenen waren bestikt met parels en jade kralen in een prachtig bloemenpatroon. Fujin was er dolblij mee. In ruil gaf ze mij een koperen pijp. Ik had nog nooit zoiets gezien. Op de kleine pijp was een compleet barbaars strijdtoneel gegraveerd, met schepen, soldaten en oceaangolven. De piepkleine figuurtjes waren volmaakt herkenbaar en het oppervlak van de pijp was zo glad als porselein. Fujin vertelde dat de pijp was vervaardigd met behulp van een machine die was uitgevonden door een Engelsman. Het was een geschenk van een van prins Kungs medewerkers, een Brit, Robert Hart geheten.

Na de begroetingen kwamen de bedienden matten brengen die ze bij onze voeten legden. Prins Kung wierp zich op zijn mat en begon van voren af aan weer te kow-towen voor zijn broer. Zijn vrouw deed hetzelfde. Nadat hij toestemming had gekregen, riep hij zijn kinderen en concubines, die helemaal opgedirkt hadden staan wachten tot ze geroepen werden. Fujin zorgde ervoor dat de kinderen hun begroeting perfect uitvoerden.

Ik was opgelucht toen het ritueel eindelijk voltooid was en we naar de zitkamer werden geleid. Fujin verontschuldigde zich en verliet de kamer. Voordat ik plaatsnam, vroeg prins Kung of ik wilde dat Fujin me een rondleiding door de tuin gaf.

Ik zei dat ik liever wilde blijven, als hij er geen bezwaar tegen had.

Hij keek verbaasd, maar zei niets.

Keizer Hsien Feng gaf me toestemming te blijven zitten. De broers begonnen met elkaar te praten. Prins Kung richtte zich volledig op zijn broer, alsof ik niet in de kamer was.

Ik had nog nooit iemand zo openlijk en hartstochtelijk horen spreken als prins Kung. Hij sprak op dringende toon, alsof zijn huis in brand zou vliegen als hij niet opschoot.

Voordat de keizer de kans kreeg een slokje thee te nemen, legde prins Kung een brief voor hem neer. 'Het nieuws heeft me gisteren bereikt met een spoedstempel. Het is afkomstig van de gouverneur van de provincie Shantung. Zoals u ziet, is het zowel aan mij als aan Su Shun geadresseerd en het is een bijzonder schokkend bericht.'

Keizer Hsien Feng zette zijn theekopje neer. 'Wat is er aan de hand?'

'De dijken van de Gele Rivier zijn doorgebroken vlak bij de grens tussen de provincies Shantung en Kiangsu. Er zijn twintig dorpen overstroomd. Er zijn vierduizend doden gevallen.'

'Hiervoor zal iemand boeten!' Keizer Hsien Feng leek eerder geërgerd dan bezorgd.

Prins Kung legde het document neer en zuchtte. 'Het is te makkelijk om een paar burgemeesters en gouverneurs te laten onthoofden. Daarmee krijgen we de doden niet terug. We moeten zorgen dat de plaatselijke autoriteiten de daklozen helpen en reddingspogingen organiseren.'

Hsien Feng sloeg zijn handen voor zijn gezicht. 'Ik wil geen slecht nieuws meer horen! Laat me met rust!'

Alsof hij geen tijd had om zich te verdiepen in de problemen van zijn broer, praatte prins Kung gewoon door. 'Ook heb ik uw steun nodig om een Tsungli Yamen op te richten.'

'Wat is een Tsungli Yamen?' vroeg keizer Hsien Feng. 'Daar heb ik nog nooit van gehoord.'

'Een nationaal bureau van Buitenlandse Zaken.'

'Aha, het buitenlandse probleem. Waarom doe je het niet gewoon, als je vindt dat het nodig is.'

'Dat kan ik niet.'

'Wie houdt je tegen?'

'Su Shun, het hof, de clanoudsten. Veel mensen zijn ertegen. De mensen zeggen dat onze voorouders een dergelijk bureau ook niet hadden, dus dan hoeven wij het ook niet te hebben.'

'Iedereen zit te wachten tot de geest van onze vader een wonder laat gebeuren,' zei de keizer fronsend.

'Ja, majesteit. Ondertussen komen er steeds meer buitenlanders. Onze beste optie is een aantal beperkingen in te stellen, zodat we de situatie langzamerhand onder controle krijgen. Wellicht zullen we er zelfs een keer in slagen hen uit het land te verdrijven. Maar eerst moeten we ermee zien te leven volgens regels waarover beide partijen het eens zijn. De buitenlanders noemen dergelijke regels "wetten", wat ruwweg overeenkomt met wat wij "principes" noemen. De taak van de Tsungli Yamen zal bestaan uit het opstellen van deze wetten.'

'Wat wil je dan dat ik doe?' vroeg keizer Hsien Feng allesbehalve enthousiast.

'Ik kan ermee beginnen als u me een startkapitaal geeft. Mijn mensen moeten de buitenlandse talen leren. En ik moet natuurlijk buitenlanders inhuren om het hun te leren. De buitenlanders…'

'Ik heb zo'n hekel aan het woord "buitenlanders"!' onderbrak de keizer hem. 'Het staat me tegen de indringers te erkennen. Het enige wat ik weet is dat ze naar China zijn gekomen om me hun manier van leven op te dringen.'

'China kan er ook beter van worden, majesteit. De vrije handel zal helpen onze economie te versterken.'

Keizer Hsien Feng hief zijn hand op om prins Kung tot zwijgen te brengen. 'Ik weiger cadeautjes uit te delen terwijl ik te schande word gemaakt.'

'Ik begrijp het en ik ben het met u eens, mijn broeder,' zei prins Kung op vriendelijke toon. 'Maar u heeft geen idee van de vernederingen die ik heb moeten ondergaan. Er wordt van beide kanten druk op me uitgeoefend, zowel door de buitenlanders als door onze eigen mensen. Niet voor niets noemen mijn eigen functionarissen en klerken me "kusser van de kont van de duivel".'

'Dat is je verdiende loon.'

'Wel, het is makkelijk onze ogen ervoor te sluiten, maar daarmee verdwijnt de realiteit niet.' Prins Kung zweeg even en besloot toen toch te zeggen wat hij zich had voorgenomen. 'In werkelijkheid worden we aangevallen terwijl we ons niet kunnen verdedigen. Ik ben bang dat de onnozele arrogantie van het hof de dynastie de kop zal kosten.'

'Ik ben moe,' zei Hsien Feng na een paar seconden stilte.

Prins Kung belde zijn bedienden, die een rotan ligstoel brachten.

Keizer Hsien Feng werd op de stoel geholpen. Met een bleek gezicht en slaperige ogen zei hij: 'Mijn gedachten vliegen weg als vlinders. Dwing me alsjeblieft niet om nog meer te denken.'

'Heb ik dan uw toestemming om de Tsungli Yamen op te richten? Zult u de fondsen ter beschikking stellen?'

'Ik hoop dat dat het enige is wat je van me vraagt,' zei Hsien Feng, terwijl hij zijn ogen dichtdeed.

Prins Kung zat er hoofdschuddend bij en er gleed een verbitterde glimlach over zijn gezicht. Het was stil in de kamer. Door het raam zag ik dienstmeisjes die kinderen achterna zaten die over stenen in de vijver sprongen.

'Ik heb een officieel decreet nodig, majesteit.' Prins Kung klonk bijna smekend. 'We kunnen ons niet veroorloven nog langer te wachten, broeder.'

'Prima.' Zonder zijn ogen te openen draaide Hsien Feng zich om naar de muur.

'In uw decreet moet aan de Tsungli Yamen werkelijke macht worden toegekend.'

'Goed dan, maar in ruil daarvoor moet je me iets beloven,' zei keizer Hsien Feng, terwijl hij met moeite ging zitten. 'Wie betaald wordt moet ook presteren, anders zal hij zijn hoofd verliezen.'

Prins Kung keek opgelucht. 'Ik kan u verzekeren dat de kwaliteit van mijn mensen ongeëvenaard zal zijn. Maar de zaken liggen iets ingewikkelder. Het belangrijkste obstakel dat mijn mensen in de weg staat is het hof. Daarvan ontvang ik geen enkel respect. Ze hebben heimelijk gejuicht toen dorpelingen buitenlandse ambassadeurs lastig vielen en missionarissen vermoordden. Ik kan niet genoeg benadrukken hoe gevaarlijk dergelijk gedrag is. Het kan een oorlog veroorzaken. De clanoudsten hebben totaal geen politiek inzicht.'

'Zorg dan dat het hof dat gaat begrijpen,' zei keizer Hsien Feng terwijl hij zijn ogen opendeed. Hij zag er werkelijk moe uit.

'Dat heb ik geprobeerd, majesteit. Ik heb in naam van de Tsungli Yamen vergaderingen uitgeschreven en er kwam geen enkel clanlid. Ik heb zelfs mijn schoonvader gestuurd om hen persoonlijk uit te nodigen, in de hoop dat zijn leeftijd respect zou wekken. Maar het werkte niet. Ik krijg brieven waarin ik word uitgescholden en het advies krijg me te verhangen. Ik zou u willen vragen of u de eerstvolgende vergadering zou willen bijwonen, als dat mogelijk is. Ik wil het hof duidelijk maken dat u volledig achter me staat.'

De keizer gaf geen antwoord. Hij was in slaap gevallen.

Prins Kung leunde zuchtend achterover. Hij had een verslagen uitdrukking op zijn gezicht.

De zon scheen op de plafondbalken en het was warm in de kamer.

De planten in de hoeken van de kamer verspreidden een zoete jasmijn-geur. De schaduw van de planten verschoof langzaam naarmate de zonne-stand veranderde.

Keizer Hsien Feng begon te snurken. Prins Kung wreef in zijn handen en keek om zich heen. De bedienden kwamen onze theekopjes afruimen. Ze brachten schoteltjes met pruimen.

Ik had geen trek. Prins Kung raakte het fruit ook niet aan. We staarden naar de slapende keizer. Langzaam kruisten onze blikken elkaar en ik besloot de tijd nuttig te besteden.

'Ik zat me af te vragen, zesde broer,' begon ik, 'of u me misschien zou wil-len vertellen over de moord op de buitenlandse missionarissen. Ik kan bijna niet geloven dat het echt gebeurd is.'

'Had Zijne Majesteit maar het verlangen hierover te horen,' zei prins Kung. 'U kent het gezegde: "Een lange ijspegel wordt niet in een enkele sneeuwnacht gevormd"? Wel, de oorsprong van deze incidenten is terug te voeren tot de regeerperiode van keizer Kang Hsi. In die tijd, toen de Grote Keizerin Hsiao Chuang in de herfst van haar leven was, raakte ze bevriend met een Duitse missionaris, genaamd Johann Adam Schall von Bell. Hij was degene die Ha-re Majesteit tot het katholicisme bekeerde.'

'Hoe was dat mogelijk? De bekering van Hare Majesteit, bedoel ik.'

'Het gebeurde natuurlijk niet van de ene dag op de andere. Schall von Bell was geleerde, wetenschapper en priester. Het was een aantrekkelijke man en hij werd aan de Grote Keizerin voorgesteld door de hofwetenschapper, Hsu Kuang-chi. Schall had onder Hsu lesgegeven aan de Keizerlijke Hanlin Aca-demie.'

'Ik heb wel eens van Hsu gehoord. Was hij niet die man die correct voor-spelde wanneer de zonsverduistering zou plaatsvinden?'

'Ja.' Prins Kung glimlachte. 'Dat was Hsu, maar hij heeft dat niet alleen ge-daan. Pater Schall was zijn leraar en partner. De keizer gaf hem de opdracht de maankalender aan te passen. Toen Schall hierin slaagde, benoemde de kei-zer hem als zijn militaire raadgever. Schall werkte mee aan de vervaardiging van de wapens die ervoor zorgden dat een grote boerenopstand kon worden neergeslagen.'

'Hoe raakte de Grote Keizerin bevriend met Schall?'

'Wel, Schall voorspelde dat haar zoon prins Shih Chung de troon zou be-stijgen, omdat de jongen de pokken had overleefd en de andere kinderen van de keizer niet. Natuurlijk begreep niemand in die tijd wat voor ziekte het was en niemand geloofde Schall. Een paar jaar later overleed Shih Chungs broer Shih Tsu aan de pokken. Daardoor geloofde Hare Majesteit dat Schall een speciale verbintenis had met het universum en verzocht hem haar te bekeren tot zijn godsdienst. Ze werd een overtuigde geloofsaanhanger en verwelkomde de buitenlandse missionarissen.'

'En toen de missionarissen kerken gingen bouwen, begonnen de problemen?' vroeg ik.

'Inderdaad. De ellende begon toen ze daarvoor plekken uitkozen waarvan de plaatselijke bevolking dacht dat die de beste feng shui bezaten. De dorpelingen geloofden dat de schaduwen die de kerken wierpen op hun voorouderlijke begraafplaatsen hun doden zouden storen. Daarnaast minachtten de katholieken de Chinese godsdiensten, waardoor de lokale bevolking zich beledigd voelde.'

'Waarom toonden de buitenlanders zo weinig begrip?'

'Zij waren ervan overtuigd dat hun god de enige god was.'

'Dat kon onze bevolking nooit accepteren.'

'Precies.' Prins Kung knikte. 'Er braken gevechten uit tussen de bekeerlingen en degenen die bij hun oude geloof bleven. Mensen met een dubieuze reputatie, zelfs misdadigers, sloten zich aan bij de katholieken. Velen begingen misdaden uit naam van hun god.'

'Dat moet wel tot gewelduitbarstingen hebben geleid.'

'Inderdaad. Toen de missionarissen probeerden de misdadigers te verdedigen, verzamelden duizenden inwoners zich. Ze staken de kerken in brand en vermoordden de missionarissen.'

'Is dat de reden dat er zo duidelijk in de verdragen staat dat China zware boetes zou krijgen als het de opstanden niet zou bedwingen?'

'Die boetes maken ons bankroet.'

Het bleef even stil en prins Kung keek naar de keizer, die diep lag te ademen.

'Waarom zetten we de missionarissen niet het land uit?' vroeg ik, wensend dat ik de vraag niet had gesteld. 'En zeggen dat ze terug kunnen komen als de situatie hier wat gestabiliseerd is?'

'Dat heeft Zijne Majesteit gedaan. Hij heeft hun zelfs een datum gegeven.'

'En hoe reageerden ze?'

'Met het dreigen met oorlog.'

'Waarom willen de buitenlanders ons hun gewoontes opleggen? Als Mantsjoe dringen wij de Chinezen ook niet onze leefwijze op. We zeggen niet dat ze de voeten van hun vrouwen niet mogen inbinden.'

Prins Kung liet een sarcastisch lachje ontsnappen. 'Kan een bedelaar respect afdwingen?' Hij wendde zich tot mij alsof hij een antwoord verwachtte.

Het werd koud in de kamer. Ik keek toe hoe onze theekopjes werden gevuld.

'Er is gesold met de Zoon van de Hemel,' zei ik. 'Er is gesold met China. Uit schaamte durft niemand het toe te geven.'

Prins Kung gebaarde dat ik zachter moest praten.

De wangen van de slapende Hsien Feng waren rood. Hij had waarschijnlijk weer koorts. Hij ademde moeizaam, alsof hij niet genoeg lucht in zijn longen kreeg.

'Uw broer gelooft in *pa kua* – de acht diagrammen – en in feng shui,' zei ik tegen prins Kung. 'Hij gelooft dat hij onder bescherming van de goden staat.'

Kung nam een slokje thee. 'Iedereen gelooft wat hij wil geloven. Maar de werkelijkheid is als een steen op de bodem van een gierput. Die stinkt!'

'Hoe zijn de westerlingen zo machtig geworden?' vroeg ik. 'Wat kunnen we van hen leren?'

'Waar maakt u zich druk over?' Hij glimlachte. Hij vond dit waarschijnlijk geen onderwerp om met een vrouw te bespreken.

Ik zei tegen prins Kung dat keizer Hsien Feng leergierig was. En dat ik daarbij misschien kon helpen.

We wisselden een blik van verstandhouding. Hij leek de logica van mijn opmerking in te zien. 'Het is geen onbelangrijk onderwerp. Maar misschien kunt u beginnen met het lezen van mijn brieven aan Zijne Majesteit. We moeten ontsnappen uit de val van zelfbedrog en…' Hij sloeg zijn ogen op en deed er plotseling het zwijgen toe.

Van prins Kung hoorde ik over de derde belangrijke man, de generaal van het Noordelijke Leger en onderkoning van de provincie Anhwei. Hij heette Tseng Kuo-fan.

Ik had de naam al eens van keizer Hsien Feng gehoord. Tseng Kuo-fan was volgens de verhalen een verstandige, koppige Chinees van in de vijftig. Hij kwam uit een arme boerenfamilie, was opgeklommen en in 1852 benoemd tot bevelhebber van het leger in zijn geboortestad Hunan. Hij stond erom bekend dat hij zijn mannen grondig trainde. Met succes had hij de Taiping-bolwerken langs de Yangtze verdedigd, wat hem veel lof opleverde van de bezorgde en ongeduldige hoofdstad. Voortdurend drilde hij zijn mannen, die bekend werden als de Dapperen van Hunan. Ze vormden de meest effectieve strijdmacht van het rijk.

Dankzij de inspanningen van prins Kung had de keizer generaal Tseng een privé-audiëntie toegestaan.

'Orchidee,' riep keizer Hsien Feng terwijl hij zijn drakengewaad aantrok. 'Ga vanmorgen met me mee en vertel me wat je van Tseng Kuo-fan vindt.' Ik volgde mijn gemaal naar de Hal van Spirituele Verzorging.

De generaal kwam overeind uit zijn geknielde positie en begroette Zijne Majesteit. Ik merkte dat hij te nerveus was om zijn ogen op te slaan. Dit kwam wel vaker voor bij een eerste keizerlijke audiëntie. Het overkwam vooral mensen van Chinese afkomst. Die waren zo nederig dat ze niet konden geloven dat ze door hun heerser ontvangen werden.

In werkelijkheid ontbrak het niet de Chinezen, maar de Mantsjoe aan zelfvertrouwen. Onze voorouders hadden het continent weliswaar tweehonderdvijftig jaar geleden met geweld veroverd, maar de kunst van het besturen hadden we nooit onder de knie gekregen. We hadden niet de beschikking over fundamentele zaken, zoals de filosofie van Confucius, die de natie door moraliteit en spiritualiteit verenigde, en geen systeem dat de macht op een effectieve manier kon centraliseren. Daarnaast spraken we een andere taal, waardoor de keizer niet kon communiceren met de bevolking, waarvan tachtig procent Chinees was.

Onze voorouders waren zo verstandig de Chinese manier van leven over te nemen. Naar mijn mening was dit onvermijdelijk. De cultuur was zo elegant en breed dat die ons zowel accepteerde als van dienst was. Het land bleef gedomineerd door confuciaanse grondbeginselen. In mijn eigen leven was mijn eerste taal Chinees, mijn eetgewoonten Chinees, mijn opleiding Chinees en mijn favoriete vrijetijdsbesteding was het bijwonen van opera's uit Peking!

Ik was gaan beseffen dat het superioriteitsgevoel van de Mantsjoe ons had verraden. De tegenwoordige Mantsjoe waren zo verrot als met termieten verzadigd hout. De Mantsjoe-mannen waren over het algemeen verwend. Ze wisten niet meer hoe ze een strijd te paard moesten winnen. De meesten waren hun eigen vijand geworden. Onder hun trotse uiterlijk waren ze lui en onzeker. Ze veroorzaakten problemen voor mijn echtgenoot zodra hij iemand met echt talent wilde bevorderen die toevallig Chinees was.

Jammer genoeg vormden ze nog steeds de dominante politieke macht. Keizer Hsien Feng werd beïnvloed door hun opvattingen. Hoewel Tseng Kuofan de beste generaal van het rijk was, aarzelde Zijne Majesteit hem te bevorderen. Dit was typerend. Een Chinees van hoge rang kon zomaar, op een willekeurig moment, worden afgezet. Een uitleg werd nooit gegeven.

Prins Kung had de keizer meermalen geadviseerd op te houden met deze discriminatie binnen zijn besturingsapparaat. Kung was van mening dat zolang Zijne Majesteit niet rechtvaardig handelde, hij geen werkelijke loyaliteit zou verkrijgen. Tseng Kuo-fan vormde het bewijs hiervan. De befaamde generaal geloofde niet dat hij was ontboden om geëerd te worden. De man schrok zich een hoedje toen keizer Hsien Feng probeerde een luchthartige grap te maken: 'Wordt u "Hoofdenhakker Tseng" genoemd?'

Tseng Kuo-fan raakte met zijn voorhoofd de grond en begon hevig te beven.

Ik probeerde mijn gegiechel te onderdrukken toen ik Tsengs sieraden hoorde rammelen.

De keizer vond het wel leuk. 'Waarom geeft u geen antwoord?'

'Ik zou moeten worden gestraft en tienduizend doden moeten sterven als ik Zijne Majesteits oren zou bezoedelen met deze bijnaam,' antwoordde de man.

'Nee, ik ben helemaal niet ontstemd,' zei keizer Hsien Feng glimlachend. 'Gaat u staan, alstublieft. De naam Hoofdenhakker Tseng bevalt me wel. Wilt u me uitleggen hoe u eraan komt?'

De man haalde diep adem en antwoordde: 'Aanvankelijk gaven mijn vijanden me deze bijnaam, majesteit, en daarna hebben mijn mannen hem overgenomen.'

'Uw mannen zullen wel erg trots zijn dat ze onder u mogen dienen.'

'Ja, dat zijn ze inderdaad.'

'U heeft me eer bewezen, Tseng Kuo-fan. Had ik maar meer hoofdenhakkers onder mijn generaals!'

Toen keizer Hsien Feng Tseng uitnodigde voor de lunch, was de man tot tranen toe bewogen. Hij zei dat hij nu gereed was te sterven en met grote trots zijn voorouders onder ogen kon komen, omdat hij hun veel eer had gebracht.

Na een paar drankjes ontspande generaal Tseng zich een beetje. Toen ik aan hem werd voorgesteld als de favoriete concubine van de keizer viel Tseng op de knieën en boog voor me. Ik werd daardoor zeer aangenaam getroffen. Jaren later, na de dood van mijn echtgenoot, toen Tseng Kuo-fan en ik allebei oud waren, vroeg ik hem wat hij van me had gevonden toen we elkaar voor het eerst ontmoetten. Vleiend zei hij dat hij was overvallen door mijn schoonheid en niet meer kon nadenken. Hij vroeg of ik me nog herinnerde dat hij een kom vies water had gedronken – de vingerkom waarin we onze handen wasten tijdens de maaltijd.

Ik was blij dat keizer Hsien Feng de moeite nam me voor te stellen aan zijn hooggeplaatste vrienden. In hun ogen was ik toch niet meer dan een concubine, al was ik de favoriete; maar deze ontmoetingen waren cruciaal voor mijn politieke en persoonlijke ontwikkeling. Het feit dat ik iemand als Tseng Kuo-fan persoonlijk kende zou me in de toekomst goed van pas komen.

Terwijl ik zat te luisteren naar het gesprek tussen keizer Hsien Feng en generaal Tseng Kuo-fan, moest ik denken aan de fijnste tijd in mijn jeugd, toen mijn vader me verhalen vertelde uit de Chinese geschiedenis.

'U bent zelf een geleerde,' zei Hsien Feng tegen Tseng. 'Ik heb gehoord dat u het liefst officieren in dienst neemt die kunnen lezen en schrijven.'

'Ik geloof dat iemand die de leer van Confucius kent een beter begrip heeft van loyaliteit en gerechtigheid, majesteit.'

'Ook heb ik gehoord dat u geen voormalige huursoldaten rekruteert. Waarom niet?'

'Wel, het is mijn ervaring dat professionele soldaten slechte gewoonten hebben. Als de strijd losbarst, is hun eerste gedachte hun eigen hachje te redden. Ze deserteren schaamteloos.'

'Hoe komt u dan aan goede soldaten?'

'Ik besteed geld aan het rekruteren van boerenjongens uit arme gebieden en verafgelegen bergen. Deze mensen hebben nog een puur karakter. Ik train hen zelf. Ik probeer hun een gevoel van broederschap bij te brengen.'

'Ik heb gehoord dat velen van hen uit Hunan afkomstig zijn.'

'Ja. Ik kom zelf ook uit Hunan. Ze kunnen zich daardoor makkelijk met mij en met elkaar identificeren. We spreken hetzelfde dialect. Het lijkt daardoor alsof we één grote familie zijn.'

'Waarvan u de vader bent, uiteraard.'

Tseng Kuo-fan glimlachte, trots en verlegen tegelijk.

Keizer Hsien Feng knikte. 'Men heeft gerapporteerd dat u uw leger heeft uitgerust met superieure wapens, beter dan die van het keizerlijke leger. Klopt dat?'

Tseng Kuo-fan stond op uit zijn zetel, tilde zijn gewaad op en knielde. 'Dat klopt. Maar het is belangrijk dat Zijne Majesteit mij ziet als onderdeel van het keizerlijke leger. Iets anders ben ik niet.' Hij boog en bleef geknield zitten om het gewicht van deze opmerking te benadrukken.

'Staat u alstublieft op,' zei keizer Hsien Feng. 'Laat ik het anders zeggen, zodat er geen misverstand kan ontstaan. Wat ik bedoel, is dat het keizerlijke leger, met name de divisies die geleid worden door Mantsjoe-krijgsheren, een stelletje krioelende maden geworden is. Ze parasiteren op het bloed van de dynastie en leveren geen enkele bijdrage. Dat is de reden dat ik meer tijd aan u wil besteden.'

'Ja, majesteit.' Tseng Kuo-fan stond op en ging weer in zijn stoel zitten. 'Ik geloof dat het ook belangrijk is iets te doen aan de geestelijke ontwikkeling van de soldaten.'

'Hoe bedoelt u?'

'De boeren hebben niet geleerd te vechten voordat ze soldaat worden. Net als de meeste mensen kunnen ze er niet tegen bloed te zien. Dit gedrag zal niet veranderen door hen te straffen, maar er zijn andere manieren. Ik kan niet toestaan dat mijn mannen eraan gewend raken verslagen te worden.'

'Dat kan ik begrijpen. Ik ben er zelf aan gewend verslagen te worden,' zei de keizer met een sarcastische glimlach om zijn lippen.

Noch Tseng Kuo-fan, noch ik was in staat uit te maken of Zijne Majesteit dit spottend bedoelde of zijn ware gevoelens toonde. Tsengs eetstokjes bleven voor zijn geopende mond steken.

'Ik moet de ondraaglijke schaamte dragen,' zei keizer Hsien Feng, alsof hij het wilde uitleggen. 'Het verschil is dat ik niet kan deserteren.'

Generaal Tseng Kuo-fan was aangedaan door het verdriet van de Zoon van de Hemel. Hij verhief zich weer en zonk op de knieën. 'Ik zweer op mijn leven dat ik uw eer zal herstellen, majesteit. Mijn leger wil zijn leven geven voor de Ch'ing-dynastie.'

Keizer Hsien Feng kwam uit zijn zetel en hielp Tseng Kuo-fan overeind. 'Hoe groot is de strijdmacht die onder uw bevel staat?'

'Ik heb dertien divisies landmacht, dertien divisies mariniers plus de lokale Dapperen. Elke divisie bestaat uit vijfhonderd man.'

Door dit soort audiënties bij te wonen ging ik een rol spelen in de droom van de keizer. Door onze samenwerking werden we echte vrienden, minnaars en meer. Het slechte nieuws bleef binnenstromen, maar Hsien Feng was kalm genoeg geworden om de moeilijkheden het hoofd te bieden. Hij was nog steeds gedeprimeerd, maar zijn stemmingswisselingen werden minder dramatisch. In deze periode, hoe kort die ook bleek, was hij op z'n best. Ik miste hem als zijn zaken hem bij me vandaan hielden.

DERTIEN

'Ik hoor een veelbelovende hartslag,' klonk de stem van dokter Sun Pao-tien van achter het gordijn. 'Dat betekent dat u een *sheemai* draagt.'

'Wat is een sheemai?' vroeg ik nerveus. De arts en ik waren van elkaar gescheiden door het gordijn. Liggend op het bed kon ik het gezicht van de man niet zien; ik zag alleen zijn schaduw die door het kaarslicht op het gordijn werd geprojecteerd. Ik staarde naar zijn hand, die onder het gordijn door stak. Daarmee omvatte hij mijn pols, waarop hij met zijn wijs- en middelvinger een lichte druk uitoefende. Het was een slanke hand met verbazingwekkend lange vingers. De hand rook flauwtjes naar kruidenmedicijn. Aangezien geen man behalve de keizer de vrouwen van de Verboden Stad mocht zien, baseerde een keizerlijke arts zijn diagnose op de polsslag van zijn patiënt.

Ik vroeg me af wat hij kon onderzoeken terwijl het gordijn zijn zicht blokkeerde, maar toch had de polsslag alleen Chinese artsen eeuwenlang in staat gesteld lichamelijke problemen op te sporen. Sun Pao-tien was de beste arts van het land. Hij kwam uit een Chinese familie die al vijf generaties artsen had voortgebracht. Hij had bekendheid verworven door een galsteen ter grootte van een perzikpit te ontdekken bij de Grote Keizerin vrouwe Jin. De keizerin had verschrikkelijk veel pijn, geloofde de arts niet, maar had genoeg vertrouwen in hem om het kruidenmedicijn in te nemen dat hij had voorgeschreven. Drie maanden later trof een dienstmeisje de steen aan in Hare Majesteits po.

Dokter Sun Pao-tiens stem klonk zacht en vriendelijk. '*Shee* betekent "geluk" en *mai* betekent "polsslag". "Sheemai": "gelukkige polsslag". Vrouwe Yehonala, u bent zwanger.'

Voordat het tot me doordrong wat hij had gezegd, trok dokter Sun Pao-tien zijn hand terug.

'Neemt u me niet kwalijk!' Ik ging zitten en probeerde het gordijn open te trekken. Gelukkig had An-te-hai het met knijpers dichtgemaakt. Ik wist niet zeker of ik echt het woord 'zwanger' had gehoord. Ik had al weken last van ochtendmisselijkheid en durfde mijn oren niet te geloven.

'An-te-hai!' gilde ik. 'Zorg dat die hand terugkomt!'

Na wat gescharrel aan de andere kant van het gordijn verscheen de schaduw van de arts weer. Hij werd door een paar eunuchen naar de stoel geleid en zijn hand werd weer onder het gordijn door geschoven. De hand straalde ongenoegen uit. Hij lag op de rand van mijn bed met gebogen vingers, waardoor het net een spin leek. Het kon me niets schelen. Ik wilde het woord 'zwanger' nogmaals horen. Ik pakte de hand en legde hem op mijn pols. 'Zorg dat u het zeker weet, dokter,' smeekte ik.

'Uw hele lichaam straalt succes uit,' sprak dokter Sun Pao-tien ongehaast en duidelijk articulerend. 'Uw aders en slagaders stralen. Uw heuvels en dalen zijn bedekt met prachtige elementen...'

'Hè? Wat betekent dat?' Ik schudde de hand heen en weer.

An-te-hais schaduw voegde zich bij die van de arts. Hij vertaalde de woorden van de arts voor me. Zijn stem klonk onmiskenbaar opgewonden. 'Mevrouw, het drakenzaad heeft u bevrucht!'

Ik liet Sun Pao-tiens hand los. Ik kon niet wachten tot An-te-hai de knijpers zou verwijderen. Ik dankte de hemel voor deze zegen. De rest van die dag at ik aan een stuk door. An-te-hai was zo dolgelukkig dat hij vergat zijn vogels te voeren. Hij ging naar de keizerlijke visvijver en vroeg om een emmer levende vis.

'Laten we het vieren, mevrouw,' zei hij toen hij terugkwam.

We namen de vis mee naar het meer. Een voor een liet ik de vissen in het water glijden. Dit ritueel, *fang sheng* geheten, was een gebaar van genade. Elke vis die de kans kreeg te blijven leven voegde iets toe aan de voorraad hemelse welwillendheid die ik had.

Toen ik de volgende ochtend ontwaakte hoorde ik muziekklanken in de nazomerse lucht. De klanken waren afkomstig van An-te-hais duiven, die boven mijn dak rondcirkelden. Het geluid van luchtpijpen bracht me terug in Wuhu, waar ik dergelijke pijpen had gemaakt van rietstengels, die ik aan mijn eigen vogels vastbond en ook aan vliegers. De stengels produceerden elk een ander geluid, afhankelijk van hun dikte. Een oude dorpsgenoot had vierentwintig luchtpijpen aan een grote vlieger gebonden. Hij had de pijpen in een zodanige volgorde bevestigd dat ze de melodie van een populair volksliedje produceerden.

Ik stond op, liep de tuin in en werd begroet door de pauwen. An-te-hai was bezig de papegaai, Confucius, te voeren. De vogel probeerde een nieuwe zin uit die hij zojuist had geleerd: 'Gefeliciteerd, mevrouw!' Ik was opgetogen. De orchideeën in de tuin bloeiden nog steeds. De lange, slanke stengels van de bloemen bogen elegant. De bladeren richtten zich op als dansers die hun mouwen omhoog tillen. De witte en blauwe bloemblaadjes strekten zich omhoog alsof ze het zonlicht wilden kussen. De zwarte fluwelen harten van de orchideeën deden me denken aan de ogen van Sneeuw.

An-te-hai vertelde dat dokter Sun Pao-tien had voorgesteld dat ik het nieuws van mijn zwangerschap voor me zou houden tot de derde maand. Ik volgde zijn advies op. Wanneer ik maar kon, genoot ik naar hartelust van de tuin. In deze zoete uren miste ik mijn familie verschrikkelijk. Ik wilde het nieuws zo graag met mijn moeder delen dat het pijn deed.

Ondanks mijn 'geheimhouding' wisten de keizerlijke echtgenotes en concubines in alle paleizen al snel van mijn zwangerschap. Ik werd overspoeld met bloemen, jade beeldjes en wenskaarten. Iedere concubine probeerde me te bezoeken. Degenen onder hen die ziek waren stuurden hun eunuchen met nog meer geschenken.

De geschenken stapelden zich in mijn kamer op tot het plafond. Maar achter de glimlachende gezichten lagen afgunst en jaloezie verborgen. Hun gezwollen ogen waren het bewijs van huilen en slapeloze nachten. Ik wist precies hoe de andere concubines zich voelden. Ik herinnerde me mijn eigen reactie op de zwangerschap van vrouwe Yun. Ik had vrouwe Yun geen ongeluk toegewenst, maar ook geen geluk. Ik was heimelijk opgelucht toen Nuharoo me vertelde dat vrouwe Yun een meisje ter wereld had gebracht in plaats van een zoon.

Ik verheugde me niet op de nabije toekomst. Ik was bang dat er vallen voor me zouden worden uitgezet. Het was logisch dat de concubines me haatten.

Naarmate mijn buik dikker werd, nam mijn angst toe. Ik at nu nog maar weinig, om het risico op vergiftiging te minimaliseren. Ik droomde over het kaalgeplukte lijfje van Sneeuw dat in de put ronddreef. An-te-hai waarschuwde me dat ik voorzichtig moest zijn met het eten van soep en het wandelen in de tuin. Hij dacht dat mijn rivales hun eunuchen opdracht hadden gegeven losse stenen neer te leggen of gaten te graven in het pad, om me te laten struikelen. Toen ik zei dat hij zich aanstelde, vertelde An-te-hai me een verhaal over een jaloerse concubine die haar eunuch opdracht had gegeven een dakpan van het dak van haar rivale te breken zodat het op haar hoofd zou vallen, en dat was inderdaad gebeurd!

Voordat ik in mijn draagstoel stapte, controleerde An-te-hai steeds of er een naald in het kussen verborgen zat. Hij was ervan overtuigd dat mijn rivales tot alles in staat waren om me een miskraam te bezorgen.

Ik begreep de oorzaak van die gemeenheid, maar ik zou niet in staat zijn iemand te vergeven die zou proberen mijn ongeboren kind te vernietigen. Als ik het kind veilig op de wereld zou zetten, zou mijn positie aanzienlijk verbeteren ten koste van de anderen. Mijn naam zou worden opgenomen in de keizerlijke registers. Als het kind van het mannelijk geslacht zou zijn, zou ik opklimmen tot de rang van keizerin; ik zou de titel delen met Nuharoo.

Het was midden in de nacht en Zijne Majesteit en ik lagen naast elkaar. Sinds hij wist dat ik in verwachting was, was hij vrolijker geworden. We hadden de afgelopen nachten doorgebracht in het Paleis van Geconcentreerde Schoonheid, drie paleizen ten noorden van de Hal van Spirituele Verzorging. Ik sliep beter in mijn paleis, omdat niemand ons kwam storen met dringende zaken. Zijne Majesteit had heen en weer gependeld tussen de beide paleizen, afhankelijk van hoe lang zijn werk hem ophield. Ik was ongerust door An-te-hais waarschuwingen en vroeg Zijne Majesteit meer nachtwachters bij mijn poort te zetten. 'Voor het geval dat,' zei ik. 'Ik zou me veiliger voelen.'

Zijne Majesteit zuchtte. 'Orchidee, je bederft een droom van me.'

Ik was verrast en vroeg hem om uitleg.

'Mijn droom een welvarend China op te bouwen is steeds weer kapotgemaakt. Onwillekeurig twijfel ik aan mijn vermogen het land te besturen. Maar in de Verboden Stad wordt mijn macht niet in twijfel getrokken. De concubines en eunuchen zijn mijn trouwe onderdanen. Hier heerst geen verwarring. Ik verwacht dat jullie van mij houden en van elkaar houden. Met name verlang ik dat jij en Nuharoo goed met elkaar kunnen opschieten. De Verboden Stad vertegenwoordigt de poëzie in zijn zuiverste vorm. Het is mijn spirituele tuin waar ik tussen mijn bloemen kan uitrusten.'

Maar is liefde hier wel mogelijk? De sfeer in deze tuin was al lang geleden vergiftigd.

'Die mooie avond, toen jij en Nuharoo samen in de tuin wandelden,' zei Zijne Majesteit op dromerige toon. 'Ik kan me die dag nog goed herinneren. Jullie liepen in het licht van de ondergaande zon. Jullie hadden beiden een lentejapon aan. Jullie hadden bloemen geplukt. Met de armen vol pioenen kwamen jullie aanlopen, glimlachend en babbelend als zusjes. Het deed me mijn moeilijkheden vergeten. Het enige wat ik wilde doen was de bloemen in jullie handen kussen...'

Ik wenste dat ik tegen hem kon zeggen dat ik daar nooit bij was geweest. Zijn beeld van schoonheid en harmonie bestond niet. Hij had Nuharoo en mij in zijn fantasie verweven. Nuharoo en ik hadden van elkaar kunnen houden en vriendinnen kunnen zijn, als ons overleven niet had afgehangen van zijn genegenheid.

'Als ik tegenwoordig iets moois zie, wil ik het proberen vast te houden.' Zijne Majesteit tilde zijn hoofd op van het kussen, keek me aan en zei: 'Nuharoo en jij waren toch op elkaar gesteld? Waarom nu niet meer? Waarom moet je dat nou verpesten?'

In de derde maand van mijn zwangerschap kregen de hofastrologen de opdracht een *pa kua* uit te voeren. Er werden houten, metalen en gouden stokjes op de marmeren vloer gegooid. Er werd een emmer gebracht die het bloed van verschillende dieren bevatte. Over de muren werd water en gekleurd zand verspreid om de indruk van schilderingen te geven. De astrologen hurkten in hun lange, met sterren bedrukte zwarte gewaden neer. Met hun neus bijna op de vloer bestudeerden ze de stokjes en kenden ze betekenissen toe aan de spookachtige beelden op de muren. Uiteindelijk verklaarden ze dat het kind dat ik droeg de juiste balans tussen goud, hout, water, vuur en aarde bezat.

Het ritueel werd vervolgd. In tegenstelling tot de waarzeggers op het platteland, vermeden de keizerlijke astrologen het voor hun mening uit te komen. Ik merkte dat alles wat ze zeiden erop gericht was keizer Hsien Feng te plezieren, die hen dan beloonde. In een poging de indruk te wekken dat ze druk bezig waren, dansten de astrologen de hele dag langs de bevlekte muren. 's Avonds gingen ze met hun ogen zitten rollen. Ik verzon een smoes en vertrok. Om me hiervoor te straffen gaven de astrologen een ijselijke voorspelling door aan de Grote Keizerin: als ik na zonsondergang niet volkomen bewegingloos ging liggen met mijn benen omhoog, zou ik het kind verliezen. Ik werd vastgebonden op mijn bed en er werden krukjes onder mijn voeten geplaatst. Ik was kwaad, maar kon er niets aan veranderen. Mijn schoonmoeder geloofde heilig in de pa kua-astrologie.

'Mevrouw,' zei An-te-hai, die merkte dat ik een slechte bui had, 'nu u toch tijd heeft, wilt u iets meer te weten komen over pa kua? U kunt er zo achter komen of uw kind een bergtype of een oceaantype zal zijn.'

Zoals altijd begreep An-te-hai precies waaraan ik behoefte had. Hij liet een expert opdraven, 'met de beste reputatie in Peking', zei mijn eunuch. 'Ik heb hem, vermomd als vuilnisophaler, door de poort kunnen smokkelen.'

We zaten met z'n drieën opgesloten in mijn kamer en de man, die slechts één oog had, interpreteerde de zandschildering die hij op een dienblad had gemaakt. Wat hij zei was verwarrend en ik deed mijn uiterste best om het te volgen. 'De pa kua verliest zijn kracht als hij wordt uitgelegd,' zei hij. 'De filosofie zit hem in de zintuigen.' An-te-hai werd ongeduldig en vroeg de man overbodige informatie achterwege te laten. De expert werd gereduceerd tot waarzegger. Hij zei dat er een goede kans was dat mijn kind een jongen zou zijn.

Na die opmerking hoefde ik niets meer over pa kua te horen. Deze voorspelling bezorgde me hartkloppingen. Het lukte me stil te blijven zitten en ik beval de man door te gaan.

'Ik zie dat het kind een perfecte balans heeft, behalve dat hij te veel metaal heeft, wat betekent dat hij een koppig karakter heeft.' De man rommelde met de stenen en stokjes die hij op het blad had gegooid. 'De beste karaktertrek van de jongen is dat hij waarschijnlijk zal proberen zijn dromen waar te maken.' Hier zweeg de man even. Hij keerde zijn hoofd naar het plafond en trok zijn wenkbrauwen op. Hij kneep in zijn neus en knipperde met zijn ogen. Er vielen stukjes gelige korst van zijn lege oogholte. Hij hield op met praten.

An-te-hai ging wat dichter naar hem toe. 'Hier is de beloning voor uw openhartigheid,' zei mijn eunuch, terwijl hij een zak taëls in 's mans wijde mouw stopte.

'De donkere kant,' vervolgde de man onmiddellijk zijn verhaal, 'is dat zijn geboorte een vloek zal brengen voor een nabij familielid.'

'Vloek? Wat voor vloek?' vroeg An-tehai voor ik de kans kreeg iets te zeggen. 'Wat zal er met dit nabije familielid gebeuren?'

'Ze zal sterven,' antwoordde de man.

Ik haalde diep adem en vroeg waarom het een 'zij' was. Daarop had de man geen antwoord; hij kon alleen zeggen dat hij dat in de tekenen had gelezen.

Ik smeekte hem iets duidelijker te zijn. 'Ben ik die "zij"? Zal ik in het kraambed sterven?'

De man schudde het hoofd en zei dat het beeld hierover geen duidelijkheid verschafte. Meer kon hij me niet vertellen.

Toen de eenogige man was vertrokken, probeerde ik de voorspelling uit mijn hoofd te zetten. Ik hield mezelf voor dat hij zijn bewering niet kon hardmaken. In tegenstelling tot Nuharoo, die een toegewijd boeddhiste was, was ik geen godsdienstig persoon en nam bijgeloof nooit serieus. Het leek erop dat iedereen in de Verboden Stad was geobsedeerd door het idee van een leven na de dood en de hoop richtte op het hiernamaals. De eunuchen spraken over hun 'terugkeer als volledig persoon', terwijl de concubines zich verheugden op hun eigen echtgenoot en kinderen die ze zouden krijgen. Het hiernamaals was onderdeel van de boeddhistische studie van Nuharoo. Ze wist tamelijk veel over wat ons zou overkomen na de dood. Ze zei dat iedereen eerst naar de onderwereld ging, waar je werd ondervraagd en beoordeeld. Diegenen die een zondig leven hadden geleid werden naar de hel gestuurd, waar ze zouden worden gekookt, gebakken of in stukken gezaagd of gehakt. Diegenen die werden beoordeeld als vrij van zonden mochten een nieuw leven op aarde beginnen. Maar niet iedereen kreeg het leven dat hij of zij wenste. De gelukkigen werden opnieuw geboren als mens, en de pechvogels kwamen terug als dier: als hond, varken of vlo.

De concubines in de Verboden Stad, met name de oudere, waren zeer bijgelovig. Ze besteedden hun tijd, naast het bewerken van yoo-hoo-loos en bidden, aan het leren van heksenpraktijken. In hun ogen was het geloof in het hiernamaals een wapen op zich. Dat wapen hadden ze nodig om hun rivales te vervloeken. Ze hadden erg veel fantasie bij het bedenken van het lot dat ze hun vijanden toewensten.

Nuharoo liet me een boek zien met de titel *De kalender van de Chinese geesten,* dat vol stond met levendige, bizarre illustraties. Ik had het weleens eerder gezien. Ik had alle verhalen die erin stonden gehoord en had een handgemaakte kopie in Wuhu onder ogen gekregen. Het boek werd gebruikt door verhalenvertellers op het platteland. Nuharoo was met name gefascineerd door 'De rode geborduurde schoentjes', een oud verhaal over schoenen die gedragen werden door een geest.

Als kind had ik meegemaakt dat waarzeggers voorspellingen deden die levens verwoestten. Maar An-te-hai wilde geen risico nemen. Ik wist dat hij bang was dat ik de vrouw zou zijn wie het afschuwelijke lot beschoren was.

In de daaropvolgende dagen werd hij steeds ongeruster. Hij deed zo melodramatisch dat het bijna onnozel werd. 'Elke dag kan uw laatste zijn,' mompelde hij op een ochtend. Hij bediende me met zorg en hield elke beweging die ik maakte in de gaten. Hij snoof als een hond de lucht op en weigerde 's nachts te slapen. Als ik een dutje deed, sloop hij de Verboden Stad uit en als hij terugkwam rapporteerde hij dat hij bij oude dorpsvrijgezellen was geweest. Hij had hun geld aangeboden en gevraagd of ze mijn ongeboren kind wilden adopteren.

Ik vroeg waarom.

An-te-hai legde uit dat gezien het feit dat mijn zoon vervloekt zou zijn, het onze plicht was deze vloek over andere mensen te verspreiden. Volgens het *Boek over bijgeloof* zou de vloek zijn kracht verliezen als er genoeg mensen waren die hem konden dragen. 'De vrijgezellen willen graag dat hun naam wordt voortgezet,' zei mijn eunuch. 'Maakt u zich geen zorgen, mevrouw. Ik heb niet gezegd wie de jongen is en de adoptie is slechts een mondelinge overeenkomst.'

Ik prees An-te-hais loyaliteit en zei dat hij ermee moest ophouden. Maar dat deed hij niet. De volgende dag zag ik hem buigen voor een kreupele hond die in de tuin liep. Een andere keer knielde en kow-towde hij voor een vastgebonden varken dat op weg was naar de tempel om geofferd te worden.

'We moeten de vloek ontkrachten,' zei An-te-hai. 'Door de kreupele hond respect te betonen erken ik dat het beest heeft geleden. Iemand heeft hem geslagen en zijn botten gebroken. Dergelijke dieren dienen als vervanger, waardoor de kracht van de vloek vermindert of zelfs wordt overgedragen op anderen.' An-te-hai geloofde dat ik bevrijd zou zijn nadat het varken was geslacht, omdat ik, in de geest van het varken, ook een geest was geworden.

Vroeg op een ochtend werd het nieuws in de keizerlijke hofhouding bekendgemaakt: de Grote Keizerin vrouwe Jin was overleden.

An-te-hai en ik moesten wel tot de slotsom komen dat er een grond van waarheid in de pa kua bleek te zitten. Diezelfde ochtend gebeurde er nog iets vreemds. De glazen omkasting van de klok in de Hal van Spirituele Verzorging barstte toen de klok negen uur sloeg. De hofastroloog legde uit dat vrouwe Jin was overleden omdat ze te veel wilde investeren in haar lange levensduur. Ze was dol op het nummer negen. Ze had haar negenenveertigste verjaardag gevierd door haar bed te behangen met rode touwen en zijden lakens die geborduurd waren met negenenveertig Chinese negens.

'Ze was wel ziek geweest, maar niemand verwachtte dat ze zou sterven, tot de negens te veel voor haar werden,' zei de astroloog.

Tegen de tijd dat mijn draagstoel bij vrouwe Jins paleis aankwam, had men het lichaam al gewassen. Ze was verplaatst van haar slaapkamer naar het *lin chuang*, het zielenbed, dat de vorm van een boot had. De voeten van Hare Majesteit waren vastgebonden met rood draad. Ze was gekleed in een lang, zilveren hofgewaad waarop allerlei symbolen geborduurd waren. Er waren raderen van fortuin, die de universele principes vertegenwoordigden; zeeschelpen waarin men de stem van Boeddha kon horen; parasols die de seizoenen beschermden tegen watersnood en droogte; flesjes die de vloeistof van wijsheid en magie bevatten; lotusbloemen, die stonden voor generaties durende vrede; goudvissen als symbool voor evenwichtigheid en sierlijkheid; en het symbool ⌘, dat oneindigheid voorstelde. Ze was van top tot teen gewikkeld in een goudkleurig laken, bedrukt met boeddhistische citaten.

Naast Hare Majesteit lag een spiegel ter grootte van een handpalm, voorzien van een lang handvat. Men zei dat deze spiegel de doden beschermde tegen verstoring door gemene, slechte geesten. De spiegel liet de geesten hun eigen spiegelbeeld zien. Aangezien de meeste geesten geen idee hadden hoe ze eruitzagen, verwachtten ze zichzelf te zien zoals ze waren tijdens hun leven. In plaats daarvan waren ze door al hun slechte daden in het verleden veranderd in skeletten, groteske monsters of nog erger. Ze zouden zo schrikken door wat ze in de spiegel zagen dat ze ervandoor zouden gaan.

Het hoofd van vrouwe Jin leek wel een meelbal, door alle poeder die erop was aangebracht. An-te-hai vertelde dat er tijdens haar laatste dagen overal op haar gezicht puisten waren verschenen. De artsen hadden in hun verslag geschreven dat de 'knoppen' op Hare Majesteits lichaam hadden 'gebloeid' en 'nectar' hadden geproduceerd. De puisten waren zwart met groen, als wortels die uit een rotte aardappel groeien. In de Verboden Stad werd gefluisterd dat dit waarschijnlijk het werk was van haar voormalige rivale, keizerin Chu An.

Het gezicht van vrouwe Jin was gladgemaakt en voorzien van een laag poeder van gemalen parels. Maar als je goed keek, kon je de puisten nog zien. Rechts naast het hoofd van Hare Majesteit stond een dienblad met daarop een goudkleurige aardewerken kom. Deze bevatte haar laatste aardse maaltijd, bestaande uit rijst. Links stond een grote, brandende olielamp, het 'eeuwige licht'.

Ik ging met Nuharoo en de andere echtgenotes van keizer Hsien Feng naar het lichaam kijken. We waren allemaal gehuld in witzijden gewaden. Nuharoo had wel make-up op, maar zonder de rode stip op haar onderlip. Toen ze vrouwe Jin zag, barstte ze in tranen uit. Ze trok een stukje kant uit haar

haar en beet erop om haar emoties in bedwang te houden. Ik was geroerd door haar verdriet en pakte haar hand. Naast elkaar stonden we voor de dode keizerin.

Er kwam een rouwgezelschap aan. Ze weenden op diverse manieren. Het klonk meer als zingen dan als weeklagen. Het deed me denken aan de dissonerende klanken van een dorpsorkestje. Misschien kwam het door mijn gemoedsgesteldheid: ik was op het nippertje aan de vloek ontsnapt. Ik was opgelucht en voelde weinig verdriet.

Vrouwe Jin had mij nooit gemogen. Toen ze hoorde dat ik zwanger was, zei ze openlijk dat ze wenste dat dit nieuws van Nuharoo afkomstig was. Ze geloofde dat ik keizer Hsien Feng van Nuharoo had afgepakt.

Ik herinnerde me de laatste keer dat ik vrouwe Jin had gezien. Haar gezondheid ging al achteruit, maar ze weigerde dit toe te geven. Ondanks het feit dat iedereen van de galsteen op de hoogte was, beweerde ze dat haar gezondheid nog nooit zo goed geweest was. Ze beloonde de artsen die tegen haar logen en zeiden dat er geen twijfel bestond over haar lange levensduur. Maar haar lichaam verried haar. Toen ze haar wijsvinger naar me uitstak en me probeerde te vertellen dat ik slecht was, beefde haar hand. Het leek of ze op het punt stond me een oorvijg te verkopen. Ze probeerde haar hand stil te houden. Na een tijdje viel ze naar achteren en was alleen met hulp van de eunuchen in staat overeind te komen. Dit weerhield haar er niet van me uit te schelden. 'Jij analfabete!' gilde ze. Ik begreep niet waarom ze juist dit scheldwoord gebruikte. Geen van de andere dames, behalve misschien Nuharoo, was bedrevener in lezen dan ik.

Ik probeerde niet in vrouwe Jins levenloze ogen te kijken. Als ik haar moest aankijken, richtte ik mijn blik op een punt boven haar wenkbrauwen. Haar brede, gerimpelde voorhoofd deed me denken aan een schilderij van de Gobiwoestijn dat ik een keer had gezien. Onder haar kin hingen losse huidplooien. Ze had rechts geen tanden meer, waardoor haar gezicht aan die kant afgezakt was als een verrotte meloen.

Vrouwe Jin was dol op magnolia's. Zelfs toen ze ziek was droeg ze een met grote roze magnolia's geborduurd gewaad. Als kind had de keizerin de naam 'Magnolia' gedragen. Ik kon me nauwelijks voorstellen dat ze ooit de aandacht had getrokken van keizer Tao Kuang.

Hoe beangstigend dat een vrouw op zo'n manier oud kon worden. Zou iemand zich kunnen voorstellen hoe ik eruit zou zien bij mijn overlijden?

Vrouwe Jin gilde me die dag toe: 'Pieker niet over je schoonheid. Maak je liever zorgen over je onthoofding!' De woorden kwamen met moeite over haar lippen; ze hapte naar adem. 'Ik zal je eens vertellen waarover ík me zorgen heb gemaakt sinds ik de gemalin van de keizer werd! Ik zal me zorgen blijven maken tot ik doodga!' Ze probeerde uit alle macht haar trotse houding te handhaven en kwam met hulp van de eunuchen overeind. Ze stak beide armen omhoog en leek op een gier die zich met gespreide vleugels van een klif verheft.

We durfden ons niet te bewegen. Al haar schoondochters – Nuharoo, vrouwe Yun, Li, Mei en Hui, en ik – hoorden haar getier aan en wachtten op het moment dat ze ons zou laten gaan.

'Hebben jullie het verhaal gehoord over een ver land waar de mensen ogen hebben die gebleekt lijken en haar dat de kleur van stro heeft?' Vrouwe Jin kneep haar ogen toe. Het landschap op haar voorhoofd veranderde van glooiende heuvels naar diepe valleien. 'Nadat zijn rijk was veroverd, werd de hele familie van de koning afgeslacht. Iedereen, ook de kinderen!'

Toen ze zag dat we schrokken van haar woorden was ze tevreden. 'Stelletje analfabeten!' gilde ze. Plotseling produceerde haar mond een aantal geluiden: 'Oooo, wa! Oooo, wa!' Het duurde even voordat ik besefte dat ze lachte. 'Angst is goed! Oooo, wa! De angst kwelt je en zorgt ervoor dat je je gedraagt! Zonder angst word je niet onsterfelijk, en het is mijn taak jullie angst aan te jagen! Oooo, wa! Oooo, wa!'

Haar gelach klonk nog steeds in mijn oren. Ik vroeg me af wat vrouwe Jin zou hebben gezegd als ze had geweten dat ze het slachtoffer was van mijn kind, de vloek van haar kleinzoon. Ik voelde me gezegend, omdat vrouwe Jin me als analfabete had beschouwd. Als ze had gezien hoe leergierig ik was of de moeite had genomen erachter te komen waar de vloek vandaan kwam, had ze me laten onthoofden.

Nu ik haar daar op haar doodsbed zag, voelde ik weinig berouw. Bij de anderen bespeurde ik ook geen sympathie, behalve bij Nuharoo. Niemand had enige uitdrukking op het gezicht. De eunuchen waren net klaar met het verbranden van stropapier in de hal, en nu werd de menigte naar buiten geleid om daar nog meer papier te verbranden. Levensgrote draagstoelen, paarden, rijtuigen, tafels en po's werden op het binnenplein opgesteld, evenals levensgrote papieren mensen en dieren. De gestaltes waren gekleed in kostbare zijden en linnen stoffen, waarmee ook de meubelstukken waren bekleed. In overeenstemming met de Mantsjoe-begrafenisrituelen die ze had overgenomen, had ze haar eigen begrafenis al jaren geleden geregeld. De papieren replica van haarzelf zag er echt uit, al was het de jonge versie van haar. De figuur droeg een gewaad, bedrukt met magnolia's.

Voordat de verbrandingsceremonie begon, werd er een tien meter hoge paal geplaatst. Boven aan de paal was een roodzijden rol bevestigd waarop het woord *tien*, 'aanbidding', was aangebracht. Het was de eerste keer dat ik getuige was van dit ritueel. Eeuwen geleden bevolkten de Mantsjoe de uitgestrekte graslanden, waar het moeilijk was familieleden op de hoogte te brengen van een sterfgeval. Als er een familielid overleed, werd er een paal met een rode rol voor de tent van de familie neergezet, zodat passerende ruiters en herders zouden stoppen en in plaats van de afwezige verwanten hun respect zouden betuigen.

In navolging van de traditie werden er drie grote tenten in de Verboden Stad opgezet. In de ene tent lag het lichaam opgebaard, in de tweede huisden de monniken, lama's en priesters die van verre waren gekomen en de laatste tent was bestemd om familieleden en hooggeplaatste gasten te ontvangen. Andere, kleinere tenten waren opgesteld op het binnenplein om bezoekers te ontvangen. De tenten waren ongeveer drie meter hoog en de bamboe steunpalen waren omwikkeld met witte zijden magnolia's. Als schoondochters kregen we elk een stuk of tien zakdoekjes waarmee we onze tranen konden drogen. In gedachten bleef ik vrouwe Jin horen zeggen: 'Analfabeten!' – en ik kreeg de neiging te lachen in plaats van te huilen. Ik moest mijn gezicht achter mijn handen verbergen.

Tussen mijn vingers door zag ik prins Kung aankomen. Hij had een wit gewaad aan met bijpassende laarzen. Hij keek erg treurig toen hij de lijkkist bekeek. De vrouwelijke familieleden werden geacht hun neven en zwagers te vermijden, dus trokken we ons terug in de aangrenzende ruimte. Gelukkig kon ik door het raam kijken. Het deksel van de kist werd voor prins Kung verwijderd. Schitterende juwelen, goud, jade, parels, smaragden, robijnen en kristallen vazen lagen hoog opgestapeld op de borstkas van vrouwe Jin. Behalve het spiegeltje hield ze ook haar make-updoos in haar hand.

Prins Kung stond plechtig naast zijn moeder. Zijn smart gaf hem het uiterlijk van een oudere man. Hij knielde en kow-towde. Hij liet zijn voorhoofd lange tijd op de vloer rusten. Toen hij weer rechtop ging staan, kwam er een eunuch naderbij die voorzichtig vrouwe Jins lippen van elkaar trok. De eunuch legde een grote parel met een rood touwtje eraan in haar mond. Vervolgens sloot hij haar mond en liet het draadje eruit hangen. De parel was het symbool van de essentie van het leven en vertegenwoordigde zuiverheid en adellijkheid. De rode draad, die door haar zoon zou worden vastgemaakt, diende als symbool van zijn tegenzin afscheid van haar te nemen.

Prins Kung maakte de draad vast aan de bovenste knoop van het kleed van zijn moeder. Een eunuch overhandigde hem een paar eetstokjes met een nat katoenen bolletje ertussen. Prins Kung veegde zijn moeders oogleden voorzichtig schoon met het katoenen bolletje.

De gasten brachten dozen met versierde gestoomde broodjes mee. Om de paar minuten moesten de schalen voor de altaren worden herschikt om de dozen erop kwijt te kunnen. Ook werden er honderden rollen gebracht. Ze werden opgestapeld en het leek alsof er in het paleis een kalligrafiefestival werd gehouden. Aan alle wanden hingen rollen met liedrefreinen en gedichten. Er was extra touw nodig om meer rollen aan de balken te kunnen hangen. De keuken serveerde een banket voor meer dan tweeduizend gasten.

Toen prins Kung weer knielde, begon het rouwgezelschap te jammeren. Hun geween werd steeds luider. Het trompetgeschal was oorverdovend. Ik dacht dat dit het einde van de ceremonie betekende, maar nee: het kondigde juist het officiële begin ervan aan.

Op de zevende dag vond het verbranden van de papieren figuren plaats. Drie papieren paleizen en twee bergen werden in brand gestoken. De paleizen waren drieënhalve meter hoog met gouden pagodes erop. De ene berg was goud geverfd en de andere zilver. De ceremonie werd buiten de Verboden Stad gehouden, vlak bij de noordelijke brug. De hoeveelheid toeschouwers was nog groter dan bij de nieuwjaarsvieringen. De papieren paleizen waren nagemaakt van voorbeelden uit de architectuur van de Sung-dynastie. De tegels op de traditionele vleugeldaken waren oceaanblauw geverfd. Van waar ik stond kon ik in de paleizen kijken, die volledig gemeubileerd waren. De stoelbekledingen waren beschilderd met strepen en patronen, zodat het borduurwerk leek. Er stond een eettafel, gedekt met papieren bloemen, zilveren eetstokjes en gouden wijnbekers.

De bergen waren bedekt met rotsen, beekjes, magnolia's en wuivend gras, allemaal op schaal. Wat me nog meer verbaasde was dat er piepkleine sprinkhanen op de takken van de magnolia's zaten, vlinders op de pioenen en krekels in het gras. Honderden handwerkslieden hadden jaren aan deze papieren wereld gewerkt, en binnen enkele minuten zou alles tot as vergaan zijn.

Men hief de zangerige gebeden aan en de vuren werden ontstoken. Toen de vlammen hoog opschoten, wierpen de monniken, lama's en priesters de gestoomde broodjes over de menigte uit. Het was de bedoeling dat de broodjes zouden worden gegeten door dakloze geesten. Dit was een gebaar van welwillendheid van vrouwe Jin.

Keizer Hsien Feng schitterde van het begin tot het eind door afwezigheid. Hij beweerde dat hij ziek was. Ik wist dat hij deze vrouw haatte en ik kon hem dat niet kwalijk nemen. Vrouwe Jin was de oorzaak geweest van de zelfmoord van zijn biologische moeder. De keizer maakte iets duidelijk door de begrafenis niet bij te wonen.

De gasten en concubines wekten niet de indruk veel verdriet te hebben. Ze aten, dronken en kletsten met elkaar. Ik hoorde zelfs mensen over mijn zwangerschap praten.

Ik slaagde er niet in keizer Hsien Feng ervan te overtuigen dat mijn rivales tegen me samenspanden. Ik vertelde Zijne Majesteit dat de vissen in mijn vijver stierven, dat de orchideeën in mijn tuin verwelkten midden in hun sterke bloei. An-te-hai ontdekte dat de wortels van de planten waren aangevreten door knaagdieren. Ze moesten door iemand zijn binnengesmokkeld.

Mijn echtgenoot ergerde zich aan mijn geklaag. Hij beschouwde Nuharoo als de godin van genade en zei dat ik me niet zoveel zorgen moest maken. Mijn gedachte echter was dat ik één Nuharoo nog wel aankon, maar niet drieduizend. Er kon van alles gebeuren nu ze mijn buik als doelwit hadden gekozen. Ik was nog geen eenentwintig en ik had al te veel moordverhalen gehoord.

Ik smeekte keizer Hsien Feng om tot na de bevalling weer te verhuizen naar Yuan Ming Yuan. Zijne Majesteit zwichtte voor mijn smeekbeden. Ik wist dat ik moest leren mijn blijdschap te verstoppen als een muisje dat voedsel verbergt. De afgelopen weken had ik geprobeerd niet over mijn zwangerschap te praten als de andere concubines op bezoek kwamen. Maar dat was moeilijk, vooral als ze cadeautjes voor de baby meebrachten. De keizer had mijn toelage onlangs verhoogd en ik gebruikte het extra geld om gelijkwaardige geschenken te kopen die ik hun kon geven. Ik werd er doodziek van steeds te moeten doen of ik hun bezoek op prijs stelde.

Voor An-te-hai bleef mijn buik zijn eerste prioriteit. Hoe dikker ik werd, hoe betrokkener hij zich ging voelen. Hij liep op zijn tenen en was opgewonden en bang tegelijk. 's Morgens begroette hij niet mij, maar mijn buik. 'Goedemorgen, Uwe Jonge Majesteit.' Dan maakte hij een diepe, plechtige buiging. 'Wat wenst u als ontbijt?'

Ik begon boeddhistische manuscripten te bestuderen. Ik bad dat mijn kind tevreden in mijn buik zou groeien. Ik bad dat mijn nachtmerries zijn groei niet zouden verstoren. Als ik een meisje ter wereld zou brengen, wilde ik me toch blij en gezegend kunnen voelen. Ik bracht de ochtenden lezend in een zonnige kamer door. 's Middags oefende ik het kalligraferen, dat onderdeel was van een boeddhistische training om evenwichtigheid en harmonie te cultiveren. Langzaam maar zeker keerde mijn vredige gevoel terug. Sinds ik de aandacht van Zijne Majesteit had gevangen, was hij slechts tweemaal bij Nuharoo geweest. Een van die keren was direct na de dood van vrouwe Jin. Na de begrafenis was hij bij Nuharoo thee gaan drinken. Volgens An-te-hais spionnen had Zijne Majesteit alleen met haar over de ceremonie gesproken.

Het tweede bezoek van Zijne Majesteit aan Nuharoo gebeurde op haar verzoek. En Nuharoo had het me zelf verteld. Ze deed iets waarvan ze dacht dat Zijne Majesteit het prettig zou vinden – ze vroeg zijn toestemming een vleugel aan te bouwen aan vrouwe Jins graftombe. Nuharoo vertelde hem dat ze geld had ingezameld en zelf ook een bijdrage had gestort.

Keizer Hsien Feng was er niet blij mee, maar prees Nuharoo voor haar toewijding. Om zijn genegenheid en waardering te tonen vaardigde hij een edict uit waarin een titel werd toegevoegd aan de naam van Nuharoo. Ze heette nu de Deugdzame Vrouwe van Grote Vroomheid. Maar dat was niet wat Nuharoo wilde. Ik wist waar ze op uit was. Ze wilde Hsien Feng terug in haar bed. Maar hij was niet geïnteresseerd. Zijne Majesteit bracht de hele nacht in mijn verblijf door en negeerde de regels. Het zou niet eerlijk van me zijn als ik zou zeggen dat ik bereid was Hsien Feng met anderen te delen, maar ik begreep Nuharoos lijdensweg wel. In de toekomst zou ik in haar schoenen komen te staan. Maar nu probeerde ik te pakken wat ik kon. Ik beschouwde de toekomst als een geheim dat zich vanzelf zou openbaren. Het woord 'toekomst' deed me denken aan de sprinkhanenoorlog die mijn vader in Wuhu had uitgevochten, toen de lentevelden van de ene dag op de andere verdwenen waren.

Nuharoo slaagde erin om in het openbaar breed te glimlachen, maar uit de roddels van haar eunuchen en hofdames kon je opmaken dat ze van streek was. Ze trok zich verder terug in haar boeddhistische geloof en ging drie keer per dag naar de tempel om met haar meester te bidden.

Keizer Hsien Feng adviseerde me 'niet door het oog van een naald naar mensen te kijken'. Maar mijn instinct zei me dat ik Nuharoos jaloezie niet licht mocht opvatten. Yuan Ming Yuan was bepaald geen veilig oord. Oppervlakkig bezien leken Nuharoo en ik vriendinnen. Ze was betrokken bij de voorbereidingen voor de geboorte. Ze was naar de keizerlijke kledingwinkel gegaan om de pakjes voor het kind te inspecteren. Ook had ze een bezoek gebracht aan de keizerlijke opslagplaatsen om zich ervan te overtuigen dat er voldoende vers fruit en verse noten op voorraad waren. Er werd gezegd dat het eten van vis de moedermelkproductie bevorderde, dus zorgde Nuharoo ervoor dat er voldoende vis was om de zoogsters te voeden.

Nuharoo concentreerde zich op het uitzoeken van de zoogsters. Ze inspecteerde een leger zwangere vrouwen wier baby's rond dezelfde tijd als de mijne werden verwacht. Vervolgens reisde ze per rijtuig helemaal naar Yuan Ming Yuan om de zaak met mij te bespreken.

'Ik heb hun gezondheidsgeschiedenis tot drie generaties terug gecontroleerd,' zei ze.

Hoe opgewondener Nuharoo werd, hoe banger ik me begon te voelen. Ik wenste dat zij zelf een kind had. Op de keizer na begreep iedereen in de Verboden Stad onder welke immense druk Nuharoo stond na een aantal jaren getrouwd te zijn en geen teken van vruchtbaarheid te hebben getoond. Dat een dergelijke druk kon leiden tot merkwaardig gedrag was gebruikelijk bij kinderloze vrouwen. Het uitte zich onder andere in een obsessie voor yoohoo-loos; een andere uiting was de wanhoopssprong in een put. Ik wist nog steeds niet wat Nuharoos werkelijke bedoelingen waren.

Zodra dokter Sun Pao-tien na zijn onderzoek had verklaard dat ik de baby zou voldragen, liet Zijne Majesteit zijn astroloog komen. Ze gingen met z'n tweeën naar de Hemelse Tempel, waar Hsien Feng bad dat het kind een zoon zou zijn. Daarna bracht hij Nuharoo een felicitatiebezoek.

Maar zij is niet de moeder van uw kind! schreeuwde ik in gedachten.

Nuharoo speelde haar rol goed. Ze uitte haar geluk met echte tranen. Ik dacht: Vergis ik me in haar? Misschien moest ik mijn mening herzien. Misschien was Nuharoo een echte boeddhiste geworden.

Toen ik vijf maanden zwanger was, stelde Nuharoo aan keizer Hsien Feng voor dat ik weer naar het Paleis van Geconcentreerde Schoonheid zou vertrekken.

'Vrouwe Yehonala heeft absolute rust nodig,' zei Nuharoo tegen hem. 'Elke vorm van onrust moet haar bespaard worden, inclusief het slechte nieuws uit het land dat ze van u hoort.'

Ik liet mezelf denken dat Nuharoo bezorgd was om mijn welzijn en ging met de verhuizing akkoord. Maar zodra ik weg was uit de slaapkamer van Zijne Majesteit, voelde ik dat ik een vergissing had begaan. De waarheid kwam al snel aan het licht, en ik keerde nooit meer terug naar die slaapkamer.

Alsof hij mijn leven nog moeilijker wilde maken, kreeg ik van hoofdeunuch Shim te horen dat het mij niet was toegestaan mijn eigen kind op te voeden. Ik werd beschouwd als 'een van de moeders van de prins', maar niet als de enige. 'Dat is nu eenmaal de keizerlijke traditie,' zei Shim koeltjes. Nuharoo zou verantwoordelijk zijn voor de dagelijkse verzorging en de opleiding van mijn kind en ze had het recht het kind van me af te nemen als ik mijn medewerking weigerde. Zowel de Mantsjoe-clanleden als keizer Hsien Feng geloofden dat Nuharoo door haar keizerlijke bloed gekwalificeerd was de voornaamste moeder van de toekomstige prins te zijn. Niemand had me er ooit van beschuldigd een concubine van lagere klasse te zijn, maar mijn achtergrond als dorpsmeisje en de lage positie van mijn vader vormden een belemmering die het hof en de keizer nooit konden vergeten.

VEERTIEN

Een maand nadat ik uit zijn gezichtsveld was verdwenen nam keizer Hsien Feng vier nieuwe concubines. Ze waren van Han-Chinese afkomst. Aangezien het volgens de keizerlijke regels niet was toegestaan dat er niet-Mantsjoevrouwen in het paleis kwamen, trof Nuharoo maatregelen om hen binnen te smokkelen.

Ik vond het moeilijk te praten over de pijn die dit me deed. Het leek op een langzame verdrinking: de lucht was uit mijn longen geperst maar ik was nog niet dood.

'Zijne Majesteit is betoverd door hun kleine, lotusvormige voetjes,' rapporteerde An-te-hai. 'De dames zijn een geschenk van de gouverneur van Soochow.'

Ik ging ervan uit dat het voor Nuharoo niet moeilijk was geweest de gouverneur de tip de geven dat het een goed moment was hun heerser een plezier te doen. An-te-hai ontdekte dat Nuharoo de nieuwe concubines had ondergebracht in de keizerlijke miniatuurversie van de stad Soochow, die op enkele kilometers afstand van Yuan Ming Yuan in de grootste keizerlijke tuin van het Zomerpaleis lag. Het Zomerpaleis met zijn miniatuur-Soochow was gebouwd rond een meer en bestond uit meer dan drieduizend gebouwen op een terrein van bijna zevenhonderd hectare.

Zou ik in haar plaats anders gehandeld hebben? Wat voor reden had ik om te huilen? Was ik zelf niet schaamteloos naar een bordeel gegaan om te leren hoe ik een man moest behagen?

Keizer Hsien Feng had me na mijn vertrek niet meer bezocht. Mijn verlangen naar hem bracht me op gedachten aan witte zijden touwen. Het zachte getrappel in mijn buik bracht me terug naar de werkelijkheid en maakte mijn overlevingsdrang sterker. Ik overdacht mijn levensloop en probeerde uit alle macht mijn zelfbeheersing te bewaren. Hsien Feng was nooit echt de mijne geweest. Zo was het nu eenmaal. De ironie van het geval wilde dat de keizer werd geacht gedurende drie maanden na de dood van zijn moeder nuchter te blijven en niet de liefde te bedrijven. Hij eerbiedigde alleen de tradities die hem uitkwamen. Ik kon me niet voorstellen dat mijn zoon zou worden opgevoed als zijn vader. Ik moest Nuharoo ervan zien te overtuigen dat ik geen bedreiging voor haar vormde, zodat ik altijd in de buurt van mijn kind kon zijn.

In alle uithoeken van de Verboden Stad gonsde het van de geruchten over Zijne Majesteits obsessie voor zijn Chinese vrouwen. Ik begon last van afschuwelijke dromen te krijgen. Ik droomde dat ik lag te slapen en dat iemand probeerde me van het bed te trekken. Ik stribbelde tevergeefs tegen en werd de kamer uit gesleept. Ondertussen zag ik duidelijk dat mijn lichaam nog steeds bewegingloos op het bed lag.

In een andere droom zag ik rode, onrijpe bessen van bomen vallen. Ik kon ze zelfs horen vallen – plop, plop, plop. Volgens het bijgeloof was dit een slecht voorteken, dat een miskraam aankondigde. In paniek stuurde ik An-te-hai erop uit om te controleren of het klopte dat de bomen achter mijn paleis hun bessen al lieten vallen. An-te-hai kwam terug en zei dat hij geen bessen op de grond had gevonden.

Dag na dag hoorde ik de ploppende geluiden in mijn slaap. Ik dacht dat de bessen misschien tussen de dakpannen waren gevallen. Om me gerust te stellen klom An-te-hai het dak op. Samen met andere eunuchen zocht hij tussen de dakpannen en weer konden ze geen bessen vinden.

Ik hoorde taal noch teken van Zijne Majesteit, tot Nuharoo op een ochtend breed glimlachend op de stoep stond. Tot mijn verbazing stond keizer Hsien Feng achter haar.

Mijn minnaar leek zich niet erg op zijn gemak te voelen, maar al snel herstelde hij zich. Ik kon niet merken of hij me gemist had. Ik nam aan van niet. Hij had nooit geleerd zich iets aan te trekken van het lijden van een ander. Het zou trouwens voor hem niet goed zijn om al zijn tijd aan slechts één vrouw te besteden. Ik vroeg me af of hij van zijn vrouwen had genoten. Hadden ze wandelingetjes gemaakt 'dicht bij elkaar in het licht van de ondergaande zon'? Had Zijne Majesteit 'de bloemen in hun handen willen kussen'?

Het interesseerde me niet waar die vrouwen vandaan kwamen. Ik haatte hen. Toen ik me voorstelde hoe mijn geliefde hen had aangeraakt, sprongen de tranen in mijn ogen. 'Het gaat goed met mij, dank u,' zei ik tegen keizer Hsien Feng, terwijl ik een poging deed een glimlach te voorschijn te toveren. Ik zou hem nooit laten merken hoeveel pijn hij me deed.

Ik wilde hem niet vertellen dat ik geweigerd had naar huis te gaan toen ik als beloning voor mijn zwangerschap tien dagen verlof kreeg. Ofschoon ik mijn familie vreselijk miste, zou ik mijn gevoelens niet kunnen verbergen als ik hen zou zien. Mijn frustratie zou te veel zijn voor mijn moeders wankele gezondheid en het zou ook niet goed zijn voor Rong, die erop rekende dat ik een geschikte echtgenoot voor haar zou vinden. Rong zou teleurgesteld zijn als ik haar zou vertellen dat ik niet langer de favoriete was en dat mijn mogelijkheden haar te helpen beperkt waren.

Zijne Majesteit bleef een tijdje zwijgen. Toen hij eindelijk zijn mond opendeed, had hij het over muggen en hoe die hem dwarszaten. Hij gaf de eunuchen de schuld en klaagde dat dokter Sun Pao-tien er niet in was geslaagd iets aan een plekje op zijn kin te doen dat erg jeukte. Hij vroeg niet verder hoe het met mij ging en deed net alsof mijn dikke buik niet bestond.

'Ik heb met mijn astroloog een spel gespeeld dat "Verloren Paleizen" heet,' zei Zijne Majesteit, alsof hij het zwijgen tussen ons wilde verbreken. 'Het zit vol met valstrikken die ervoor zorgen dat je een verkeerde beoordeling maakt. De meester gaf me de raad te blijven waar ik was en geen moeite te doen een uitweg te vinden, totdat de tijd rijp zou zijn en de oplossing van het probleem zich zou aandienen.'

Zou Hsien Feng me geloven als ik hem vertelde wat Nuharoo gedaan had? Dat zou nooit lukken, besloot ik. Het was algemeen bekend dat Nuharoo dronken leek als ze in de tuin wandelde. In werkelijkheid kwam dat doordat ze bang was op mieren te trappen. Als ze er per ongeluk toch eentje doodtrapte, verontschuldigde ze zich. De eunuchen hadden het zelf gezien. Onze overleden schoonmoeder had haar betiteld als 'het tederste schepsel'.

We zaten thee te drinken terwijl het gesprek tussen Zijne Majesteit en Nuharoo verder ging. Onder het mom dat ik goed verzorgd moest worden stelde Nuharoo voor dat ze me vier van haar eigen dienstmeisjes zou sturen.

'Om mijn waardering uit te drukken voor vrouwe Yehonala en mijn *meimeis* bijdrage aan de dynastie.' Ze noemde me nu officieel mei-mei, 'jongere zuster'.

'Mijn "Kleine Wolk" is de beste van de vier,' zei Nuharoo. 'Het zal me zwaar vallen haar te laten gaan. Maar jij gaat voor. De hoop van de dynastie op opleving en voorspoed rust in jouw buik.'

Keizer Hsien Feng was aangenaam getroffen. Hij prees Nuharoo om haar vriendelijkheid en stond vervolgens op om te vertrekken. Hij keek me niet aan toen hij afscheid nam. 'Blijf gezond,' mompelde hij droogjes.

Ik kon mijn verdriet niet verbergen. Ik bleef zoeken naar de erkenning van de liefde die we hadden gedeeld. Maar er was niets over. Het leek alsof we elkaar nooit gekend hadden. Ik wenste dat mijn buik niet in de weg zat, niet zo uitstak, niet zo om aandacht en aanraking vroeg. Ik wenste dat ik de herinneringen kon wegvagen.

Ik zag keizer Hsien Feng en Nuharoo weglopen. Ik wilde me aan de voeten van mijn geliefde werpen. Ik wilde zijn voeten kussen en hem smeken me zijn liefde te schenken.

An-te-hai kwam naast me staan en hield me stevig vast. 'De bessen worden rijper, mevrouw,' fluisterde hij. 'Het zal niet lang meer duren.'

De takken van de cipressen hingen omlaag als enorme waaiers. Hun schaduw blokkeerde het maanlicht. Die nacht stormde het. Ik hoorde de takken heen en weer zwaaien en over de grond schrapen. De volgende ochtend vertelde An-te-hai me dat er overal rode bessen lagen. 'Het lijken net bloed-vlekken,' zei de eunuch. 'De grond in de tuin is ermee bedekt en ze liggen ook tussen de dakpannen.'

Ik ontving Kleine Wolk, een vijftienjarig dienstmeisje met kleine oogjes en ronde wangen. Aangezien ik de wens van de eerste gemalin moest respecte-ren, gaf ik Kleine Wolk een fikse bonus, waarvoor het meisje me liefjes be-dankte. Ik droeg An-te-hai op haar in de gaten te houden. Een paar dagen la-ter werd ze erop betrapt dat ze stond te spioneren.

'Ik heb haar betrapt!' An-te-hai sleepte Kleine Wolk naar me toe. 'Die waar-deloze slavin was bezig stiekem de brieven van Zijne Majesteit te lezen!'

Kleine Wolk ontkende de beschuldiging. Toen ik dreigde haar een pak slaag te laten geven als ze niet bekende, toonde ze haar ware aard. Haar oogjes zon-ken weg in haar opgeblazen gezicht toen ze begon te schreeuwen en An-te-hai uitschold voor 'beest zonder staart'. Vervolgens begon ze mij beledigin-gen toe te voegen. 'Mijn vrouwe is binnengekomen door de Poort van Hemelse Zuiverheid, terwijl u door een zijdeur bent gekomen!'

Ik beval An-te-hai het meisje mee te nemen en haar drie keer geen eten te geven.

Kleine Wolk ging gewoon door, alsof ze plezier had in mijn kwaadheid. 'Ik zou er maar eens goed over nadenken wiens hond u schopt, als ik u was! Wat geeft het dat ik u heb bespioneerd? U heeft hofdocumenten zitten lezen in plaats van te borduren! Bent u schuldig? Bent u bang? Ik kan u vertellen dat het te laat is om mij te kunnen omkopen, vrouwe Yehonala. Ik zal alles wat ik heb gezien overbrengen aan mijn meesteres. Ik zal beloond worden voor mijn loyaliteit; u zult eindigen zonder ledematen in een ton!'

'De zweep!' schreeuwde ik. 'Straf deze meid tot ze haar mond houdt!'

Het was niet mijn bedoeling dat An-te-hai mijn woorden letterlijk zou ne-men. Helaas gebeurde dat wel. Hij en de andere eunuchen sleurden Kleine Wolk weg en brachten haar naar de Hal van Bestraffing, aan de andere kant van het paleis. Ze gaven Kleine Wolk er met de zweep van langs en probeer-den alles om haar de mond te snoeren, maar het meisje was te koppig.

Een uur later kwam An-te-hai vertellen dat het kind dood was.

'Jij...' Ik was gechoqueerd. 'An-te-hai, ik heb je geen opdracht gegeven haar dood te slaan!'

'Maar ze wilde haar mond niet houden, mevrouw.'

Als hoofd van de keizerlijke hofhouding gebood Nuharoo me voor haar te verschijnen. Ik hoopte dat ik sterk genoeg zou zijn om te verduren wat me te wachten stond. Ik maakte me zorgen om het kind in mijn buik.

Voordat ik me had kunnen verkleden stormde een groep eunuchen uit de Hal van Bestraffing mijn paleis binnen. Ze wilden niet zeggen door wie ze gestuurd waren. Ze arresteerden mijn eunuchen en dienstmeisjes en door- zochten mijn laden en kasten.

'U kunt me het best meteen wegsturen om Zijne Majesteit op de hoogte te stellen,' zei An-te-hai terwijl hij me in mijn hofgewaad hielp. 'Ze zullen u net zolang martelen tot u het drakenzaad verliest.'

Ik voelde dat mijn buik zich samentrok. Angstig hield ik mijn buik vast en zei tegen An-te-hai dat hij geen tijd mocht verliezen. Hij pakte een waskom en vertrok langs de achterkamer, voorwendend dat hij water ging halen.

Buiten hoorde ik een stem die me aanspoorde op te schieten. 'Hare Majesteit de keizerin wacht!' Ik weet niet of het een van mijn eunuchen was of een van de mensen die mijn paleis op z'n kop hadden gezet.

Ik treuzelde zo lang mogelijk om An-te-hai meer tijd te geven. Mijn twee hofdames kwamen binnen. De een controleerde mijn strikken en knopen en de ander ontfermde zich over mijn haar. Ik wierp een laatste blik in de spiegel. Ik wist niet of het door mijn emotie kwam of door mijn make-up dat ik er ziek uitzag. Mijn gewaad was geborduurd met zwarte en gouden orchideeën. Ik dacht dat als er iets met me zou gebeuren, ik het leven in dit gewaad wilde verlaten.

Ik begaf me naar de deur en mijn hofdames tilden het gordijn op. Toen ik naar buiten stapte zag ik hoofdeunuch Shim op het binnenplein staan.

Hij was formeel gekleed in een purperen gewaad met bijpassend hoofddeksel.

'Wat is er aan de hand, hoofdeunuch Shim?' vroeg ik.

'De regels verbieden me tegen u te spreken, vrouwe Yehonala.' Hij probeerde een nederige toon in zijn stem te leggen, maar er klonk opgetogenheid in door. 'Alstublieft, laat me u in uw draagstoel helpen.'

Ik kreeg een gevoel alsof mijn keel werd dichtgeknepen.

Nuharoo keek majestueus op me neer. Ik knielde en kow-towde voor haar. Slechts een paar weken geleden hadden we elkaar gezien en haar schoonheid leek nog opvallender geworden. Ze droeg een goudkleurige, met feniksen geborduurde japon. Ze was zwaar opgemaakt. Op haar onderlip was een rode stip aangebracht. Haar grote ogen met de zware oogleden schitterden feller dan gewoonlijk. Ik kon niet bepalen of dit kwam door haar tranen of door haar donkere eyeliner.

'Ik stel het bepaald niet op prijs dat je me hiertoe dwingt,' zei ze. Zonder me toestemming te geven op te staan, vervolgde ze: 'Iedereen weet dat ik niet geschikt ben voor dit soort momenten. Maar dat is de ironie van het leven. Ik heb geen keus, want ik ben verantwoordelijk voor de hofhouding. Mijn plicht gebiedt me recht te spreken. De regels zijn duidelijk voor alle bewoners van de Verboden Stad: niemand heeft het recht een dienstmeid te mishandelen, laat staan haar het leven te benemen.'

Plotseling liet ze het hoofd hangen. Ze beet op haar lip en begon te huilen. Al snel zat ze te snikken.

'Majesteit,' zei hoofdeunuch Shim, 'de zwepen zijn nat gemaakt en de eunuchen staan gereed om hun plicht te doen.'

Nuahroo knikte. 'Vrouwe Yehonala, ga, alstublieft.'

Shim nam een lange, dikke zweep aan van zijn assistent, maakte een diepe buiging voor de keizerin en verliet de zaal.

De wachters kwamen van alle kanten toesnellen en pakten me beet.

Ik verzette me. 'Ik draag keizer Hsien Fengs kind!'

Hoofdeunuch Shim kwam terug en bond mijn handen op mijn rug. Mijn knieën knikten en ik viel. Mijn buik raakte de vloer.

Op mijn knieën kroop ik naar Nuharoo toe en smeekte haar: 'Ik heb werkelijk veel spijt over wat er met Kleine Wolk is gebeurd, majesteit, maar het was een ongeluk. Als u me moet straffen, doet u dat dan alstublieft nadat ik bevallen ben. Ik accepteer elke straf.'

Nuharoo glimlachte. Haar gezichtsuitdrukking joeg me angst aan. De glimlach maakte duidelijk dat het haar wens was dat ik de baby zou verliezen en dat er alleen tegen die prijs weer vrede tussen ons zou zijn. Ik wist zeker dat ze heel goed begreep dat ik niet zou toegeven, dat ze me zou moeten dwingen en dat ze gesteund werd door alle concubines. Ze wilde me laten weten dat ze een sterke wil had en dat er rekening met haar moest worden gehouden.

We staarden elkaar aan. We begrepen elkaar uitstekend.

'Ik speel het eerlijk, vrouwe Yehonala, meer niet,' zei Nuharoo bijna vriendelijk. 'Ik kan u verzekeren dat het niets persoonlijks is.'

'Bind haar vast!' riep hoofdeunuch Shim.

De wachters gooiden me over hun schouders.

'Majesteit, keizerin Nuharoo, daarboven,' riep ik, terwijl ik worstelde om los te komen. 'Als uw slavin ben ik me bewust van mijn misdaad. Al verdien ik het niet, ik smeek u, heb medelijden. Ik heb al tegen het kind in mijn buik gezegd dat u zijn echte moeder bent. U bent zijn lotsbestemming. De reden dat ik dit kind ter wereld zal brengen is dat het bij u kan komen. Heb medelijden met dit kind, keizerin Nuharoo, want het zal het uwe zijn.'

Ik probeerde te buigen. De gedachte dat ik mijn kind zou verliezen was erger dan zelf dood te gaan. 'Nuharoo, geeft u hem alstublieft de kans om u lief te hebben, mijn oudere zuster. In het volgende leven zal ik terugkomen in elke gedaante die u maar wenst. Ik zal het vel op uw trommel zijn, het papier waarmee u uw achterste afveegt, de worm voor uw vishaak...'

Hoofdeunuch Shim fluisterde Nuharoo iets in het oor. Haar gezichtsuitdrukking veranderde. Waarschijnlijk had Shim gezegd dat ze al haar titels zou kwijtraken en door de bliksem getroffen zou worden als ze het misnoegen zou opwekken van de keizerlijke voorouders. Het was Shims taak om niet alleen Nuharoos toekomst te bewaken, maar ook die van hemzelf, net als An-te-hai dat bij mij deed.

'Gaan we door?' vroeg hij.

Nuharoo knikte.

'Zah!' De eunuch deed een stap terug terwijl hij overeind kwam uit zijn buiging. Hij greep me bij de kraag en gaf zijn mensen het bevel: 'Op de wijze van Woo Hua, de Bloem – het touw!'

Ik werd naar buiten gesleurd. Plotseling voelde ik een warme vloeistof van tussen mijn benen druipen. Ik hield mijn buik vast en begon te huilen.

Op dat moment hoorde ik een kreet van de andere kant van de hal.

'Blijf staan en zwijg!'

Keizer Hsien Feng drong zich tussen hoofdeunuch Shim en mij. Hij had zijn lichtgele zijden gewaad aan. Zijn neusgaten stonden wijd open. Zijn ogen schoten vuur. An-te-hai stond hijgend achter hem.

Hoofdeunuch Shim begroette Zijne Majesteit, maar die reageerde niet op hem.

Nuharoo verhief zich van haar zetel. 'Majesteit, ik dank u uit de grond van mijn hart dat u me komt verlossen.' Ze wierp zich aan de voeten van de keizer. 'Ik kan het niet meer verdragen. Ik kan mezelf er niet toe brengen vrouwe Yehonala te straffen, wetend dat ze uw kind draagt.'

Keizer Hsien Feng bleef even roerloos staan. Toen boog hij zich met uitgestrekte armen voorover. 'Mijn keizerin,' zei hij zachtjes. 'Ga staan, alsjeblieft.'

Nuharoo weigerde te gaan staan. 'Ik ben niet geschikt als keizerin en ik verdien het gestraft te worden,' zei ze, terwijl de tranen over haar wangen stroomden. 'Vergeeft u me alstublieft, want ik heb mijn plicht niet gedaan.'

'U bent de barmhartigste mens die ik ooit heb ontmoet,' antwoordde de keizer. 'Orchidee boft dat ze een zuster als u heeft.'

Ik lag op de grond. An-te-hai hielp me te gaan zitten. Het warme, natte gevoel tussen mijn benen leek weg te zijn. Toen Hsien Feng keek of ik echt gewond was, zag ik dat hij concludeerde dat An-te-hai had overdreven.

Zijne Majesteit zei tegen Nuharoo dat ze niets verkeerds had gedaan. Hij pakte zijn zakdoek en gaf die aan haar. 'Ik heb je niet willen belasten met verantwoordelijkheden. Maar je moet begrijpen dat de keizerlijke hofhouding bestierd moet worden, en dat is jouw taak. Alsjeblieft, Nuharoo, je hebt mijn diepste vertrouwen en dankbaarheid.'

Nuharoo stond op en boog voor de keizer. Ze gaf hem zijn zakdoek terug en nam een handdoek van hoofdeunuch Shim aan. Ze depte haar wangen met de handdoek en zei: 'Ik maak me zorgen dat de baby hier misschien last van zal krijgen. Ik durf onze voorouders niet onder ogen te komen als het kind schade heeft ondervonden.' En weer barstte ze in tranen uit. Keizer Hsien Feng bood haar aan in de middag met haar in het keizerlijke park te gaan wandelen en haar te helpen tot zichzelf te komen.

Het was moeilijk om toe te kijken terwijl Zijne Majesteit zijn genegenheid voor Nuharoo toonde. En het was nog moeilijker om alleen de nacht door te brengen, in de wetenschap dat Hsien Feng bij haar was. De gedachte aan wat er had kunnen gebeuren, en wat er misschien nog zou gebeuren, was beangstigender dan welke nachtmerrie ook.

Ik leefde in een chaotische wereld, waar martelingen dagelijkse kost waren. Ik begon te begrijpen waarom zoveel concubines geobsedeerd raakten door religie. Als ze dat niet deden, zouden ze helemaal gek worden.

Ik had de afschuwelijkste winter die ik ooit had meegemaakt overleefd. Het was half februari, 1856. Mijn buik was nu zo groot als een watermeloen. Tegen An-te-hais advies in liep ik buiten over de bevroren aarde. Ik wilde mijn tuin in en verlangde naar de frisse lucht. De schoonheid van de met sneeuw bedekte paviljoens en pagodes gaf me een verrukkelijk hoopvol gevoel. Nog een paar maanden en de baby zou worden geboren.

Ik probeerde in de aarde te wroeten, maar de grond was nog hard. An-te-hai bracht een grote zak bloembollen van vorig jaar en zei: 'Plant een wens voor de baby, mevrouw.'

Ik kon zien dat hij vast geslapen had, want zijn wangen waren appelrood. 'Natuurlijk,' zei ik.

Het kostte ons de hele dag om de bollen te planten. Ik dacht aan de boeren op het platteland en stelde me voor hoe hard de gezinnen moesten ploeteren om de bevroren grond te bewerken.

'Als je een zoon bent,' zei ik, terwijl ik mijn hand op mijn buik legde, 'en als je ooit keizer van China wordt, wil ik dat je een goed mens bent en het verdient.'

'A-ko!' Toen ik An-te-hai dit hoorde roepen veranderde mijn geest in een lentetuin waar alle bloemen tegelijk bloeiden. Al was ik uitgeput, ik voelde me extatisch. Voordat Hsien Feng was gearriveerd, waren Nuharoo en alle andere echtgenotes van Zijne Majesteit al in mijn paleis. 'Waar is onze nieuwgeboren zoon?'

Iedereen feliciteerde Nuharoo. Toen ze de baby uit mijn armen nam en hem trots aan de anderen liet zien, voelde ik mijn angst weer opkomen. Ik bleef maar denken: Nu de kans verkeken is mijn zoon te doden terwijl hij in mijn buik zat, zullen ze hem dan nu in de wieg smoren? Zullen ze zijn geest vergiftigen door hem te verwennen? Van één ding was ik overtuigd: ze zouden nooit vergeten dat ze het me betaald wilden zetten.

Keizer Hsien Feng verleende me een nieuwe titel: de Voorspoedige Moeder. Naar mijn familie werden geschenken en taëls gestuurd om hen te eren. Maar toch mochten mijn moeder en zusje me niet bezoeken. Mijn echtgenoot kwam ook niet. Men dacht dat mijn 'onreinheid' Zijne Majesteit ziek zou kunnen maken.

Ik kreeg tien maaltijden per dag voorgezet, maar ik had geen trek en het meeste voedsel werd weggegooid. In mijn dromen zat ik mensen achterna die zich hadden vermomd en mijn zoon kwaad wilden doen.

Een paar dagen later kwam de keizer op bezoek. Hij zag er slecht uit. Het gewaad dat hij droeg deed hem magerder en brozer lijken dan voorheen. Hij maakte zich zorgen over het formaat van zijn zoon. Waarom was hij zo klein en waarom sliep hij de hele tijd?

'Wie zal het zeggen?' plaagde ik. Hoe kon de Zoon van de Hemel zo onnozel zijn?

'Ik ben gisteren naar het park gegaan.' Zijne Majesteit overhandigde de baby aan een dienstmeisje en kwam naast me zitten. Zijn ogen gleden over mijn ogen en mijn mond. 'Ik zag een dode boom,' zei hij fluisterend. 'Boven op zijn kroon groeide mensenhaar. Het was erg lang en het golfde omlaag als een waterval.'

Ik staarde hem aan.

'Is dat een goed of een slecht teken, Orchidee?'

Voordat ik kon antwoorden, praatte hij verder. 'Daarom ben ik naar je toe gekomen. Als er ergens op jouw paleisterrein een dode boom staat, moet je die onmiddellijk laten weghalen, Orchidee. Beloof je me dat?'

Zijne Majesteit en ik brachten enige tijd door op het binnenplein, op zoek naar dode bomen. Er was er niet één, en uiteindelijk keken we samen naar het ondergaan van de zon. Ik huilde van blijdschap. Zijne Majesteit vertelde me dat hij van de tuinman had gehoord dat het haar op de boom een zeldzame korstmossoort was, dat groeide op dode bomen.

Ik had geen zin om over dode bomen te praten, dus informeerde ik naar zijn bezigheden en audiënties. Hij had weinig te vertellen, dus liepen we een tijdje zwijgend door. Hij wiegde de baby in slaap. Het was het zoetste moment in mijn leven. Keizer Hsien Feng bleef niet overnachten en ik durfde het hem niet te vragen.

Ik hield mezelf voor dat ik blij moest zijn dat mijn bevalling soepel verlopen was. Ik had dood kunnen zijn door de zweep van hoofdeunuch Shim of door talloze andere oorzaken. De keizerlijke concubines hadden verloren en vanwege de zuigeling schonk Zijne Majesteit mij weer aandacht.

De volgende dag kwam Hsien Feng weer. Hij bleef treuzelen nadat hij de baby had vastgehouden. Ik had me voorgenomen hem geen vragen te stellen.

Hij begon regelmatig op bezoek te komen, steeds 's middags. We babbelden over onze zoon en hij beschreef de gebeurtenissen aan het hof. Hij klaagde erover dat alles zo lang duurde en dat zijn ministers niets voor elkaar kregen.

Ik zat meestal te luisteren. Hsien Feng leek van onze gesprekken te genieten en kwam steeds eerder op de dag. We waren niet intiem met elkaar, maar we stonden elkaar na.

Ik probeerde tevreden te zijn met wat ik had. Maar een deel van mij wilde meer. Als Zijne Majesteit 's avonds vertrok, kon ik het niet nalaten me hem voor te stellen met zijn Chinese vrouwen – die kenden vast en zeker betere trucs dan mijn waaierdans. Ik voelde me akelig als ik probeerde te begrijpen waarom hij zich niet langer tot me voelde aangetrokken. Was het omdat mijn lichaam veranderd was? Door mijn rode ogen? Door mijn borsten, die door de melk veel groter waren? Waarom vermeed hij mijn bed?

An-te-hai probeerde me ervan te overtuigen dat het gebrek aan interesse van Zijne Majesteit niets met mij te maken had. 'Hij heeft niet de gewoonte terug te komen bij vrouwen met wie hij heeft geslapen. Hoe hoog hij ook heeft opgegeven van hun schoonheid en hoe ze hem ook in bed hebben bevredigd.'

Het goede nieuws voor mij was dat ik niets hoorde over een andere zwangerschap.

Uit de brieven van prins Kung maakte ik op dat keizer Hsien Feng de audiënties had gemeden sinds hij een nieuw verdrag met de buitenlanders had gesloten, waarin hij erkende dat China verslagen was. Hij voelde zich beschaamd en vernederd en bracht zijn dagen in eenzaamheid in de keizerlijke tuinen door. 's Nachts zocht hij vergetelheid in lichamelijke genoegens.

Zo ziek als hij was, eiste hij toch vierentwintig uur per dag vermaakt te worden. An-te-hai kwam achter de details via een nieuwe vriend, Zijne Majesteits kamerheer, een veertienjarige eunuch die Chow Tee heette en uit An-te-hais geboorteplaats afkomstig was.

'Zijne Majesteit was het grootste deel van de tijd dronken en was niet in staat zijn mannelijke plicht te vervullen,' vertelde An-te-hai. 'Hij kijkt graag naar zijn vrouwen en beveelt hen met zichzelf te spelen als ze aan het dansen zijn. De feesten gaan de hele nacht door, terwijl Zijne Majesteit slaapt.'

Ik herinnerde me zijn laatste bezoek. Hsien Feng kon niet ophouden over zijn ondergang. 'Ik weet zeker dat mijn voorouders me in tienduizend stukken zullen scheuren als ik hen onder ogen kom.' Hij lachte nerveus en hoestte. Zijn borst klonk als een windkamer. 'Dokter Sun Pao-tien heeft opium voorgeschreven om mijn pijn te verlichten,' zei hij. 'Ik vind het eigenlijk niet erg om dood te gaan, want ik kijk ernaar uit verlost te zijn van mijn moeilijkheden.'

Het was geen geheim meer dat de gezondheid van de keizer weer achteruit ging. Iedereen maakte zich zorgen om zijn bleke gezicht en lege blik. Sinds we weer waren teruggekeerd in de Verboden Stad moesten de ministers van het hof de staatszaken met hem bespreken in zijn slaapkamer.

Mijn hart brak toen ik merkte dat Hsien Feng de hoop had opgegeven. Voordat hij uit mijn paleis vertrok, zei hij: 'Het spijt me.' Verdrietig glimlachend keek hij naar me op, nadat hij zich over de wieg van zijn zoon had gebogen. 'Ik heb het niet meer voor het zeggen.'

Ik keek toe terwijl de vader van mijn kind zijn drakengewaad aantrok. Hij had niet eens meer de kracht zijn armen op te tillen. Hij moest drie keer diep ademhalen voordat hij zijn schoenen aankreeg.

Voordat het te laat is moet ik hem vragen of hij me het recht geeft mijn zoon zelf op te voeden! Deze gedachte schoot door mijn hoofd terwijl ik mijn baby in mijn armen had en keek hoe hij in zijn draagstoel stapte. Ik had deze wens al een keer geuit, maar hij had niet gereageerd. Volgens An-te-hai zou keizer Hsien Feng Nuharoo nooit kwetsen door haar het recht te ontzeggen eerste moeder te zijn.

Mijn zoon werd geboren op 1 mei 1856 en kreeg de officiële naam Tung Chih, wat 'terugkeer naar de orde' betekende. *Tung* stond ook voor 'gezamenlijkheid' en *Chih* voor 'heersen' – dus betekende de naam ook 'samen heersen'. Als ik bijgelovig was geweest, zou ik gezien hebben dat de naam op zich een voorspelling inhield.

De feestelijkheden begonnen een dag na zijn geboorte en gingen de hele maand door. Van de ene dag op de andere was de Verboden Stad veranderd in één groot feest. Aan alle bomen hingen rode lantaarns. Iedereen droeg rode en groene kleding. Vijf operagezelschappen werden uitgenodigd om voorstellingen te geven in het paleis. Er klonk tromgeroffel en muziek. De voorstellingen gingen dag en nacht door. Iedereen was dronken. De meest gestelde vraag was: 'Waar is het toilet?'

Jammer genoeg kon al die vrolijkheid het slechte nieuws niet verdringen. Hoeveel symbolen van geluk en overwinning we ook droegen, aan de onderhandelingstafel verloren we het van de barbaren. Minister Chi Ying en de Grote Secretaris Kuei Liang, de schoonvader van prins Kung, werden gestuurd om China te vertegenwoordigen. Ze kwamen terug met het zoveelste vernederende verdrag: dertien landen, waaronder Engeland, Frankrijk, Japan en Rusland, hadden een alliantie tegen China gevormd. Ze stonden erop dat we meer havens zouden openstellen voor de opium en de handel.

Ik stuurde prins Kung een boodschap waarin ik hem uitnodigde zijn nieuwe neefje te komen bezoeken, maar heimelijk hoopte ik dat hij ook in staat zou zijn Hsien Feng zover te krijgen dat hij zijn audiënties weer zou bijwonen.

Prins Kung kwam meteen en hij zag er bezorgd uit. Ik bood hem verse kersen aan en Lung Ching-thee uit Hangchow. Hij slokte de thee naar binnen alsof het water was. Ik besefte dat ik niet het juiste moment had uitgekozen hem te vragen. Maar zodra prins Kung Tung Chih zag, pakte hij de kleine op. Het kind glimlachte en zijn oom was meteen verkocht. Ik wist dat Kung langer had willen blijven, maar er kwam een boodschapper met een document dat hij moest tekenen, en hij moest Tung Chih weer terugleggen.

Ik nipte van mijn thee terwijl ik de wieg heen en weer bewoog. Toen de boodschapper was vertrokken, leek prins Kung vermoeid. Ik vroeg of hij met het nieuwe verdrag in zijn maag zat.

Hij knikte en glimlachte. 'Ik voel me geen vierentwintig meer, dat is wel zeker.'

Ik vroeg of hij me iets meer kon vertellen over het verdrag. 'Is het echt zo vreselijk als men zegt?'

'Dat wilt u niet weten,' was zijn antwoord.

'Ik heb er wel wat gedachten over,' waagde ik. 'Ik heb Zijne Majesteit een tijdje geholpen met de hofdocumenten.'

Prins Kung sloeg zijn ogen op en keek me aan.

'Het spijt me als ik u verbaasd doe staan,' zei ik.

'Niet echt,' zei hij. 'Was Zijne Majesteit maar wat meer geïnteresseerd.'

'Waarom gaat u niet weer eens met hem praten?'

'Hij heeft watten in zijn oren.' Hij zuchtte. 'Ik kan niet tot hem doordringen.'

'Wellicht kan ik Zijne Majesteit beïnvloeden als u me wat informatie geeft,' zei ik. 'Ik zal tenslotte toch meer moeten weten ten bate van Tung Chih.'

Deze woorden leken prins Kung aan te spreken en hij begon te praten. Het schokte me te horen dat de buitenlanders volgens het verdrag consulaten in Peking mochten openen.

'Elk land heeft zijn eigen lokatie uitgekozen, niet ver van de Verboden Stad,' zei hij. 'Het verdrag stelt buitenlandse koopvaardijschepen in staat langs de Chinese kust te varen en de missionarissen staan onder bescherming van de regering.'

Tung Chih begon in mijn armen te huilen. Waarschijnlijk moest hij een schone luier hebben. Ik wiegde hem zachtjes en hij werd weer stil.

'Daarnaast worden we geacht buitenlandse belastinginspecteurs in dienst te nemen om onze douane te bestieren, en, wat het ergst is...' Hier zweeg prins Kung even en zei toen: 'We moeten de opium legaliseren.'

'Dat zal Zijne Majesteit niet toestaan,' zei ik, terwijl ik me voorstelde dat prins Kung zijn broer om zijn handtekening kwam vragen.

'Was hij maar degene die het bepaalde. De realiteit is dat de buitenlandse kooplieden worden gesteund door het militaire apparaat van hun land.'

We zaten even door het raam te staren.

Tung Chih begon weer te huilen. Hij had geen harde of sterke stem. Hij leek meer op een jong katje. Een dienstmeisje kwam hem verschonen. Daarna wiegde ik hem in slaap.

Ik dacht na over Hsien Fengs gezondheidstoestand en de mogelijkheid dat mijn zoon zonder vader zou opgroeien.

'Dit is er nu geworden van een vijfduizend jaar oude beschaving,' zei prins Kung zuchtend, terwijl hij opstond.

'Ik heb Zijne Majesteit zelf al een tijdje niet meer gezien,' zei ik, terwijl ik Tung Chih terug in zijn wiegje legde. 'Heeft hij nog contact met u opgenomen?'

'Hij wil me niet zien. Als hij me ziet, noemt hij mij en mijn ministers een stelletje idioten. Hij dreigt Chi Ying en mijn schoonvader te laten onthoofden. Hij verdenkt hen ervan verraders te zijn. Voordat Chi Ying en Kuei Liang met de barbaren gingen onderhandelen, hebben ze ceremonieel afscheid genomen van hun familie. Ze verwachtten al dat ze onthoofd zouden worden, omdat ze weinig hoop hadden dat Zijne Majesteit zijn zin zou krijgen. De familie bracht heildronken uit en zong gedichten om hen uit te zwaaien. Mijn vrouw is radeloos. Ze geeft mij de schuld, omdat ik haar vader erbij betrokken heb. Ze dreigt dat ze zich zal verhangen als er iets met hem gebeurt.'

'Wat zou er gebeuren als Hsien Feng weigert het verdrag te ondertekenen?'

'Zijne Majesteit heeft geen keus. In Tientsin zijn al vijandige troepen gelegerd. Hun doel zal Peking zijn. Het mes staat ons op de keel.' Prins Kung keek naar Tung Chih en zei: 'Ik ben bang dat ik weer aan het werk moet.'

Toen ik hem door de gang zag weglopen, was ik blij dat Tung Chih in ieder geval deze man als oom had.

VIJFTIEN

Binnen enkele weken na zijn geboorte moest Tung Chih al zijn eerste ceremonie meemaken. Het werd *Shih-san* genoemd, de 'Drie Baden'. Volgens de geschriften van onze voorouders zou het ritueel Tung Chihs plaats in het universum zeker stellen. Op de avond voordat het ritueel zou plaatsvinden richtten de eunuchen mijn paleis helemaal opnieuw in en omwikkelden ze de balken en dakranden met rood- en groengeverfde stof. Om negen uur 's morgens was alles gereed. Voor de poorten en gangen waren pompoenvormige rode lantaarns opgehangen.

Ik was opgewonden omdat mijn moeder, mijn zusje Rong en mijn broer Kuei Hsiang toestemming hadden gekregen erbij te zijn. Dit was hun eerste bezoek sinds ik naar de Verboden Stad was verhuisd. Ik stelde me voor hoe verrukt mijn moeder zou zijn als ik haar Tung Chih in de armen gaf. Ik hoopte dat hij zou lachen. Ik vroeg me af hoe het met Rong ging. Ik had een jongeman op het oog aan wie ik haar wilde voorstellen.

Onlangs had Kuei Hsiang de eer genoten dat de titel van mijn vader op hem was overgegaan. Hij kon nu kiezen tussen in Peking blijven en leven van zijn jaarlijkse toelage of mijn vaders voetstappen volgen en werken aan een carrière aan het keizerlijke hof. Kuei Hsiang koos voor het eerste, wat me niet verbaasde; het ontbrak hem aan het doorzettingsvermogen van onze vader. Desondanks zou het een troost zijn voor mijn moeder om haar zoon in de buurt te hebben.

Toen de zon de tuin had opgewarmd en bloemengeur de lucht bezwangerde, begonnen de gasten te arriveren. Onder hen waren de oudere concubines van Tung Chihs grootvader, Tao Kuang. Ik herinnerde me die oude vrouwen maar al te goed van mijn bezoek aan het Paleis van Welwillende Rust.

'U moet hun aanwezigheid echt als een eer beschouwen, mevrouw,' zei An-te-hai. 'Ze vertonen zich vrijwel nooit in het openbaar; boeddhisten worden geacht de eenzaamheid te koesteren.'

De dames kwamen in groepjes aan en waren gekleed in dunne, bruinachtige katoenen gewaden. De dozen die hun geschenken bevatten waren niet rood maar geel, en de verpakking was gemaakt van gedroogde bladeren. Later zou ik erachter komen dat in elke doos hetzelfde zat: een beeldje van een zittende Boeddha, uitgesneden uit hout of jade.

Ik stond in mijn mooie perzikkleurige gewaad bij de poort en begroette de gasten. Tung Chih was in goudkleurige stof gewikkeld en werd vastgehouden door een hofdame. Hij had net zijn oogjes open en was in een opgewekte bui. Hij staarde de bezoekers aan met een wijze blik in zijn ogen. Toen de zon hoog aan de hemel stond, waren de koninklijke verwanten die buiten de Verboden Stad woonden gearriveerd, onder wie prins Kung, prins Ts'eng en prins Ch'un met hun fujins en kinderen.

Keizer Hsien Feng en Nuharoo verschenen op het middaguur. Hun komst werd aangekondigd door een dubbele, bijna achthonderd meter lange rij kleurrijk geklede eunuchen. Hsien Fengs drakenstoel en Nuharoos feniksstoel naderden de paleispoort tussen de rijen eunuchen in.

De avond ervoor was de keizer naar mijn paleis gekomen om thee te drinken. Hij had een geschenk voor Tung Chih meegenomen: zijn eigen riem, gemaakt van paardenhaar met witte zijden strikken erdoorheen gevlochten. Hij bedankte me omdat ik hem een zoon had geschonken.

Ik raapte al mijn moed bij elkaar en vertelde hem dat ik eenzaam was geweest. Al had ik Tung Chih, zei ik, toch voelde ik me verward en verloren. Ik smeekte hem de nacht bij mij door te brengen. 'Het is te lang geleden, Hsien Feng.'

Hij begreep het wel, maar wilde niet blijven. In de afgelopen maanden had hij elke beschikbare slaapkamer in het Zomerpaleis volgestopt met schoonheden uit het hele land. Hij zei: 'Mijn gezondheid is slecht. De dokter heeft me geadviseerd dat ik beter alleen kan slapen om te voorkomen dat mijn zaad weglekt.'

Zo langzamerhand begon ik Nuharoo, vrouwes Yun, Li, Mei en Hui en de anderen naar wie de Zoon van de Hemel niet meer verlangde of die hij zich niet meer herinnerde, te begrijpen.

'Ik heb een edict getekend waarin je een nieuwe titel wordt toegekend,' zei mijn echtgenoot, terwijl hij aanstalten maakte om te vertrekken. 'Het zal morgen bekend worden gemaakt en ik hoop dat je er blij mee bent. Vanaf nu zul je dezelfde rang en titel dragen als Nuharoo.'

De *Shih-san*-ceremonie begon. De concubines verspreidden zich nadat Nuharoo hun toestemming had gegeven plaats te nemen. De dames waren gekleed in feestkleding, alsof ze naar de opera gingen. Ze keken om zich heen en hadden overal kritiek op.

Nuharoo zei tegen me: 'Neem plaats, jongere zuster.' Haar ogen werden zachter, al gaf de zware blauwe make-up haar nog steeds een streng uiterlijk.

Ik ging in de stoel naast haar zitten.

De menigte kreeg door dat Nuharoo een toespraak zou houden. De mensen dromden samen en rekten hun hals om aan te tonen dat ze het graag wilden horen.

'Heb medelijden met mij als vrouw,' sprak Nuharoo tot de menigte. 'Ik voel me schuldig ten opzichte van Zijne Majesteit. Dat is mijn rampspoed, omdat ik hem geen kinderen heb kunnen geven. Tung Chih geeft mij de kans hem mijn loyaliteit te bewijzen. Ik voelde me al Tung Chihs moeder toen vrouwe Yehonala's buik dikker begon te worden.' Ze moest glimlachen om haar eigen woorden. 'Ik ben verliefd op mijn zoon.'

Er klonk geen enkele ironie in haar woorden. Ik wenste dat ik haar bedoelingen verkeerd beoordeelde. Als ze alleen maar liefde voor Tung Chih zou voelen, zou ik haar met genoegen haar gang laten gaan. Maar mijn moederinstinct was sterk en ik had het gevoel dat elk vertrouwen misplaatst zou zijn.

'Kom en deel in mijn geluk, iedereen!' riep Nuharoo jubelend. 'Leer mijn hemelse jongen, Tung Chih, kennen!'

De concubines deden hun uiterste best enthousiasme te tonen. Hun gezichten waren zwaar beschilderd en hun hoofden droegen enorme hoeveelheden versierselen. Ze knielden en wensten Nuharoo en mij 'een tienduizend jaar lang leven' toe. Ik voelde me niet op mijn gemak toen de dames zich rond de wieg verdrongen. Ze kusten Tung Chih op de wang. Door de uitgelopen lippenverf om hun mond deden ze me denken aan hongerige wolven die een konijn aan stukken scheuren.

Toen vrouwe Yun langs me liep, rook ik een ongebruikelijke kruidengeur. Ze had een lichtgeel zijden gewaad aan waarop witte chrysanten waren geborduurd. Ze had oorbellen met ballen zo groot als een walnoot, die op haar schouders bungelden. Toen vrouwe Yun ging zitten en glimlachte, had ze kuiltjes in haar wangen.

'Slaapt de baby 's nachts al door?' vroeg ze. 'Of niet?'

Nuharoo en ik keken elkaar aan.

'Een gelukwens zou wel op zijn plaats zijn,' zei Nuharoo tegen vrouwe Yun.

'Heeft u gezien dat de pruimenbomen in bloei staan?' Vrouwe Yun praatte door, alsof ze Nuharoo niet gehoord had. 'Vanmorgen is er in mijn paleis toch zoiets vreemds gebeurd.'

'Wat dan?' vroegen de andere dames, terwijl ze als ganzen hun hals rekten naar vrouwe Yun.

'In de hoek van mijn slaapkamer,' – hier liet vrouwe Yun haar stem tot gefluister dalen – 'heb ik een enorme paddestoel ontdekt. Zo groot als een mensenhoofd!'

Vrouwe Yun glimlachte toen ze zag dat haar toehoorders verbijsterd waren. 'Er staan nog meer merkwaardige gebeurtenissen op stapel. Mijn astroloog heeft het teken van de dood gezien in een spinnenweb dat in een boom hing. Uiteraard ben ik me van dit soort dingen ook bewust. Keizer Hsien Feng heeft me vaak verteld dat hij 's nachts in zijn slaap verandert in een stuk stof en dan door de zuidenwind rechtstreeks naar de hemel geblazen wordt. Zijne Majesteit wenst geen afscheidsceremonie. Het is zijn beslissing dat we allemaal weduwe zullen worden.'

Nuharoo zat kaarsrecht in haar stoel. Ze knipperde met haar ogen en besloot vrouwe Yun te negeren. Ze pakte haar theekopje en deed het dekseltje omhoog om een slokje te nemen.

De rest van de dames volgde haar voorbeeld. Eensgezind doopten we onze neus in onze kopjes.

Ik vroeg me af of vrouwe Yun wel goed bij haar hoofd was. Terwijl ik bleef toekijken, leek de rij te vervagen. Haar woorden bevatten een kern van waarheid toen ze 'Stof in de wind' begon te zingen:

> *Je vraagt wanneer ik zal komen*
> *Helaas, nog niet, nog niet…*
> *Wat viel er veel regen toen we elkaar ontmoetten!*
> *Ach, zullen we ooit weer de kaarsen doven*
> *En ons de vreugde van die regenachtige avond herinneren?*

Eindelijk kwam mijn moeders draagstoel aan bij de zij-ingang van de Poort van Hemelse Zuiverheid. Zodra ik moeder zag uitstappen, barstte ik in tranen uit. Ze was oud geworden en leunde hulpeloos op de armen van Rong en Kuei Hsiang. Voordat ik mijn ceremoniële begroeting had voltooid, barstte moeder los. 'Gefeliciteerd, Orchidee, ik had niet gedacht dat ik het nog zou meemaken mijn kleinzoon te zien.'

'Het moment van geluk is aangebroken!' klonk hoofdeunuch Shims kreet uit de gang. 'Muziek en vuurwerk!'

Onder begeleiding van eunuchen die speciaal voor het ritueel getraind waren bewoog ik me door de menigte. Ik vroeg keizer Hsien Feng of mijn moeder bij me mocht zitten en hij willigde mijn verzoek in. Mijn familieleden waren zo blij dat ze moesten huilen. Moeder leunde moeizaam voorover en raakte Tung Chih voor het eerst aan. 'Nu heb ik er vrede mee dat ik binnenkort je vader zal terugzien,' zei ze tegen me.

Toen we hadden plaatsgenomen, vertelden Rong en Kuei Hsiang dat ze moeder naar de beste artsen van Peking hadden gebracht. Ze verwachtten niet dat ze de zomer nog zou halen. Ik nam moeders handen in de mijne. Volgens de gebruiken mocht mijn familie niet in de Verboden Stad overnachten en we zouden na de ceremonie weer afscheid van elkaar moeten nemen. De gedachte dat ik mijn moeder misschien nooit meer zou zien maakte me zo van streek dat ik niet inging op het verzoek van Nuharoo, die wilde dat ik samen met haar de leden van het hof zou ontvangen.

'Bekijk het maar zo, Orchidee,' zei moeder in een poging me te troosten. 'De dood zal een bevrijding voor me zijn, omdat ik zoveel pijn heb.'

Ik legde mijn hoofd op moeders schouders en kon geen woord uitbrengen.

'Probeer het moment niet te bederven, Orchidee,' zei moeder glimlachend.

Ik deed mijn best een vrolijk gezicht te trekken. Het kwam onwerkelijk op me over dat iedereen hier was voor mijn zoon.

Kuei Hsiang had zich onder de mensen begeven en ik hoorde hem lachen. Ik kon zien dat de rijstwijn zijn effect had.

Rong was mooier, maar ook magerder sinds ik haar voor het laatst had gezien.

'Rongs toekomst is nog niet geregeld en daarover maak ik me zorgen,' zei moeder zuchtend. 'Ze heeft niet zoveel geluk gehad als jij. Geen enkel behoorlijk aanzoek en ze is al over de twintig.'

'Ik heb iemand op het oog voor Rong,' zei ik tegen moeder.

'Ik ben erg benieuwd naar zijn naam.'

'Het gaat om prins Ch'un, die onlangs weduwnaar is geworden; hij is de zevende broer van Hsien Feng.'

Moeder was opgetogen.

'Maar,' waarschuwde ik, '"weduwnaar" betekent niet dat prins Ch'un geen echtgenotes of concubines heeft. Alleen de positie van eerste echtgenote is vacant.'

'Ik begrijp het.' Moeder knikte. 'Desondanks zou prins Ch'un een uitstekende kandidaat voor Rong zijn. Ze zou dan de Nuharoo in het huishouden van prins Ch'un zijn, nietwaar?'

'Dat is juist, moeder, als ze hem tenminste geïnteresseerd kan krijgen.'

'Wat kan een familie met onze achtergrond nog meer verlangen? Een leven zonder honger – dat is het enige wat ik ooit voor mijn kinderen heb gewenst. Mijn huwelijk met je vader was gearrangeerd. We hadden elkaar vóór de bruiloft nooit gezien. Maar het is allemaal goed gegaan, vind je niet?'

'Beter dan goed, moeder.'

We bleven even zwijgend zitten, onze vingers met elkaar verstrengeld. Toen zei moeder: 'Ik heb zitten denken. Als deze verbintenis tot stand komt, kunnen jij en Rong dicht bij elkaar zijn. Het is mijn laatste wens dat jullie elkaar beschermen. Daarnaast kan Rong als tweede paar ogen functioneren en Tung Chihs veiligheid in de gaten houden.'

Ik knikte instemmend bij deze wijze woorden.

'Ga nu naar je zusje, Orchidee,' zei moeder, 'en laat mij even een paar minuten alleen met mijn kleinzoon.'

Ik liep naar Rong toe en nam haar mee naar het achterste gedeelte van de tuin. We gingen in een klein stenen paviljoen zitten. Ik vertelde haar mijn ideeën en moeders wens. Rong was verheugd dat ik mijn belofte een geschikte echtgenoot voor haar te vinden had gehouden.

'Denk je dat prins Ch'un me aardig zal vinden?' vroeg ze. 'Hoe kan ik me voorbereiden?'

'Laten we eerst kijken of hij voor je valt. De vraag die ik aan jou wil stellen is – en dit is heel belangrijk – of je de moeilijkheden aan zult kunnen die ik ook heb doorstaan?'

'Moeilijkheden? Je maakt toch zeker een grapje?'

Ik werd overvallen door een gevoel van onzekerheid. Rong had geen idee waarover ik het had.

'Rong, mijn leven is niet wat het lijkt. Het is belangrijk dat je dat begrijpt. Ik wil niet de oorzaak zijn van jouw ellende. Ik wil geen tragedie in gang zetten.'

Rong bloosde. 'Maar ik heb al die tijd gehoopt dat ik net zo'n kans als jij zou krijgen, Orchidee. Ik wil benijd worden door alle vrouwen in China.' Ze glimlachte breed.

'Beantwoord mijn vraag alsjeblieft, Rong. Zul je het kunnen verdragen dat je je echtgenoot kwijtraakt aan anderen?'

Rong dacht even na en antwoordde toen: 'Zo is het al honderden jaren. Ik zie niet in waarom juist ik daarmee een probleem zou moeten hebben.'

Ik haalde diep adem en gaf nog een laatste waarschuwing. 'Als je verliefd wordt op een man, zul je veranderen. Ik kan je uit ervaring vertellen dat de pijn ondraaglijk is. Je zult het gevoel hebben dat je hart wegbrandt.'

'Dan moet ik maar zorgen dat ik niet verliefd word.'

'Het zou kunnen dat je dat niet in de hand hebt.'

'Waarom niet?'

'Wel, omdat liefhebben betekent dat je leeft – tenminste, zo voel ik het.'

'Wat moet ik dan doen, Orchidee?' Rong keek me met wijd open, verwarde ogen aan.

Een gevoel van verdriet doorstroomde me en ik kon even niets zeggen.

Rong legde haar wang zachtjes tegen de mijne. 'Je bent natuurlijk verliefd geworden op keizer Hsien Feng.'

'Dat was... dom van me.'

'Ik zal deze les niet vergeten, Orchidee. Ik begrijp dat het moeilijk is. Maar toch benijd ik mijn oudere zusje. Ik heb nog geen geschikte man in mijn leven. Daardoor denk ik dat ik niet aantrekkelijk ben.'

'Je weet dat dat onzin is, Rong. Hoe onaantrekkelijk kun je zijn als je zuster getrouwd is met de keizer, het gezicht van China is?'

Rong glimlachte en knikte.

'Het is waar, je bent mooier geworden. Ik wil dat je je vanaf nu elke minuut bewust bent van je schoonheid.'

'Wat is een "minuut"?'

'Dat is een streepje op een klok.'

'Wat is een klok?'

'Dat zal ik je laten zien. De klokken zijn het speelgoed van de keizer. Ze geven de tijd aan. De klokken zijn verstopt in metalen dozen, als slakken in hun huisje. In elke doos zit een tikkend hart.'

'Als een levend wezen?'

'Ja. Maar ze leven niet. De meeste zijn gemaakt door buitenlanders. Als je met prins Ch'un trouwt, zul je er zelf ook veel bezitten.'

Ik pakte mijn poederkwast. 'Moet je horen, Rong,' zei ik, 'als zusje van Hsien Fengs favoriete concubine moet je weten dat mannen er alles voor over hebben om je te bezitten, maar misschien niet dapper genoeg zijn om naar je toe te komen en te zeggen wat ze denken. Ik zal met Zijne Majesteit praten over een verbintenis tussen jou en zijn broer. Als hij zijn zegen geeft, zal de rest vanzelf gaan.'

Tegen de tijd dat Rong en ik terugkwamen bij moeder en Kuei Hsiang, waren de muziek en het vuurwerk afgelopen. Hoofdeunuch Shim kondigde aan dat het eerste deel van de ceremonie voorbij was en dat het tweede deel, het Baden in Goud, nu zou beginnen. Op zijn bevel kwamen er vier eunuchen aan, die een gouden badkuip droegen. Ze plaatsten de badkuip midden op de binnenplaats onder een bloeiende magnolia en vulden hem met water. Om de badkuip heen werden kolenkachels gezet.

Een groep dienstmeisjes knielde naast de badkuip terwijl twee zoogsters mijn zoon kwamen brengen. Hij krijste, maar zijn protest werd genegeerd. De dienstmeisjes hielden hem bij de beentjes en armpjes zoals ze zouden doen met een konijn dat gevild moet worden. Iedereen leek dit erg grappig te vinden. Elke schreeuw die mijn zoon gaf deed me pijn. Het was moeilijk te blijven zitten, maar ik wist dat ik dit moest verduren. Tung Chihs status had zijn prijs. Elke ceremonie bracht hem een stapje dichter bij het doel wettelijk erfgenaam te worden.

Onder het toeziend oog van honderden mensen ging Tung Chih voor het eerst in bad. Hij werd steeds onrustiger.

'Kijk, er zit een donkere vlek op Tung Chihs oksel!' Nuharoo sprong overeind uit haar zetel en rende naar me toe. Ze had zich voor de gelegenheid voor de tweede keer verkleed. 'Is het schimmel? Is het een slecht voorteken?'

'Het is een moedervlek,' zei ik tegen haar. 'Ik heb dokter Sun Pao-tien geraadpleegd en hij zei dat ik me niet ongerust hoefde te maken.'

'Ik zou Sun Pao-tien niet op zijn woord geloven,' zei Nuharoo. 'Ik heb nog nooit zo'n moedervlek gezien – hij is te groot en te donker. Ik moet meteen mijn astroloog raadplegen.' Ze draaide zich om naar de badkuip en zei vermanend tot de meisjes: 'Probeer niet Tung Chih te laten ophouden met huilen. Laat hem maar! Het is juist de bedoeling dat hij zich niet prettig voelt.

Daar draait deze hele ceremonie om. Hoe harder hij huilt, hoe groter de kans dat hij opgroeit tot een sterke man.'

Ik dwong mezelf weg te lopen, om te voorkomen dat ik Nuharoo een stomp tegen haar borst zou geven.

Het begon te waaien. Van de bomen regende het roze bloesem. Er kwamen er een paar in de badkuip terecht. De dienstmeisjes raapten de blaadjes op en lieten ze aan Tung Chih zien in een poging hem stil te krijgen. Het beeld van het kind, badend onder de magnolia, zou lieflijk zijn geweest als hij niet zo van streek was. Ik had geen idee hoe lang Tung Chih in het water zou moeten blijven zitten. Ik keek naar de zon en bad dat die zou blijven schijnen.

'Kleding!' zong hoofdeunuch Shim geaffecteerd. De dienstmeisjes droogden Tung Chih snel af en kleedden hem aan; het kind was zo uitgeput dat hij tijdens hun handelingen in slaap viel. Hij leek wel een lappen pop. Maar de ceremonie was nog lang niet afgerond. Nadat men de badkuip had leeggegooid, werd de slapende Tung Chih er weer in teruggelegd. Een aantal lama's in okergele gewaden ging in een kring om de baby heen zitten en begonnen zingend te bidden.

'Geschenken!' riep hoofdeunuch Shim.

Met keizer Hsien Feng voorop kwamen de gasten naar voren om hun bijdrage af te geven.

Elke geschenkdoos werd geopend en hoofdeunuch Shim maakte bekend wat erin zat. 'Van Zijne Majesteit: vier baren goud en twee zilverstukken!'

De eunuchen verwijderden het inpakpapier en er kwam een bewerkte, roodgelakte doos te voorschijn.

Hoofdeunuch Shim ging verder. 'Van Hare Majesteit keizerin Nuharoo: acht stukken goud en een baar zilver, acht geluksruyi, vier gouden en zilveren muntstukken, vier katoenen winterdekens, vier katoenen spreien en lakens, vier winterjasjes, vier winterbroeken, vier paar sokken en twee kussens!'

De overige gasten boden hun geschenk aan in volgorde van rang en leeftijd. De geschenken waren allemaal ongeveer hetzelfde, alleen de hoeveelheid en kwaliteit verschilden. Niemand mocht het eerste paar overtreffen en niemand zou de geschenken echt gebruiken. Alles werd ingepakt en in naam van Tung Chih naar de keizerlijke opslagruimtes gestuurd.

De volgende dag stond ik voor zonsopgang op om wat tijd met mijn zoon door te brengen. Daarna werd het Shih-san-ritueel voortgezet. Tung Chih werd nogmaals in bad gedaan.

Hij zat al een uur en een kwartier in het badwater. De zon scheen wel, maar de buitenlucht was kil; het was immers pas mei. Mijn zoon zou makkelijk kou kunnen vatten. Het scheen niemand iets te kunnen schelen. Nadat Tung Chih een paar keer had geniesd droeg ik An-te-hai op een tent te halen om hem tegen de wind te beschermen. Maar Nuharoo was het er niet mee eens. Ze zei dat de tent Tung Chihs geluk in de weg zou staan. 'Het doel van het baden is Tung Chih aan de magische krachten van het universum bloot te stellen.'

Dit keer weigerde ik toe te geven. 'De tent blijft,' zei ik vastbesloten.

Nuharoo zei niets. Maar toen ik even naar het toilet was geweest, hadden ze de tent weggehaald. Ik wist dat het onzin was te denken dat het Nuharoos bedoeling was mijn zoon ziek te laten worden. Maar toch schoot dat idee af en toe door mijn hoofd.

Nuharoo zei dat we de traditie niet zomaar konden veranderen. 'Van keizer tot keizer is elke erfgenaam op dezelfde manier gebaad.'

'Maar onze voorouders waren andere mensen,' wierp ik tegen. 'Ze leefden op de rug van hun paard en liepen halfnaakt rond.' Ik wees Nuharoo erop dat Tung Chihs vader een zwakke gezondheid had en dat Tung Chihs geboortegewicht te laag was geweest.

Nuharoo had geen weerwoord, maar ze gaf niet toe.

Tung Chih begon te niezen.

Ik kon me niet meer beheersen; ik liep naar de badkuip en duwde de dienstmeisjes opzij. Ik pakte Tung Chih op en rende naar binnen.

Er kwam geen einde aan de ceremonies en festiviteiten. Terwijl dit allemaal gaande was, ontdekte een van de tuinlieden een fetisjpop, die begraven lag in mijn tuin. Op de borst van de pop waren twee zwarte karakters aangebracht: er stond 'Tung Chih'.

Keizer Hsien Feng ontbood de echtgenotes en concubines – hij wilde deze misdaad persoonlijk ophelderen. Ik kleedde me aan en ging naar het Paleis van de Eeuwige Lente. Ik begreep niet waarom we in het verblijf van vrouwe Yun bij elkaar moesten komen. Onderweg kwam ik Nuharoo tegen. Zij kwam net bij een ander paleis vandaan en had ook geen idee wat er aan de hand was.

Toen we het Paleis van de Eeuwige Lente naderden, hoorden we gesnik. We haastten ons de hal in, waar we een woedende keizer aantroffen. Hsien Feng had zijn nachthemd aan en naast hem stonden twee eunuchen, die ieder een zweep vasthielden. Talloze eunuchen en bedienden lagen geknield op de vloer. Onder hen bevond zich vrouwe Yun, in de eerste rij. Ze droeg een roze, zijden gewaad en het gesnik was van haar afkomstig.

'Hou op met huilen,' zei keizer Hsien Feng. 'U bent een adellijke dame; hoe heeft u zich tot zoiets kunnen verlagen?'

'Ik heb het niet gedaan, majesteit!' Vrouwe Yun gooide haar hoofd achterover om hem te kunnen aankijken. 'Ik was dolblij met de geboorte van Tung Chih. Ik kon niet ophouden met feestvieren. Als ik vanwege dit incident word opgehangen, zal ik mijn ogen niet sluiten!'

'Iedereen in de Verboden Stad herkent jouw handschrift.' De keizer verhief zijn stem. 'Hoe kan iedereen het mis hebben?'

'Mijn stijl van kalligraferen is geen geheim,' protesteerde vrouwe Yun. 'Ik sta bekend om mijn kunstzinnigheid. Iedereen kan mijn stijl imiteren.'

'Maar een van je dienstmeisjes heeft je betrapt toen je de pop aan het maken was.'

'Dat moet Dee geweest zijn. Ze verzint dit gewoon omdat ze me haat.'

'Waarom haat Dee je?'

Vrouwe Yun draaide zich om. 'Ik heb Dee van Hare Majesteit ten geschenke gekregen. Ik wilde haar helemaal niet hebben. Ik heb haar al een paar keer bestraft omdat ze aan het rondsnuffelen was...'

'Dee is pas dertien,' onderbrak Nuharoo haar. 'Je moest je schamen om een onnozel kind te beschuldigen om je eigen misdaad te verbergen.' Ze wendde zich tot mij, alsof ze steun zocht. 'Dee staat bekend om haar lieve karakter, nietwaar?'

Ik wist niet wat ik moest antwoorden, dus boog ik mijn hoofd.

Nuharoo wendde zich tot Hsien Feng. 'Majesteit, heb ik uw toestemming om mijn plicht te doen?'

'Ja, mijn keizerin.'

Toen ze dit hoorde, schreeuwde vrouwe Yun: 'Het is al goed, ik beken! Ik weet precies wie dit op touw heeft gezet. Het is een gemene vos, vermomd als mens. Ze is gestuurd door de demonen om de Ch'ing-dynastie te vernietigen. Maar er is meer dan één vos in de Verboden Stad. De gemene vos heeft haar kameraden laten komen. U,' zei ze terwijl ze naar Nuharoo wees, 'bent er een van. En u,' – hierbij wees ze mij aan – 'ook. Majesteit, het is tijd mij het witte zijden koord te gunnen zodat ik de eer heb me te verhangen.'

Dit veroorzaakte enige opschudding in de hal. Het geluid stierf weg toen vrouwe Yun het woord hernam.

'Ik wil sterven. Mijn leven is een hel geweest. Ik heb u een prinses geschonken,' – nu wees ze naar keizer Hsien Feng – 'en u behandelt haar als een stuk vuil. Zodra ze dertien wordt, zult u haar weggeven. U zult haar laten trouwen met een of andere wildeman uit de grensgebieden om de vrede te herstellen. U zult uw eigen dochter verkopen...'

Vrouwe Yun stortte helemaal in. Door de kuiltjes in haar wangen leek ze een verwrongen grijns op het gezicht te hebben. 'Denk maar niet dat ik doof ben. Ik heb u en de ministers hierover horen praten. Ik mocht nooit over mijn verdriet spreken. Maar vandaag zult u allemaal horen wat ik te zeggen heb, of u het leuk vindt of niet. Natuurlijk ben ik jaloers op de manier waarop Tung Chih behandeld wordt. Uiteraard huil ik om de rampspoed van mijn dochter Jung, en vraag ik de hemel waarom mij geen zoon gegund was... Mag ik u eens vragen, Hsien Feng, weet u wanneer uw dochter jarig is? Weet u hoe oud ze is? Hoe lang geleden heeft u haar voor het laatst bezocht? Ik durf te wedden dat u de antwoorden op deze vragen niet weet. Uw hart is opgevreten door de vossen!'

Nuharoo pakte haar zakdoek en depte haar gezicht. 'Ik ben bang dat vrouwe Yun Zijne Majesteit geen keus laat.'

'Handel de zaak maar af, Nuharoo.' Keizer Hsien Feng stond op en liep op blote voeten de hal uit.

Die avond verhing vrouwe Yun zich. An-te-hai kwam me het nieuws de volgende ochtend tijdens het ontbijt vertellen. Mijn maag keerde zich om. De rest van die dag zag ik vrouwe Yuns gezicht achter elke deur en in elk raam. Ik vroeg An-te-hai in de buurt te blijven en ik controleerde steeds weer Tung Chihs wiegje. Ik vroeg me af wat er met vrouwe Yuns dochtertje, prinses Jung, was gebeurd. Ik wenste dat ik het meisje kon uitnodigen een tijdje bij mij te logeren om wat tijd met haar halfbroertje door te brengen. An-te-hai zei dat men het vijfjarige meisje had verteld dat haar moeder voor lange tijd op reis was gegaan. De eunuchen en bedienden hadden opdracht gekregen de dood van vrouwe Yun geheim te houden. Het meisje zou op de meest wrede manier achter de waarheid komen: door het geroddel van de rivales van vrouwe Yun, die het meisje wilden zien lijden.

Om middernacht kwam Nuharoo onaangekondigd op bezoek. Haar eunuchen bonsden zo hard op mijn poort dat ze hem bijna aan stukken sloegen. Toen ik haar begroette, wierp Nuharoo zich in mijn armen. Ze zag er ziek uit en haar stem klonk gesmoord. 'Ze zit achter me aan!'

'Wie zit achter u aan?' vroeg ik.

'Vrouwe Yun!'

'Word wakker, Nuharoo. U hebt een nachtmerrie gehad.'

'Ze stond naast mijn bed in een groen, doorzichtig gewaad,' snikte Nuharoo. 'Haar borst zat onder het bloed. In haar hals, aan de voorkant, zat een enorme snee, alsof iemand er met een bijl op in had gehakt, en haar hoofd hing op haar rug, slechts verbonden met haar lichaam door een dun stukje huid. Ik kon haar gezicht niet zien, maar hoorde wel haar stem. Ze zei: 'Ik zou worden opgehangen, niet onthoofd.' Ze zei dat ze door de rechter in de onderwereld was gestuurd om een plaatsvervangster te zoeken. Ze moest zorgen dat die plaatsvervangster op dezelfde manier zou sterven als zij, anders zou ze niet naar haar volgende leven kunnen overgaan.'

Ik troostte Nuharoo, maar zelf was ik ook bang. Ze ging terug naar haar paleis, waar ze al haar boeken over geesten te voorschijn haalde en begon te lezen. Een paar dagen later kwam ze bij me langs en zei dat ze iets had ontdekt waarvan ik naar haar mening ook op de hoogte moest worden gebracht.

'Voor een vrouwelijke geest is de ergste straf gedumpt te worden in de "Poel van Onrein Bloed".' Nuharoo liet me een boek zien met huiveringwekkende illustraties van 'De Geselaars' aan het werk in de onderwereld. In een donkere, rode poel dreven afgehakte hoofden met lang haar rond – het leken meelballetjes in kokend water.

'Zie je dat? Daarover wilde ik het met jou hebben,' zei Nuharoo. 'Het bloed in de poel is afkomstig van het vuil van alle vrouwen. In de poel zwemmen ook giftige slangen en schorpioenen die zich voeden met de pas gestorvenen. Ze zijn de transformatie van mensen die slechte dingen in hun leven hebben gedaan.'

'En wat gebeurt er als ik in mijn leven geen ernstige misstap bega?' vroeg ik.

'Het oordeel van de onderwereld geldt voor alle vrouwen, Orchidee. Daarom hebben we de godsdienst nodig. Het boeddhisme helpt ons berouw te tonen over de misdaad die we begaan alleen omdat we vrouw zijn en een materieel leven leiden. We moeten alle aardse genoegens achter ons laten en de hemel om vergiffenis smeken. We moeten alles doen wat in ons vermogen ligt om zo deugdzaam mogelijk te worden. Alleen dan hebben we misschien een kans aan de Poel van Onrein Bloed te ontsnappen.'

ZESTIEN

Op zijn eerste verjaardag zou mijn zoon een dienblad krijgen waarop verschillende voorwerpen lagen. Er werd van hem verwacht dat hij een van die voorwerpen zou oppakken, waardoor de keizerlijke familie een aanwijzing zou krijgen over zijn toekomstige karakter. Dit werd *Chua-tsui-p'an* genoemd: 'Vang de toekomst in een schaal'. Belangrijke leden van het hof werden uitgenodigd om toe te kijken.

Tung Chihs eunuchen waren de hele week in de weer geweest om de gebeurtenis voor te bereiden. De muren, pilaren, deuren en raamkozijnen in mijn paleis waren vermiljoen overgeschilderd. Op de balken en consoles waren blauwe, groene en gouden kleuraccenten aangebracht. De gele dakpannen op het dak glansden als een gigantische gouden kroon tegen de helderlijke noordelijke lucht. De witmarmeren terrassen kwamen tot leven met hun uitbundige sculpturen.

De ceremonie begon in de Hal van Lichamelijke Genade, in de oosthoek van het paleis, waar een altaar was opgesteld. Boven het altaar hing een pamflet waarop de uitleg van het ritueel stond. In het midden van de hal stond een grote, vierkante roodhouten tafel. Op de tafel stond een dienblad ter grootte van een volgroeid lotusblad, groter dan een kinderbadje. Op het blad lagen symbolische voorwerpen: een keizerlijk zegel, een exemplaar van het boek van Confucius, *Over herfst en lente*, een geitenharen penseel, een baar goud, een baar zilver, een raadsel, een sierlijk zwaard, een miniatuur flesje sterke drank, een gouden sleutel, ivoren dobbelstenen, een zilveren sigarettendoos, een klok die muziek maakte, een leren zweep, een blauwe aardewerken kom waarop landschappen waren geschilderd, een groene, jade haarspeld, versierd met vlinders, een oorbel in de vorm van een pagode en een roze pioen.

's Morgens had men mijn zoon bij me weggehaald. Dit had men gedaan om er zeker van te zijn dat hij uit eigen vrije wil zou handelen. In de afgelopen weken had ik mijn uiterste best gedaan hem duidelijk te maken wat de 'juiste keuzes' waren. Ik liet hem een kaart van China en kleurige schilderijen van landschappen zien en natuurlijk ook het voorwerp dat hij moest oppakken – het keizerlijke zegel (ik gebruikte natuurlijk een namaakexemplaar om te oefenen). An-te-hai had het zegel van hout gemaakt. Ik stempelde met het namaakzegel op verschillende platen om Tung Chihs aandacht te trekken. Maar hij was meer geïnteresseerd in de spelden in mijn haar.

De gasten zaten zwijgend in de hal in afwachting van wat Tung Chih zou doen. Ten overstaan van honderden mensen knielde ik voor het altaar en stak wierook aan.

Keizer Hsien Feng en Nuharoo zaten in het midden op hun zetels. We baden, terwijl de wierookgeur door de zaal trok. Er werd thee met noten geserveerd. Toen de zon op de balken in de hal scheen, werd Tung Chih door twee eunuchen naar binnen gedragen. Hij had een goudkleurig gewaad aan waarop draken waren geborduurd. Met grote ogen keek hij om zich heen. De eunuchen zetten hem op de tafel. Hij zat heen en weer te wippen en kon niet stil blijven zitten. Op een of andere manier slaagden de eunuchen erin hem te laten buigen voor zijn vader, zijn moeders en de portretten van zijn voorouders.

Ik voelde me vreselijk zwak en alleen en ik wenste dat mijn moeder of Rong bij me was. In het verleden had men dit ritueel niet serieus genomen en kwamen de mensen alleen om vertederd te raken en te giechelen om de baby. Maar nu regeerden de astrologen – de Mantsjoe-heersers waren niet meer zeker van zichzelf. Alles hing af van 'de wil van de hemel'.

Stel je voor dat Tung Chih in plaats van het keizerlijk zegel een bloem of een haarspeld zou pakken? Zouden de mensen dan zeggen dat mijn zoon een fat zou worden? Of de klok? Zou hij aangetrokken worden door het getingel?

Tung Chih had zijn slabbetje helemaal ondergekwijld. Toen de eunuchen hem loslieten, kroop hij naar het blad. Hij was zo strak ingesnoerd dat zijn bewegingen onhandig waren. Iedereen had zich voorover gebogen en zat gespannen te kijken. Ik voelde dat Nuharoo mijn kant op keek en probeerde zelfvertrouwen uit te stralen. Ik had de avond tevoren kougevat en had hoofdpijn. Ik had zo veel mogelijk glazen water gedronken om te kalmeren.

Tung Chih kroop niet meer en strekte zijn armpje uit naar het dienblad. Ik had het gevoel dat ik zelf op die tafel zat. Opeens moest ik dringend naar de kamerpot.

Ik haastte me de hal uit en duwde de dienstmeisjes opzij voordat ze achter me aan konden lopen. Toen ik op de po zat, haalde ik een paar maal diep adem. De pijn aan de rechterkant van mijn hoofd had zich uitgebreid naar de linkerkant. Nadat ik mijn behoefte had gedaan, waste ik mijn handen en gezicht met koud water. Toen ik de hal weer in kwam zag ik dat Tung Chih op zijn slabbetje zat te kauwen.

De menigte zat nog steeds geduldig te wachten. Hun hooggespannen verwachtingen maakten me wanhopig. *Het was verkeerd een klein kind op te zadelen met de last van China!* Maar ik wist dat mijn zoon voorgoed van me zou worden afgenomen als ik dit hardop durfde zeggen.

Tung Chih gleed bijna van de tafel. De eunuchen pakten hem op en draaiden hem om. Ik moest denken aan een schouwspel in Yehol: de jagers hadden een hert vrijgelaten, alleen om het dier met hun pijlen te kunnen doden. De boodschap leek te zijn: als het hert niet genoeg kracht had om te ontsnappen, verdiende het te sterven.

Keizer Hsien Feng had me een beloning in het vooruitzicht gesteld als Tung Chih 'goed zou presteren'. Hoe kon ik het kind helpen?

Hoe meer ik las wat er op het pamflet boven het altaar stond, hoe banger ik werd.

> *Indien de prins het keizerlijk zegel oppakt, zal hij keizer worden, en zal de Hemel met alle deugdzaamheid welwillend op hem neerkijken. Indien hij het penseel, het goud, het zilver of het zwaard oppakt, zal hij regeren met intelligentie en een sterke wil. Maar als hij de bloem, de oorbel of de haarspeld pakt, zal hij later uitsluitend zijn plezier najagen. Pakt hij het flesje drank, dan zal hij alcoholist worden; pakt hij de dobbelstenen, dan zal hij de dynastie vergokken.*

Tung Chih 'bestudeerde' elk voorwerp, maar pakte niets op. Het was zo stil in de hal dat ik het water in de tuin kon horen stromen. Ik transpireerde hevig en het leek of mijn keel dichtgeknepen werd.

Tung Chih stak een vingertje in zijn mond. *Hij heeft natuurlijk honger!* De kans dat hij het stenen zegel zou oppakken werd steeds kleiner.

Hij begon weer te kruipen. Ditmaal leek hij een doel te hebben. De eunuchen hielden hun handen tegen de rand van de tafel om te voorkomen dat Tung Chih eraf zou vallen.

Keizer Hsien Feng leunde voorover in zijn drakenstoel. Hij omvatte zijn hoofd met zijn handen, alsof het te zwaar was, en verplaatste het gewicht van de ene elleboog naar de andere.

Tung Chih zat stil. Hij richtte zijn blik op de roze pioen. Hij glimlachte, en zijn handje dwaalde van zijn mond naar de bloem.

Ik deed mijn ogen dicht. Ik hoorde keizer Hsien Feng zuchten.

Teleurstelling? Verbittering?

Toen ik mijn ogen weer opendeed, had Tung Chih zich van de bloem afgekeerd.

Herinnerde hij zich dat ik hem had gestraft toen hij de bloem had opgepakt? Ik had hem op zijn billen gegeven, terwijl ik zelf stond te huilen. De afdruk van mijn hand stond op zijn kleine billetjes en ik zou het mezelf nooit vergeven.

Mijn zoon hief zijn hoofdje op. Wat zocht hij? Mij? Ik vergat mijn manieren, worstelde me door de menigte heen en bleef voor hem staan. Ik glimlachte en trok met mijn ogen een lijn van zijn neusje naar het keizerlijk zegel.

Het kleintje kwam in beweging. Met een vastbesloten gebaar pakte hij het keizerlijke zegel.

'Gefeliciteerd, majesteit,' juichte de menigte.

Onder het slaken van opgetogen kreten rende An-te-hai naar het binnenplein.

Raketten werden de hemel in geschoten. Honderdduizenden papieren bloemen ontvouwden zich in de lucht.

Keizer Hsien Feng sprong op uit zijn zetel en riep: 'Volgens de geschiedschrijving hebben sinds het begin van de Ch'ing-dynastie in 1644 slechts twee prinsen het keizerlijk zegel gepakt. Ze waren China's twee succesvolste keizers, Kang Hsi en Chien Lung. Waarschijnlijk zal mijn zoon Tung Chih de volgende zijn!'

De dag na de ceremonie knielde ik neer voor een altaar in de tempel. Ofschoon ik uitgeput was, vond ik dat ik de goden die me geholpen hadden niet mocht veronachtzamen. Ik plengde offers om mijn dankbaarheid te tonen. An-te-hai bracht een levende vis op een gouden schaal. Hij had de vis gevangen in het meer en had er een rood lint aan gebonden. Snel goot ik de wijn over het plaveisel, want de vis moest weer levend naar het meer worden teruggebracht.

An-te-hai zette de schaal met de vis voorzichtig in de draagstoel, alsof het een persoon was. Bij het meer liet ik de vis gaan en hij sprong het water in.

Om de toekomst van mijn zoon zeker te stellen en zo veel mogelijk zegeningen te krijgen van alle goden, kocht An-te-hai tien kooitjes met kostbare vogels, die ik kon vrijlaten. Uit naam van Tung Chih schonk ik de vogels genade.

Toen ik terugkwam in het paleis, kreeg ik goed nieuws te horen. Rong en prins Ch'un hadden zich verloofd. Mijn moeder was dolblij.

Volgens keizer Hsien Feng had zijn broer weinig talent en ambitie. Toen hij zich voorstelde aan Rong had prins Ch'un zichzelf beschreven als 'aanbidder van de leer van Confucius', waarmee hij bedoelde dat hij vrijheid van geest nastreefde. Hoewel hij genoot van de voordelen die bij zijn keizerlijke positie hoorden, vond hij dat 'te veel water de beker doet overstromen' en dat 'te veel versierselen de hoofdtooi ordinair maken'.

Niemand van ons besefte dat prins Ch'un zijn retoriek gebruikte om zijn karakterfouten te verhullen. Ik zou er snel achter komen dat Ch'uns 'bescheidenheid' en 'zelfopgelegde spirituele verbanning' voortkwamen uit zijn luiheid.

Ik waarschuwde Rong nogmaals dat ze niet moest verwachten dat een keizerlijk huwelijk een sprookje was. 'Kijk maar naar mij,' zei ik. 'De gezondheid van Zijne Majesteit kan alleen nog maar slechter worden en ik ben me aan het voorbereiden op het keizerlijk weduwschap.'

Ik was niet de enige die zich zorgen maakte over de gezondheidstoestand van Zijne Majesteit. Nuharoo dacht er hetzelfde over. Bij haar laatste bezoek hadden we voor het eerst echt vrede gesloten. We voelden ons verbonden door de angst Hsien Feng te verliezen. Ze was gaan accepteren dat ik haar gelijke was. Haar gevoel van superioriteit was minder geworden en ze zei nu 'zou je misschien…' in plaats van 'het is Hare Majesteits wens…' We kenden beiden de geschiedenis en wisten wat er met keizerlijke echtgenotes en concubines kon gebeuren na de dood van hun keizer. We beseften allebei dat we alleen op elkaar konden rekenen.

Ik had mijn eigen redenen om Nuharoo als medestandster te willen. Ik voelde dat het lot van mijn zoon in handen zou vallen van ambitieuze hofministers zoals Grote Raadgever Su Shun. Hij leek het volledige vertrouwen van de keizer te genieten. Het was algemeen bekend dat zelfs prins Kung Su Shun vreesde.

Tijdens de ziekte van Zijne Majesteit had Su Shun de staatszaken behartigd en de audiënties gehouden in naam van Hsien Feng. Hij handelde steeds vaker op eigen houtje. Su Shuns macht baarde me zorgen, want ik vond hem manipulatief en sluw. Als hij keizer Hsien Feng bezocht, praatte hij zelden over staatszaken. Onder het mom van zijn bezorgdheid over Zijne Majesteits gezondheid isoleerde hij Hsien Feng en versterkte hij zijn eigen positie. Volgens prins Kung werkte Su Shun al jaren aan het bouwen van zijn eigen politieke fundering door vrienden en bekenden op belangrijke posities aan te stellen.

Ik slaagde erin Nuharoo ervan te overtuigen dat we erop moesten staan dat belangrijke documenten naar keizer Hsien Feng gestuurd zouden worden. Zijne Majesteit was misschien te ziek om de documenten te bekijken, maar wellicht konden wij hem helpen op de hoogte te blijven. In ieder geval zouden we niet overal buiten gehouden worden en konden we er zeker van zijn dat Su Shun zijn macht niet zou misbruiken.

Nuharoo had er geen zin in. 'Een wijze vrouw moet haar leven doorbrengen met het waarderen van schoonheid, het behouden van haar yin-elementen en het nastreven van een lange levensduur.'

Maar mijn instinct zei me dat we alles zouden verliezen als we ons niet met de regering zouden bemoeien.

Nuharoo was het tot op zekere hoogte met me eens, maar liep niet warm voor mijn plan. Desondanks sprak ik die avond met Zijne Majesteit en de volgende dag werd er een decreet uitgevaardigd: alle documenten moesten eerst naar het werkvertrek van keizer Hsien Feng gestuurd worden.

Het verbaasde me niet dat Su Shun het decreet negeerde. Hij gaf de boodschappers die de documenten vervoerden de opdracht 'de originele route' te blijven volgen. Hij voerde weer de gezondheidstoestand van de keizer als excuus aan. Mijn achterdocht en wantrouwen namen toe.

'Het kost me jaren van mijn leven om jou te zien worstelen om Su Shuns ambitie in toom te houden,' zei Nuharoo. Ze verzocht me haar de inspanning te besparen. 'Doe met Su Shun wat je wilt, als je het feit maar respecteert dat "de zon in het oosten opkomt en in het westen ondergaat",' zei ze, verwijzend naar onze titels.

Het verbaasde me dat Nuharoo dit als belangrijk beschouwde. Ik gaf haar mijn woord.

Ze ontspande zich onmiddellijk. 'Waarom neem jij niet gewoon de leiding en houd me dan op de hoogte van het verloop,' zei ze. 'Ik heb er een hekel aan in één ruimte te zitten met mannen met stinkende adem.'

Aanvankelijk dacht ik dat Nuharoo mijn loyaliteit op de proef stelde. Maar na een tijdje besefte ik dat ik haar een dienst bewees. Ze was iemand die niet zou kunnen slapen als haar borduurwerk niet perfect was, maar haar nachtrust zou er niet onder lijden als we een belangrijk onderdeel in een verdrag niet voor elkaar kregen.

Tegen de achtergrond van de zon vormde Nuharoo met haar dunne schouders een prachtig silhouet. Ze zorgde er altijd voor dat ze gereed was voor de mogelijke aanwezigheid van Zijne Majesteit. Ze was waarschijnlijk een halve dag met haar make-up bezig geweest. Ze gebruikte zwarte, van geurende bloemblaadjes gemaakte pasta om haar wimpers te accentueren. Haar ogen leken twee diepe bronnen. Ze verfde haar lippen iedere dag in een andere kleur. Vandaag waren ze roze, met een vleugje vermiljoen. Gisteren waren ze rood en de dag daarvoor paars. Ze verwachtte gecomplimenteerd te worden en ik leerde dat het belangrijk was voor onze relatie om dat te doen.

'Ik zie je niet graag verouderen, Yehonala.' Nuharoo strekte haar vingers. Haar twee centimeter lange nagels waren goud en zilver geverfd en er waren minuscule details uit de natuur op aangebracht. 'Volg mijn raad op en laat je kok elke dag *tang-kuei*-soep voor je klaarmaken. Het is niet te eten, maar je went er wel aan.'

'We moeten het hebben over Su Shun en zijn kabinet, Nuharoo,' zei ik. 'Ik word nerveus als ik dingen niet weet.'

'Ach, je zult het nooit allemaal te weten komen. Het is al honderd jaar een rommeltje.' Ze hield haar gestrekte vingers voor mijn gezicht zodat ik niets meer kon zien. 'Ik zal mijn nagelverzorgster naar je paleis sturen als je het zelf niet kunt.'

'Ik ben niet gewend aan lange nagels,' zei ik. 'Die breken zo gauw.'

'Ben ik het hoofd van de keizerlijke hofhouding?' zei ze fronsend.

Ik kneep mijn lippen op elkaar en herinnerde mezelf eraan hoe belangrijk het was dat er harmonie tussen ons heerste.

'Lange nagels zijn een adellijk symbool, vrouwe Yehonala.'

Ik knikte, al was mijn geest weer afgedwaald naar Su Shun.

Nuharoo glimlachte weer. 'Zoals een Chinese dame die haar voeten inbindt; ze hoeft niet te werken en laat zich ronddragen in draagstoelen. Hoe langer onze nagels zijn, hoe verder we af staan van het gemene volk. Houd alsjeblieft op met dat gepoch over het werken met je handen in de tuin. Je brengt niet slechts jezelf, maar de hele keizerlijke familie in verlegenheid.'

Ik bleef knikken, voorwendend dat ik haar advies waardeerde.

'Eet geen mandarijnen.' Ze boog zich zo ver naar me toe dat ik haar naar jasmijn geurende adem rook. 'Als je te veel warme elementen eet, krijg je pukkels. Ik zal mijn eunuch een kom schildpaddensoep laten brengen om het vuur in je te blussen. Bewijs me de eer dit te aanvaarden.'

Ik wist zeker dat ze haar doel bereikt dacht te hebben toen de keizer niet langer mijn bed deelde. En nu had ze nog een betere reden om zich veilig bij me te voelen: Hsien Feng zou nooit meer opstaan en terugkomen in mijn slaapkamer.

'Ik laat je maar alleen met je hoofdpijn,' zei ze glimlachend terwijl ze opstond.

Om haar gerust te stellen zei ik dat ik geen ervaring had in het omgaan met het hof en dat ik ook geen connecties had.

'Daarmee kan ik je zeker helpen,' zei Nuharoo. 'Binnenkort ben ik jarig en ik heb opdracht gegeven een feestbanket voor te bereiden. Je mag iedereen uitnodigen van wie je denkt dat die je tot nut kan zijn. Maak je niet druk. De mensen willen dolgraag door ons uitgenodigd worden.'

'Wie kunnen we, behalve prins Kung, vertrouwen?'

Ze dacht even na en antwoordde: 'Wat dacht je van Yung Lu?'

'Yung Lu?'

'De opperbevelhebber van de keizerlijke wachters. Hij valt onder Su Shun. Het is een zeer capabele man. Toen ik tijdens het rijstkoekfestival op een familiereünie was, lag zijn naam op ieders lippen.'

'Heb je hem weleens ontmoet?'

'Nee.'

'Zul je hem een uitnodiging sturen?'

'Als ik kon, zou ik het doen. Maar het probleem is dat Yung Lu's rang te laag is om hem een plaats aan het keizerlijk banket te geven.'

Het binnenplein en de ontvangsthal waren doortrokken van lauriergeuren. Nuharoo leek wel een bloesemboom en ze was verbaasd te horen dat Su Shun op het laatste nippertje had laten weten dat hij niet zou komen. Als excuus voerde hij aan dat 'Zijne Majesteits dames alleen voor Zijne Majesteits ogen bestemd zijn'. Nuharoo was buiten zichzelf van woede.

Door het gewicht van de vele gouden halssnoeren, kostbare edelstenen en brokaat hing Nuharoos nek voorover. Ze zat op de troon in de oostelijke hal van het Paleis van Verzamelde Essentie. Ze had zich net voor de tweede maal die dag helemaal omgekleed en droeg nu een lichtgeel, gaasachtig zijden gewaad, geborduurd met een hoeveelheid keizerlijke symbolen.

Alle ogen waren gericht op Nuharoo, behalve die van keizer Hsien Feng, die, hoewel hij doodziek was, toch de moeite had genomen te komen. Zijn gewaad paste bij dat van Nuharoo. Maar de geborduurde symbolen waren iets anders. Feniksen waren vervangen door draken en in plaats van rivieren had hij bergen op zijn gewaad.

'Gelukgewenst met uw tweeëntwintigste verjaardag, Uwe Majesteit keizerin Nuharoo!' zei hoofdeunuch Shim op zangerige toon.

De menigte herhaalde zijn gelukwens en toastte op Nuharoos lange levensduur.

Ik nipte aan mijn rijstwijn en dacht terug aan wat Nuharoo me had verteld over haar methode om innerlijke harmonie te bereiken: 'Slaap in het bed dat door anderen is opgemaakt en loop met de schoenen die anderen hebben gelapt.' Deze houding stond ver van me af. Tot dusver was mijn leven een borduurwerk waarvan ik elke steek eigenhandig had aangebracht.

Het banket bestond uit eindeloos veel gangen. Toen de mensen het eten moe waren, gingen ze naar de westvleugel, waar Nuharoo haar cadeautjes in ontvangst nam. Ze zat erbij als een boeddha die zijn aanbidders ontvangt.

Het geschenk van keizer Hsien Feng werd als eerste aangeboden. Het was een enorme doos, ingepakt in rode zijde en dichtgebonden met gele strikken. Het geschenk stond op een ivoren tafel die door zes eunuchen werd binnengedragen.

Nuharoos ogen schitterden als die van een nieuwsgierig kind.

Nadat er zes lagen zijde waren verwijderd, kwam het geschenk te voorschijn. Er zat een gigantische perzik in, zo groot als een wok.

'Waarom een perzik?' vroeg Nuharoo. 'Is dit een grapje?'

'Maak hem open,' drong de keizer aan.

Nuharoo kwam uit haar zetel en liep om de perzik heen.

'Ontbloot de pit,' zei Zijne Majesteit.

Het werd stil in de zaal.

Nadat Nuharoo een paar keer om het gevaarte heen was gelopen, terwijl ze het aanraakte, erin kneep en het heen en weer schudde, viel de perzik uit elkaar in twee helften. In het hart lag een creatie die zo wonderschoon was dat de toeschouwers zuchtten van bewondering: een paar prachtige schoenen.

Al had ze een gelukkige jeugd gehad, ze had lang genoeg en zwaar genoeg geleden als verwaarloosde echtgenote om deze beloning te verdienen. Het waren mooie, zeer smaakvolle Mantsjoe-schoenen met hoge hakken en bezet met glinsterende edelstenen als dauw op de blaadjes van een lentepioen. Nuharoo huilde van geluk. In de maanden waarin keizer Hsien Feng en ik de dag niet meer van de nacht konden onderscheiden was Nuharoo een wandelend lijk geworden. Ongetwijfeld was haar gezicht 's nachts zo wit als was en moest ze boeddhistische gebeden hebben gezegd om in slaap te komen. Nu ik uit de gratie was en net zo'n tweederangsconcubine was als zij, hoefde ze niet meer jaloers te zijn.

Ik complimenteerde Nuharoo met haar schoonheid en haar geluk en vroeg haar of de schoenen pasten. Ik werd verrast door haar antwoord. 'Zijne Majesteit heeft in zijn testament zijn Chinese vrouwen paleizen, een pensioen en bedienden toegekend.'

Ik keek om me heen, bang voor wat er zou gebeuren als Zijne Majesteit haar gehoord zou hebben. Maar hij was in slaap gevallen.

Nuharoo stopte de schoenen terug in de perzik en stuurde haar eunuch ermee weg om hem op te slaan. 'Zonder acht te slaan op zijn gezondheid, is Zijne Majesteit niet van plan die vrouwen met hun ingebonden voeten op te geven, en daarover ben ik boos.'

'Inderdaad, Zijne Majesteit zou beter voor zichzelf moeten zorgen,' echode ik met een klein stemmetje. 'Probeer het even te vergeten, Nuharoo, je bent immers jarig.'

'Hoe moet ik dat doen?' Ze kreeg tranen in de ogen. 'Hij verstopt die hoeren in het Zomerpaleis. Hij heeft veel geld uitgegeven om een kanaaltje te laten graven rond zijn "miniatuur-Soochow". Elk winkeltje aan de rivier is gemeubileerd en ingericht. De theehuizen presenteren nu de beste opera's en de beste kunstenaars exposeren in de galeries. Hij heeft stalletjes voor handwerklieden en waarzeggers laten neerzetten, net als in een echte stad – maar er zijn geen klanten! Zijne Majesteit heeft die hoeren zelfs namen gegeven! De ene heet Lente, de volgende Zomer en dan heb je nog Herfst en Winter. "Schoonheden voor elk seizoen" noemt hij hen. Vrouwe Yehonala, Zijne Majesteit heeft schoon genoeg van Mantsjoe-vrouwen. Een dezer dagen zal hij dood neervallen tijdens zijn uitspattingen en de schande zal voor ons ondraaglijk zijn.'

Ik pakte mijn zakdoek en gaf hem aan Nuharoo zodat ze haar tranen kon afvegen. 'We moeten dit niet persoonlijk opvatten. Ik heb het gevoel dat Zijne Majesteit niet genoeg van óns heeft, maar van zijn verantwoordelijkheid voor het land. Misschien herinnert onze aanwezigheid hem te veel aan zijn verplichtingen. We hebben hem tenslotte meermalen verteld dat hij een teleurstelling is voor zijn voorouders.'

'Denk je dat er hoop is dat Zijne Majesteit ooit bij zinnen zal komen?'

'Goed nieuws van het front zou Zijne Majesteits gemoedsstemming verbeteren en zijn hoofd helder maken,' zei ik. 'In de samenvatting van hofzaken las ik vanmorgen dat generaal Tseng Kuo-fan een campagne is gestart om de Taiping-rebellen terug te drijven naar Nanking. Laten we hopen dat hij erin slaagt. Zijn strijdkrachten bevinden zich nu waarschijnlijk al bij Wuchang.'

Ze viel me in de rede. 'O, Yehonala. Kwel me niet zo! Ik wil dit helemaal niet weten!'

Ik ging zitten en nam de thee aan die An-te-hai me overhandigde.

'Nou ja.' Nuharoo herstelde zich. 'Ik ben de keizerin en ik moet dit soort dingen weten, nietwaar? Goed dan, zeg wat je te zeggen hebt, maar houd het simpel.'

Ik probeerde geduldig Nuharoo inzicht te geven in de situatie. Stukjes ervan wist ze natuurlijk al – dat de Taiping-rebellen van het platteland waren, dat ze het christelijke geloof hadden aangenomen en dat hun leider Hong Hsiu-chuan beweerde dat hij de jongere zoon van God en de broer van Jezus was. Maar Nuharoo wist vrijwel niets over hun succes op het slagveld. Ofschoon Hsien Feng dit niet in het openbaar toegaf, hadden de Taiping het zuiden en de agrarische gebieden van het land ingenomen en rukten nu op naar het noorden.

'Waar zijn die Taiping op uit?' vroeg Nuharoo terwijl ze met haar ogen knipperde.

'Ze willen de dynastie ten val brengen.'

'Dat is ondenkbaar!'

'Net zo ondenkbaar als de verdragen die de buitenlanders ons hebben opgedrongen.'

Nuharoo trok een gezicht dat me deed denken aan dat van een kind dat zojuist een rat in haar snoeptrommeltje heeft ontdekt.

'De buitenlanders denken ons "beschaving bij te brengen" door de vrije handel en het christendom.'

'Wat een belediging!' zei Nuharoo minachtend.

'Ik ben het helemaal met je eens. De buitenlanders zeggen dat ze onze zielen komen redden.'

'Maar hun daden spreken voor zich!'

'Dat is helemaal waar. De Britten hebben alleen al dit jaar voor negen miljoen pond aan goederen in China verkocht, waarvan zes miljoen aan opium.'

'Je gaat me toch niet vertellen dat het hof er niets aan doet, vrouwe Yehonala.'

'Wel, in de woorden van prins Kung: China is verslagen en heeft geen keus; we moeten doen wat ons wordt opgedragen.'

Nuharoo bedekte haar oren met haar handen. 'Hou op! Ik kan hier niets aan veranderen!' Ze greep mijn handen. 'Laat deze zaken alsjeblieft aan de mannen over!'

Nuharoo ontbood Yung Lu, de opperbevelhebber van de keizerlijke wachters. Ze dacht dat ze veilig zou zijn zolang ze iemand had die de poorten van de Verboden Stad bewaakte. Ik kon haar niet van het tegendeel overtuigen. Een paar dagen eerder had Nuharoo het huwelijk tussen Rong en prins Ch'un voltrokken. Het duurde zo lang dat ik daarna uitgeput was. Maar Nuharoo blaakte van energie en pit. Ze verkleedde zich tijdens de ceremonie dertien keer, nog vaker dan de bruid zelf.

Ik liep met Nuharoo mee naar een rustige ruimte in de westvleugel, waar Yung Lu op ons wachtte. Toen we binnenkwamen, zag ik een grote, sterke man opstaan uit zijn stoel.

'Yung Lu, tot uw dienst, majesteit.' De man gedroeg zich nederig maar zijn stem klonk vastbesloten. Hij knielde en maakte een diepe buiging. Hij maakte het ritueel af door de traditionele kow-tows te maken, waarbij zijn voorhoofd de grond raakte.

'Staat u op,' zei Nuharoo en gebaarde naar de eunuchen dat ze thee moesten brengen.

Yung Lu was achter in de twintig en had scherpe ogen en een verweerde huid. Zijn wenkbrauwen leken zwaarden en hij had de neus van een stier. Hij had een grote, vierkante kaak en een brede mond. Door zijn brede schouders en zijn houding deed hij me denken aan een krijgsheer uit vroeger tijden.

Nuharoo begon over koetjes en kalfjes te praten. Ze gaf haar mening over het weer, terwijl hij informeerde naar de gezondheid van Zijne Majesteit. Toen ze hem vroeg naar de Taiping, antwoordde hij geduldig en precies.

Ik was onder de indruk van zijn gereserveerde, maar openhartige houding. Ik bestudeerde zijn kleding. Hij droeg een driedelig uniform van de cavalerie, een rok met daarover een mouwloze hoftuniek. Het uniform was voorzien van een houtje-touwtjesluiting, vullingen en koperen sierspijkers. De eenvoudig geweven stof gaf een aanwijzing over zijn rang.

'Mag ik uw kruisboog eens zien?' vroeg ik.

Yung Lu maakte de boog los van zijn riem en overhandigde hem aan Nuharoo, die hem aan mij doorgaf.

Ik bekeek de houder. De pijlkoker was gemaakt van satijn, leer, zwanendons, zilverbeslag en bezet met saffieren; de pijlen waren voorzien van gierenveren. 'En uw zwaard?'

Hij gaf me zijn zwaard.

Het was zwaar. Toen ik met mijn vinger over het lemmet gleed, voelde ik zijn ogen op me rusten. Ik bloosde. Ik schaamde me omdat ik zoveel aandacht aan een man schonk, al begreep ik niet waar mijn plotselinge interesse vandaan kwam.

An-te-hai had me verteld dat Yung Lu op eigen kracht op het politieke toneel van China was verschenen.

Ik moest me inhouden om niet allerlei vragen op Yung Lu af te vuren. Ik moest voorzichtig zijn met wat ik zei, hoewel ik graag indruk op hem wilde maken.

Ik vroeg me af of Yung Lu enig idee had hoe zelden Nuharoo of ik een dergelijke ontmoeting hadden. Hoeveel het voor ons betekende iemand te spreken die niet in de Verboden Stad woonde.

'Onze paleizen binnen de Verboden Stad liggen zo geïsoleerd dat we vaak het gevoel hebben dat we in de ogen van het land slechts namen zijn.' Onwillekeurig sprak mijn stem mijn gedachten uit. Ik keek zijdelings naar Nuharoo, die glimlachte en knikte. Opgelucht praatte ik door. 'Het met zorg voorbereide en uitgewerkte leven dat wij leiden dient alleen ter bevestiging van onze machtspositie, van onze identiteit, dat we niets hebben om bang voor te zijn. Maar in werkelijkheid zijn we niet alleen bang, maar vrezen we ook dat keizer Hsien Feng zal sterven door zijn tegenspoed. Hij is degene die de meeste angst koestert.'

Nuharoo greep mijn hand en duwde haar nagels in mijn handpalm, alsof ze geschrokken was door mijn openbaring.

Maar ik liet me niet tegenhouden. 'Er gaat geen dag voorbij dat ik me geen zorgen maak over mijn zoon,' vervolgde ik vrijmoedig, en toen hield ik opeens mijn mond omdat ik me diep verlegen voelde. Ik sloeg mijn ogen neer en keek naar het prachtige zwaard dat ik vast had. 'Ik hoop dat Tung Chih op een dag verliefd op zo'n mooi zwaard wordt.'

'Inderdaad.' Nuharoo leek blij dat ik op een ongevaarlijk onderwerp overstapte. Ze viel me bij en prees het zwaard als een meesterlijk stuk vakmanschap.

Ik herkende de symbolen die op het gevest waren aangebracht; alleen de keizer mocht die gebruiken. Verrast vroeg ik: 'Heeft u dit zwaard van de keizer gekregen?'

'Het was eigenlijk een geschenk van keizer Hsien Feng aan mijn meerdere, Su Shun,' antwoordde Yung Lu, 'die het op zijn beurt mij als beloning gaf, met toestemming van Zijne Majesteit.'

'Ter gelegenheid waarvan?' vroegen Nuharoo en ik bijna tegelijkertijd.

'Ik had het geluk Su Shuns leven te kunnen redden tijdens een gevecht met bandieten in de bergen van Hupei. Ik heb ook deze dolk als beloning gekregen.' Yung Lu knielde op zijn linkerknie en trok een dolk uit zijn laars. Hij overhandigde me het wapen. Het gevest was van jade, ingelegd met edelstenen.

Toen ik het wapen aanraakte, kreeg ik een opgewonden gevoel.

Om twaalf uur zei Nuharoo dat ze naar haar boeddhaheiligdom moest om te bidden en haar kralen te tellen.

Ze vond de dingen waarover Yung Lu en ik spraken niet interessant. Het verbaasde me dat ze het eindeloze bidden wel interessant vond. Ik had Nuharoo eens gevraagd of ze me wat uitleg kon geven over het boeddhisme en ze had gezegd dat alles draaide om *yuan*, wat zij interpreteerde als 'het bestaan van het niets', of 'een gelegenheid die niet wordt gewenst'. Toen ik aandrong op nadere toelichting zei ze dat ze die onmogelijk kon geven. 'Ik kan mijn relatie met Boeddha niet in aardse taal omschrijven.' Ze keek me diep in de ogen en in haar toon klonk een vriendelijk medelijden toen ze zei: 'Het is voorbeschikt dat we ons leven moeten verdienen.'

Toen Nuharoo weg was, zette ik het gesprek met Yung Lu voort. Ik had het gevoel dat ik een boeiende reis was begonnen waarvan ik ondanks mijn schuldgevoel erg genoot. Hij was van oorsprong Mantsjoe en kwam uit het noorden. Als kleinzoon van een generaal was hij op veertienjarige leeftijd bij de Witte Vaandeldragers gekomen en had zich zowel via de keizerlijke academische weg als via het voortgezet militair onderwijs opgewerkt.

Ik vroeg naar zijn relatie met Su Shun.

'De Grote Raadgever was rechter in een zaak waarin ik de eiser was,' antwoordde Yung Lu. 'Dit speelde zich af in het achtste regeringsjaar van Zijne Majesteit, en ik moest het ambtenarenexamen doen.'

'Ik heb over die examens gelezen,' zei ik, 'maar ik heb nog nooit iemand ontmoet die er een heeft afgelegd.'

Yung Lu glimlachte en liet zijn tong over zijn lippen glijden.

'Neemt u me niet kwalijk, het was niet mijn bedoeling u te onderbreken.'

'O, nee,' verontschuldigde hij zich.

'En, leverde het examen u een positie op?'

'Nee,' antwoordde hij. 'Er was iets vreemds aan de hand. Er waren mensen die de winnaar ervan verdachten dat hij vals had gespeeld. Hij was een rijke nietsnut. Verschillende mensen gaven de corrupte, hooggeplaatste ambtenaren de schuld. Met steun van mijn medestudenten daagde ik het hof uit en eiste een hertelling. Mijn verzoek werd afgewezen, maar ik gaf het niet op. Ik ging de zaak persoonlijk onderzoeken. Na een maand presenteerde ik via een clanoudste een gedetailleerd rapport aan keizer Hsien Feng, die de zaak doorschoof naar Su Shun.'

'Su Shun had niet veel tijd nodig om achter de waarheid te komen,' zei Yung Lu. 'Maar toch was het niet eenvoudig de zaak op te lossen.'

'Hoezo?'

'Er was een nauwe verwant van Zijne Majesteit bij betrokken.'

'Heeft Su Shun Zijne Majesteit kunnen overreden de juiste maatregelen te nemen?'

'Ja, met als resultaat de onthoofding van de leider van de Keizerlijke Academie.'

'Su Shun ontleent zijn macht aan zijn flexibele tong,' onderbrak Nuharoo ons. Ze was stilletjes teruggekeerd en zat met haar gebedskralen in haar handen. Ze sprak met haar ogen dicht. 'Su Shun is in staat een overledene ervan te overtuigen dat hij moet zingen.'

Yung Lu schraapte zijn keel en leverde geen commentaar.

'Wat heeft Su Shun dan tegen keizer Hsien Feng gezegd?' vroeg ik.

'Hij gaf Zijne Majesteit een voorbeeld van een rel die het rijk ten val dreigde te brengen tijdens het veertiende regeringsjaar van keizer Shun Chih, in 1657,' antwoordde Yung Lu. 'De rel was op touw gezet door een groep studenten die oneerlijk behandeld waren bij het ambtenarenexamen.'

Ik pakte mijn theekopje en nam een slokje. 'En hoe kwam het zo dat Su Shun u in dienst heeft genomen?'

'Ik werd in de gevangenis gegooid omdat ik een oproerkraaier was.'

'En Su Shun heeft u gered?'

'Hij was degene die mijn vrijlating beval.'

'En toen heeft hij u gerekruteerd en bevorderd?'

'Ja, van luitenant tot opperbevelhebber van de keizerlijke wachters.'

'In hoeveel jaar tijd?'

'In vijf jaar, majesteit.'

'Indrukwekkend.'

'Ik ben hem innig dankbaar en zal de Grote Raadgever altijd trouw verschuldigd blijven.'

'En terecht,' zei ik. 'Maar vergeet niet dat keizer Hsien Feng degene is die Su Shun zijn macht heeft gegeven.'

'Ja, majesteit.'

Ik dacht even na en besloot toen een stukje informatie prijs te geven dat An-te-hai had ontdekt, namelijk dat de directeur van de Keizerlijke Academie Su Shuns vijand was.

Yung Lu was hierdoor verrast.

'Su Shun heeft op een slimme manier een einde gemaakt aan een persoonlijk probleem,' voegde ik eraan toe. 'Hij elimineerde zijn vijand door de hand van keizer Hsien Feng onder het mom dat ú recht gedaan moest worden.'

Yung Lu bleef zwijgen. Toen hij zag dat ik een reactie verwachtte, zei hij: 'Vergeeft u me, majesteit, ik weet niet wat ik hierop moet zeggen.'

'Dat is niet nodig.' Ik zette mijn theekopje neer. 'Ik vroeg me alleen af of u hiervan op de hoogte was.'

'Ja, eigenlijk… min of meer.' Hij sloeg zijn ogen neer.

'Zegt dit soort slimheid niet iets over de man Su Shun?'

Hij durfde zich niet bloot te geven of een vraagteken achter mijn beweegredenen te zetten en Yung Lu sloeg zijn ogen op en keek me onderzoekend aan. Zijn blik was die van een echte Vaandeldrager.

Ik wendde me tot Nuharoo. Haar gebedskralen lagen nog op haar schoot en haar vingers bewogen niet. Ik wist niet of ze in contact stond met de geest van Boeddha of dat ze in slaap was gesukkeld.

Ik zuchtte. De keizer was te zwak. Su Shun was te sluw en prins Kung was te ver weg, terwijl we een man in de buurt nodig hadden.

'De tijd zal ons leren wie Su Shun werkelijk is,' zei ik. 'Waar het nu om gaat, is uw trouw. Aan wie behoort die toe, aan Su Shun of aan Zijne Majesteit keizer Hsien Feng?'

Yung Lu wierp zich op de grond en kow-towde. 'Aan Zijne Majesteit natuurlijk. Hij heeft mijn eeuwige toewijding – daarover hoef ik geen seconde te twijfelen.'

'En wij? De echtgenotes van Zijne Majesteit en zijn kind?'

Yung Lu rechtte zijn rug. Onze blikken kruisten elkaar. Het moment werd voor altijd in mijn geest vastgelegd, zoals inkt zich aan rijstpapier hecht. Op een of andere manier verried hij zich door zijn gezichtsuitdrukking, die me duidelijk maakte dat hij aan het wikken en wegen was. Ik voelde dat hij probeerde te bepalen of ik zijn toezegging waard was.

Ik hield zijn blik vast en vertelde hem met mijn ogen dat ik hetzelfde voor hem zou doen, in ruil voor zijn eerlijkheid en vriendschap. Als ik had vermoed wat er stond te gebeuren, had ik dat niet gedaan. Ik vertrouwde er te veel op dat ik de controle had over mijn eigen wil en emoties en dat ik niets minder zou zijn dan keizer Hsien Fengs trouwe concubine.

Achteraf gezien ontkende ik de waarheid. Keer op keer weigerde ik aan mezelf toe te geven dat ik, zodra we elkaar ontmoetten, meer van Yung Lu wilde dan lichamelijke bescherming. Mijn ziel snakte ernaar iemand te beroeren en beroerd te worden. Op het moment dat ik zijn zwaard aanraakte, was mijn gezonde verstand verdwenen.

De eunuch kwam terug met verse thee. Yung Lu goot de vloeistof door zijn keel alsof hij zojuist uit de woestijn was gekomen. Maar het was niet genoeg om hem te kalmeren. Zijn blik gaf me de indruk van iemand die net had besloten zich van een klif te storten. Hij sperde zijn ogen open en ik kon zien dat hij zich zeer slecht op zijn gemak voelde. Toen we elkaar weer aankeken, besefte ik dat we allebei afstammelingen waren van de hardste Mantsjoe-Vaandeldragers. We waren in staat elke veldslag te overwinnen, zowel uiterlijke als innerlijke. We waren voorbestemd te overleven door ons vermogen tot redeneren en om te gaan met onze frustraties met als doel het behouden van onze integriteit. We droegen een glimlachend masker terwijl we vanbinnen stierven.

Zodra ik besefte dat ik geen talent had om te regeren, maar slechts om te voelen, was ik verdoemd. Een dergelijk talent verrijkte mijn leven maar vernietigde tegelijkertijd elk vredig moment. Ik voelde me hulpeloos ten opzichte van wat me overkwam. Ik was als de vis op de gouden schaal, vastgebonden met een rood lint. Maar niemand zou me terugbrengen naar het meer waar ik thuishoorde.

Ik raakte uitgeput door te doen alsof er niets aan de hand was.

Yung Lu voelde dat aan. Hij verschoot van kleur. Zijn gelaatskleur deed denken aan de roze kleur van de stadsmuren.

'De audiëntie is afgelopen,' zei ik zwakjes.

Yung Lu boog, draaide zich om en marcheerde de kamer uit.

ZEVENTIEN

In mei 1858 bracht prins Kung het nieuws dat onze soldaten gebombardeerd waren terwijl ze zich nog in hun barakken bevonden. De Fransen en Engelsen hadden de vier Taku-forten aangevallen die aan de monding van de Peiho lagen. Keizer Hsien Feng was ontzet dat onze kustverdediging was gevallen en riep de oorlogstoestand uit. Hij stuurde Kuei Liang, de schoonvader van prins Kung, die Grote Secretaris was en de hoogste Mantsjoe-functionaris aan het hof, om over de vrede te onderhandelen.

De volgende ochtend al vroeg Kuei Liang een spoedaudiëntie aan. Hij was de avond ervoor in haast teruggekeerd uit Tientsin. De keizer was weer ziek en hij had Nuharoo en mij gestuurd om hem te vervangen. Zijne Majesteit beloofde dat hij zich bij ons zou voegen zodra hij voldoende kracht had verzameld.

Toen Nuharoo en ik de Hal van Spirituele Verzorging binnenkwamen, zat het hof al klaar. Er waren meer dan driehonderd ministers en functionarissen aanwezig. Nuharoo en ik droegen onze goudkleurige hofgewaden. We namen naast elkaar plaats in onze zetels achter de troon.

Minuten later kwam keizer Hsien Feng aan. Hij sleepte zich het platform op en liet zich buiten adem op de troon vallen. Hij leek zo broos dat een briesje hem omver zou kunnen blazen. Zijn gewaad was slordig dichtgeknoopt. Hij had zich niet geschoren en de baardharen staken als plukjes onkruid uit zijn kin.

Kuei Liang kreeg het bevel naar voren te komen. Ik schrok toen ik hem zag. Zijn normale rustige en welwillende gelaatsuitdrukking had plaatsgemaakt voor een van nervositeit. Hij leek een stuk ouder geworden. Hij liep met kromme rug en ik kon zijn gezicht haast niet zien. Prins Kung was met hem meegekomen. De donkere kringen onder hun ogen verrieden dat ze geen oog hadden dichtgedaan.

Kuei Liang begon verslag uit te brengen. In het verleden was hij altijd op me overgekomen als iemand van hoge intelligentie. Nu was hij verzwakt, sprak hij onduidelijk en waren zijn handen als verlamd. Hij zei dat hij met weinig respect was ontvangen door de buitenlandse onderhandelaars. Ze gebruikten het Arrow-incident, waarbij Chinese piraten werden betrapt op het varen onder Britse vlag, als een excuus om hem uit de weg te gaan. Er was geen bewijs geleverd om hun beweringen te ondersteunen. Het zou net zo goed een samenzwering tegen China kunnen zijn.

Keizer Hsien Feng luisterde ernstig toe.

'Onder het voorwendsel ons een lesje te willen leren,' vervolgde Kuei Liang, 'hebben de Britten een aanval gedaan op Kanton, en de hele provincie is onder de voet gelopen. De Britten en de Fransen, die samen de beschikking hadden over zesentwintig oorlogsbodems en werden vergezeld door de Amerikanen – die beweerden "neutrale waarnemers" te zijn – en door de Russen, die hebben meegedaan aan de plunderingen, hebben Zijne Majesteit uitgedaagd.'

Ik kon het gezicht van mijn gemaal niet goed zien, maar ik kon me zijn uitdrukking wel voorstellen. 'Ze handelen in strijd met het vorige verdrag als ze de rivier op varen naar Peking,' zei keizer Hsien Feng met effen stem.

'De winnaars bepalen de regels, ben ik bang, majesteit,' zei Kuei Liang hoofdschuddend. 'Ze hadden geen excuus meer nodig na hun aanval op de Taku-forten. Ze zijn nu nog slechts honderdvijftig kilometer van de Verboden Stad verwijderd!'

Het hof was verbijsterd.

In tranen ging Kuei Liang verder op de zaak in. Terwijl ik zat te luisteren, verscheen er opeens een beeld voor mijn geestesoog. Ik had een dorpsjongen een keer een spreeuw zien martelen. Het was mijn buurjongetje. Hij had de spreeuw gevonden in een rioolput. Het wezentje zag eruit alsof het pas had leren vliegen, was gevallen en zijn vleugeltje had gebroken. Toen het joch de vogel oppakte, droop het smerige water van zijn veren. Hij zette de vogel op een stapsteen voor zijn huis en riep ons erbij. Ik zag het kleine hartje van de vogel in zijn lichaampje kloppen. De jongen tikte de vogel naar voren en naar achteren door aan de pootjes of de vleugeltjes te trekken. Hij ging net zolang door tot de vogel niet meer bewoog.

'U hebt me in de steek gelaten, Kuei Liang!' Hsien Fengs kreet bracht me weer bij mijn positieven. 'Ik had alle vertrouwen in uw welslagen!'

'Majesteit, ik heb zo meelijwekkend mogelijk mijn doodsvonnis voorgelegd aan de Russische en Amerikaanse gezanten,' riep Kuei Liang uit. 'Ik zei dat als ik op nog één volgend punt zou toegeven, mijn leven verloren was. Ik heb hun verteld dat mijn voorganger, de onderkoning van Kanton, het bevel had gekregen van keizer Hsien Feng om zich van het leven te beroven, omdat hij in zijn opdracht gefaald had. Dat de keizer mij had opgedragen een redelijk en wederzijds gunstig vredesakkoord te bereiken. Dat ik hem had beloofd niet akkoord te gaan met overeenkomsten die nadelig voor China zouden zijn. Maar ze bespotten me en lachten me uit, majesteit.' De oude man viel snikkend van schaamte op de knieën. 'Ik… ik… verdien het te sterven.'

Het was hartverscheurend de respectabele Kuei Liang zo te zien huilen. De Fransen en Engelsen eisten schadevergoedingen en excuses voor oorlogen die ze tegen ons, op ons grondgebied, waren begonnen. Volgens prins Kung hadden ze verklaard dat door de recente gebeurtenissen alle vorige overeenkomsten ongeldig waren geworden. De Grote Raadgever Su Shun, die gekleed was in zijn rode hofgewaad, waarschuwde dat ze dit als excuus zouden gebruiken voor hun volgende stap: keizer Hsien Feng het mes op de keel zetten.

'Ik heb mezelf, mijn land en mijn voorouders in de steek gelaten,' riep Hsien Feng. 'Door mijn tekortkomingen hebben de barbaren ons geplunderd... China is geschonden, en alleen ik ben daaraan schuldig.'

Ik wist dat ik eigenlijk toestemming moest vragen om te spreken, maar ik was woedend en zei: 'De buitenlanders mogen in China wonen dankzij de vriendelijkheid van de keizer en toch hebben ze ons onuitsprekelijk kwaad gedaan. Ze hebben ervoor gezorgd dat onze regering zijn prestige bij het volk heeft verloren. Het ligt voor de hand dat we hen vervloeken.'

Ik wilde nog meer zeggen, maar mijn stem werd verstikt door mijn tranen. Nog maar een paar weken geleden had ik achter Hsien Feng gezeten toen hij tekeerging over de oorlog en 'dood aan de barbaren' had geroepen. Wat voor zin had het er nog meer woorden aan vuil te maken? Het bleek nu dat de keizer van China binnenkort gedwongen zou zijn zich te verontschuldigen voor 'het verraad van zijn troepen die vorig jaar de Taku-forten hadden verdedigd tegen de Britten'. China zou gedwongen worden akoord te gaan met enorme schadeloosstellingen aan de indringers.

De keizer moest even rusten. Na een korte onderbreking nam Kuei Liang weer het woord. 'De Russen hebben zich bij de roversbende gevoegd, majesteit.'

Hsien Feng haalde diep adem en vroeg: 'Wat willen ze?'

'Ze willen de grens bij de rivieren de Amur en de Ussuri opnieuw vaststellen.'

'Onzin!' gilde Hsien Feng. Hij begon te hoesten en zijn eunuchen haastten zich naar hem toe om zijn hals en voorhoofd af te vegen. Hij duwde hen weg. 'Kuei Liang, u hebt dit laten gebeuren... U!'

'Majesteit, ik verdien geen vergiffenis meer, en ik verwacht dat ook niet. Ik heb me erop voorbereid me te verhangen. Ik heb al afscheid genomen van mijn gezin. Mijn vrouw en kinderen hebben me verzekerd dat ze het begrijpen. Ik wil u alleen laten weten dat ik mijn best heb gedaan, maar dat het me niet is gelukt de barbaren aan de onderhandelingstafel te krijgen. Het enige wat ze deden was dreigen met oorlog. En...' Kuei Liang zweeg en wendde zich tot zijn schoonzoon.

Prins Kung deed een stap naar voren en maakte de zin van Kuei Liang af. 'Gisteren hebben de Russen kanonschoten afgevuurd. Uit angst dat ze de hoofdstad zouden bedreigen heeft minister Yi Shan het verdrag getekend en de voorwaarden van de Russen geaccepteerd. Hier is een kopie van het verdrag, majesteit.'

Keizer Hsien Feng pakte het document langzaam op. 'Ten noorden van de Amur en ten zuiden van het bergachtige gebied Wai-hsin-an, nietwaar?'

'Dat is juist, majesteit.'

'Dat is meer dan zeshonderdduizend vierkante kilometer, nietwaar?'

Velen van de aanwezigen begrepen maar al te goed hoe groot de omvang van dit verlies was. Sommigen begonnen te huilen..

'Su Shun!' riep keizer Hsien Feng, terwijl hij onderuit zakte in zijn zetel.

'Hier ben ik, majesteit.' Su Shun stapte naar voren.

'Onthoofd Yi Shan en ontzet Kuei Liang uit al zijn functies.'

Mijn hart ging uit naar Kuei Liang toen de wachters hem de hal uit begeleidden. Tijdens de daaropvolgende onderbreking kreeg ik de kans even met prins Kung te praten. Ik vroeg hem of hij iets kon doen om het decreet tegen te houden. Hij zei dat ik me geen zorgen hoefde te maken. Hij maakte me duidelijk dat Su Shun de leiding had en dat deze Hsien Fengs bevel niet zou uitvoeren. Hij had alleen ja gezegd om Zijne Majesteit te kalmeren. Het hof vertrouwde erop dat Su Shun de keizer van gedachten kon laten veranderen; iedereen wist dat Kuei Liang onvervangbaar was.

In de afgelopen maanden was keizer Hsien Feng steeds afhankelijker geworden van Su Shun en zijn zeven Grote Raadgevers. Ik bad dat Su Shun erin zou slagen Zijne Majesteit de hand boven het hoofd te houden. Ofschoon ik niet op Su Shun gesteld was, was ik niet van plan zijn vijand te worden. Het zou niet in me opkomen om hem te beledigen, maar toch zou dit op een dag onvermijdelijk blijken.

Het had al drie dagen gesneeuwd. Buiten de poort lag de sneeuw ruim een halve meter hoog. Ofschoon de kolenkachels brandden, was het niet warm genoeg. Mijn vingers waren helemaal stijf. Hsien Feng zat weggedoken in zijn bontjas, onderuitgezakt in een zetel in de Hal van Spirituele Verzorging. Hij had zijn ogen dicht.

Ik zat aan het bureau samenvattingen van documenten voor hem te schrijven. De laatste maanden deed ik weer secretariële werkzaamheden voor de keizer. Hij had eenvoudigweg geen energie meer en had me gevraagd hem te helpen de dringendste brieven uit te zoeken die hij moest beantwoorden. Zijne Majesteit sprak de woorden en ik maakte er een antwoord van.

Het was een hele uitdaging, maar ik was dolblij dat ik mocht helpen. Opeens was ik geen in de steek gelaten concubine meer. Ik hoefde niet langer door een hel te gaan. Ik kreeg de kans een rol te spelen in Zijne Majesteits droom China nieuw leven in te blazen. Ik voelde me prima – mijn energie was onuitputtelijk. Ik zag voor het eerst sinds lange tijd echte genegenheid in zijn ogen. Toen Hsien Feng een keer laat op de avond wakker werd in zijn stoel, pakte hij mijn hand en hield die vast. Hij wilde me laten weten dat hij mijn hulp op prijs stelde. Hij riep niet meer om Zomer, een van zijn Chinese concubines, of om Nuharoo, zelfs niet toen ik hem smeekte een wandeling met haar te maken.

Ik ging bij Nuharoo op bezoek om tijd te kunnen doorbrengen met Tung Chih, die vlakbij sliep, bij zijn zoogsters. Ik hield haar op de hoogte van de zaken waaraan ik met Zijne Majesteit had gewerkt. Het beviel haar dat ik me zo nederig opstelde.

Elke dag bij zonsopgang kleedde ik me aan en vertrok in mijn draagstoel naar de Hal van Spirituele Verzorging. Direct na aankomst begon ik de officiële papieren te verdelen over een aantal dozen. Keizer Hsien Feng lag meestal nog te slapen in de aangrenzende kamer. Ik zette de dozen in volgorde van belangrijkheid op een rij. Tegen de tijd dat de zon aan de hemel was gestegen en de keizer naar me toe kwam, was ik gereed hem te informeren. Hij zette voor zichzelf de voor- en nadelen op een rij en overwoog zijn beslissing. Soms besprak hij zaken met mij en verwachtte dat ik de nodige edicten daarna zou opstellen.

Ik deed suggesties waarvan ik hoopte dat ze Zijne Majesteit in zijn gedachtegang zouden helpen. Op een dag was hij erg laat en een van de dozen vroeg zijn onmiddellijke aandacht. Om tijd te winnen had ik een voorstel in zijn stijl geschreven. Toen ik het hem ter goedkeuring voorlas, bracht hij er geen enkele verandering in aan. Het edict werd, voorzien van zijn zegel, verzonden.

Na die gebeurtenis had ik meer zelfvertrouwen gekregen. Hsien Feng verzocht me zelfstandig edicten op te stellen en hem er later van op de hoogte te stellen. Aanvankelijk was ik er nerveus over; ik wilde prins Kung of Su Shun raadplegen, maar wist dat dat niet kon.

Op een ochtend had ik al zeven conceptdocumenten opgesteld en was begonnen aan het achtste. Dat was een moeilijke. Het ging om een bepaling in een verdrag dat ik niet kende. Ik besloot ermee te wachten. Toen ik hoorde dat Zijne Majesteit bezig was op te staan, nam ik het concept en ging naar hem toe.

Hsien Feng lag met gesloten ogen op een rotan stoel. Een eunuch was bezig hem soep van hertenbloed te voeren. Die smaakte waarschijnlijk vies, want Zijne Majesteit trok een gezicht als een kind dat een glasscherf in zijn vinger krijgt. De soep droop langs zijn mondhoeken. Ik was net begonnen het concept voor te lezen toen ik de stem van hoofdeunuch Shim hoorde. 'Goedemorgen, Hoogheid. Su Shun is hier om u te spreken.'

'Is Zijne Majesteit aanwezig?' klonk Su Shuns stem. 'Deze zaak duldt geen uitstel.'

Voordat ik de kans kreeg me terug te trekken, kwam Su Shun op Zijne Majesteit toe lopen. Zijne Majesteit deed zijn ogen halfopen en zag Su Shun op zijn knieën. Ik stond tegen de muur en hoopte dat Su Shun me niet zou opmerken.

'Staat u op,' mompelde keizer Hsien Feng. De eunuch veegde snel de soepresten van zijn kin en hees hem overeind. 'Gaat het weer over de Russen?'

'Ja, helaas wel,' antwoordde Su Shun, terwijl hij opstond. 'Ambassadeur Ignatiev weigert over onze voorwaarden te onderhandelen en heeft de datum genoemd waarop ze ons zullen aanvallen.'

De keizer leunde naar rechts terwijl hij zijn zij wreef. 'Orchidee, heb je Su Shun gehoord?' Hij wierp me het concept toe. 'Verscheur het maar! Wat heeft het voor zin edicten uit te vaardigen? Wat kan ik anders? Ze hebben al mijn bloed uit me gezogen en nog laten de wolven me niet met rust!'

Su Shun schrok toen hij me zag. Hij kneep zijn ogen tot spleetjes. Zijn blik gleed van keizer Hsien Feng naar mij.

Ik wist dat hij zich alleen al door mijn aanwezigheid beledigd voelde. Hij staarde me aan en zijn ogen schreeuwden: Ga terug naar je borduurwerk!

Maar ik moest Hsien Feng een antwoord geven. Ik hoopte dat Su Shun ervan uit zou gaan dat de keizer redenen had mij te vertrouwen en dat mijn hulp waardevol was.

Als Su Shun het hem zou vragen, zou Zijne Majesteit me zeker prijzen. Een maand geleden was er een verslag binnengekomen van een overstroming in de provincie Szechwan. Honderden boeren waren dakloos geworden. Er was nauwelijks voedsel. Toen Hsien Feng hoorde dat veel gezinnen hun gestorven kinderen opaten om te overleven, vaardigde hij een decreet uit dat de gouverneurs van Kiangsu en Anhwei hun voorraadsilo's moesten openstellen. Maar er was geen graan meer. De opslagplaatsen waren lang daarvoor al geleegd om de strijd tegen de Taiping en de buitenlanders te financieren.

Ik stelde Zijne Majesteit voor om de corrupte bureaucraten geld afhandig te maken. Ik stelde voor dat hij alle regeringsambtenaren moest opdragen hun inkomen op te geven. Ondertussen kon Zijne Majesteit inspecteurs op pad sturen die de boeken moesten controleren om te zien of die klopten met de opgaven.

'Dat zal heel wat tegenwerking oproepen,' zei Zijne Majesteit.

'Niet als we een clausule toevoegen dat er geen beschuldigingen tot oplichting zullen volgen als de schuldigen hun geld aan de slachtoffers van de watersnoodramp geven.'

Het decreet deed zijn werk. Als beloning mocht ik van keizer Hsien Feng een bezoek aan mijn familie brengen. Vanaf dat moment vertrouwde Zijne Majesteit me de decreten grotendeels toe. Mijn zelfvertrouwen groeide. Namens de keizer moedigde ik de gouverneurs aan hun kritiek te uiten en hun suggesties voor te leggen. Hun commentaar en hun voorstellen kon ik goed gebruiken.

Ik voelde me voldaan en tevreden, maar tegelijkertijd maakte ik me zorgen om Hsien Fengs afnemende interesse in zijn werk. Het viel niet mee bestand te blijven tegen zijn toenemend pessimisme. Hij had erg veel pijn en was bijna altijd gedeprimeerd. Wanneer ik Tung Chih meenam, had hij geen energie om met hem te spelen. Na een paar minuten stuurde hij het kind al weer weg. Hij keek de concept-edicten die ik opstelde niet meer na. Als er staatsverslagen kwamen, verwachtte hij van mij dat ik ze zou afhandelen. Hij wilde niet eens meer dat ik hem iets ter goedkeuring voorlegde. Als ik hem documenten voorlegde waarvan ik vond dat hij ervan af moest weten, duwde hij me weg en zei: 'De insecten in mijn hoofd hebben zulke grote nesten gebouwd dat ik niet meer kan denken.'

Zijne Majesteit had niet lang meer te leven. Maar hij moest leven, voor Tung Chih. Ik werkte ononderbroken. Ik gebruikte nog maar twee maaltijden per dag in plaats van vijf. Soms at ik slechts eenmaal per dag. Om te zorgen dat ik goed at, nam An-te-hai een kok uit mijn geboortestad Wuhu in dienst, die mijn lievelingsgerecht uit mijn jeugd heel goed kon bereiden: soep van tomaten, uien en kool. An-te-hai gebruikte een speciale bamboepot om de soep warm te houden.

Vaak werd ik wakker nadat ik met mijn hoofd op mijn armen in slaap was gevallen. Ik deed niets meer aan mijn haar. Ik had graag meer tijd met Tung Chih willen doorbrengen, die net vier was geworden, maar ik moest hem helemaal aan Nuharoo overlaten. Ik bleef aan de hofdocumenten werken en ging soms door tot het al weer licht werd. An-te-hai zat dan naast me met een deken voor het geval ik daarom zou vragen. Hij viel in slaap op zijn krukje. Af en toe hoorde ik hem in zijn slaap mompelen: 'Geen "gefeliciteerd" meer, Confucius!'

'Wat kan ik anders?'

Tot ontstemming van Su Shun gaf ik Zijne Majesteit antwoord. 'Ik zou niet toegeven aan de Russen.' Ik sprak zachtjes, maar doelbewust. 'De Russen maken gebruik van onze moeilijkheden met de Fransen en de Britten. China moet niet de indruk wekken dat het een makkelijke prooi is.'

'Ik hoop dat u goed heeft geluisterd,' zei Hsien Feng. 'Toon... onze kracht.'
Su Shun knikte. 'Ja, majesteit.'

'Ga morgen terug naar de Russen en kom pas terug als de taak is volbracht.'
Keizer Hsien Feng draaide zich met een diepe zucht van Su Shun af.

Ongelovig nam Su Shun afscheid van Zijne Majesteit. Voordat hij wegliep wierp hij me een gemene blik toe. Het was duidelijk dat hij Hsien Fengs respect voor mij als een persoonlijke vernedering opvatte.

Het duurde niet lang voordat Su Shun leugens over me begon te verspreiden. Hij waarschuwde het hof dat ik de troon wilde overnemen. Hij slaagde erin de clanoudsten op te hitsen, die kwamen protesteren. Ze drongen er bij Zijne Majesteit op aan dat hij me zijn paleis uit zou zetten.

Prins Kung kwam voor me op. Hij maakte zich geen illusies over de geestesgesteldheid van zijn broer. Zijne Majesteit wilde alleen naar de Hal van Spirituele Verzorging komen als ik er ook was. Prins Kung was de mening toegedaan dat Su Shun degene was met ontoelaatbare ambities.

Dokter Sun Pao-tien had Zijne Majesteit volledige rust voorgeschreven, dus verhuisden we weer naar Yuan Ming Yuan. Het was midden in de winter. Het lange, bruin en geel verkleurde onkruid lag bevroren op de velden. Er stond een straffe wind. De kreekjes en beken die zich door de tuin slingerden waren bevroren en zagen eruit als smerige touwen. Keizer Hsien Feng zei dat ze hem deden denken aan de uitpuilende ingewanden van een geslacht dier.

De rust werd ruw verstoord toen Su Shun en prins Kung dringend nieuws kwamen brengen. Ze kwamen naast het rijk bewerkte, zwarte houten bed van Zijne Majesteit staan en rapporteerden dat de Britten en Fransen een audiëntie eisten.

Keizer Hsien Feng ging rechtop in bed zitten. 'Ik kan niet accepteren dat ze de verdragen weer willen herzien en aanpassen. Wat moet er worden herzien of aangepast? Ze zoeken gewoon een excuus voor een nieuwe aanval!'

'Zou u toch willen overwegen hun een audiëntie toe te staan?' vroeg prins Kung. 'Het is belangrijk met hen in gesprek te blijven. Mijn Tsungli Yamen kan de voorbereidingen uitwerken tot Zijne Majesteit tevreden is…'

'Onzin! We hebben die verzoeners niet nodig!' onderbrak Su Shun hem, terwijl hij naar Prins Kung wees.

Hsien Feng gebaarde met zijn hand om Su Shun het zwijgen op te leggen. Hij was zich ervan bewust dat het hof verdeeld was over de juiste wijze om dit aan te pakken, en dat Su Shun en prins Kung de twee kampen aanvoerden.

'Het gaat me te ver dat ze een audiëntie aanvragen,' zei Hsien Feng. 'Ik zal niet toestaan dat de barbaren naar Peking komen.'

De gebruikelijke optocht van eunuchen en dienstmeisjes kwam binnen met thee. Iedereen zag er prachtig uit. Als ik in mijn tuin wandelde, voelde ik al die macht en glorie om me heen. Zelfs de krekels op de tuinpaden hadden iets edels; ze waren doorvoed en groen en groter dan degene die ik op het platteland aantrof. En toch zou er aan dit alles misschien een einde komen.

'De buitenlanders zijn met hun troepen onderweg,' herinnerde prins Kung zijn broer nadat het lange tijd stil was gebleven.

'Dood aan de barbaren!' zei Su Shun woedend. 'Majesteit, het is nu tijd een bevel uit te vaardigen dat de Britse ambassadeur gegijzeld moet worden. Dat zal hem dwingen zijn troepen terug te trekken.'

'En als hij dat weigert?' vroeg prins Kung.

'Dan onthoofden we hem,' antwoordde Su Shun. 'Geloof me maar, als we de leider van onze vijanden gevangennemen zal de rest zich overgeven. En dan kunnen we generaal Seng-ko-lin-chin met de Vaandeldragers sturen om de hoofden van de overige barbaren te verzamelen.'

'Bent u uw verstand verloren?' zei prins Kung. 'De Britse ambassadeur is slechts een boodschapper. We zullen in de ogen van de wereld aan moraal verliezen. Het zal onze vijanden het perfecte excuus geven om een invasie op touw te zetten.'

'Moraal?' zei Su Shun honend. 'Op welke gronden verantwoorden de barbaren hun gedrag in China? Ze stellen eisen aan de Zoon van de Hemel. Hoe durft u de kant van de barbaren te kiezen! Vertegenwoordigt u Zijne Majesteit de keizer van China of de koningin van Engeland?'

'Su Shun!' Prins Kung liep rood aan en hij balde zijn vuisten. 'Het is mijn plicht Zijne Majesteit waarheidsgetrouw te adviseren!'

Su Shun liep naar keizer Hsien Feng. 'Majesteit, prins Kung moet worden tegengehouden. Hij heeft het hof misleid. Hij en zijn schoonvader hebben de onderhandelingen gevoerd. Afgaand op de uitkomst van de verdragen en de informatie die ik van mijn inspecteurs heb ontvangen, hebben we redenen om aan te nemen dat prins Kung van zijn positie misbruik heeft gemaakt.' Su Shun zweeg even en draaide zich bliksemsnel om naar prins Kung, alsof hij hem de pas wilde afsnijden. 'Heeft u soms geen afspraken met de vijand gemaakt? Hebben de barbaren toegezegd dat u uw deel zult krijgen als ze eenmaal in de Verboden Stad zijn?'

De aderen in prins Kungs nek zwollen op en hij kreeg een woeste uitdrukking op zijn gezicht. Hij besprong Su Shun, vloerde hem en begon op hem in te slaan.

'Denk aan je manieren!' riep keizer Hsien Feng. 'Su Shun had mijn toestemming zijn zegje te doen.'

De woorden van Zijne Majesteit hadden een verpletterend effect op prins Kung. Hij liet zijn handen langs zijn zij vallen en zakte op de knieën. 'Mijn keizerlijke broeder, we zullen niets bereiken door de ambassadeur te gijzelen. Ik durf mijn hoofd erom te verwedden. De situatie zal alleen in ons nadeel veranderen. Ze zullen zich niet terugtrekken, maar hun oorlogsvloot op ons af sturen. Ik heb hun gewoonten lang genoeg bestudeerd.'

'Natuurlijk.' Su Shun krabbelde met wapperende mouwen overeind. 'Lang genoeg om contacten te leggen en lang genoeg om te vergeten wie u bent.'

'Nog één woord, Su Shun,' zei prins Kung met opeengeklemde kaken, 'en ik ruk u uw tong uit!'

Ondanks Kungs waarschuwingen werd er een edict uitgevaardigd om de Britse ambassadeur gevangen te nemen. Tijdens de daaropvolgende dagen was het rustig in de Verboden Stad. Toen het nieuws van de gevangenneming van de ambassadeur werd bekendgemaakt vierde Peking feest. Su Shun werd ingehaald als een held. Vrijwel meteen werd de opwinding getemperd door rapportages van buitenlandse aanvallen aan de kust. De documenten die van het front naar Zijne Majesteit werden gestuurd hadden de geur van rook en bloed. Als snel stonden er stapels papieren tegen de muren. Ik wist niet meer waar ik moest beginnen met sorteren. De situatie ontwikkelde zich precies zoals prins Kung had voorspeld.

1 augustus 1860 was de vreselijkste dag in het leven van keizer Hsien Feng.

Niets kon de barbaren nu nog tegenhouden. Prins Kung werd openlijk beschuldigd en zijn Tsungli Yamen werd ontbonden. De Britten en Fransen, die zich nu 'de geallieerden' noemden, kwamen met respectievelijk 173 oorlogsbodems en 10 000 soldaten en 33 schepen en 6000 soldaten. Toen sloten de Russen zich bij hen aan. Gezamenlijk zetten ze met een krijgsmacht van 18 000 man voet aan land bij de Golf van Chihli.

Opklauterend tegen de enorme versterkte aarden wallen aan de monding van de Gele Rivier en langs de kust kropen de geallieerden aan land, zonken tot hun knieën in het gele slijm en schoten zich een weg naar droge grond. Vervolgens rukten ze op naar Peking. Generaal Seng-ko-lin-chin, de bevelhebber van de keizerlijke strijdkrachten, zond het bericht naar keizer Hsien Feng dat hij voorbereid was op zijn dood – met andere woorden, dat alle hoop op bescherming van de hoofdstad vervlogen was.

Andere rapportages beschreven dappere daden en patriottisch gedrag, waardoor ik erg verdrietig werd. De ouderwetse vechtmethodes van China waren gênant geworden – onze forten werden alleen beschermd door barrières gemaakt van bamboe en een systeem van dijken en greppels. Onze soldaten kregen niet eens de kans hun meesterlijke krijgskunst te demonstreren. Ze werden neergeschoten voordat de vijand zelfs in zicht was.

De Mongoolse ruiters stonden bekend om hun onoverwinnelijkheid. In één dag werden er drieduizend weggevaagd. De westerse kanonnen en geweren bliezen hen omver zoals een late herfstwind de droge bladeren wegblaast.

Keizer Hsien Feng was doordrenkt van het zweet. Een felle koorts had zoveel energie van hem gevergd dat hij niet meer in staat was te eten. Het hof vreesde dat hij het niet zou redden. Toen de koorts gezakt was, vroeg hij me vijf edicten op te stellen die onmiddellijk bezorgd moesten worden bij generaal Seng-ko-lin-chin. Namens Zijne Majesteit informeerde ik de generaal dat uit het hele land manschappen waren opgeroepen en dat de legendarische generaal Sheng Pao hem binnen vijf dagen te hulp zou komen. Er zouden bijna 20 000 manschappen komen, waaronder 7000 cavaleristen, om de tegenaanval te wagen.

In het volgende edict schreef ik de woorden van Zijne Majesteit, gericht aan de natie:

> De verraderlijke barbaren waren bereid ons geloof in de mensheid op te offeren. Ze rukten op naar Tungchow. Ze kondigden schaamteloos aan dat ze mij wilden dwingen hen in audiëntie te ontvangen. Ze dreigden dat elke nalatigheid van onze kant zou worden opgevat als plichtsverzuim door het Rijk.
>
> Ofschoon mijn gezondheidstoestand deplorabel is, kon ik niets anders doen dan vechten tot mijn laatste snik. Ik besef dat we niet meer op vrede en harmonie kunnen hopen zonder de inzet van wapens. Ik gebied u, onze legers en burgers van elk ras, nu mee te doen aan de strijd. Ik zal diegenen die moed tonen belonen. Voor elk hoofd van een zwarte barbaar [van de Britse sikhtroepen] loof ik 50 taël beloning uit en voor elk hoofd van een blanke barbaar loof ik 100 taël beloning uit. Onderdanen van andere aan ons onderworpen landen dienen met rust gelaten te worden en zodra de Britten en Fransen berouw tonen en afzien van hun slechte gedrag, zal ik hun met plezier toestaan weer handel te drijven zoals voorheen. Mogen zij berouw tonen voordat het te laat is.

Door de dagenlang aanhoudende zware regen was het vochtig in de Hal van Verlichte Deugdzaamheid. Het leek alsof we ons in een enorme lijkkist bevonden. Rond keizer Hsien Fengs bed was een snel in elkaar gezette troon opgesteld en er werd een tijdelijk platform gebouwd. Er kwamen steeds meer ministers die een spoedaudiëntie wensten. Iedereen had al een verslagen blik in de ogen. De etiquette werd genegeerd en de mensen ruzieden en debatteerden met luide stem. Tijdens een van de ruzies viel een aantal oudere heren flauw. Aan het front regende het geweer- en kanonskogels. Liggend in zijn zetel las de keizer de nieuwsberichten. Hij had weer koorts. Er werden koude handdoeken op zijn gezicht en lichaam gelegd. De bladzijden gleden uit zijn bevende vingers.

Twee dagen later kwam het nieuws van onze val. Het was begonnen met het noordelijke fort, dat werd ingenomen na hevige gevechten en intensieve beschietingen van beide kanten. De geallieerden rukten verder op. Seng-ko-lin-chin beweerde dat zijn verdediging grote verliezen had geleden doordat de buskruitmagazijnen in de noordelijke forten waren getroffen en ontploft.

Op 21 augustus gaf Seng-ko-lin-chin het op en gaven de Taku-forten zich over. De weg naar Peking was nu vrij.

Er werd gerapporteerd dat de geallieerden zich op slechts twintig kilometer van de hoofdstad bevonden. De troepen van generaal Sheng Pao arriveerden, maar bleken nutteloos. De dag daarvoor was de generaal zijn laatste divisie kwijtgeraakt.

Er liepen mensen de audiëntiezaal in en uit, met de schokkerige bewegingen van papieren poppetjes. De woorden waarmee iedereen Zijne Majesteit een lange levensduur toewenste klonken hol. Op zekere ochtend hingen de wolken zo laag dat ik de luchtvochtigheid kon voelen. Op de binnenplaats hupten overal padden. Ze leken wanhopig een uitweg te zoeken. Ik had een uur eerder de eunuchen opgedragen de padden weg te halen, maar ze waren weer teruggekomen.

Generaal Seng-ko-lin-chin lag geknield voor Zijne Majesteit. Hij smeekte om gestraft te worden en zijn verzoek werd ingewilligd. Al zijn titels werden hem ontnomen en hij werd verbannen. Hij vroeg of hij Zijne Majesteit nog een laatste dienst mocht bewijzen.

'Toegestaan,' mompelde keizer Hsien Feng.

Seng-ko-lin-chin zei: 'Het is bijna volle maan...'

'Kom ter zake.' De keizer richtte zijn blik op het plafond.

'Ik...' De generaal frummelde in zijn zakken en haalde een papieren rolletje te voorschijn dat hij aan hoofdeunuch Shim overhandigde.

Shim ontrolde het papier en liet het aan de keizer zien. 'Ga naar Jehol', stond erop.

'Wat bedoelt u?' vroeg keizer Hsien Feng.

'Jagen, majesteit,' antwoordde Seng-ko-lin-chin.

'Jagen? U denkt toch niet dat ik in de stemming ben om te jagen!'

Omzichtig legde Seng-ko-lin-chin het uit: het was tijd Peking te verlaten; het was tijd uiterlijk vertoon te vergeten. Hij stelde voor dat de keizer de traditionele jachtgronden van Jehol zou gebruiken als excuus om te ontsnappen. De generaal was van mening dat de situatie onomkeerbaar was – China was verloren. De vijand was onderweg om de Zoon van de Hemel te arresteren en van de troon te stoten.

'Mijn ribbenkast, Orchidee.' Zijne Majesteit ging met veel moeite overeind zitten. 'Ik heb zo'n pijn, het lijkt of er vanbinnen onkruid en stengels groeien. Ik hoor de wind erdoorheen gieren als ik ademhaal.'

Ik masseerde voorzichtig Hsien Fengs borst.

'Betekent dit "ja" wat betreft de jacht?' vroeg Seng-ko-lin-chin.

'Als je me niet gelooft, voel dan maar eens aan mijn buik,' zei Zijne Majesteit tegen me, terwijl hij net deed alsof hij Seng-ko-lin-chin niet hoorde. 'Toe dan, klop eens op mijn borst. Dan zul je een hol geluid horen.'

Ik had medelijden met Hsien Feng, want hij kon zijn gevoelens niet onder woorden brengen of ze begrijpen. Zijn trots had hem in de steek gelaten, maar toch bleef hij zichzelf beschouwen als de heerser van het universum. Dat was eenvoudigweg de enige manier van leven die hij kende.

'Ik zal de jachtgronden in gereedheid laten brengen.' Na deze woorden trok Seng-ko-lin-chin zich geruisloos terug.

'Een moederrat staat op het punt te bevallen!' barstte Zijne Majesteit hysterisch uit. 'Ze werpt haar jongen op een stapel vodden in een hol achter mijn bed. Straks wemelt het in mijn paleis van de ratten. Waar wacht u op, vrouwe Yehonala? Gaat u niet met me mee op jacht in Jehol?'

Er schoten allerlei gedachten door mijn hoofd. Moesten we de hoofdstad verlaten? Moesten we ons land opgeven voor de barbaren? We waren onze havens, forten en kust kwijt, maar onze bevolking hadden we nog. Het zou toch beter zijn in Peking te blijven, want zelfs als de barbaren zouden komen zouden we nog een kans hebben om te vechten, omdat de bevolking achter ons stond.

Als keizer Hsien Feng een sterke man was geweest, had hij het anders gedaan. Hij zou een lichtend voorbeeld zijn en ten strijde trekken; dan zou hij zelf naar het front gegaan zijn. En als hij daarbij zijn leven zou hebben verloren, had hij China's eer en zijn eigen naam gered. Maar hij was zwak.

Nuharoo bracht Tung Chih binnen om de avondmaaltijd te gebruiken. Ondanks het weer was hij stevig ingepakt in een wit bontjasje en zag hij eruit als een sneeuwbal. Hij kreeg duif te eten met een snee gestoomd brood. Hij leek vrolijk en speelde een touwspelletje met An-te-hai dat ze 'Bind me vast, maak me vast' noemden. Vanaf zijn bed keek Hsien Feng naar zijn zoon. Hij glimlachte en moedigde het kind aan de eunuch uit te dagen. Ik greep de gelegenheid aan mijn mond open te doen.

'Majesteit?' Ik probeerde geen ruzietoon in mijn stem te laten klinken. 'Denkt u niet dat de geesteskracht van de natie zal breken als de keizer... afwezig is?' Ik vermeed de woorden 'ervandoor gaat'. 'Een draak moet een hoofd hebben. Een verlaten hoofdstad zal plundering en vernietiging in de hand werken. Keizer Chou Wen-wang uit de Han-dynastie koos ervoor in het geheim te vertrekken toen zijn rijk in een crisis verkeerde en het resultaat daarvan was dat hij het respect van zijn onderdanen verloor.'

'Hoe durf je die vergelijking te maken!' Keizer Hsien Feng spuwde theeblaadjes op de grond. 'Ik heb besloten te vertrekken om de veiligheid van mijn familie te waarborgen, waar jij ook toe behoort!'

'Volgens mij is het cruciaal voor China's overlevingskans dat het hof zijn kracht aan het volk toont,' zei ik zachtjes.

'Ik heb nu geen zin om erover te praten.' Zijne Majesteit riep zijn zoon bij zich en ging met hem spelen. Tung Chih rende lachend rond en verstopte zich onder een stoel.

Ik negeerde Nuharoo, die stond te gebaren dat ik mijn mond moest houden. 'Tung Chihs grootvader en overgrootvader zouden zijn gebleven als ze met een dergelijke situatie zouden worden geconfronteerd.'

'Maar ze zijn er nooit mee geconfronteerd!' barstte Hsien Feng uit. 'Ik verfoei hen. Zij hebben deze rotzooi voor me achtergelaten. Toen we in 1842 de eerste Opiumoorlog verloren, was ik nog een kind. Ik heb alleen maar problemen geërfd. Ik kan op het ogenblik alleen maar denken aan de herstelbetalingen die ze me dwingen te doen. Acht miljoen taël voor elk betrokken land! Hoe moet ik dat in vredesnaam voor elkaar krijgen?'

We maakten ruzie tot hij me beval naar mijn eigen verblijf te gaan. Zijn laatste woorden bleven de hele nacht in mijn hoofd rondspoken. 'Nog één woord en ik zal je belonen met een touw om je te verhangen!'

Nuharoo nodigde me uit een wandelingetje in haar tuin te maken. Ze zei dat haar struiken, die door een of andere plantenziekte waren aangetast, nu zeldzame vlinders aantrokken.

Ik zei haar dat ik niet in de stemming was voor vlinders.

'Misschien zijn het motten. Hoe dan ook, ze zijn mooi.' Ze deed alsof ze me niet gehoord en had en praatte door. 'Laten we vlinders gaan vangen. Vergeet de barbaren.'

We stapten elk in onze draagstoel. Ik wenste dat ik mezelf kon dwingen van Nuharoos uitnodiging te genieten, maar onderweg veranderde ik van gedachten. Ik beval mijn dragers me naar de Hal van Verlichte Deugdzaamheid te brengen. Ik stuurde een boodschapper naar Nuharoo om haar om vergeving te vragen; de beslissing van de keizer om uit de hoofdstad te vluchten zat me te veel dwars.

In de gang liep ik mijn zwagers tegen het lijf: prins Kung, prins Ch'un en prins Ts'eng. Prins Ch'un vertelde dat ze waren gekomen om Zijne Majesteit over te halen in Peking te blijven. Daar was ik blij om en ik kreeg weer een beetje hoop.

Voordat ik naar binnen ging, wachtte ik in de tuin tot de thee was geserveerd. Ik kwam binnen en ging bij keizer Hsien Feng zitten. Ik zag dat er nog andere gasten waren. Naast de prinsen waren ook Su Shun en zijn halfbroer Tuan Hua aanwezig. Su Shun en Tuan Hua hadden de afgelopen dagen voorbereidingen getroffen voor het vertrek van de keizer naar Jehol. Van achter de muren hoorde je voortdurend het komen en gaan van rijtuigen.

'Ik heb Peking opgegeven omdat ik geen nieuws heb gekregen van de vervanger van Seng-ko-lin-chin, generaal Sheng Pao!' wierp Hsien Feng tegen. 'Het gerucht gaat dat Sheng Pao gevangen is genomen. Als dat zo is, kunnen de barbaren ieder moment voor de deur staan!'

'Majesteit!' Prins Kung liet zich uit zijn stoel op de grond vallen. 'Vertrekt u alstublieft niet!'

'Majesteit.' Prins Ts'eng, de vijfde broer, die eveneens geknield zat, schoof naast prins Kung. 'Wilt u niet nog een paar dagen blijven? Ik zal de Vaandeldragers persoonlijk leiden in het gevecht met de barbaren. Geeft u ons de kans u eer te bewijzen. Zonder u...' Ts'eng had het zo te kwaad dat hij even moest pauzeren. '... is het hart eruit.'

'De keizer heeft zijn besluit genomen,' zei Hsien Feng koeltjes.

Prins Ch'un knielde tussen prins Kung en prins Ts'eng in. 'Majesteit, als u afstand doet van de troon zal de barbaarse gekte toenemen. Het zal toekomstige onderhandelingen bemoeilijken.'

'Wie zegt dat ik de troon opgeef? Ik ga gewoon jagen.'

Prins Kung liet een verbitterd lachje horen. 'Elk straatkind zal zeggen dat "de keizer ons in de steek heeft gelaten".'

'Hoe durf je!' Keizer Hsien Feng gaf de eunuch die hem zijn medicijn bracht een schop.

'In naam van uw gezondheid, majesteit, vergeef ons,' zei prins Ts'eng terwijl hij de benen van de keizer omklemde. 'Staat u me dan toe om afscheid te nemen. Ik zal de kanonnen tegemoet treden.'

'Stel je niet zo aan.' Hsien Feng stond op en hielp prins Ts'eng overeind. 'Mijn broeder, zodra ik buiten bereik ben kan ik een stabielere oorlogsstrategie uitstippelen.' Hij wendde zich tot Su Shun. 'Laten we vertrekken voordat het licht wordt.'

Door de vastbeslotenheid van Kung, Ch'un en Ts'eng was ik er trots op een Mantsjoe te zijn. Hsien Fengs lafheid verbaasde me niet. Het verlies van de Taku-forten had hem gebroken en het enige wat hij nu wilde was wegglippen en zich verstoppen.

In Hsien Fengs kleedkamer kwam Su Shun naar de keizer toe. 'We moeten ons haasten, majesteit. Het zal een paar dagen duren voordat we Jehol bereiken.'

Su Shuns halfbroer Tuan kwam binnen. Het was een magere man met een lange, scheve nek, waardoor zijn hoofd een beetje opzij hing. 'Majesteit,' zei hij, 'hier is een lijst van de spullen die we voor u hebben ingepakt.'

'Waar zijn mijn zegels?' vroeg de keizer.

'Die hebben we uit de Hal van het Samensmelten van de Grote Creatieve Krachten verwijderd en netjes opgeborgen.'

'Orchidee,' zei Hsien Feng, 'ga eens kijken of de zegels veilig zijn.'

'Het is niet nodig dat nogmaals te controleren, majesteit,' zei Su Shun.

Keizer Hsien Feng negeerde Su Shun en wendde zich tot prins Kung, die de kamer was binnengekomen. 'Broeder Kung, je bent niet voor een reis gekleed. Je gaat toch met me mee?'

'Nee, ik ben bang van niet,' antwoordde prins Kung. Hij had een officieel blauw gewaad aan dat aan de mouwen en kraag was afgebiesd met gele stof. 'Er moet iemand in de hoofdstad blijven om de geallieerden het hoofd te bieden.'

'En wat doen Ts'eng en Ch'un?'

'Die hebben besloten met mij in Peking te blijven.'

De keizer ging zitten en de eunuchen probeerden hem zijn laarzen aan te trekken. 'Prins Ch'un moet me onderweg naar Jehol beschermen.'

'Majesteit, ik smeek u voor de laatste keer te overwegen in Peking te blijven.'

'Su Shun,' riep keizer Hsien Feng ongeduldig, 'stel een decreet op waarin prins Kung gemachtigd wordt voor mij op te treden.'

Ik vond het moeilijk te beslissen wat ik mee zou nemen naar Jehol. Eigenlijk wilde ik alles meenemen, want ik had geen idee wanneer ik hier zou terugkeren. Maar de kostbaarste spullen konden niet vervoerd worden. Ik moest mijn schilderijen, geborduurde wandtapijten, houtsnijwerk, vazen en sculpturen achterlaten. Elke concubine mocht één rijtuig met persoonlijke bezittingen meenemen en het mijne zat al vol. De overige spullen waarop ik zo gesteld was verstopte ik waar ik maar kon – op een balk, achter een deur, begraven in de tuin. Ik hoopte dat ze niet ontdekt zouden worden voordat ik terug was.

Nuharoo weigerde haar persoonlijke bezittingen achter te laten. Als eerste keizerin had ze recht op drie rijtuigen, maar dat was niet genoeg. Ze laadde de rest van haar spullen in Tung Chihs rijtuigen. Tung Chih had er tien en Nuharoo nam daarvan zeven in beslag.

Mijn moeder was te ziek om te reizen, dus zorgde ik ervoor dat ze in een rustig dorpje buiten Peking kon verblijven. Kuei Hsiang zou bij haar blijven. Rong zou met haar echtgenoot meereizen en we gingen gezamenlijk op weg.

Om tien uur 's morgens toog de keizerlijke stoet op weg. Keizer Hsien Feng wilde niet zonder ceremonieel vertrekken. Hij offerde een aantal dieren en boog voor de hemelse goden. Toen zijn draagstoel onder de laatste poort van de Grote Ronde Tuin, Yuan Ming Yuan, door was, vielen de gezagsdragers en eunuchen op de knieën en kow-towden ten afscheid. De keizer zat samen met zijn zoon in de draagstoel. Later vertelde Tung Chih me dat zijn vader had gehuild.

De keizerlijke hofhouding strekte zich over bijna vijf kilometer uit. Het leek wel een feestelijke optocht. Er werden vuurpijlen afgestoken om 'slechte voortekenen af te schrikken'. De ceremoniële wachters droegen gele drakenvlaggen, terwijl de dragers de keizerlijke familie torsten. De edelen liepen achter elkaar. Achter ons bevonden zich wierookbranders, monniken, lama's, eunuchen, hofdames, bedienden, wachters en de keizerlijke dieren. Deze mensenmassa werd gevolgd door een orkest met trommels en gongs en een complete verplaatsbare keuken. Achteraan kwamen de draagbare kleedkamers en kamerpo's. De paarden en ezels die in grote manden het brandhout, vlees, rijst en groenten, alsmede keukengerei als potten en woks vervoerden, werden aan de teugel geleid door livreiknechten. De stoet werd afgesloten door zevenduizend cavaleristen onder aanvoering van Yung Lu.

Toen we onder de laatste hoofdstedelijke poort door waren, was ik verblind door tranen. De winkels langs de straten waren verlaten. De burgers met hun gezinnen renden rond als kippen zonder kop; ze hadden hun spullen op ezels geladen. Het nieuws van keizer Hsien Fengs vlucht had de stad in een staat van ontreddering gebracht.

Een paar uur later vroeg ik of mijn zoon bij me gebracht kon worden. Ik nam hem op schoot en hield hem stevig vast. In zijn beleving was dit gewoon een uitje. Hij viel in slaap door het schommelen van de draagstoel. Ik gleed met mijn vingers door zijn zachte zwarte haar en trok zijn vlecht recht. Ik wenste dat ik Tung Chih kon leren sterk te zijn. Ik wilde hem bijbrengen dat niemand vrede ooit als vanzelfsprekend mocht beschouwen. Hij werd door de bedienden in de watten gelegd en was eraan gewend mooie vrouwen aan zijn bed te zien. Het deed me pijn Tung Chih te horen zeggen dat hij net zo wilde worden als zijn vader – met schoonheden als speelkameraadjes.

Een paar dagen daarvoor was er een diefstal in de Verboden Stad gerapporteerd. Niemand bekende de misdaad en er waren geen voor de hand liggende verdachten. Ik kreeg de leiding over het onderzoek. Ik voelde dat de eunuchen er iets mee te maken hadden, omdat iemand de kostbaarheden moest zien kwijt te raken. De dienstmeisjes konden niet zonder toestemming buiten de poort komen. Ook verdacht ik leden van de keizerlijke familie. Die wisten waar de kostbaarheden stonden.

Naarmate het onderzoek vorderde bleken mijn verdenkingen juist. Blijkbaar hadden de concubines samengespannen met de eunuchen om de winst te delen. Ik kwam erachter dat vrouwes Mei, Hui en Li erbij betrokken waren. Hsien Feng was woedend en hij gaf opdracht hen hun paleis uit te smijten. Nuahroo en ik slaagden erin hem te sussen. 'De tijden zijn te zwaar om van iedereen te verwachten dat ze zich adellijk gedragen,' zeiden we. 'Hebben we al niet genoeg ellende?'

Mijn gewrichten deden pijn door het dagenlange zitten in de draagstoel. Ik dacht aan de mensen die op hun blaren liepen. Nadat we Peking achter ons hadden gelaten werd de weg steeds hobbeliger en stoffiger. We hielden halt in een dorp om daar te overnachten, en ik ging naar Nuharoo toe. Ik was verbaasd door de manier waarop ze zich had gekleed. Ze zag eruit alsof ze naar een feest ging. Ze had een ivoren waaier en een wierookbrandertje bij zich. Haar japon was van goudkleurig satijn, geborduurd met boeddhistische symbolen.

Nuharoo hield deze jurk gedurende de hele reis aan. Het duurde even voordat ik besefte dat ze doodsbang was. 'Mochten we worden overvallen en mocht ik gedood worden,' zei ze, 'dan wil ik er zeker van zijn dat ik de juiste japon aanheb om mijn volgend leven te betreden.'

Ik vond het onzinnig. Als we zouden worden overvallen, zou haar japon het eerste zijn dat van haar zou worden afgenomen. Ze zou haar volgend leven wel eens naakt in kunnen gaan! Toen ik nog in Wuhu woonde had ik een keer gehoord dat grafschenners het hoofd van een lijk afhakten om zich de halssieraden, de armbanden en ringen te kunnen toe-eigenen.

Ik zorgde ervoor dat ik zo eenvoudig mogelijk gekleed ging. Nuharoo zei dat mijn japon, die ik van een oudere vrouwelijke bediende had afgenomen, niet bij mijn status paste. Haar woorden vergrootten mijn gevoel van veiligheid. Toen ik Tung Chih ook eenvoudig wilde kleden, werd Nuharoo boos. 'In naam van Boeddha, hij is de Zoon van de Hemel! Hoe durf je hem als een bedelaar uit te dossen!' Ze trok Tung Chih het eenvoudige katoenen gewaad uit en trok hem een met gouden kant afgezet kledingstuk aan met dezelfde geborduurde symbolen die op haar japon waren aangebracht.

De dorpelingen wisten niet wat er aan de hand was; het slechte nieuws uit Peking had hen nog niet bereikt. Afgaand op de kleding van Nuharoo en Tung Chih konden ze zeker niet bevroeden dat er een ramp ophanden was. Ze voelden zich eenvoudigweg vereerd dat we de nacht in hun dorp doorbrachten en ze zetten ons warme, gestoomde tarwebroodjes en groentesoep voor.

Boodschappers van prins Kung liepen af en aan. Naast al het slechte nieuws kwam er ook één goed bericht. We hadden een invloedrijke buitenlander, Parkes genaamd, en nog een ander die Loch heette, gevangengenomen. Prins Kung gebruikte hen als inzet bij de onderhandelingen. De laatste boodschapper rapporteerde dat de geallieerden de Verboden Stad, het Zomerpaleis en Yuan Ming Yuan hadden ingenomen. 'De geallieerde bevelhebber verblijft samen met een prostituee in de slaapkamer van Zijne Majesteit,' zei de boodschapper.

Zijne Majesteits bleke gezicht was kletsnat van het zweet. Hij opende zijn mond maar kon geen woord uitbrengen. Een paar uur later kreeg hij een hoestbui en spuwde hij bloed.

ACHTTIEN

'Spreek!' beval keizer Hsien Feng de eunuch die belast was met de veiligheid in Yuan Ming Yuan. De eunuch was gestuurd door zijn meerdere, die zelfmoord had gepleegd omdat hij zijn plicht niet had vervuld.

'Het begon op 5 oktober.' De eunuch probeerde zijn trillende stem in bedwang te houden. 'Het was bewolkt die ochtend. Het was stil in het paleis en niets wees erop dat er iets aan de hand was. Rond het middaguur begon het te regenen. De wachters vroegen of ze naar binnen mochten. Ik gaf hun toestemming. We waren allemaal erg moe… Op dat moment hoorde ik kanongebulder. Ik dacht dat ik droomde, en de wachters dachten hetzelfde. Maar vrijwel meteen drong de rook onze neusgaten binnen. Even later kwam een van de wachters aanrennen en zei dat de barbaren voor de Poort van Grote Deugdzaamheid en de Poort van de Vrede stonden. Mijn meerdere vroeg wat er was gebeurd met de troepen van generaal Seng-ko-lin-chin. De wacht antwoordde dat die door de barbaren gevangen waren genomen… Toen wisten we dat we geen bescherming meer hadden.

Mijn meerdere droeg me op de Tuin van Blijdschap, de Tuin van Helder Kabbelend Water, de Tuin van de Roerloze Maan en de Tuin van Heldere Zonneschijn te bewaken, terwijl hij zich zelf ontfermde over de Tuin van het Eeuwige Groen en de Junituin. Ik wist dat het me niet zou lukken. Je hebt minstens honderd man nodig om tuinen te bewaken die zich over meer dan dertig kilometer uitstrekken.

Terwijl we in allerijl het meubilair verborgen, verschenen de barbaren in de tuin. Ik gaf mijn mensen opdracht de minder kostbare spullen te laten vallen en de belangrijke zaken te begraven. Maar we groeven niet snel genoeg. Ik begroef zoveel ik kon, onder andere de grote klok en het bewegende universum, en anderen gooiden er nog rijstpapierrollen bij.

Toen we de zakken met spullen naar buiten sleepten, stonden de barbaren voor onze neus. Ze beschoten ons. Stuk voor stuk vielen de wachters neer. Degenen die niet waren neergeschoten werden gevangengenomen en naderhand in het meer gegooid. De barbaren bonden mij vast aan de bronzen kraanvogel bij de fontein. Ze sneden onze zakken open en waren opgetogen toen ze de schatten zagen. Ze konden de spullen niet kwijt in hun binnenzak, dus haalden ze de gewaden van Zijne Majesteit te voorschijn en maakten er zakken van. Die stopten ze vol en hingen ze om hun schouders en middel. Ze namen alles mee wat ze konden dragen en vernietigden wat ze moesten achterlaten. Ze vochten met elkaar om de buit.

De barbaren die later arriveerden probeerden de overgebleven spullen mee te nemen. Ze haalden de astrologische bronzen dieren van Zijne Majesteit uit elkaar, maar de gigantische gouden pot niet, die was te zwaar om te verplaatsen. Uiteindelijk schraapten ze al het bladgoud met hun messen van de balken en pilaren af. De plunderingen duurden twee dagen. De barbaren sloegen de muren kapot en groeven het terrein af.'

'Wat hebben ze gevonden?' vroeg ik.

'Alles, mevrouw. Ik zag een van de barbaren langs de fontein lopen met uw japon aan.'

Ik probeerde het schouwspel niet voor me te zien terwijl de eunuch zijn beschrijving van de plundering van Yuan Ming Yuan vervolgde. Maar voor mijn geestesoog zag ik de barbaren het Abrikozendorp, het Pioenpaviljoen en het Lotusbladtheehuis in marcheren. Ik kon hun gezichten zien gloeien terwijl ze door de gouden, rijk bewerkte zalen van de hoofdgebouwen renden. Ik zag hen mijn kamer binnenkomen en mijn laden doorzoeken. Ik zag hen inbreken in mijn voorraadkamer, waar ik mijn jade, zilver en email, schilderijen, borduurwerk en snuisterijen had verstopt.

'Het was allemaal te veel om mee te nemen, dus rukten ze de knikkergrote parels van keizerin Nuharoos japonnen af en keerden Hare Majesteits diamantendoosjes om...'

'Waar was prins Kung?' Keizer Hsien Feng gleed onderuit op zijn stoel en worstelde om weer omhoog te komen.

'Prins Kung was buiten Peking aan het werk. Hij sloot een overeenkomst met de barbaren door hun gevangengenomen functionarissen, Parker en Loch, vrij te laten. Maar toen was het al te laat om de plunderingen te kunnen tegenhouden. Om hun misdaad te verbergen, hebben de buitenlandse duivels... majesteit, ik kan... het niet hardop zeggen...' De eunuch zakte in elkaar alsof hij geen ruggengraat meer had.

'Zeg op!'

'Ja, majesteit. De duivels... staken alles in brand.'

Keizer Hsien Feng kneep zijn ogen dicht. Hij hapte naar adem. Zijn hoofd ging heen en weer alsof hij bezeten was.

Op 13 oktober staken de barbaren meer dan tweehonderd paviljoens, hallen, tempels en de terreinen van vijf paleizen in brand. Het vuur verteerde alles wat op zijn weg kwam. De rook en de as verspreidden zich over de muren. Boven de stad bleven de rook- en aswolken als een dichte mist hangen en zette zich vast in het haar, de ogen, de kleding, bedden en eetkommen van de bevolking. In Yuan Ming Yuan stonden alleen de marmeren pagode en de stenen brug nog overeind. Het enige gebouw dat intact bleef op de duizenden vierkante kilometers tuin was het Paviljoen van Kostbare Wolken, hoog op een heuvel bij het meer.

Later zou prins Kung me vertellen over het 'donderende geluid' dat de mensen hadden beschreven. Het was niet de donder maar het geluid van explosieven. De Britse genie had in veel van onze paviljoens dynamiet geplaatst.

De rest van mijn leven zouden mijn gedachten vaak teruggaan naar dit magnifieke schouwspel dat plotseling was veranderd in een grote ruïne. De onafzienbare vlammenzee verslond zesduizend gebouwen – het paleis van mijn lichaam en ziel en alle schatten en kunstwerken die door generaties keizers waren verzameld.

Hsien Feng moest leven met deze schande, die hem uiteindelijk verteerde. Toen ik oud was en geen zin meer had om te werken of erover dacht ermee op te houden, ging ik vaak de ruïnes van Yuan Ming Yuan bezoeken. Zodra ik tussen het kapotte gesteente liep leek het of ik de barbaren hoorde joelen. Dit beeld verstikte me alsof de rookwolken nog in de lucht hingen.

Een koperkleurige zon bescheen de slingerende optocht. We vervolgden onze zevendaagse reis naar Jehol. Als ik dacht aan het 'jachtexcuus' van mijn gemaal voelde ik me verbitterd en verdrietig. De prachtig geklede ministers en prinsen werden op de schouders van de zwoegende dragers vervoerd in hun rijk versierde draagstoelen, begeleid door veiligheidstroepen op Mongoolse pony's.

Het gezang van de dragers had plaatsgemaakt voor een diep, gekweld zwijgen. Ik kon het tikken en glijden van hun sandalen over de losse stenen niet meer horen. In plaats daarvan zag ik de pijn van hun blaren gegrift in de rimpels van hun smerige, bezwete gezichten. Al waren we in de wildernis gekomen, toch was iedereen bang voor een mogelijke achtervolging door de barbaren. De processie werd elke dag langer. Het zag eruit als een bontgekleurde slang die over een smal pad glijdt.

's Avonds werden er tenten opgezet en vuren ontstoken. De mensen vielen uitgeput in slaap. Keizer Hsien Feng bracht het grootste deel van de tijd zwijgend door. Af en toe, als zijn koorts steeg, sloeg hij wartaal uit.

'Wie kan garanderen dat alle zaadjes in de natuur zuiver en gezond zijn en dat hun bloesem de tuin een harmonieus aanzien zal geven?' vroeg hij.

Ik wist niet wat ik moest antwoorden, dus staarde ik hem zwijgend aan.

'Ik heb het over bedorven zaad,' vervolgde Zijne Majesteit. 'Zaden die heimelijk in vergif zijn gedompeld. Ze liggen te slapen in vruchtbare grond tot ze gewekt worden door de regen. Met verbijsterende snelheid groeien ze dan, bedekken de aarde en pakken water en zonlicht van andere planten af. Ik zie hun dikke bloemen voor me. Hun takken groeien onstuitbaar en verspreiden hun gif. Verlies Tung Chih geen moment uit het oog, Orchidee.'

Ik sliep met Tung Chih in mijn armen. In mijn dromen hoorde ik de paarden op hun bit kauwen. Ik werd wakker door vreemde angstaanvallen. Dan brak het zweet me uit en was mijn nachthemd doorweekt. Mijn hoofdhuid was voortdurend nat. Mijn zintuigen werden extra gevoelig voor bepaalde dingen, zoals de ademhaling van Tung Chih en de geluiden rond de tent; andere dingen, zoals honger, voelde ik niet meer. Ofschoon we in aparte tenten sliepen, verscheen keizer Hsien Feng midden in de nacht als een geest voor me. Hij bleef dan verdrietig staan; tranen had hij niet meer. Ik vroeg me af of ook ik mijn verstand begon te verliezen.

Het was bijna avond en we besloten halt te houden om iets te eten. Die middag had Zijne Majesteit een hevige hoestaanval gehad. Het bloed droop langs zijn mondhoeken. De dokter zei dat het vervoer per draagstoel slecht voor hem was. Maar we hadden geen keus. Uiteindelijk bleven we stilstaan tot zijn hoestbui voorbij was.

Bij zonsopgang keek ik uit de tent naar buiten. We waren vlak bij Jehol en het landschap was uitzonderlijk mooi. De aarde was bedekt met klaver en wilde bloemen en de zacht glooiende heuvels stonden vol met struiken. De herfstwarmte was er beter te verdragen dan in Peking. Er hing een zoete geur van bergpaardenbloemen in de lucht. Na het ontbijt togen we weer op weg. We kwamen door velden waar het gras een meter hoog stond.

Wanneer ik Tung Chih bij me had, probeerde ik altijd sterk en vrolijk te zijn. Maar dat viel niet mee. Toen de oude paleizen van Jehol aan de horizon verschenen rolden we allemaal onze draagstoelen uit en vielen op de knieën. We dankten de hemel dat we dit tijdelijke toevluchtsoord hadden bereikt. Op het moment dat Tung Chih uit de draagstoel werd getild, ging hij achter wilde konijnen en eekhoorntjes aan, die voor hem wegvluchtten.

We haastten ons naar de poorten. Het leek of we een sprookjesland betraden, een scène op een vervaagd schilderij. Hsien Fengs grootvader, Chien Lung, had Jehol in de achttiende eeuw gebouwd. Nu had het paleis het uiterlijk van een verlepte schoonheid wier make-up was doorgelopen. Ik had zoveel over deze plek gehoord dat ik al wist wat ik te zien zou krijgen. Jehol was veel natuurlijker dan de Verboden Stad. In de loop der jaren waren de bomen en struiken met elkaar vergroeid. Klimop bedekte de muren, omstrengelde de torenhoge bomen en hing in weelderige bossen naar beneden. Het meubilair in de paleizen was gemaakt van hardhout; het waren rijk bewerkte stukken, ingelegd met jade en edelstenen. De draken op de plafondpanelen waren van puur goud en de muren waren schitterend, behangen met glanzende zijde.

Ik was dol op de wildernis. Ik zou het niet erg gevonden hebben in Jehol te moeten wonen. Ik vond het een goede omgeving om Tung Chih groot te

brengen. Hij zou het vak van Vaandeldrager kunnen leren. Hij kon leren jagen. Ik wilde zo graag dat hij zou opgroeien op de rug van een paard, net als
zijn voorouders. Ik wenste dat ik mezelf er niet aan hoefde herinneren dat we
verbannen waren.

Jehol was een groot, stil oord. Het bleke zonlicht weerkaatste zacht van de
betegelde daken. De binnenpleinen waren bestraat met keien. De deuren werden geflankeerd door dikke muren. De paleizen stonden al leeg sinds de dood
van Chien Lung, een halve eeuw geleden, en het rook er naar schimmel. De
buitenmuren, decennialang gegeseld door wind en regen, vloeiden over in
het landschap. Oorspronkelijk waren de buitenmuren zandkleurig geweest;
nu waren ze bruingroen. Binnen stond de schimmel op de plafonds en in de
donkere hoeken van de ruime kamers.

De keizerlijke familie stroomde Jehol binnen en het kwam weer tot leven.
De slapende hallen, binnenpleinen en gebouwen ontwaakten door het geluid
van menselijke stemmen en voetstappen. Piepend en krakend gingen de deuren weer open. Roestige raamsloten braken af als we probeerden ze te openen. De eunuchen deden hun best de mufheid en viezigheid van jaren te verwijderen.

Ik kreeg een appartement toegewezen naast Nuharoo, aan de oostkant van
het hoofdpaleis. De keizer had uiteraard de grootste slaapkamer betrokken,
die in het midden lag. Zijn werkruimte, die de Hal van Literair Enthousiasme werd genoemd, bevond zich naast de appartementen van Su Shun en de
andere Grote Raadgevers aan de westzijde van het paleis. Nuharoo paste op
Tung Chih, terwijl ik Zijne Majesteit verzorgde. Onze schema's en verantwoordelijkheden volgden nu de behoeften van vader en zoon.

Zijne Majesteit hield geen audiënties meer en kreeg daarom geen documenten meer voorgelegd die bekeken of getekend moesten worden. Su Shun
behartigde als enige alle hofzaken. Mijn taak bestond uit het brouwen van
kruidendranken voor Hsien Feng. De drank rook zo bitter dat hij zich beklaagde. Ik was gedwongen de bedienden op te dragen de potten naar de keuken te brengen, die aan de andere kant van het paleis lag. Ik werkte samen
met de kruidendokter en dokter Sun Pao-tien om er zeker van te zijn dat het
medicijn op de juiste wijze bereid werd. Dat was niet eenvoudig. Een van de
recepten schreef voor dat de soep gemengd moest worden met vers hertenbloed, dat snel bedierf. De keukenbrigade moest om de twee dagen een hert
slachten, de medicijndrank onmiddellijk bereiden en dan hopen dat Zijne
Majesteit niet meteen zou overgeven nadat het brouwsel in zijn keel was gegoten.

Eind oktober leek de zon de esdoorns in vuur en vlam te zetten. Op een ochtend, toen Nuharoo en ik een wandelingetje met Tung Chih maakten, ont-

dekten we een nabijgelegen bron, die verrassend warm water bevatte. Een eunuch die zijn hele leven de paleizen had bewaakt, zei dat er verschillende warmwaterbronnen op het terrein lagen. Daaraan ontleende Jehol zijn naam: *je-hol*, 'warme rivier'.

'Het water wordt warmer als het sneeuwt,' zei de eunuch. 'Je kunt de temperatuur met je hand voelen.' Tung Chih was nieuwsgierig geworden en wilde een bad nemen. Nuharoo stond op het punt hem zijn zin te geven, maar ik voelde niets voor het idee. Tung Chih kon niet zwemmen en was net hersteld van een verkoudheid. Mijn strengheid beviel hem niet en hij wendde zich pruilend tot Nuharoo. Mijn zoon wist dat Nuharoo mijn meerdere was en dat ik haar moest gehoorzamen. Dit gedrag was een patroon gaan vormen tussen Nuharoo, mijn zoon en mij. Het was ergerlijk en gaf me het gevoel dat ik me niet kon verdedigen. De keuken werd mijn toevluchtsoord.

Hsien Fengs gezondheidstoestand leek een beetje gestabiliseerd. Zodra hij in staat was op te zitten stuurde prins Kung hem de conceptverdragen op. Ik werd ontboden om hem te helpen.

'Uw broer verwacht dat u de voorwaarden goedkeurt,' vatte ik de brieven van prins Kung aan Zijne Majesteit samen. 'Hij zegt dat dit de definitieve concepten zijn. Als u ze tekent, zullen de vrede en rust weerkeren.'

'De barbaren vragen me hen te belonen omdat ze me in het gezicht gespuwd hebben,' zei Hsien Feng. 'Ik begrijp nu waarom mijn vader weigerde zijn ogen te sluiten toen hij overleed: hij kon de belediging niet verwerken.'

Ik wachtte tot hij gekalmeerd was en ging toen verder met voorlezen. Af en toe werd Zijne Majesteit zo kwaad over bepaalde voorwaarden dat hij naar adem snakte. Dan klonken er gorgelende geluiden in zijn keel en begon hij te hoesten.

De vloer en de dekens waren bedekt met bloeddruppeltjes. Ik wilde ophouden met voorlezen, maar de documenten moesten binnen tien dagen worden teruggestuurd. Als dat niet gebeurde, zouden de geallieerden de hoofdstad vernietigen, liet prins Kung weten.

Het had geen enkele zin dat keizer Hsien Feng zich op de borst sloeg en schreeuwde: 'Alle buitenlanders zijn bruten!' Het uitvaardigen van edicten waarin het leger de opdracht kreeg harder te vechten haalde ook niets meer uit. De situatie was onomkeerbaar geworden.

Tung Chih keek toe hoe zijn vader met veel moeite uit bed kwam en knielend de hemel om hulp smeekte. Iedere keer weer wenste Hsien Feng dat hij de moed bezat zich van het leven te beroven.

De verdragen met Frankrijk en Groot-Brittannië werden bezegeld in de Hal van Literair Enthousiasme. Beide verdragen bevatten dezelfde voorwaarden als het eerdere Verdrag van Tientsin, maar er waren voorwaarden aan toegevoegd. Het was voor het eerst in duizenden jaren dat China een dergelijke schande moest ondergaan.

Keizer Hsien Feng werd gedwongen Tientsin open te stellen als nieuwe handelshaven. Voor zijn gevoel betekende dit dat de barbaren niet alleen in zijn voortuin konden handeldrijven, maar ook dat hun krijgsmacht via de zee toegang kreeg tot de hoofdstad. Zijne Majesteit werd gedwongen Kowloon als oorlogscompensatie te 'verhuren' aan de Britten. Verder stond in de verdragen dat de westerse missionarissen volledige vrijheid en bescherming genoten bij hun werk in China, wat ook inhield dat ze kerken mochten bouwen. De Chinese wet was niet van toepassing op buitenlanders en als een Chinees een verdrag zou schenden, zou die onmiddellijk gestraft worden. China moest acht miljoen taël schadeloosstelling betalen aan de Britten en de Fransen.

Alsof dit nog niet genoeg was, kwamen de Russen met een nieuwe versie van het in Peking gesloten Chinees-Russische Verdrag. De Russische gezant probeerde prins Kung ervan te overtuigen dat, gezien het brandschatten van de keizerlijke paleizen, China Russische militaire bescherming nodig had. Ofschoon hij feilloos doorhad wat de Russen in hun schild voerden, kon prins Kung geen nee zeggen. China verkeerde niet in de positie zich te kunnen verdedigen en kon zich niet veroorloven Rusland tot vijand te maken.

'Als een ziek hert wordt opgejaagd door een troep wolven, kan het hert alleen nog om genade smeken,' schreef prins Kung in een van zijn brieven. De Russen waren uit op het Amur-gebied, in het noorden, dat reeds was bezet door de tsaristen. Er hadden zich al Russen gevestigd langs de oever van de Ussuri, ten oosten van de grens met Korea. Ze hadden de belangrijke Chinese havenstad Haishenwei bezet, die al snel werd omgedoopt in Vladiwostok.

Ik zal het moment dat keizer Hsien Feng de verdragen ondertekende nooit vergeten. Het leek de generale repetitie van zijn dood.

Het penseel dat hij vasthield leek honderden kilo's te wegen. Hij kon zijn hand niet stilhouden. Hij kon zichzelf er niet toe brengen zijn handtekening te zetten. Ik stopte nog twee kussens achter zijn rug om zijn ellebogen meer steun te geven. Hoofdeunuch Shim zette de inktpot klaar en legde de pagina's voor hem neer op een ondergrond van rijstpapier.

Ik voelde onuitsprekelijke smart voor Hsien Feng en mijn land. Rond Zijne Majesteits blauwachtige lippen zat spuug. Hij huilde zonder tranen. Dagenlang bleef hij krijsen en gillen. Uiteindelijk stierf zijn stem weg. Elke ademtocht kostte hem moeite.

Zijn vingers leken broze stokjes. Hij was vel over been. Hij veranderde langzaam in een geest. Zijn voorouders hadden zijn gebeden niet verhoord. De hemel was niet genadig geweest voor zijn zoon. Maar door zijn machteloosheid demonstreerde Hsien Feng de waardigheid van de keizer van China. Hij voerde een heldhaftige strijd – de stervende man met het penseel die weigerde China op te geven door het zetten van zijn handtekening.

Ik vroeg Nuharoo Tung Chih te brengen. Ik wilde dat hij getuige was van de strijd van zijn vader bij het vervullen van zijn plicht. Nuharoo vond het een slecht idee. Ze zei dat Tung Chih alleen aan glorieuze zaken mocht worden blootgesteld, niet aan schande.

Ik had ruzie kunnen maken met Nuharoo. En bijna deed ik dat. Ik wilde haar vertellen dat het geen schande was om dood te gaan of om de werkelijkheid onder ogen te zien. Tung Chihs opvoeding zou moeten beginnen aan zijn vaders doodsbed. Hij zou getuige moeten zijn van het ondertekenen van de verdragen en zich blijven herinneren en begrijpen waarom zijn vader huilde.

Nuharoo wees me erop dat zij de keizerin van het Oosten was, wier woord wet was. Ik was gedwongen me te onderwerpen.

Hoofdeunuch Shim vroeg of Zijne Majesteit de inkt wilde testen voordat hij zijn handtekening zou zetten. Hsien Feng knikte. Ik legde het rijstpapier recht.

Toen het penseel het papier raakte, begon Hsien Fengs hand heftig te trillen. Het begon met zijn vingers en verspreidde zich naar zijn armen en schouders, tot zijn hele lichaam beefde. Zijn gewaad werd nat van het zweet. Zijn ogen rolden in hun kassen terwijl hij snakte naar adem.

Dokter Sun Pao-tien werd erbij gehaald. Hij kwam binnen en knielde naast Zijne Majesteit neer. Hij boog zich over Hsien Fengs borstkas en luisterde.

Ik staarde naar Sun Pao-tiens lippen, die half verborgen zaten onder zijn lange witte baard. Ik was bang voor wat hij misschien zou zeggen.

'Het kan zijn dat hij in een coma raakt,' zei de dokter, terwijl hij rechtop ging staan. 'Hij zal er weer uit komen, maar ik weet niet hoe lang hij nog heeft.'

De rest van die dag wachtten we tot Hsien Feng weer bij bewustzijn zou komen. Toen dat gebeurde, smeekte ik hem zijn handtekening te zetten, maar hij zei geen woord.

We zaten in een impasse – keizer Hsien Feng weigerde het penseel ter hand te nemen. Ik bleef bezig met de inkt te malen. Ik wenste dat prins Kung er was.

Ik voelde me zo machteloos dat ik begon te huilen.

'Orchidee,' zei Zijne Majesteit nauwelijks hoorbaar. 'Ik zal niet in vrede kunnen sterven als ik teken.'

Dat begreep ik wel. Ik had ook niet willen tekenen als ik in zijn schoenen had gestaan. Maar prins Kung had zijn handtekening nodig om de onderhandelingen te kunnen voortzetten. De keizer zou sterven, maar de natie moest voortleven. China moest weer vaste grond onder de voeten krijgen.

In de middag gaf Hsien Feng zijn verzet op. Echter niet eerder dan nadat ik had gezegd dat zijn handtekening niet betekende dat hij een invasie goedkeurde, maar dat het een tactiek was om tijd te winnen.

Hij pakte het penseel op, maar kon niet zien waar hij zijn handtekening moest zetten.

'Leid mijn hand, Orchidee,' zei hij. Hij probeerde rechtop te gaan zitten, maar gleed in plaats daarvan onderuit.

Gedrieën legden hoofdeunuch Shim, An-te-hai en ik Zijne Majesteit op zijn rug. Ik legde het papier onder zijn hand en zei dat hij nu zijn handtekening kon zetten.

Met zijn blik op het plafond gericht bewoog keizer Hsien Feng het penseel. Voorzichtig hielp ik hem, zodat zijn handtekening niet op kinderlijk gekrabbel zou lijken. Tegen de tijd dat we zijn naam hadden voorzien van het rode keizerlijke zegel, had Hsien Feng het penseel uit zijn handen laten glijden en verloor hij het bewustzijn. De inktsteen viel op de grond en de zwarte inkt bevlekte mijn japon en schoenen.

In juli 1861 vierden we Hsien Fengs dertigste verjaardag. Zijne Majesteit lag in bed en zweefde tussen bewustzijn en bewusteloosheid in. Er werden geen gasten uitgenodigd. De verjaarsceremonie bevatte onder andere een voedselparade. De gerechten werden nauwelijks aangeraakt; iedereen voelde de dood van de keizer naderen.

Een week later leek het einde van Hsien Feng nabij. Dokter Sun Pao-tien voorspelde dat Zijne Majesteit binnen een week, misschien zelf binnen een paar dagen, zou overlijden. Er heerste spanning aan het hof, omdat de keizer nog geen opvolger had benoemd.

Tung Chih mocht niet naar zijn vader toe omdat het hof bang was dit de keizer te veel zou vermoeien. Ik was hier boos over. Ik vond dat een teken van genegenheid van Zijne Majesteit Tung Chih voor de rest van zijn leven een goede herinnering zou geven.

Nuharoo beschuldigde me ervan dat ik een vloek over Hsien Feng had uitgeroepen door Tung Chih te vertellen dat zijn vader zou sterven. Haar astroloog geloofde dat Hsien Feng als door een wonder gered zou worden als wij weigerden zijn dood te accepteren.

Het was moeilijk Nuharoo te weerstaan als ze zich iets in haar hoofd had gehaald. Het lukte me af en toe om Tung Chih door An-te-hai bij zijn vader te laten binnensmokkelen; meestal gebeurde dit als Nuharoo zat te bidden met de boeddhisten of zat te genieten van een operavoorstelling bij het theedrinken; Su Shun regelde deze opvoeringen, die plaatsvonden in de vertrekken van Nuharoo.

Tot mijn teleurstelling had Tung Chih geen zin om naar zijn vader te gaan.

Hij klaagde over zijn vaders 'afschrikwekkende uiterlijk' en 'stinkende adem'. Hij was diep ongelukkig toen ik hem naar het ziekbed duwde. Hij noemde zijn vader saai en gilde een keer: 'Jij holle man!' Hij trok aan Hsien Fengs lakens en gooide kussens naar hem toe. Hij wilde paardjerijden met de stervende man. Hij had geen greintje medeleven in zijn kleine lichaampje.

Ik gaf mijn zoon een pak op zijn billen. De daaropvolgende week liet ik Tung Chih niet aan Nuharoo over, maar hield hem in de gaten. Ik kwam erachter waarom hij zich slecht gedroeg.

Ik had Tung Chih gezegd dat hij rijlessen moest nemen bij Yung Lu, maar Nuharoo verzon smoesjes voor het kind zodat hij niet hoefde te gaan. Tung Chih oefende niet op echte paarden maar gebruikte de eunuchen als paard. Meer dan dertig eunuchen moesten op handen en knieën op het binnenplein rondkruipen voordat hij tevreden was. An-te-hai was zijn 'lievelingspaard'. Op die manier nam het kind wraak, want An-te-hai had van mij opdracht gekregen streng voor hem te zijn. Tung Chih sloeg An-te-hai met zijn zweep en liet hem tot bloedens toe op zijn knieën rondkruipen.

Maar nog erger dan de manier waarop hij An-te-hai behandelde was het feit dat hij een zeventigjarige eunuch, Oude Wei, had gedwongen zijn ontlasting op te eten. Toen ik Tung Chih hierover ondervroeg, antwoordde hij: 'Moeder, ik wilde alleen weten of de Oude Wei de waarheid had verteld.'

'Welke waarheid?'

'Dat ik alles kon doen wat ik wilde. Ik heb hem alleen gevraagd dat te bewijzen.'

Ik keek naar het gezichtje van mijn zoon en vroeg me af waar hij dit soort gemene trucjes vandaan haalde. Hij was slim en wist wie hij moest straffen en wie hij moest belonen. Als An-te-hai niet loyaal ten opzichte van mij was geweest, had hij aan elke gril van Tung Chih toegegeven. Tung Chih beweerde een keer dat hij wist welke gerechten Nuharoo het lekkerst vond. Het kwam niet bij me op dat dit mijn zoons manier was om haar te belonen. Ik prees hem zelfs toen hij Nuharoo haar favoriete maankoekjes stuurde. Ik vond het een mooi, vroom gebaar en was blij dat mijn zoon het met haar kon vinden. Toen pochte Tung Chih dat Nuharoo hem aanmoedigde te spijbelen van school. Ze had tegen hem gezegd: 'Er zijn keizers geweest die nog geen dag in het klaslokaal hebben doorgebracht, maar die hun land moeiteloos tot welvaart hebben gebracht.'

Ik sprak Nuharoo hierop aan en wees erop dat het niet goed was Tung Chih geen discipline bij te brengen. Ze vond dat ik me aanstelde. 'Hij is pas vijf! Zodra we terug zijn in Peking en Tung Chih zijn normale lessen weer hervat, zal alles weer in orde zijn. Het ligt in de natuur van een kind om te spelen en we mogen de bedoelingen van de hemel niet dwarsbomen. Gisteren vroeg hij om de papegaaien, maar An-te-hai had ze niet bij zich. Arme

Tung Chih – het enige wat hij wilde waren de papegaaien!'

Dit keer besloot ik niet toe te geven. Ik stond erop dat hij zijn lessen zou volgen. Ik zei tegen Nuharoo dat ik bij de leerkrachten zou controleren of hij zijn huiswerk wel deed. Maar ik werd teleurgesteld. De hoofdleraar smeekte me hem van Tung Chih te verlossen.

'De jonge Majesteit gooide met proppen papier en sloeg mijn bril van mijn hoofd,' vertelde de leraar, die konijnentanden had. 'Hij weigert te luisteren. Gisteren dwong hij me een vreemd smakend koekje te eten. Daarna vertelde hij me dat hij het koekje in zijn eigen urine had gedoopt.'

Ik was gechoqueerd over de wijze waarop Tung Chih in het klaslokaal overheerste. Maar ik maakte me nog meer zorgen over zijn interesse in Nuharoos boeken over geesten. Hij bleef tot laat op om naar haar verhalen over de onderwereld te luisteren. Hij werd er zo bang door dat hij in zijn bed plaste. Maar toch werd hij zo door de verhalen aangetrokken dat het een verslaving werd. Toen ik tussenbeide kwam en de plaatjesboeken van hem afpakte, begon hij tegen me te vechten.

Tung Chih was tot alles bereid om me uit de weg te hebben. Eerst deed hij net of hij ziek was, zodat hij niet naar les hoefde. Als ik hem hierop betrapte, schoot Nuharoo hem te hulp. Ze gaf dokter Sun Pao-tien zelfs stiekem opdracht te liegen over de 'koorts' die hem belette naar school te gaan.

Ik begeleidde mijn zoon elke dag naar zijn leraren en bleef buiten wachten tot de lessen afgelopen waren. Nuharoo was boos omdat ik haar niet vertrouwde, maar ik was te kwaad om me druk te maken over haar gevoelens. Ik wilde Tung Chih veranderen voordat het te laat was.

Tung Chih wist precies hoe hij Nuharoo en mij tegen elkaar moest uitspelen. Hij wist dat ik hem niet kon verbieden Nuharoo te bezoeken, dus ging hij zo vaak mogelijk naar haar toe om me jaloers te maken. Jammer genoeg trapte ik erin. En hij bleef problemen veroorzaken op school. Op een dag trok hij de twee langste haren van de wenkbrauwen van de leraar met de konijnentanden eruit. Hij wist heel goed dat de oude man die haren beschouwde als een teken van 'lange levensduur'. De man was zo geschrokken dat hij een beroerte kreeg en voorgoed naar huis werd gestuurd. Nuharoo vond het incident wel grappig. Ik was het helemaal niet met haar eens en ik nam me voor mijn zoon te straffen voor zijn wreedheid.

Het hof stelde een vervanger aan voor de oude leraar, maar die werd de eerste werkdag al door zijn leerling ontslagen. De reden die Tung Chih hiervoor aanvoerde was dat de man scheten liet tijdens de les. Hij beschuldigde de leraar van 'respectloosheid voor de Zoon van de Hemel'. De man werd bestraft met zweepslagen. Toen ze dit hoorde, prees Nuharoo Tung Chih omdat hij 'zich als een echte vorst had gedragen', terwijl ik helemaal onttredderd was.

Hoe meer ik mijn best deed, hoe heviger Tung Chih tegen me in opstand kwam. In plaats van me te steunen, verzocht het hof Nuharoo 'mijn schandelijk gedrag in de gaten te houden'. Ik vroeg me af of Su Shun hierachter zat. Tung Chih had er nu geen problemen meer mee me ten overstaan van de eunuchen en dienstmeisjes een grote mond te geven. Hij kon goed met woorden omgaan. Soms klonk hij erg volwassen voor een kind van vijf. Hij zei bijvoorbeeld: 'Wat laag van u om me mijn natuur te ontzeggen!' Of: 'Ik ben een begiftigd dier!' Of: 'Het is verkeerd van u mij naar bed te sturen zodat u de dompteuse kunt uithangen!'

Van Nuharoo kreeg ik dezelfde dingen te horen: 'Sta Tung Chih toe zijn reis te vervolgen, vrouwe Yehonala.' En: 'Hij is een reiziger die het universum begrijpt. Hij denkt niet aan zichzelf, maar aan de reis, aan de dromen en aan de ziel van de spiritualiteit van Boeddha!' En: 'Gooi uw sleutels in de wind en laat zijn kooi open!'

Ik begon te twijfelen aan haar goede bedoelingen. De manier waarop ze Tung Chih benaderde had altijd iets pervers gehad. Wat hij ook uithaalde, zij was altijd de liefhebbende moeder. Ik besefte dat ik Nuharoo moest tegenhouden als ik Tung Chih wilde tegenhouden. Voor mijn gevoel was de worsteling veranderd in een strijd om mijn zoon te redden. Dagenlang probeerde ik te bedenken wat ik tegen haar zou zeggen. Ik wilde mijn bedoelingen duidelijk maken zonder haar trots te krenken. Ik wilde haar doen begrijpen dat ik haar genegenheid voor Tung Chih waardeerde, maar dat ze moest leren strenger tegen hem op te treden.

Tot mijn verbazing was Nuharoo me voor. Ze kwam naar me toe, informeel gekleed in een ivoorkleurige japon. Ze bracht verse lotusbloemen voor me mee. Ze beklaagde zich over de beperkingen die ik aan Tung Chihs eetpatroon had gesteld. Ze benadrukte dat hij te mager was. Ik legde uit dat ik het niet erg vond als hij meer zou eten, als het maar gebalanceerd voedsel was. Ik vertelde haar dat Tung Chih urenlang op de po zat, maar geen ontlasting produceerde.

'Dat zie ik niet als probleem,' zei Nuharoo. 'Kinderen nemen de tijd als ze op de pot zitten.'

'Boerenkinderen hebben dat probleem niet,' wierp ik tegen. 'Die eten voldoende vezelrijk voedsel.'

'Maar Tung Chih is geen boerenkind. Het is beledigend hem daarmee te vergelijken.' Nuharoo trok een afwijzend gezicht. 'Het is zoals het hoort, dat Tung Chih het keizerlijk dieet volgt.'

Ik had persoonlijk een kok in dienst genomen die gezonde maaltijden moest bereiden, maar Tung Chih had zich tegenover Nuharoo beklaagd dat de kok hem bedorven garnalen had voorgezet, waardoor hij buikkrampen had gekregen. Niemand geloofde de leugen, behalve Nuharoo. Maar ze ontsloeg de kok om het kind een plezier te doen.

Ik moest me inhouden om niet openlijk de strijd met Nuharoo aan te gaan. Ik besloot me eerst op Tung Chihs studie te concentreren. Ik pakte elke ochtend een zweep en begeleidde Tung Chih naar zijn leraar.

Hij had les over de hemelglobe. Ik vroeg de leraar me een kopie van de tekst te geven en zei dat ik hem na afloop van de les zelf zou overhoren.

Zoals ik al verwachtte, kon Tung Chih zich geen woord van de les herinneren. Hij was net uit school gekomen en we stonden op het punt te gaan eten. Ik gaf opdracht zijn bord weg te nemen en nam hem bij de hand. Bij het verlaten van de kamer pakte ik de zweep. Ik nam hem mee naar een schuurtje in de tuin, ver van de grote hallen en appartementen. Ik zei tegen Tung Chih dat ik hem pas zou laten gaan als hij de volledige tekst kon opzeggen.

Hij slaakte een harde gil om te zien of iemand hem te hulp zou snellen. Daar was ik op voorbereid. An-te-hai had de opdracht gekregen de leraren uit de buurt te houden en ik had uitdrukkelijk bevolen dat niemand Nuharoo mocht vertellen waar Tung Chih was.

'In vroeger tijden,' zei ik, om een begin te maken. 'Begin.'

Tung Chih snikte en deed net of hij me niet hoorde.

Ik pakte de zweep en tilde die op, zodat hij voor zijn ogen bungelde.

Hij begon de les op te zeggen. 'In vroeger tijden kon men vier enorme sterrenpatronen onderscheiden aan de met sterren bezaaide hemel. Langs de Gele Rivier zag men dierenfiguren...'

'Ga door. Een draak...'

'Een draak, een schildpad met een slang, een tijger met een vogel, die omhoog vliegt en omlaag...' Hij schudde zijn hoofd en zei dat hij de volgende zin niet meer wist.

'Begin opnieuw en lees het nogmaals!'

Hij deed zijn leerboek open maar struikelde over de woorden.

Ik las het hem voor. 'Om de hemelse noordpool draait een constellatie van sterren die we Grote Beer noemen.'

'Dit is te moeilijk,' klaagde hij, en gooide het boek op de grond.

Ik greep hem bij de schouders en schudde hem heen en weer. 'Dit is wat een verwend jongetje krijgt dat zich niet aan de wet houdt en niet denkt aan de gevolgen!' Ik tilde hem op en trok hem zijn kleed uit. Ik gaf hem een klap met de zweep.

Op zijn billetjes werd een duidelijke rode striem zichtbaar.

Tung Chih gilde het uit.

De tranen rolden over mijn wangen, maar ik gaf hem nog een klap. Ik moest mezelf dwingen door te gaan. Ik had hem te lang zijn gang laten gaan. Dit was mijn straf en mijn laatste kans.

'Hoe durf je me te slaan!' Hij had een ongelovige uitdrukking op zijn gezicht. Zijn kleine wenkbrauwen raakten elkaar in het midden van zijn verschrikte gezicht. 'Niemand slaat de zoon van de keizer!'

Ik sloeg hem nog harder. 'Dit is om je het geluid van de buitenlandse kanonnen te laten horen. Dit is om te zorgen dat je de verdragen leest!' Ik voelde iets binnen in me breken. Een onzichtbare pijl schoot door mijn hoofd. Met verstikte stem vervolgde ik: 'Dit... is... zodat je je vader aankijkt... ik wil dat je weet hoe het komt dat hij een holle man is geworden.'

De zweep veranderde van richting, alsof hij een eigen wil bezat. Hij kwam niet op Tung Chih terecht, maar op mij. Het was een luide, scherpe knal. Het leer slingerde zich als een slang om mijn lichaam en liet bij elke klap een bloederig spoor achter.

Tung Chih werd gebiologeerd door het schouwspel en zei niets meer.

Opeens was ik uitgeput, viel neer en trok mijn knieën op. Ik huilde omdat Hsien Feng niet lang genoeg zou leven om zijn zoon op te voeden; ik huilde omdat ik niet in staat zou zijn mijn zoon behoorlijk groot te brengen omdat Nuharoo tussen ons in stond; ik huilde omdat ik mijn zoon hoorde roepen dat hij me haatte en dat hij niet kon wachten tot Nuharoo me zou straffen; en ik huilde omdat ik diep in mijn hart teleurgesteld was in mezelf, en ik niet wist wat ik anders moest doen, hetgeen nog beangstigender was.

Ik ging door met de les en dreigde hem met de zweep. 'Geef antwoord, Tung Chih. Wat is de betekenis van de draak?'

'De draak vertegenwoordigt een transformatie,' antwoordde het doodsbange ventje.

'Waarvan?'

'Wat bedoelt u?'

'Een transformatie van...'

'De transformatie van... van een vis. Het heeft te maken met het vermogen van de vis om over een dam te springen.'

'Dat is juist. Dat maakte de vis tot een draak.' Ik legde de zweep neer. 'Het gaat om de inspanning die het hem kostte om een enorm obstakel te overwinnen. Over de heldhaftige sprong die hij maakte. Daarbij brak hij zijn botten en werden zijn schubben geschaafd. Hij had bij de poging om kunnen komen, maar hij gaf het niet op. Daarom was het geen gewone vis.'

'Ik begrijp het niet. Het is te moeilijk!'

Hij kon me niet meer volgen, al las ik dezelfde zin steeds opnieuw. Zijn hersenen leken verlamd. Hij verkeerde in een shocktoestand. Ik had hem bang gemaakt. In zijn hele leven had nog nooit iemand zijn stem tegen hem verheven. Hij kreeg altijd zijn zin, hoe vernederend het ook voor anderen mocht zijn.

Ik was vastbesloten door te gaan. 'Luister goed, dan zul je het wel begrijpen. De tijger is de geest van de wilde dieren, de schildpad is de geest van de schelpdieren en de feniks is een vogel die in staat is uit zijn as te herrijzen...'

Tung Chih begon me langzaam en moeizaam na te zeggen.

Er werd luid op de deur van het schuurtje gebonsd.

Ik wist wie het was. Ik wist dat er een spion in mijn paleis was.

Er werd nog steeds gebonsd en toen hoorde ik Nuharoo schreeuwen: 'Ik zal je wreedheid rapporteren bij Zijne Majesteit! Je hebt het recht niet Tung Chih te straffen. Hij is niet van jou! Hij is alleen via jou ter wereld gekomen. Je was slechts een huis waar hij ooit onderdak had. Als je hem hebt verwond, zul je hangen!'

Ik las met heldere, galmende stem verder: 'Volgens de oude Chinese filosofie verwijzen de vijf kleuren naar de vijf richtingen. Geel verwijst naar het midden, blauw naar het oosten, wit naar het westen, rood naar het zuiden en zwart naar het noorden...'

NEGENTIEN

Het wilde gras rond Jehol vergeelde terwijl het hof wachtte tot de keizer zou sterven. Hsien Feng kon niet meer slikken. De eunuchen brachten hem nog steeds de kruidensoep die ik voor hem bereidde, maar hij raakte die niet meer aan. Het begrafenisgewaad met de draken was besteld en Zijne Majesteits lijk-kist was bijna klaar.

Maar mijn zoon was nog steeds niet tot opvolger benoemd en Zijne Majesteit had over de opvolgingskwestie nog geen woord gezegd. Iedere keer als ik mijn gemaal wilde bezoeken werd ik tegengehouden door hoofdeunuch Shim, die zei dat Zijne Majesteit sliep of een bespreking met zijn adviseurs had. Hij liet me eindeloos lang wachten. Dan keerde ik gefrustreerd weer te-rug naar mijn verblijf. Ik was ervan overtuigd dat Shim in opdracht van Su Shun handelde.

Ik maakte me ongerust, want Hsien Feng kon ieder moment zijn laatste adem uitblazen en dan zou ik Tung Chih niet meer kunnen helpen. Toen An-te-hai me vertelde dat Su Shun had geprobeerd hem over te halen me te be-spioneren, werden de bedoelingen van de Grote Raadgever me duidelijk.

Ik dankte de hemel voor An-te-hais loyaliteit. Het gevolg daarvan voor hem was dat hij op Su Shuns lijst van vijanden terechtkwam.

'Su Shun verzint manieren om jouw hond te schoppen,' zei Nuharoo toen ze een keer op bezoek was. 'Ik vraag me af waarom hij An-te-hai zo haat.' Ze sloeg haar ogen op van haar borduurwerk en keek me onderzoekend aan, wachtend op een antwoord.

Ik wilde haar niet in vertrouwen nemen. Ik wilde haar niet vertellen dat Su Shun niet op An-te-hai uit was, maar op mij. Als ik mijn gevoelens zou laten blijken, zou Nuharoo tussenbeide willen komen en Su Shun zover pro-beren te krijgen dat hij zijn excuses zou aanbieden. Ze beschouwde zichzelf als het toonbeeld van rechtvaardigheid, maar haar vriendelijkheid zou me meer kwaad dan goed doen.

Nuharoo vond het prettig bekend te staan om haar vriendelijkheid, hoffe-lijkheid en rechtvaardigheid. Maar dit probleem zou ze niet kunnen oplos-sen. Haar bemoeienis zou het voor Su Shun alleen makkelijker maken zich van me te ontdoen. Hij zou daarvoor keizer Hsien Feng gebruiken. Dat zou niet de eerste keer zijn. Yung Lu's verhaal over het verschrikkelijke lot van die minister die niet loyaal ten opzichte van de Grote Raadgever was geweest was daarvan een voorbeeld. Misschien wilde Su Shun Nuharoo ook als medestandster hebben. Dat zou hem met wat gevlei makkelijk lukken. De meester der misleiding kon haar om zijn vinger winden. Nuharoo leefde alleen om haar naam te verheerlijken en elk beetje aandacht van Su Shun zou ze met beide handen aangrijpen. Mijn overlevingskansen stonden immers niet boven aan Nuharoos lijstje.

An-te-hai struikelde de drempel over. Hij kwam me vertellen dat men besloten had dat ik 'de eer zou hebben Hsien Feng te vergezellen bij de terugkeer naar zijn kern', wat betekende dat ik levend zou worden begraven met de overleden keizer.

Ik geloofde mijn oren niet. Ik kon het niet geloven. Van de drieduizend concubines was ik de enige die hem een zoon geschonken had. Hsien Feng wist dat Tung Chih me nodig had.

Ik probeerde kalm te blijven en vroeg An-te-hai waar hij deze informatie vandaan had. Hij zei dat hij het had gehoord van zijn vriend Chow Tee, de eerste kamerheer van de keizer.

'Chow Tee kwam vanmorgen naar me toe,' zei An-te-hai met trillende stem. 'Hij zei dat ik onmiddellijk moest vluchten. Ik vroeg wat er was gebeurd. Hij zei: "Je dagen zijn geteld." Ik zei: "Maak geen grapjes, dat is niet leuk." Hij zei dat hij het meende. Hij had een gesprek afgeluisterd tussen Su Shun en Zijne Majesteit en Su Shun had voorgesteld dat Zijne Majesteit "vrouwe Yehonala met zich mee zou nemen".'

An-te-hai zweeg even; hij haalde diep adem en veegde het zweet met zijn mouw van zijn gezicht.

'Weet je zeker dat Chow Tee het goed heeft verstaan?' vroeg ik geschrokken.

'Chow Tee hoorde Su Shun zeggen: "Vrouwe Yehonala is niet het type om trouw te blijven en zich onopvallend aan haar tuin te wijden."'

'Gaf Zijne Majesteit antwoord?'

'Nee. En daarom hield Su Shun er niet over op. Hij zei dat het hem niet zou verbazen als u het na zijn dood met andere mannen zou aanleggen. Verder voorspelde hij dat u zou proberen via Tung Chih de macht naar u toe te trekken. Su Shun zei dat u Tung Chih met de zweep heeft gegeven omdat hij weigerde te doen wat u wilde. Uiteindelijk ging Zijne Majesteit ermee akkoord u mee te nemen.'

Ik zag al voor me dat Su Shun mijn eeuwigheidsjapon en lijkkist bestelde. In mijn verbeelding had ik een zijden strop om mijn hals en schopte Su Shun het krukje om. Voordat mijn lichaam afgekoeld zou zijn zou hij vloeibaar zilver door mijn keel gieten om me in de door hem gewenste houding te krijgen.

'Mevrouw, doe iets voordat het te laat is!' An-te-hai wierp zichzelf op de grond en wilde niet opstaan.

Ik had nooit kunnen dromen dat ik zou worden geofferd. De verhalen van Grote Zuster Fann waren saai, vergeleken bij wat mij overkwam. Er was geen tijd voor tranen of om troost bij mijn familie te zoeken. Wie weet was Su Shun al bezig het vuur op te porren waarin het zilver gesmolten zou worden.

Ik vroeg An-te-hai waarom we Chow Tees woorden zouden moeten geloven.

'Wij eunuchen lijken op klimplanten,' zei hij. 'We moeten een hoge boom opzoeken om hogerop te kunnen komen. Chow Tee begrijpt dat we alleen kunnen overleven en verder komen als we elkaar helpen. We zijn al sinds ons twaalfde jaar gezworen broeders. Als er een vlieg zou rondzoemen in keizer Hsien Fengs kamer zou Chow Tee me daarvan op de hoogte stellen. De laatste tijd maakt Chow Tee zich zorgen over wat er met hem zal gebeuren na de dood van de keizer. Als hij niet de pech heeft levend begraven te worden bij Zijne Majesteit, heeft hij een nieuwe meester of meesteres nodig. Hij wist dat zijn informatie waardevol was en wilde u die niet onthouden. Op mijn suggestie, uiteraard.'

Ik zei An-te-hai dat ik Chow Tee wilde spreken.

An-te-hai regelde een afspraak en de volgende dag kwam Chow Tee naar me toe onder het mom dat hij een lamp wilde lenen.

Hij was ongeveer twintig jaar en zag er eenvoudig en nederig uit. Zijn katoenen gewaad was witgewassen. Ik had nog nooit zo'n jong gezicht gezien met zoveel rimpels. Hij had eenzelfde soort achtergrond als An-te-hai en woonde al sinds zijn negende in de Verboden Stad. Hij koos zijn woorden zorgvuldig. Hij bevestigde het verhaal van An-te-hai.

Nadat ik Chow Tee had weggezonden, kwam mijn zoon bij me. Tung Chih kroop op mijn schoot en zei dat hij gereed was om zijn les op te zeggen. Dit keer deed hij het goed. Ik prees hem zo enthousiast mogelijk, maar ik kon mijn tranen bijna niet bedwingen. Ik zag voortdurend het beeld voor me van het timmeren van mijn lijkkist. Ik kon zelfs het geluid horen van de spijkers die in het hout werden geslagen.

Ondanks zijn slechte gedrag was Tung Chih een knappe jongen geworden. Hij had mijn heldere ogen en zachte huid. Verder leek hij op zijn vader. Hij had een hoog voorhoofd, een rechte Mantsjoe-neus en een mooie mond. Meestal keek hij ernstig, maar hij had een lieve glimlach. Ik kon de gedachte niet verdragen dat Tung Chih zijn beide ouders tegelijk zou moeten verliezen.

Voor zover ik het kon bekijken, zouden er twee mensen te gronde worden gericht als Hsien Feng mij met zich meenam. De een was mijn zoon en de ander mijn moeder.

Tung Chih zou geen discipline worden bijgebracht; Nuharoo zou dit niet met opzet nalaten, maar Su Shun wel. Het resultaat bleef hetzelfde – tegen de tijd dat Tung Chih volwassen zou zijn, zou hij ongeschikt zijn als heerser. Wat mijn moeder betrof, die zou de klap niet kunnen verwerken. Ze was al ziek, en als ik zou sterven zou haar hetzelfde lot treffen.

Als Tung Chih vragen over mijn dood zou stellen, zou Su Shun keihard liegen. Su Shun zou hem bewijzen dat ik een slechte moeder was en zou mijn zoon leren me te haten. Hij zou zich nooit realiseren dat hij het slachtoffer van Su Shun was. Su Shun zou alles doen wat in zijn macht lag om Tung Chih te verleiden en mijn zoon zou hem als zijn redder beschouwen.

Bestond er een erger kwaad dan de geest van een kind te verkrachten? Tung Chih zou zijn geboorterecht verliezen. Uiteindelijk zou Su Shun via Tung Chih zijn eigen ambities waarmaken. Hij zou in naam van Hsien Feng, voor zijn zoon, regeren over het rijk. Hij zou Tung Chihs zwaktes zichtbaar maken, een excuus vinden hem van de troon te stoten en zichzelf als keizer laten kronen.

Hoe duidelijker dit toekomstbeeld werd, hoe wanhopiger ik me ging voelen. Het nieuws van Hsien Fengs dood kon ieder moment bekendgemaakt worden en dit was misschien mijn laatste kans met Tung Chih alleen te zijn.

Ik hield mijn zoon zo stevig vast dat hij klaagde dat ik hem pijn deed.

'Huilen kost alleen maar meer tijd, mevrouw.' An-te-hai stond op uit zijn geknielde positie. Zijn vriendelijke ogen stonden nu hard.

'Waarom ga je er niet vandoor, An-te-hai?' zei ik gefrustreerd. 'Je bent goed voor me geweest en mijn zegen heb je.'

'Mijn leven behoort u toe, mevrouw.' An-te-hai bonkte hard met zijn hoofd op de vloer. 'Geef het nog niet op!'

'Wie kan me redden, An-te-hai? De keizer is te ver heen en Su Shuns spionnen zijn overal.'

'Er zijn twee mensen die u misschien kunnen redden, mevrouw.'

Rong en haar echtgenoot, prins Ch'un, waren de twee mensen die An-te-hai bedoelde. An-te-hai dacht dat prins Ch'un een manier kon verzinnen om aan het bed van Zijne Majesteit te komen. Hij zou Rong meenemen zodat zij voor mij het woord kon doen.

Het was niet zo'n gek idee. Rong was zwanger, wat haar status in de ogen van de keizerlijke familie verhoogde. Prins Ch'un had vier dochters, maar nog geen zoon. Hij zou alles doen om zijn vrouw gelukkig te maken. An-te-hai bood aan stiekem het paleis uit te glippen en contact te zoeken met mijn zusje.

Een week later kwam mijn zusje, vroeg op de ochtend. Haar buik was enorm. Ze had een gezonde blos op haar gezicht. We vlogen elkaar huilend in de armen. Rong vertelde dat het allemaal goed was gegaan.

'Aanvankelijk wilde Su Shun ons niet binnenlaten,' zei ze. 'Nadat we een paar uur hadden zitten wachten, wilde Ch'un weggaan. Ik smeekte hem te blijven. Ik zei dat ik Zijne Majesteit persoonlijk moest spreken over mijn zusje. Als ik er niet in zou slagen hem van gedachten te laten veranderen, zou het kind in mijn buik daaronder lijden. Ik zou een miskraam krijgen.'

Rong nam mijn handen in de hare en glimlachte. 'Mijn echtgenoot werd bang bij de gedachte dat hij misschien een zoon zou verliezen. Dus baande hij zich een weg naar binnen en zag Zijne Majesteit in bed liggen.

Ik volgde Ch'un naar binnen en we wensten Zijne Majesteit een goede gezondheid toe. Mijn buik was te dik om te kunnen kow-towen, maar ik probeerde het toch – ik moest hem laten zien hoe wanhopig ik was. Ik hoefde niet net te doen alsof. Ik was werkelijk bang. Zijne Majesteit zei dat het al goed was en dat ik kon opstaan. Ik weigerde en bleef geknield zitten tot mijn echtgenoot begon te spreken. Hij vertelde zijn broer dat ik nachtmerries had, dat mijn verdriet me verteerde, dat hij zijn zoon zou kunnen verliezen door een miskraam.'

'Hoe reageerde Hsien Feng?'

'Zijne Majesteit zag er verschrikkelijk uit en kon bijna niet praten. Hij vroeg waarover ik me zorgen maakte en mijn echtgenoot antwoordde: "Mijn vrouw heeft gedroomd dat u een decreet heeft uitgevaardigd waarin staat dat u Orchidee mee het graf in zult nemen. Ze wil zeker weten dat het niet waar is. Ze wil de woorden uit uw hemelse mond horen."'

'Wat zei Zijne Majesteit?'

'Zijne Majesteit wees naar Su Shun en zei dat het zijn idee was.'

'Ik wist het wel!'

'Su Shun keek woedend, maar zei niets.' Rong stopte haar zakdoekje weg.

Op dat moment kwam An-te-hai de kamer binnen rennen. 'Zijne Majesteit heeft bevolen dat het decreet onmiddellijk nietig verklaard moet worden. Chow Tee heeft me verteld dat Zijne Majesteit tegen Su Shun heeft gezegd dat hij het idee nooit meer mag opperen.'

Toen ik Rong aan prins Ch'un voorstelde, kon ik niet bevroeden dat die twee mijn reddende engelen zouden zijn. Rong zei dat het gevaar nog niet geweken was en dat ik voorzichtig moest zijn. Ik wist dat Su Shun niet de wapenen zou neerleggen en in een Boeddha zou veranderen. Zijn strijd om mij te gronde te richten was maar net begonnen.

Er gingen drie dagen voorbij zonder dat er iets gebeurde. Op de ochtend van de vierde dag voorspelde dokter Sun Pao-tien dat Hsien Feng de volgende ochtend niet zou halen. Su Shun deed in naam van de keizer een dringende oproep: aan het einde van de middag zou er een laatste audiëntie worden gehouden waarin de laatste wensen van Zijne Majesteit aan het hof bekend zouden worden gemaakt.

Toen ik rond het middaguur Nuharoo een bezoekje bracht, hoorde ik pas dat ik niet op de audiëntie was uitgenodigd. Ze was niet thuis. Haar eunuch zei dat ze was opgehaald door een draagstoel die door Su Shun was gestuurd. Ik wendde me tot An-te-hai en vroeg hem uit te vissen wat er aan de hand was. An-te-hai kreeg bericht van Chow Tee. De laatste keizerlijke audiëntie was al begonnen en Su Shun had zojuist bekendgemaakt dat ik niet aanwezig kon zijn omdat ik me niet goed voelde.

Ik raakte in paniek. Over enkele uren zou mijn echtgenoot waarschijnlijk zijn laatste adem uitblazen en zou mijn kans om iets te doen voor altijd verkeken zijn.

Ik rende naar de studeerkamer van Tung Chih. Mijn zoon zat een spelletje schaak te spelen met een eunuch en weigerde koppig met me mee te gaan. Ik trok het schaakbord weg, waarbij de schaakstukken door de kamer vlogen. Ik sleurde hem mee naar de Hal van Fantastische Mist, terwijl ik hem de situatie uitlegde. Ik droeg hem op zijn vader te vragen hem tot opvolger te benoemen.

Tung Chih was bang. Hij smeekte me terug te mogen gaan naar zijn schaakspel. Ik zei dat hij met zijn vader moest spreken, dat het de enige manier was om zijn toekomst veilig te stellen. Het drong niet tot Tung Chih door. Hij schreeuwde en probeerde zich los te rukken. Bij mijn worsteling hem vast te houden brak mijn halssnoer en de parels en kralen rolden door de gang.

De wachters hielden ons bij de ingang tegen, al leken ze wel ontzag te hebben voor Tung Chih.

'Ik moet Zijne Majesteit spreken,' zei ik met luide stem.

Hoofdeunuch Shim kwam naar me toe. 'Zijne Majesteit wenst zijn concubines op dit moment niet te zien,' zei hij. 'Als hij zover is, zal ik het u laten weten.'

'Ik weet zeker dat Zijne Majesteit zijn zoon nog een laatste keer wil zien.'

Hoofdeunuch Shim schudde het hoofd. 'Ik heb van de Grote Raadgever Su Shun bevel gekregen u op te sluiten als u blijft aandringen, vrouwe Yehonala.'

'Tung Chih heeft het recht afscheid te nemen van zijn vader!' gilde ik, hopend dat keizer Hsien Feng me zou horen.

'Het spijt me. Het zou Zijne Majesteit alleen van streek maken als hij Tung Chih zou zien.'

Wanhopig probeerde ik Shim opzij te duwen.

Ik had net zo goed tegen een muur kunnen duwen. 'U zult me moeten doden om me mijn plicht te laten verzaken.'

Ik viel voor hem op de knieën en smeekte hem. 'Wilt u dan tenminste toestaan dat Tung Chih zijn vader van een afstand ziet?' Ik schoof mijn zoon naar hem toe.

'Nee, vrouwe Yehonala.' Hij ga de wachters een teken, waarop die me tegen de grond duwden.

Waarschijnlijk ging er een knop om in Tung Chihs hoofd. Misschien beviel de manier hem niet waarop ik werd behandeld. Toen Shim op hem toe liep met een onechte glimlach op zijn gezicht en hem verzocht terug te keren naar zijn speelkamer, antwoordde mijn zoon voor het eerst in de taal die alleen een keizer mocht bezigen: '*Zhen* wenst met rust te worden gelaten en wil zien wat hier gebeurt.'

Door het woord 'Zhen' bleef hoofdeunuch Shim als aan de grond genageld staan.

Tung Chih maakte van de gelegenheid gebruik om de zaal in te rennen.

Hsien Fengs enorme, zwarte drakenbed stond in het midden van het platform waarop normaal gesproken de troon stond. Onder aanvoering van Su Shun en de leden van zijn kabinet stonden de hofministers en andere hoogwaardigheidsbekleders rondom de bleke gestalte onder de deken. Het leek alsof mijn gemaal reeds overleden was. Hij lag er roerloos bij en gaf geen teken van leven.

Nuharoo, die een beige japon aanhad, zat geknield naast het bed te huilen.

Alle anderen zaten ook op de knieën. De tijd leek stil te staan.

Er was niets luisterrijks aan het hemelse verscheiden. De keizer was zichtbaar gekrompen. Zijn gelaatstrekken waren vervaagd en zijn ogen en mond leken naar zijn oren te trekken. Zijn heengaan kwam onwerkelijk op me over. De avond dat hij me voor het eerst had ontboden stond me nog zo levendig voor de geest alsof het gisteren was. Ik dacht terug aan die keer dat hij me zo overmoedig geplaagd had in het bijzijn van de Grote Keizerin. Ik herinnerde me zijn ondeugende maar charmante gezicht. Ik herinnerde me het geluid van het stuk bamboe dat op de schaal viel en zijn vingers, die de mijne hadden aangeraakt toen hij me de ruyi gaf. De herinneringen maakten me treurig en ik moest mezelf tot de orde roepen.

Uit het gefluister van de ministers maakte ik op dat Hsien Feng vandaag al een paar keer even was gestopt met ademhalen, waarna hij weer was bijgekomen met een diep geratel in zijn borst. De Zoon van de Hemel lag tegen twee kussens. Hij had zijn ogen open, maar bewoog nauwelijks. Het hof wachtte tot hij zou spreken, maar hij leek daartoe niet in staat.

Ofschoon het duidelijk was dat Tung Chih de natuurlijke erfgenaam was, was het niet specifiek in de wetten van de Ch'ing-dynastie opgenomen dat de troon automatisch overging op de oudste zoon. De opvolging werd uitsluitend bepaald door de laatste woorden van de keizer. Zijne Majesteits testament werd bewaard in een officiële kist. Maar dat testament kon hij nog mondeling tenietdoen. Veel mensen geloofden dat iemand in de aanblik van de dood van gedachten kon veranderen, zodat hij niet meer achter zijn wensen in het testament stond. Ik maakte me zorgen over wat Su Shun misschien zou doen. Hij was zo sluw dat hij keizer Hsien Feng kon overhalen iets te zeggen wat hij niet meende.

Er gingen een paar uren voorbij. Het wachten duurde voort. Er werden tafels met voedsel op het binnenplein gezet. Honderden mensen zaten daar op hun hurken, hapjes rijst nemend en in het niets starend. Tung Chih verveelde zich en was geïrriteerd. Ik wist dat hij zijn best had gedaan om gehoorzaam te zijn. Op een gegeven moment had hij er genoeg van. Toen ik hem zei dat hij moest blijven, begon hij te gillen en om zich heen te schoppen. Hij schopte de rijstkommen uit de handen van een paar mensen.

Ik greep Tung Chih beet. 'Nog een zo'n schop en ik laat je opsluiten in een bijenkorf!'

Tung Chih kalmeerde.

Het werd nacht. Alles was donker, behalve de Hal van Fantastische Mist. Die was fel verlicht als een podium.

De hofhouding kwam weer bij elkaar. De vijfentwintig keizerlijke zegels werden uit de opslagkamer gehaald en op een lange tafel neergelegd. Ze waren kunstig bewerkt en werden in standaards gezet. Het was zo stil in de zaal dat ik de kaarsen hoorde sissen.

De Grote Secretaris en geleerde Kuei Liang, prins Kungs schoonvader, had een grijs gewaad aan. Hij was die ochtend uit Peking gekomen en werd geacht terug te gaan zodra hij de laatste woorden van Zijne Majesteit had opgetekend. Kuei Liangs witte baard reikte tot zijn borst. Hij zat op zijn knieën en hield een enorm penseel in zijn handen. Af en toe doopte hij het penseel in inkt om het vochtig te houden. Vóór hem lag een stapel rijstpapier. Chow Tee, die naast hem stond, voegde water bij de inktsteen en vermaalde de steen met een inktstok die zo dik als een kinderarm was.

Su Shun hield zijn blik op de zegels gericht. Ik vroeg me af wat hij van plan was. In China waren alle keizerlijke documenten, ook die van de keizer zelf, alleen geldig als er een officieel zegel naast de handtekening was aangebracht. Een zegel betekende bekrachtiging door de wet. Het belangrijkste zegel kon alle andere documenten nietig verklaren. Het feit dat zijn vader niet had gezegd dat de zegels op Tung Chih moesten overgaan vervulde me met wanhoop.

Was Hsien Feng al onderweg naar de hemel? Was hij zijn zoon vergeten? Was Su Shun hier om het einde van Tung Chih te aanschouwen? Su Shun liep langzaam heen en weer bij de tafel waar de zegels stonden opgesteld. Hij had een air alsof hij al de eigenaar was. Hij pakte elk zegel op en streelde het stenen oppervlak.

'Er zijn vele manieren om iemands lot te beïnvloeden,' zei Su Shun, terwijl hij zwaarwichtig zijn hoofd ophief. 'Zijne Majesteit wandelt waarschijnlijk in de donkere ruimtes van zijn ziel. Ik stel me voor dat hij met trage stappen langs een rode muur loopt. Hij is niet werkelijk aan het sterven. Hij is bezig met een wedergeboorte. Zijn geesten zijn niet uit op zijn droge skelet, maar op het purperen licht van de onsterfelijkheid.'

Opeens trok er een rilling door Hsien Fengs lichaam. Dit duurde een paar seconden en toen bewoog hij niet meer. Ik hoorde Nuharoo jammeren en zag haar in haar japon naar haar gebedskralen tasten.

Volgens het bijgeloof zou dit het moment kunnen zijn waarop de stervende het stadium van geestelijke reflectie betrad.

Ik bad dat Zijne Majesteit Tung Chih zou roepen. Als zijn enige zoon zijn laatste gedachten niet beheerste, wat dan wel?

De ministers begonnen te weeklagen. Op het binnenplein gingen enkele oudere mensen van hun stokje en de eunuchen zetten hen op stoelen en brachten hen weg.

Ik bewoog me naar Hsien Fengs bed en trok Tung Chih met me mee.

'Het is niemand toegestaan de geesten te verstoren!' Hoofdeunuch Shim blokkeerde mijn weg. Op zijn teken grepen de wachters Tung Chih en mij bij de arm.

Ik worstelde om los te komen.

Tung Chih vocht bijtend en trappend. De wachters draaiden zijn armen op zijn rug en duwden hem op de grond.

'Alstublieft!' smeekte ik hoofdeunuch Shim.

'Zijne Majesteit is bezig met reflectie.' Shim weigerde toe te geven. 'U mag naar hem toe als zijn geesten tot rust gekomen zijn.'

'Papa! Papa!' gilde Tung Chih.

Als we ergens anders geweest zouden zijn, zou iedereen vertederd zijn geraakt. Maar het hof leek niet meer in staat zich te richten op degene die recht had op hun dienstbaarheid. Het was het hof van Su Shun geworden. Iedereen gaf zijn eigen behoeften voorrang boven die van keizer Hsien Feng en zijn zoon. Iedereen had Tung Chih gehoord, maar niemand kwam hem te hulp.

Als Zijne Majesteit nog iets tegen zijn zoon zou willen zeggen, was hij aan Su Shuns genade overgeleverd. Het kwam Su Shun te goed uit om de keizer te negeren en zijn misdaad ongestraft te begaan. Niemand zou het merken als Hsien Feng kwaad was. Binnen een paar minuten zou hij alles wat hij eventueel betreurde mee het graf in nemen.

Mijn angst was verdwenen. Ik mat de afstand tussen hoofdeunuch Shim en mijzelf en mikte op zijn maag. Mijn blik richtte zich op de kraanvogel op zijn gewaad. Het kon me niet schelen of ik gewond zou raken of nog erger. Het verhaal zou bekend worden. Het zou mijn protest zijn tegen Su Shuns intimiderende gedrag. Het land zou sympathie voor Tung Chih krijgen.

Met mijn hoofd naar voren als een stormram rende ik op hem af.

In plaats van weg te duiken, gaf Shim me een zet en trok me weg.

Ik verloor mijn evenwicht, kon niet meer stoppen en vloog recht naar een van de zijpilaren.

Ik deed mijn ogen dicht en dacht dat mijn laatste uur had geslagen.

Maar er gebeurde niets met mijn hoofd. Ik liep niet tegen een pilaar aan, maar tegen een man in een gepantserd uniform.

Terwijl ik op de grond in elkaar zakte zag ik mijn zoon naar zijn vader rennen. Toen ik omhoog keek om te zien tegen wie ik was op gelopen zag ik het gezicht van de bevelhebber van de keizerlijke wachters, Yung Lu.

'Papa, papa!' Mijn zoon schudde zijn vader heen en weer.

Keizer Hsien Feng zat in elkaar gezakt op zijn bed naar het plafond te staren.

Nuharoo liep op hen af en sloeg haar armen om Tung Chih heen.

Ik stond op en holde naar de jongen toe. Su Shun duwde hem woedend weg voordat hij zijn vader nog een keer kon aanraken.

Het kind rukte zich los uit Su Shuns greep. 'Papa, papa!'

Keizer Hsien Feng knipperde met zijn ogen. Hij bewoog langzaam zijn lippen. 'Tung Chih, mijn zoon...'

Het werd doodstil in de zaal en iedereen hield zijn adem in. De keizerlijke secretaris pakte zijn penseel.

'Kom hier, Tung Chih!' De stervende man stak zijn handen uit van onder de deken.

'Majesteit.' Ik deed een stap naar voren met het risico dat ik gestraft zou worden. 'Wilt u het hof laten weten wie u zal opvolgen?'

Su Shun kreeg geen kans meer me te laten afvoeren. Hsien Feng leek me gehoord te hebben. Hij probeerde te spreken, maar zijn stem liet hem in de steek. Na een paar pogingen vielen zijn armen weer neer. Hij draaide met zijn ogen en lag te snakken naar adem.

'Majesteit!' Ik viel op mijn knieën naast zijn bed. Ik greep het gele satijnen laken vast. 'Heb medelijden met uw zoon, ik smeek u!'

De keizer deed zijn mond open.

'Papa, papa! Word alsjeblieft wakker!'

Ik weerhield Tung Chih ervan zijn vader weer door elkaar te schudden.

Hsien Feng opende zijn ogen. Opeens hees hij zichzelf overeind. Even later viel hij weer terug in de kussen en deed zijn ogen weer dicht.

'Laat uw zoon maar achter zonder een laatste woord, Hsien Feng!' Ik dacht dat dit het einde betekende en dat alle hoop vervlogen was. Het maakte niet meer uit wat ik zei. 'Hier is uw door de hemel verdoemde zoon. Laat hem maar in de steek! Ga uw eigen weg en laat ons ten onder gaan! Ik zal mijn lot accepteren als dat uw wens is. Tung Chih verdient u. U bent een meedogenloze vader.'

Tung Chih verborg zijn hoofd snikkend aan zijn vaders borst.

'Tung Chih.' Hsien Feng deed zijn ogen weer open. Hij sprak met zwakke, maar heldere stem. 'Mijn zoon… laat me… naar je kijken. Hoe gaat het met je? Wat kan ik voor je doen?'

'Majesteit,' zei ik, 'zal Tung Chih uw troonopvolger zijn?'

Hsien Feng glimlachte vol genegenheid. 'Ja, natuurlijk zal Tung Chih mijn opvolger zijn.'

'Kunt u ons zijn regeringstitel geven?'

'*Ch'i Hsiang*,' zei Zijne Majesteit met zijn laatste ademtocht.

'Geluk met goede voortekenen,' vertaalde de keizerlijke secretaris terwijl hij de woorden optekende.

Vele mensen hebben gezegd dat mijn optreden op dat moment een belangrijk principe belichaamde: als je als vrouw aan het Mantjsoe-hof wilde overleven, moest je onversaagd zijn.

Kort nadat dokter Sun Pao-tien verklaarde dat Zijne Majesteit was overleden, trokken Nuharoo en ik ons terug. We gingen naar de kleedkamer en haalden alle make-up van ons gezicht. Mijn handen beefden zo erg dat ik het washandje niet vast kon houden. Ik moest huilen toen ik aan Hsien Fengs laatste woorden dacht. Door de enorme inspanning die hem dat had gekost was het voor mij duidelijk dat hij uit liefde had gesproken.

Toen Nuharoo en ik terugkwamen, waren we gekleed in grove witte boetekleden en waren er repen witte stof door ons haar gevlochten. Ons veranderde uiterlijk was voor iedereen het sein dat het land nu in het eerste rouwstadium voor zijn keizer was gedompeld.

Su Shun verzocht Nuharoo en mij onmiddellijk te mogen spreken. Het hielp niet dat we zeiden dat we liever even wilden wachten tot onze eerste schrik voorbij was. Su Shun drong aan en zei dat hij een belofte moest inlossen die hij onze gemaal had gedaan.

In de kleedkamer had ik met Nuharoo besproken hoe we Su Shun zouden benaderen. Ze was erg verdrietig en zei dat ze niet goed kon denken. Ik wist zeker dat Su Shun zich had voorbereid. Hij zou gebruik maken van de algemene verwarring en proberen de controle over het hof in handen te krijgen. We liepen het gevaar opzij geschoven te worden.

Toen hij naar me toe kwam lopen nam ik het woord en stelde voor dat we de kist zouden openen die Zijne Majesteits testament bevatte.

Su Shun was eraan gewend dat vrouwen zich altijd naar de man voegden en werd door mijn woorden overrompeld.

Het hof was het met me eens.

Het was bijna middernacht toen de kist werd geopend. Grote Secretaris Kuei Liang las het testament voor. De inhoud bleek net zo verwarrend als Zijne Majesteits leven. Naast de benoeming van Tung Chih als nieuwe keizer had hij een Raad van Regenten in het leven geroepen onder voorzitterschap van Su Shun, die de regering zou waarnemen tot Tung Chih volwassen zou zijn. Alsof hij zijn eigen beslissing niet helemaal vertrouwde, of om de macht van de regenten in te perken, of om de Raad de status van conventioneel regentschap te geven, had keizer Hsien Feng Nuharoo en mij twee belangrijke zegels toegewezen: *tungtiao*, 'een partnerschap', en *yushang*, 'de weerspiegeling van het keizerlijk testament'. Daarmee kregen we de macht de edicten te bekrachtigen die Su Shun in Tung Chihs naam zou uitvaardigen. Nuharoo moest het tungtiao-zegel stempelen aan het begin van elk document en ik het yushang-zegel aan het einde ervan.

Su Shuns frustratie was duidelijk zichtbaar. Nu wij Hsien Fengs zegels in ons bezit hadden, was hij aan handen en voeten gebonden. Later zou blijken dat Su Shun alles in het werk zou stellen om deze beperking te negeren.

Wat ik niet had verwacht was dat Hsien Feng al zijn broers, inclusief prins Kung, had uitgesloten van machtsposities. Dit was tegen alle historische precedenten in en schokte de geleerden en clanleden. Ze zaten zichtbaar van streek in een hoek van de zaal te luisteren naar het voorlezen van het testament.

Ik verdacht Su Shun ervan dat hij dit had bewerkstelligd. Volgens Chow Tee had Su Shun tegen Zijne Majesteit gezegd dat prins Kung zijn tijd verspilde met de buitenlanders. Su Shun had Zijne Majesteit er blijkbaar van kunnen overtuigen dat Kung zijn ziel aan de barbaren had verkocht. Het bewijs dat hij daarvoor had aangevoerd was dat de prins buitenlanders in dienst had genomen om zijn eigen personeel in alle lagen van de Chinese regering, waaronder ook militaire en financiële ambtenaren, op te leiden. Su Shun had Zijne Majesteit het veranderingsplan van prins Kung laten zien, waarvan de opzet was China's politieke systeem overeen te laten komen met westerse regeringsmodellen.

Op de avond van 22 augustus 1861 was Jehol in een dikke mist gehuld. De takken van de bomen buiten de Hal van Fantastische Mist sloegen met beangstigend lawaai tegen de raamluiken.

Tung Chih was in mijn armen in slaap gevallen. Hij werd niet wakker toen dokter Sun Pao-tien hem weghaalde zodat Nuharoo en ik het gezicht van onze gemaal konden wassen met natte zijden handdoeken. We raakten Hsien

Feng voorzichtig aan. Nu hij dood was, zag hij er ontspannen uit.

'Het is tijd om Zijne Majesteit aan te kleden,' zei hoofdeunuch Shim. 'We kunnen het beter nu doen, voordat het lichaam van Zijne Majesteit stijf wordt.'

De eunuchen brachten het gewaad van de eeuwigheid binnen; wij maakten een buiging voor onze echtgenoot en trokken ons terug.

An-te-hai droeg de slapende Tung Chih en we liepen de Hal van Fantastische Mist uit.

Ik huilde bij de gedachte dat het verschrikkelijk was dat Hsien Feng zo jong gestorven was. Hij was pas eenendertig.

Nuharoo onderbrak mijn gedachten. 'Je had je niet zo moeten opdringen. Je hebt me voor gek gezet in het bijzijn van Zijne Majesteit.'

'Het spijt me. Dat was niet mijn bedoeling,' zei ik.

'Je hebt me in verlegenheid gebracht omdat je er geen vertrouwen in had dat ik de zaak zou regelen.'

'Tung Chih moest deze woorden van zijn vader horen en er was geen tijd meer.'

'Als iemand voor Tung Chih moet opkomen, ben ik dat. Uw gedrag was in ieder geval ondoordacht, vrouwe Yehonala!'

Ik was geïrriteerd, maar ik hield mijn mond. Ik wist dat ik Nuharoo nodig zou hebben om de strijd tegen Su Shun te winnen.

Toen ik naar bed ging, hield ik mijn zoon in mijn armen. Su Shun zou er waarschijnlijk veel moeite mee hebben dat ik niet alleen verschoond was van levend begraven te worden, maar ook dat ik de macht had gekregen hem dwars te zitten bij zijn ambities.

Ik was uitgeput, maar kon me niet ontspannen. Ik begon nu pas echt mijn verdriet om Hsien Feng te voelen. Mijn bezorgdheid over de veiligheid van mijn zoon was echter sterker dan mijn melancholie. Ik dacht aan Yung Lu's onverwachte reddingsactie. Had hij gewaakt over Tung Chih en mij? Ik moest niet vergeten dat Su Shun zijn meerdere was. Deed Yung Lu mee aan Su Shuns samenzwering?

Terwijl ik in bed lag, ging ik in gedachten de namen van de regenten af. Ik zag de gezichten van de mannen duidelijk voor me. Naast Su Shun bestond de lijst uit geleerden met de hoogste academische graden en ministers die al lang aan het hof hadden gediend, onder wie Tuan Hua, Su Shuns halfbroer, en prins Yee, een bullebak en neef van keizer Hsien Feng die de functie van keizerlijke commissaris bekleedde. Al wist ik weinig over hun carrières, ik wist voldoende om te beseffen dat ze net zo op macht belust en gevaarlijk waren als Su Shun.

Ik dacht met name diep na over prins Yee. Hij was het enige familielid aan wie Hsien Feng macht had verleend. Dat had Su Shun hem ongetwijfeld ingefluisterd, maar waarom? Vanwege prins Yees keizerlijke bloed, dacht ik. Su Shun had Yee nodig om zijn slechte bedoelingen te maskeren.

De volgende dag kwamen de regenten, die door Nuharoo 'De Bende van Acht' genoemd werden, bij ons tweeën op bezoek. Het was duidelijk dat Su Shun degene was die hun gedachtelijn bepaalde. Tijdens de ontvangst werden zakelijke onderwerpen vermeden. Het was duidelijk dat ze vonden dat de scholing en opvoeding van Tung Chih voldoende verantwoordelijkheid voor ons was. De bendeleden stelden voor dat ze onze last zouden verlichten door ons de hofzaken te besparen, waarvoor Nuharoo dom genoeg haar dankbaarheid uitsprak.

Su Shun kwam als laatste aan. Hij zei dat hij het erg druk had gehad met gebeurtenissen aan het front. Ik vroeg of hij iets van prins Kung had gehoord. Hij antwoordde ontkennend. Hij loog. An-te-hai had me verteld dat prins Kung vier dringende brieven had gestuurd waarin hij om instructies vroeg; er was geen aandacht aan de brieven besteed.

Ik confronteerde Su Shun met het bestaan van de brieven. Aanvankelijk ontkende hij dat hij ze ontvangen had. Toen ik voorstelde dat we prins Kung zouden laten komen, gaf hij toe dat de brieven ergens in zijn werkvertrekken zoek waren geraakt. Hij verzocht me me niet te bemoeien met zaken waar ik niets mee te maken had. Hij benadrukte dat mijn interesse in hofzaken een 'daad van respectloosheid voor de overleden keizer' was.

Ik herinnerde Su Shun eraan dat geen enkel edict geldig zou zijn zonder de twee zegels die Nuharoo en ik bezaten. Of de verzoeken van prins Kung nu werden ingewilligd of niet, Nuharoo en ik moesten ervan op de hoogte gesteld worden. Ik liet doorschemeren dat ik wist waar Su Shun mee bezig was: het zelfstandig bevorderen en degraderen van provinciale gouverneurs.

Naarmate de tijd vorderde, werd de spanning tussen Su Shun en mij zo groot dat we elkaar moesten proberen te ontwijken. Ik begreep maar al te goed dat op zo'n manier het land niet goed bestuurd kon worden. Su Shun had allerlei geruchten over mij verzonnen en in omloop gebracht om me slecht af te schilderen. Hij probeerde bij Nuharoo in de gunst te komen zodat hij me kon isoleren, en ik kon zien dat het werkte. Ik voelde me gefrustreerd, want ik kon Nuharoo niet overtuigen van Su Shuns slechte bedoelingen.

Rond dezelfde tijd merkte ik dat mijn haar uitviel. Op een dag raapte An-te-hai een pluk haar van de vloer nadat de kapper weg was, en ik schrok. Was dit een symptoom van een of andere ziekte?

Sinds ik in de Verboden Stad was gekomen, had ik mijn haar niet meer laten knippen en het hing nu tot mijn knieën. De kapper kwam elke dag en hoe hard hij het ook borstelde, nooit eerder was mijn haar uitgevallen. Nu zat mijn borstel vol haren; het leek alsof hij wol kaardde. Ik had mezelf nooit als ijdel beschouwd, maar ik zei tegen mezelf dat ik binnenkort kaal zou zijn als dit zo doorging.

An-te-hai stelde voor dat ik een andere kapper zou nemen en hij beval een jonge eunuch aan over wie hij had gehoord, Li Lien-ying. Li's oorspronkelijke naam was Veertien – zijn ouders hadden zoveel kinderen dat ze hun geen normale namen gaven. Hij had de naam Li Lien-ying, wat 'een sierlijk lotusblad' betekende, gekregen van een boeddhist, nadat hij was gecastreerd. Boeddhisten geloofden dat het lotusblad de zetel was van Kuan Ying, de godin van genade, die oorspronkelijk een mannelijke god was geweest die de vorm van een vrouw had aangenomen. Kuan Ying was een van mijn lievelingsgodinnen, dus was het logisch dat ik Li Lien-ying meteen al aardig vond.

Ik besloot hem te houden. Li was vrolijk, net als An-te-hai, en hij hield zijn ellende voor zich. In tegenstelling tot An-te-hai was hij broodmager en lelijk. Hij had een peervormig hoofd, een pokdalige huid, ogen als een goudvis, een platte neus en een neerhangende mond. In het begin kon ik niet bepalen of hij nu glimlachte of fronste. Maar ondanks zijn onaantrekkelijke verschijning, won hij mijn hart door zijn lieve karakter.

An-te-hai vond het heerlijk om toe te kijken als Li mijn haar deed. Li kende een ongelooflijke hoeveelheid stijlen: de ganzenstaart, de kantelende vogel, de kronkelende slang, de klimplant. Als hij mijn haar borstelde waren zijn handen vastberaden en voorzichtig tegelijk. Tot mijn verbazing vond ik geen enkele haar op de grond als hij met me klaar was. Hij had een wonder verricht. Ik zei tegen An-te-hai dat ik hem in dienst zou nemen als aankomend kapper. An-te-hai leerde hem hoe hij zich moest gedragen en Li Lien-ying bleek een snelle leerling.

Jaren later bekende Li dat hij me voor de gek had gehouden. 'Ik verstopte Uwe Majesteits haren in mijn mouwen,' zei hij. Maar hij voelde zich er niet schuldig over; hij had me misleid voor mijn eigen bestwil. Hij was ervan overtuigd dat mijn stressvolle leven de oorzaak was van de haaruitval en geloofde dat het na een tijdje zou overgaan. Hij had gelijk. Hij was toen te jong om te begrijpen hoe groot het risico was dat hij nam door tegen me te liegen. 'Ik had je kunnen laten onthoofden als ik erachter was gekomen,' zei ik. Hij knikte en glimlachte. Na An-te-hai werd Li Lien-ying mijn favoriete eunuch en hij diende me zesenveertig jaar lang.

TWINTIG

Er kwam een boodschap van prins Kung, waarin hij toestemming vroeg om aanwezig te mogen zijn bij de rouwceremonie in Jehol. Volgens de traditie moest prins Kung hiertoe een officieel verzoek indienen dat moest worden goedgekeurd door de troon. Ofschoon Kung Tung Chihs oom was, was hij qua rang een ondergeschikte. De jongen was keizer geworden en prins Kung was zijn minister. Tot mijn verbazing vaardigde Su Shun een decreet uit waarin het verzoek van prins Kung in naam van Tung Chih afgewezen werd.

Su Shun zei tegen prins Kung dat de wet van de hofhouding het verbood dat de weduwen van Hsien Feng tijdens de rouwperiode mannelijke familieleden ontmoetten. Het was duidelijk dat Su Shun ons wilde afzonderen. Hij was waarschijnlijk bang dat zijn macht bedreigd zou worden als prins Kung eenmaal contact met ons zou hebben.

Nuharoo en ik zaten praktisch opgesloten in onze verblijven. Ik mocht niet eens met Tung Chih naar de warmwaterbronnen. Zodra ik een stap buiten de deur deed, werd ik gevolgd door hoofdeunuch Shim. Ik vond dat prins Kung moest weten wat er hier gaande was.

Toen hij het decreet ontving, trok prins Kung zijn verzoek in. Hij had geen keus. Als hij erop zou staan om te komen had Su Shun het recht hem te straffen wegens ongehoorzaamheid aan de keizer.

Desondanks was ik teleurgesteld dat prins Kung zo makkelijk toegaf. Pas later zou ik horen dat hij naar een andere manier had gezocht. Hij beschouwde Su Shun als gevaarlijk, net als ik. Zijn gevoelens werden gedeeld en gesteund door velen – clanleden, keizerlijke loyalisten, hervormers, geleerden en studenten – die liever zouden zien dat de macht in handen was van de liberaal denkende prins Kung, in plaats van in handen van Su Shun.

Tung Chih toonde weinig interesse als ik hem verhalen vertelde over zijn voorouders. Hij kon niet wachten tot de les voorbij was zodat hij naar Nuharoo kon gaan; dit maakte me jaloers. Ik was een strengere moeder geworden na de dood van zijn vader. Tung Chih kon de kaart van China niet lezen; hij kon niet eens de namen van de provincies onthouden. Hij was nu heerser geworden, maar zijn grootste interesse lag in het eten van besuikerde bessen en lol trappen. Hij had geen idee hoe de echte wereld in elkaar zat en wilde het ook niet leren. Waarom zou hij, als hem voortdurend werd voorgehouden dat hij de heerser over het universum was?

Naar de bevolking toe schilderde ik mijn vijfjarige zoon af als een genie dat de natie naar rustiger vaarwater zou leiden. Dat moest ik wel, wilde ik overleven. Hoe meer mensen vertrouwen in de keizer hadden, hoe stabieler de maatschappij zou zijn. Hoop vormde ons enige wisselgeld. Maar achter gesloten deuren probeerde ik Tung Chih ertoe te bewegen zijn rol waar te maken. Hij moest zo snel mogelijk zelfstandig gaan regeren, want Su Shuns macht zou alleen maar toenemen.

Ik probeerde hem te leren hoe hij een audiëntie moest houden, hoe hij moest luisteren, wat voor vragen hij moest stellen en, het belangrijkste van alles, hoe hij tot een beslissing moest komen, gebasseerd op de algemeen heersende mening, kritiek en ideeën.

'Je moet leren van je adviseurs en ministers,' waarschuwde ik hem, 'omdat je nog niet...'

'... bent wie je denkt te zijn,' onderbrak Tung Chih me. 'In uw ogen ben ik niets meer dan een slappe drol.'

Ik wist niet of ik moest lachen of hem een klap moest geven. Ik deed geen van beide.

'Waarom zegt u nooit "Ja, majesteit," zoals iedereen?' vroeg mijn zoon.

Het viel me op dat hij mij niet meer aansprak met 'moeder'. Als hij het woord tot me moest richten, sprak hij me aan met *Huang-ah-pa*, een formele aanspreektitel die 'keizerlijke moeder' betekende. Maar Nuharoo noemde hij altijd op een warme, liefhebbende toon 'moeder'.

Als Tung Chih mijn regels had geaccepteerd, had ik deze belediging wel geslikt, want het enige wat ik wilde was dat hij een goede keizer zou worden. Hij mocht mijn bedoelingen uitleggen zoals hij wilde. Ik zou me niet gekwetst voelen, al zou hij me aanvankelijk haten. Ik geloofde dat hij me later dankbaar zou zijn.

Maar ik onderschatte de invloed van de omgeving. Het leek of hij een homp klei was, die al gevormd en gebakken was voordat ik er zelfs maar aan te pas kwam. Tung Chih haalde slechte cijfers en had er moeite mee zich te concentreren. Als zijn leraar hem in de bibliotheek opsloot, stuurde hij zijn eunuchen naar Nuharoo, die hem dan kwam verlossen. In plaats van de leerling werd de leraar gestraft. Toen ik protesteerde, wees Nuharoo me op mijn ondergeschikte positie.

An-te-hai was degene die me duidelijk maakte dat wat er gaande was niets met ouderschap te maken had. 'U heeft te maken met de keizer van China, niet met uw kind, mevrouw,' zei hij. 'U neemt het op tegen de hele cultuur van de Verboden Stad.'

De gedachte mijn zoon te misleiden stond me tegen. Maar als eerlijkheid niet werkte, wat voor keus had ik dan?

Als Tung Chih me zijn onafgemaakte huiswerk kwam brengen, berispte ik hem niet meer. Met vlakke stem zei ik tegen hem dat ik alles goed vond, als hij zijn best maar deed. Dat luchtte hem op en hij kreeg minder neigingen tot liegen. Langzaam maar zeker was Tung Chih meer bereid tijd met mij door te brengen. Ik speelde 'audiëntie', 'rechtszaal' en 'gevecht' met hem. Voorzichtig, onopvallend, probeerde ik hem te beïnvloeden. Zodra hij mijn ware beweegredenen ontdekte, ging hij ervandoor.

'Er zijn mensen die de Zoon van de Hemel voor de gek proberen te houden,' zei Tung Chih een keer tijdens een spelletje.

Nuharoo en hoofdonderwijzer Chih Ming wilden dat Tung Chih de 'keizerlijke taal' zou leren. Daarnaast richtten ze de lesstof zo in dat Tung Chih zich zou concentreren op Chinese retoriek, de oude Tang-poëzie en de Sung-gedichten, 'zodat hij een elegant taalgebruik ontwikkelt'. Toen ik me tegen dit idee verzette en wetenschap, wiskunde en militaire strategie aan zijn lesstof wilde toevoegen, werden ze boos.

'Het wordt als prestigieus beschouwd om een eigen taal te hebben,' legde meester Chih Ming hartstochtelijk uit. 'Alleen een keizer kan zich dat veroorloven, en daar gaat het om.'

'Waarom wil je ons kind zoveel ontzeggen?' vroeg Nuharoo me. 'Wordt Tung Chih, als Zoon van de Hemel, al niet genoeg ontzegd?'

'Het is tijdverspilling om een taal te leren waarmee hij niet kan communiceren,' wierp ik tegen. 'Tung Chih moet onmiddellijk de waarheid over China weten! Het zal me een zorg zijn of hij zich goed kleedt en eet of "Zhen" zegt in plaats van "Ik".' Ik stelde voor om de brieven van prins Kung en de verdragen te gebruiken als leerstof voor Tung Chih. 'De buitenlandse troepen zullen China niet vrijwillig verlaten. Tung Chih zal ze moeten verdrijven.'

'Wat een vreselijke gedachte een kind dat aan te doen,' zei Nuharoo hoofdschuddend, waarbij de sierbelletjes op haar hoofd rinkelden. 'Tung Chih zal er zo bang door worden dat hij nooit zal willen heersen.'

'Dat is de reden dat wij hem moeten helpen,' zei ik. 'We werken met hem mee, zodat hij de krijgskunst leert door oorlog te voeren.'

Nuharoo keek me doordringend aan. 'Yehonala, je verwacht toch niet van me dat ik de regels niet gehoorzaam en de voorschriften van onze voorouders negeer?'

Ik vond het hartverscheurend te zien dat mijn zoon werd geleerd de werkelijkheid verkeerd te beoordelen. Hij was niet in staat feit van fictie te onderscheiden. De verkeerde ideeën die in zijn hoofdje werden geplant maakten hem kwetsbaar. Hij geloofde dat hij de hemel kon voorschrijven wanneer het moest regenen en de zon kon zeggen wanneer te schijnen.

Tegen het advies van meester Chih Ming, Nuharoos herhaaldelijke tussenkomst en Tung Chihs eigen instelling in, drong ik me op aan mijn zoon, waardoor er nog meer afstand tussen ons ontstond. Ik was ervan overtuigd dat dit van het hoogste belang was. Bij onze 'hofspelletjes' speelde Tung Chih de keizer en ik zijn gemene minister. Ik deed Su Shun na, zonder zijn naam te gebruiken. Ik sprak zelfs met het noordelijke accent van Su Shun. Ik wilde Tung Chih leren dat hij zich niet moest laten intimideren door de vijand.

Als de lessen afgelopen waren, kreeg ik nooit een bedankje of een afscheidswoordje. Als ik mijn armen naar hem uitstrekte en zei: 'Ik hou van je, zoon,' duwde hij me weg.

De ceremonie die het begin aankondigde van Tung Chihs officiële troonsbestijging vond plaats toen Hsien Fengs lichaam in de doodskist werd gelegd. Er werd aan het hof een decreet uitgevaardigd dat de nieuwe regeringsperiode uitriep en van Tung Chih werd verwacht dat hij een decreet zou opstellen om eer te bewijzen aan zijn moeders. Zoals gewoonlijk ontvingen we een hoop nutteloze bijdragen en geschenken.

Ik wist dat Su Shun het eerbetoon had geregeld. Maar ik mocht het pas lezen nadat het decreet was aangekondigd. Het maakte me gespannen en nerveus, maar ik kon niets doen.

Toen het decreet was aangekondigd, bleek dat Nuharoo werd geëerd als de 'keizerin van Grote Welwillendheid Tzu An' en ik als de 'keizerin van Vrome Vriendelijkheid Tzu Hsi'. Voor iedereen die de Chinese taal machtig was, was het verschil duidelijk: 'Grote Welwillendheid' had meer kracht dan 'Vrome Vriendelijkheid'. We waren dan wel allebei geëerd als gelijkwaardige keizerinnen, maar de boodschap naar de bevolking was dat mijn positie niet gelijkstond aan die van Nuharoo.

De subtiele nadruk op haar grotere prestige beviel Nuharoo. Al was ze tijdens het bewind van Hsien Feng keizerin geworden, dat gaf niet de garantie dat het zo zou blijven in een nieuwe regeerperiode. Ik was tenslotte de moeder van de troonopvolger. Het vervelende van mijn nieuwe titel was dat die bij de bevolking de indruk wekte dat Tung Chih Nuharoo hoger aansloeg dan mij; Su Shun had dus zijn zin gekregen.

Wat mij meer verontrustte was dat Su Shun wederom een decreet had uitgevaardigd zonder dat daarop de goedkeuringszegels van Nuharoo en mij waren aangebracht. Nuharoo wilde de kwestie niet aan de orde stellen, omdat zij had gekregen wat ze wilde. Maar in mijn ogen was het een principekwestie: Su Shun voerde keizer Hsien Fengs laatste wil niet naar de letter uit. Ik had alle recht het decreet aan te vechten. Aan de andere kant zou ik Su Shun de kans geven mijn relatie met Nuharoo te verstoren als ik hem zou uitdagen.

Ik dacht over de situatie na en besloot geen actie te ondernemen.

Het was voorgeschreven dat Nuharoo en ik gelijk behandeld moesten worden na de afkondiging van het decreet. Ik verhuisde uit mijn verblijf naar de westvleugel van de Hal van Fantastische Mist, die de Westelijke Kamer van Warmte werd genoemd, waardoor de ministers me de keizerin van de Westelijke Kamer gingen noemen. Nuharoo verhuisde naar de Oostelijke Kamer van Warmte, zodat zij de keizerin van de Oostelijke Kamer werd genoemd.

Op 2 september 1861 werd het eerste officiële decreet formeel gepubliceerd. Hierin werd de bevolking op de hoogte gesteld van de nieuwe bewindsperiode en de komst van de jonge keizer. Ook was het eerbetoon van de nieuwe keizer aan zijn moeders erin opgenomen. Er werden tien vrije dagen uitgeroepen om dit te vieren.

Terwijl het land de informatie over Nuharoo en mij kreeg, riep Su Shun de Raad van Regenten bij elkaar voor zijn eigen audiëntie. Hij eiste dat Nuharoo en ik vanaf nu elk decreet dat hij opstelde zonder vragen moesten voorzien van onze zegels.

Dit keer trapte Su Shun ook Nuharoo op de tenen. Ze kregen ruzie in het bijzijn van Tung Chih en de hele hofhouding.

'Vrouwen bemoeien zich niet met hofzaken; zo luidt de keizerlijke traditie.' Su Shun benadrukte dat het voor het welzijn van het land was dat zijn bestuur ons terzijde wilde schuiven. Hij wekte de indruk dat Nuharoo en ik vertragende factoren waren en dat met name ik erg lastig was.

'Als wij ons niet met de hofzaken mogen bemoeien,' zei Nuharoo tegen de toehoorders, 'waarom heeft Zijne Majesteit keizer Hsien Feng ons dan de zegels toevertrouwd?'

Voordat Su Shun de kans kreeg te antwoorden viel ik Nuharoo bij. 'Keizer Hsien Fengs bedoeling is overduidelijk. De twee grote zegels vertegenwoordigen een evenwichtig oordeel. Zijne Majesteit wilde dat wij nauw met elkaar samenwerken. Het doel van de zegels is het voorkomen van autocratisch bestuur en,' – ik verhief mijn stem en sprak zo duidelijk mogelijk – 'om de mogelijke tirannie van een individuele regent te vermijden. Uw gezelschap van acht bestaat uit wijze mannen, dus ik hoef u niet te herinneren aan de verschrikkelijke lessen die het verleden ons geleerd heeft. Ik ben ervan overtuigd dat niemand van u in de voetstappen wil treden van Ao Pai, die de geschiedenis in ging als een misdadiger omdat hij zijn machtswellust zijn ziel liet corrumperen.' Ik wierp een blik op Su Shun voordat ik mijn betoog afsloot met: 'Keizerin Nuharoo en ik hebben besloten onze beloften aan onze gemaal in te lossen zolang we leven.'

Voordat ik het laatste woord gesproken had, was Su Shun opgestaan. Zijn olijfkleurige huid was knalrood geworden. Zijn ogen schoten vuur. 'Ik had mijn persoonlijke gesprekken met wijlen Zijne Majesteit liever voor me gehouden, maar u laat me geen keus, vrouwe Yehonala.' Su Shun liep naar zijn mannen toe en sprak met luide stem. 'Toen keizer Hsien Feng nog leefde, doorzag hij vrouwe Yehonala's slechte karakter al. Hij heeft verschillende malen tegen me gezegd dat hij haar mee het graf in wilde nemen. Als ze geen misbruik had gemaakt van Zijne Majesteits ziekte en hem niet zover gekregen had van gedachten te veranderen, zouden wij vandaag gewoon ons werk kunnen doen.'

'Zijne Majesteit had niet moeten toegeven!' knikte de Bende van Acht instemmend.

Ik was zo woedend dat ik geen woord kon uitbrengen. Ik probeerde uit alle macht mijn tranen te bedwingen.

Zwaar ademend sprak Su Shun verder. 'In een van de oude Chinese sagen wordt voorspeld dat China door een vrouw vernietigd zal worden. Ik hoop dat wij dat moment niet hebben bespoedigd.'

Tung Chih werd doodsbang door Su Shuns gezichtsuitdrukking en hij sprong op van zijn troon. Hij rende eerst naar Nuharoo en toen naar mij.

'Wat is er aan de hand?' vroeg Tung Chih toen hij merkte dat mijn armen trilden. 'Voelt u zich wel goed?'

'Ja, mijn zoon,' zei ik. 'Ik voel me prima.'

Maar Tung Chih begon te huilen. Ik wreef over zijn rug om hem te kalmeren. Ik wilde mijn zoon en het hof niet de indruk geven dat ik zwak was.

'Staat u me toe mijn gedachten met u te delen, heren,' zei ik toen ik mijn zelfbeheersing had hervonden. 'Voordat u uw oordeel vormt...'

'Stop!' onderbrak Su Shun me, terwijl hij zich tot het hof richtte. 'Vrouwe Yehonala heeft zojuist een huisregel overtreden.'

Ik begreep waar Su Shun op uit was. Hij wilde een familieregel tegen me gebruiken. 'Regel honderdvierenzeventig zegt: "Een keizerlijke echtgenote van een lagere rang zal worden gestraft als zij spreekt zonder toestemming van de echtgenote met een hogere rang."' Su Shun keek even naar Nuharoo, die niet reageerde, en zei: 'Ik ben bang dat ik mijn plicht moet doen.' Hij knipte met zijn vingers. 'Wachters!'

Een aantal wachters, onder aanvoering van hoofdeunuch Shim, kwam de zaal in rennen.

'Neem de keizerin van Vrome Vriendelijkheid, vrouwe Yehonala, mee om gestraft te worden!'

'Nuharoo, mijn oudere zuster!' riep ik, hopend dat ze voor me in de bres zou springen. Ze hoefde alleen maar te zeggen dat ze me toestemming gaf om te spreken.

Maar Nuharoo was in verwarring geraakt. Ze zat te kijken alsof ze niet begreep wat er gebeurde.

De wachters grepen me bij de armen en begonnen me weg te trekken.

'Hemel daarboven,' smeekte Su Shun op een plechtige operatoon, 'help ons af te komen van een gemene vos die de ergste voorspellingen van onze voorouders dreigt waar te maken.'

'Nuharoo!' Ik worstelde om uit de greep van de wachters te komen. 'Vertel ze dat ik jouw toestemming had om te spreken. Zeg hun dat ik de keizerin ben en dat ze me niet zo kunnen behandelen. Alsjeblieft, Nuharoo!'

Su Shun liep naar Nuharoo toe, die roerloos bleef zitten. Hij boog zich voorover en fluisterde haar iets in het oor, terwijl hij met zijn hand cirkels in de lucht beschreef. Zijn brede gestalte blokkeerde mijn zicht op haar. Ik wist wat hij zei: hoe sneller ik zou worden opgehangen, hoe beter het voor iedereen zou zijn. Hij spiegelde haar voor hoe haar leven zou zijn zonder rivale. Een leven waarin zij het voor het zeggen had. Nuharoo was zo bang dat ze niet meer kon denken. Ik wist dat ze Su Shun niet vertrouwde, maar misschien zou ze het door hem geschilderde toekomstbeeld niet kunnen weerstaan.

De wachters sleepten me door de gang. Iedereen leek door het incident overvallen te zijn. Als men al vragen had, stelde niemand die. Ik was gevangen in de stilstaande tijd en ik wist dat ik verdwenen zou zijn voordat de mensen tot hun positieven waren gekomen.

Ik bleef worstelen om los te komen. Eerst werden mijn armen gevoelloos en toen hielden mijn benen me niet meer. Toen ik op de grond in elkaar zakte, scheurde mijn jurk en vielen mijn haarspelden uit mijn haar.

'Halt!' Een kinderstem snerpte in de zaal. 'Hier spreekt keizer Tung Chih!'

Ik was ervan overtuigd dat ik hallucineerde. Mijn zoon liep als een volwassen man naar het midden van de zaal. Zijn manier van doen deed me aan zijn vader denken.

'Vrouwe Yehonala heeft niet minder recht van spreken dan u, Su Shun,' zei mijn kind. 'Ik zal de wachters bevelen u te verwijderen als u zich niet kunt gedragen!'

Vol ontzag voor de Zoon van de Hemel viel hoofdeunuch Shim op zijn knieën. De wachters deden hetzelfde en het hof volgde hun voorbeeld, inclusief Nuharoo en ik.

Het werd doodstil in de zaal. De wandklokken begonnen te slaan. Lange tijd durfde niemand zich te bewegen. De zonnestralen schenen door de gordijnen en zetten de wandtapijten in een gouden licht.

Tung Chih stond daar helemaal alleen en wist niet wat hij nu moest zeggen.

'Sta op,' zei het kind uiteindelijk, alsof hij zich opeens een vergeten lesregel herinnerde.

Iedereen ging staan.

'Ik neem ontslag, Uwe Jonge Majesteit!' Su Shun was tot zichzelf gekomen.

Hij nam zijn met pauwenveren bezette hoofddeksel af en legde het voor zich op de grond. 'Wie volgt mij?' Hij begon de zaal uit te lopen.

De overige regenten keken elkaar aan. Ze staarden naar Su Shuns hoofddeksel alsof ze de sierstenen en pauwenveren voor het eerst zagen.

Prins Yee, keizer Hsien Fengs neef, kwam in beweging. Hij stoof achter Su Shun aan en gilde: 'Grote Raadgever, alstublieft! U moet niet toegeven aan de grillen van een kind!'

Op het moment dat hij deze woorden uitsprak besefte prins Yee dat hij een vergissing had begaan.

'Wat zei u daar?' zei Tung Chih stampvoetend. 'U heeft de Zoon van de Hemel beledigd en Zhen zal u laten onthoofden! Wachters! Wachters!'

Toen Tung Chih dit zei, wierp prins Yee zich op de grond en bonsde met zijn voorhoofd tegen de vloer. 'Ik smeek Zijne Majesteit om vergiffenis, omdat ik uw vaders neef ben en uw bloedverwant.'

Tung Chih keek naar de man die met bloedend voorhoofd op de grond lag en keek vragend naar Nuharoo en mij.

'Staat u op, prins Yee.' Nuharoo was eindelijk tot de werkelijkheid teruggekeerd en nam het woord. 'Zijne Majesteit zal u dit keer vergeven, maar hij zal een dergelijke ongemanierdheid in de toekomst niet meer accepteren. Ik vertrouw erop dat u uw lesje geleerd hebt. Al is Tung Chih nog jong, hij is nog steeds de keizer van China. U moet beseffen dat u zijn dienaar bent.'

De leden van de Raad van Regenten trokken zich terug. Toen Nuharoo zijn 'vergeten' hoofddeksel naar Su Shun had laten terugbrengen, ging hij meteen weer aan het werk. Er werd geen woord meer over het incident gezegd.

Het lichaam van keizer Hsien Feng zou van Jehol naar Peking worden gebracht om begraven te worden. De repetities voor de begrafenisstoet waren uitputtend. Overdag trokken Nuharoo en ik witte gewaden aan en oefenden op het binnenplein. In ons haar droegen we mandjes met witte bloemen. We moesten van alles controleren: van de kostuums die de papieren goden aanhadden tot de versierselen voor de paarden; van de touwen waarmee de doodskist aan de dragers zou worden vastgebonden tot de ceremoniële vlaggen tot de selectie van de rouwmuziek. We inspecteerden de wassen varkens, katoenen poppen, kleien apen, porseleinen lammeren, houten tijgers en bamboevliegers. 's Avonds inspecteerden we de leren silhouetgestalten die als rekwisieten gebruikt zouden worden.

Tung Chih werd getraind om zijn plicht als zoon te vervullen. Hij oefende hoe hij moest lopen, buigen en kow-towen terwijl er vijfduizend mensen toekeken. Als er gepauzeerd werd, ging hij er stiekem vandoor om te kijken naar het marcheren van de keizerlijke wachters onder bevel van Yung Lu. Elke avond kwam Tung Chih me vertellen dat hij Yung Lu zo bewonderde.

'Gaat u de volgende keer met me mee?' vroeg hij.

Ik vond het een aanlokkelijk idee, maar Nuharoo stelde Tung Chih teleur. 'Het zou niet netjes zijn als wij in onze rouwkleding in het openbaar verschijnen,' zei ze.

Na het dessert ging Nuharoo weg om te bidden. Sinds Hsien Fengs dood was ze nog nauwer betrokken geraakt bij het boeddhisme. Aan haar muren hingen wandtapijten met boeddhafiguren. Als het had gemogen zou ze opdracht hebben gegeven midden in de audiëntiezaal een enorm boeddhabeeld neer te zetten.

Ik was erg onrustig. Op een nacht droomde ik dat ik in een bij veranderd was en gevangenzat in het hart van een lotus. Bij elke beweging die ik maakte om los te komen kwamen er zaadjes te voorschijn die op tepeltjes leken. Ik werd wakker en zag dat An-te-hai een kom lotuszaadjessoep voor me had neergezet en dat mijn vaas gevuld was met vers geplukte lotusbloemen.

'Hoe kun jij weten wat ik gedroomd heb?' vroeg ik de eunuch.

'Ik weet het gewoon.'

'Waarom al die lotussen?'

An-te-hai keek me glimlachend aan. 'Die passen bij de gelaatsteint van Uwe Majesteit.'

De gevoelens die ik had ervaren waren heviger geworden. Ik kon voor mezelf niet meer ontkennen dat zij gericht waren op Yung Lu. Als ik het nieuws hoorde dat Tung Chih bracht raakte ik opgewonden. Mijn hart sloeg een tel over als Yung Lu's naam werd genoemd. Ik wilde zo veel mogelijk details horen wanneer Tung Chih beschreef hoe goed hij met de paarden omging.

'Heb je vanaf een afstand gekeken?' vroeg ik mijn zoon.

'Ik heb hun opgedragen een demonstratie te geven,' antwoordde hij. 'De bevelhebber vond het fijn dat ik hem commandeerde. O, moeder, u had moeten zien hoe goed hij de paarden in bedwang heeft!'

Ik probeerde Tung Chih niet te veel vragen te stellen – ik was bang dat Nuharoo achterdochtig zou worden. In haar ogen was zelfs het denken aan een andere man dan onze dode echtgenoot een teken van ontrouw. Nuharoo had het de keizerlijke weduwen duidelijk gemaakt dat ze niet zou aarzelen hen ter dood te laten brengen – door hun ledematen af te hakken – als ze erachter zou komen dat ze ontrouw waren.

An-te-hai sliep in mijn kamer en was getuige van mijn onrust. Maar hij hield zijn mond erover en zei ook niets over wat hij me misschien in mijn slaap had horen zeggen. Ik wist dat ik 's nachts vaak lag te woelen, met name als het regende.

Op een van die regenachtige avonden vroeg ik An-te-hai of hij had gemerkt dat ik me anders gedroeg. Voorzichtig beschreef de eunuch de nachtelijke 'opstandigheid' van mijn lichaam. Hij zei dat ik in mijn slaap had geroepen, had gesmeekt om aangeraakt te worden.

De winter viel vroeg in. De septemberochtenden waren kil en de lucht was fris en helder. Ik besloot een wandeling langs de van kleur veranderende esdoorns te maken in de richting van Yung Lu's oefenterrein. Hoe meer ik mezelf waarschuwde dat dit onbehoorlijk was, hoe sterker mijn verlangen me voortdreef. Om mijn ware bedoelingen te verhullen zei ik tegen Tung Chih dat ik hem een konijn met rode ogen wilde laten zien. Tung Chih vroeg waar het dier zich verstopt had. Ik antwoordde: 'In de struiken vlak bij het oefenterrein.'

De volgende dag stonden we voor zonsopgang op. Na het ontbijt gingen we op weg in onze draagstoelen en onze weg voerde ons langs de vurig gekleurde bomen. Zodra we Yung Lu's wachters zagen staan, gaf Tung Chih zijn dragers opdracht hun pas te versnellen en ik volgde hem in mijn draagstoel.

Het was een hobbelig pad en de dragers deden hun best de draagstoel recht te houden. Ik tilde het gordijntje op en keek naar buiten. Mijn hart ging sneller slaan.

An-te-hai liep naast mijn draagstoel. Ik zag aan zijn gezicht dat hij wist wat ik van plan was en dat hij nieuwsgierig en opgewonden was. Ik vond het verdrietig te zien dat An-te-hai nog steeds als een man dacht. Wat zijn uiterlijk betrof zouden veel vrouwen An-te-hai aantrekkelijker vinden dan Yung Lu. Mijn eunuch had een hoog voorhoofd, een volmaakte kaaklijn en grote, heldere ogen, wat ongewoon was voor een Mantsjoe. Hij was door en door getraind in hofmanieren en hij gedroeg zich elegant. An-te-hai was de week daarvoor vierentwintig geworden en was al meer dan acht jaar in mijn dienst. In tegenstelling tot veel eunuchen, die klonken als oude vrouwen, had hij een mannelijke stem. Ik wist niet zeker of An-te-hai nog steeds de lichamelijke behoeften van een man had, maar hij was een sensueel mens. Naarmate we langer met elkaar omgingen, viel me steeds vaker op dat hij nieuwsgierig was naar wat zich tussen een man en een vrouw afspeelde. Die nieuwsgierigheid zou An-te-hai nog duur te staan komen.

In de ochtendmist keek ik naar de training van de keizerlijke wachters. Honderden mannen draafden en marcheerden over de samengeklonterde aarde. Ze deden me denken aan huppende padden in een rijstveld tijdens een droogteperiode. De lucht was fris en de zon was nog niet helemaal boven de kim gerezen.

'Let op Tung Chih,' zei ik tegen de dragers en vroeg hun me uit de draagstoel te helpen. Mijn schoenen werden nat van de dauw, terwijl ik langzaam over een zijpaadje liep. Toen zag ik hem, de bevelhebber, op zijn paard.

Hij zat roerloos op zijn paard maar hij keek mijn kant uit. Door de mist die tussen ons in hing leek hij op een papieren krijgsfiguur.

Ik liep naar hem toe met An-te-hai naast me.

De krijger spoorde het dier aan en kwam op me toe draven. Vanuit de schaduwen keek ik toe hoe hij naderde.

Zodra hij me herkende, liet hij zich van het paard af glijden en wierp zich op de grond. 'Majesteit, Yung Lu, tot uw dienst.'

Ik wist dat ik moest zeggen 'Staat u op', maar mijn stem liet me in de steek. Ik knikte en An-te-hai vertaalde: 'U mag opstaan.'

De man ging voor me staan. Hij was langer dan ik me herinnerde. Het zonlicht verscherpte zijn contouren en zijn hoekige gezicht.

Ik stond met mijn mond vol tanden. 'Tung Chih wilde naar het bos,' bracht ik eindelijk uit en voegde eraan toe: 'Hij zit achter een konijn aan.'

'Dat is leuk voor hem,' zei hij, en wist toen ook niet meer wat hij moest zeggen.

Ik wierp een blik op zijn mannen. 'Hoe... gaat het met uw troepen?'

'Ze zijn bijna gereed.' Hij leek opgelucht dat we een gespreksonderwerp hadden gevonden.

'Wat probeert u precies te bereiken?'

'Ik werk aan het uithoudingsvermogen van mijn mannen. Op dit moment zijn ze in staat om ongeveer een halve dag in formatie te blijven, maar de optocht met de doodskist zal vijftien dagen onderweg zijn.'

'Mag ik erop vertrouwen dat u uw mannen en uzelf niet zult overwerken?' zei ik. Meteen werd ik me bewust van mijn zachte toon. Ik besefte dat ik een vraag had gesteld, wat volgens de etiquette niet was toegestaan.

Het leek hem ook te zijn opgevallen. Hij keek me aan en wendde snel zijn gezicht af.

Ik wenste dat ik An-te-hai weg kon sturen, maar dat zou onverstandig zijn. Het zou gevaarlijk zijn met Yung Lu alleen gezien te worden.

'Staat Zijne Majesteit me toe te gaan kijken waar Tung Chih is?' vroeg An-te-hai, alsof hij mijn gedachten kon lezen.

'Nee, je blijft hier.'

Tung Chih was teleurgesteld: hij had het konijn niet gevonden. Toen we op de terugweg naar het paleis waren, beloofde ik dat ik een houten konijn voor hem zou laten maken. An-te-hai legde mijn idee uit aan de beste houtbewerker van het hof. De man vroeg vijf dagen de tijd om het konijn te maken. Tung Chih wachtte vol spanning.

Op de avond van de vierde dag kreeg Tung Chih een prachtig houten konijn met een witte 'vacht'. Zodra mijn zoon het konijn zag, werd hij er verliefd op. Vanaf dat moment raakte hij geen ander speelgoed meer aan, hoe leuk het ook was. Het houten konijn had schattige rode oogjes, gemaakt van robijntjes. Zijn vacht was gemaakt van katoen en zijde. Maar het leukste was dat de poten van het konijn konden bewegen via een touwtje. Als Tung Chih het op de grond zette, kon het huppelen als een echt konijn.

De daaropvolgende dagen werd Tung Chih volledig door het konijn in beslag genomen. Ik kon met Nuharoo werken aan de hofdocumenten die door Su Shun werden gebracht. De vloer in mijn kamer was bezaaid met papieren en er was geen ruimte meer om me normaal te bewegen.

Nuharoo had helemaal geen zin om het werk met me te doen. Ze begon smoesjes te verzinnen, zodat ze niet hoefde komen. Ze wilde dat we ons zouden houden aan de oude Chinese filosofie dat 'de wijste man het meest in verwarring moest lijken'. Ze dacht dat Su Shun ons dan met rust zou laten: 'Misleid hem en ontwapen hem zonder een wapen te gebruiken.' Ze glimlachte, gecharmeerd door haar eigen woorden.

Ik begreep Nuharoos fantasie niet. Anderen zouden we misschien voor de gek kunnen houden, maar Su Shun niet. Ik vond het moeilijker met Nuharoo om te gaan dan met mijn zoon. Als ze moe was, werd ze vaker driftig. Ze klaagde over alles – het lawaai van de krekels, de smaak van haar soep, een steek die ze had laten vallen in haar borduurwerk. Dan stond ze erop dat ik haar hielp het probleem op te lossen. Ik moest wel aan haar wens gehoor geven en dan moest ik ophouden met werken. Uiteindelijk ging ik ermee akkoord dat ze niet zou meewerken, onder één voorwaarde: dat ze mijn samenvattingen zou lezen en haar zegel zou plaatsen boven elk uitgaand document dat ik in naam van Tung Chih opstelde en waaronder ik mijn eigen zegel had aangebracht.

Als ik 's avonds hard zat te werken, zette An-te-hai een pot sterke Zwarte Draakthee. Su Shun probeerde me in de ogen van het hof in diskrediet te brengen door me met werk te overladen. Ik had vrijwillig mijn nek in de strop gestoken en hij was nu bezig de knoop aan te trekken. Hij kende me slecht. Er was een praktische reden voor het feit dat ik wilde slagen: in staat te zijn mijn zoon te helpen. Maar ik had me erop verkeken. Terwijl ik probeerde mijn ene flank te beschermen, liet ik de andere onverdedigd. Ik had geen idee dat de keizerlijke leerkrachten die verantwoordelijk waren voor Tung Chihs opleiding vrienden waren van Su Shun. Mijn onschuldige veronachtzaming bleek een van mijn grootste vergissingen. Ik besefte de omvang van de schade die zij Tung Chih berokkenden pas toen het te laat was.

Ik wilde wanhopig mijn perspectief verbreden. Ik had gebrek aan zelfvertrouwen en vond dat ik slecht geïnformeerd was. De onderwerpen die in de documenten behandeld werden waren veelomvattend. Als ik probeerde alles te begrijpen, voelde ik me alsof ik langs een gladde paal omhoog probeerde te klimmen. Ik had een uitgesproken mening over de rol die de regering speelde en ik was vastbesloten de alom aanwezige corruptie te bestrijden. Ik probeerde de contouren van de dingen te zien, het ware skelet, en alles uitsluitend op zijn merites te beoordelen. Daarnaast concentreerde ik me op het leren kennen van degenen die de macht hadden om te controleren en te beïnvloeden. Ik las niet alleen hun rapporten maar bestudeerde hun karakter, achtergrond en hun relatie met hun gelijken en met ons. Uiteraard besteedde ik de meeste aandacht aan hun beantwoording van onze verzoeken om informatie, die meestal door prins Kung werden afgeleverd. Ik was altijd dol op opera's geweest, maar de zaken waarin ik nu dagelijks verwikkeld was, waren veel dramatischer en bizarder.

Ik kreeg veel mensenkennis. Een van de documenten was afkomstig van een werknemer van prins Kung, de Engelsman Robert Hart, het hoofd van de Chinese douane. Deze man was van mijn leeftijd en een buitenlander, maar hij zorgde voor een derde van onze jaarlijkse belastinginkomsten. Hart rapporteerde dat hij onlangs op sterke tegenstand was gestuit toen hij binnenlandse belastingen wilde innen. Veel invloedrijke mannen, onder wie de generaal die mijn overleden echtgenoot het meest had vertrouwd, Tseng Kuo-fan – Hoofdenhakker Tseng, de held die de Taiping-rebellen versloeg – weigerden afstand te doen van hun geld. Tseng beweerde dat de behoeften van zijn directe omgeving ertoe leidden dat hij, en niet de centrale overheid, het geld moest houden. Zijn boekhouding bevatte veel vaagheden en Hart vroeg om instructies van de keizer met betrekking tot het al dan niet aanklagen van de generaal.

Op de omslagpagina van Harts rapport had Su Shun zijn voorstel geschreven. Hij wilde dat er een onderzoek zou worden ingesteld naar Tseng Kuo-fan en dat hij aangeklaagd zou worden. Ik begreep waar hij naar toe wilde. Su Shun koesterde al enige tijd de wens Tseng te vervangen door een van zijn loyalisten.

Ik besloot het rapport even vast te houden totdat ik de zaak met prins Kung kon bespreken. Tseng was te belangrijk voor de stabiliteit van het land, en als dit de prijs was die zijn trouw vergde, moest ik maar een oogje toeknijpen en betalen. Ik had liever dat Tseng Kuo-fan zijn geld zou houden in de wetenschap dat hij het zou gebruiken om zijn leger te bewapenen dat mij uiteindelijk zou beschermen, dan te zien hoe Su Shun het geld in handen kreeg en het zou gebruiken om samenzweringen tegen mij te financieren.

Het rapport gaf me de indruk dat Tseng Hart een groot geldbedrag had geboden voor zijn medewerking. Maar Hart was niet gezwicht voor de verleiding. Hij zou zijn loyaliteit aan prins Kung niet compromitteren. Waarom hield hij voet bij stuk? Met welke normen en waarden was hij opgegroeid? Ik had niet verwacht dat een buitenlander loyaal aan onze dynastie zou zijn. Het was een goede les voor me. Ik wilde deze man ontmoeten. Als ik de kans kreeg, zou ik hem met Tung Chih in contact brengen.

Mijn verzoek om Robert Hart te ontmoeten werd eerst vertraagd, daarna uitgesteld en toen afgewezen. Het hof was unaniem van mening dat het een belediging voor China zou zijn als ik mezelf tot een ontmoeting met hem zou 'verlagen'. Er gingen meer dan vier decennia voorbij voordat we elkaar eindelijk ontmoetten. Dat was toen ik het hof had verteld dat ik niet in vrede zou kunnen sterven als ik niet de man kon bedanken die me had geholpen de boel bij elkaar te houden.

De bloedrode wilde chrysanten bloeiden overvloedig. De planten hingen over mijn hekken en bedekten de grond op de binnenplaats. Ik was nog steeds overstuur door de inhoud van een brief van prins Kung en niet in de stemming om de bloemenpracht te waarderen. In deze brief beschreef de prins hoe zijn dag verlopen was. De gebeurtenissen speelden zich af nadat hij de verdragen had afgeleverd die waren ondertekend door zijn stervende broer, keizer Hsien Feng.

'Ik werd door generaal Sheng Pao en vierhonderd ruiters begeleid naar de Verboden Stad. Ik nam slechts twintig man mee en betrad de hoofdhal van het gebouw van het Ceremoniële Bestuur waar ik mijn tegenstander, lord Elgin, zou ontmoeten.' Ik kon de woede van prins Kung in zijn woordkeus horen. 'Het was de eerste keer dat ik het hemelse terrein betrad nadat de buitenlanders er tekeer waren gegaan. Lord Elgin kwam drie uur te laat. Met veel vertoon kwam hij aan, vergezeld door tweeduizend man. Hij zat in een karmozijnrode draagstoel die door zestien man werd gedragen, terwijl hij heel goed wist dat dit privilege was voorbehouden aan de keizer van China. Ik deed mijn best beleefd te blijven, ofschoon mijn walging onbeschrijflijk was. Ik maakte een lichte buiging en schudde Elgin de hand zoals de Chinezen dat doen. Met veel moeite kon ik mijn emoties in de hand houden.'

Ik had bewondering voor zijn afsluitende woorden, die waren gericht aan Su Shun en het hof: 'Als we niet leren onze razernij te bedwingen en doorgaan met de vijandelijkheden, koersen we recht op een catastrofe af. We moeten onze gehele bevolking adviseren zich te gedragen volgens de verdragen en de buitenlanders niet toestaan ervan af te wijken. Uiterlijk moeten we oprecht en vriendelijk zijn, maar ondertussen moeten we proberen hen op het rechte pad te houden. Op deze manier zullen ze ons in de komende jaren niet te veel problemen bezorgen, al zullen ze misschien af en toe meer eisen stellen. Tijd is van het grootste belang voor ons herstel.'

Weer bekroop me het gevoel dat Tung Chih bofte met zo'n verstandige oom. Su Shun vergrootte zijn populariteit door prins Kung uit te dagen en hem 'de slaaf van de duivel' te noemen, maar wat was makkelijker dan iemand te bespotten? Prins Kung stond voor een akelige, maar noodzakelijke taak. Zijn werkplek bevond zich in een vervallen boeddhistische tempel in het noordwestelijke deel van Peking. Het was een smerige, sombere, kale ruimte. Hij had ontzettend veel werk te doen en de uitkomst van zijn onderhandelingen stond eigenlijk al vast. Het moest ondraaglijk voor hem zijn. De herstelbetalingen die de buitenlanders eisten waren belachelijk hoog en overstegen de werkelijke schade en militaire kosten aanzienlijk. Hij had het waarschijnlijk veel moeilijker dan ik.

Tegen de tijd dat ik de brief weglegde, was ik zo uitgeput dat ik meteen in slaap viel. Ik droomde dat ik alle stapels documenten in mijn kamer in brand stak.

Mijn zwakke punt was dat ik behoefte had aan de troost van een mannelijke schouder. Ik was me ervan bewust en verzette me ertegen, maar ik kon mijn gevoelens niet wegstoppen. Ik vroeg An-te-hai de thee sterker te maken en kauwde op de bladeren wanneer de thee op was. Uiteindelijk slaagde ik erin alle documenten weg te werken. Ik wist niet of ik minder werk kreeg omdat Su Shun me niet kon bijhouden of dat hij zijn tactiek had gewijzigd en me niets meer toestuurde.

Toen ik geen werk meer had om me 's avonds bezig te houden werd ik rusteloos en prikkelbaar. Ik had andere dingen kunnen gaan doen – een roman lezen, gedichten schrijven of schilderen. Ik kon me gewoon niet concentreren. Ik ging in bed naar het plafond liggen staren. Op de stilste uren van de nacht zag ik Yung Lu's gezicht voor me en de manier waarop hij bewoog op zijn paard, en ik vroeg me af hoe het zou zijn met hem uit te rijden.

'Zal ik uw rug masseren, mevrouw?' fluisterde An-te-hai in het donker. Ik hoorde aan zijn stem dat hij al die tijd wakker was geweest.

Ik gaf geen antwoord en hij kwam naast me liggen. Hij wist dat ik niet aan mezelf zou toegeven. Maar hij wist ook dat ik onderhevig was aan kwellingen. Als een natuurkracht moest mijn verlangen zijn eigen weg volgen tot ik bevredigd was. Mijn lichaam was gereed om verlost te worden.

An-te-hai hield me zwijgend in zijn armen. Zacht en voorzichtig streelde hij mijn schouders, nek en rug. Mijn lichaam ontspande zich. Hij bleef me strelen. Ik voelde zijn handen overal. Op sussende, dromerige toon fluisterde hij de regels van een liedje in mijn oor:

> Door het weelderige roodhout kwam hij aan
> tussen bamboebosjes op de heuvel
> een tempel, half verborgen in de groene wolken
> de ingang onbereikbaar ingestort.

Mijn geest verruimde zich. Pruimenbloesem danste als witte veertjes in de lucht.

Toen An-te-hai merkte dat ik opgewonden raakte, werden zijn bewegingen krachtiger. Hij ademde diep, alsof hij mijn geur wilde opsnuiven.

'Ik hou zoveel van u, mevrouw,' fluisterde de eunuch steeds.

Ik zag Yung Lu voor me. Hij nam me mee op zijn paard. Ik omklemde zijn middel als een vroegere Vaandeldragersvrouw terwijl de potten en pannen aan het zadel bungelden. We bewogen in een volmaakt ritme. We reisden door een onafzienbare wildernis.

Als een oceaan na een storm kwam mijn lichaam tot rust.

Zonder een kaars aan te steken ging An-te-hai van het bed af.

Een natte haarsliert lag op mijn gezicht. Ik proefde mijn eigen zweet.

Bij het licht van de maan goot mijn eunuch warm water in een kom. Teder waste hij me met een handdoek. Het ging hem makkelijk af; het leek of hij dit zijn hele leven al gedaan had.

Ik viel in een onbekommerde slaap.

EENENTWINTIG

Ik kreeg een kopie toegestuurd van een decreet dat was opgesteld door Su Shun in naam van Tung Chih en gericht aan prins Kung. Het decreet verbood prins Kung naar Jehol te komen en was uitgevaardigd zonder de zegels van Nuharoo en mij. Oppervlakkig gezien kreeg prins Kung een eervolle taak toegewezen – het bewaken van de hoofdstad – maar het eigenlijke doel van het decreet was het voorkomen van contact tussen hem en ons.

Ik ging naar Nuharoo toe en zei dat we contact moesten leggen met prins Kung. Een aantal besluiten konden we pas nemen nadat we hem hadden geraadpleegd. Onze levens stonden op het spel, want Su Shun negeerde ons nu openlijk. Als bewijs hiervan las ik Nuharoo het tweede punt in het decreet voor, een bevel een aantal generaals van Peking naar Jehol over te plaatsen die trouw waren aan Su Shun. 'Begrijp je nu wat Su Shun van plan is?' vroeg ik haar.

Nuharoo knikte. Haar spion had gerapporteerd dat prins Kung boodschappers naar Jehol had gestuurd, die geen van allen waren aangekomen.

Op diezelfde ochtend kwam mijn zusje Rong met nieuwe informatie. Prins Ch'un had een bevel gekregen van het hof, uitgevaardigd door Su Shun: de prins mocht niet meer heen en weer reizen tussen Jehol en Peking. Dat was de reden dat hij niet hier was bij zijn vrouw. Su Shun liet prins Ch'un onophoudelijk bewaken. Onze enige verbinding met prins Kung was afgesneden.

An-te-hais 'oren' in Peking rapporteerden dat prins Kung actief bezig was tegenkrachten te verzamelen. Drie dagen daarvoor had hij een vergadering belegd onder het mom van een rouwbijeenkomst voor keizer Hsien Feng. Naast de leiders van de keizerlijke clans had prins Kung belangrijke militaire bevelhebbers uitgenodigd, zoals generaal Sheng Pao, de Mongoolse strijder Seng-ko-lin-chin en generaal Tseng Kuo-fan, die nu onderkoning was van de provincie Anhwei. Ook had prins Kung de ambassadeurs uitgenodigd van Engeland, Frankrijk, Duitsland, Rusland, Italië en Japan. Robert Hart had het idee voor deze bijeenkomst geopperd. Hart adviseerde prins Kung al een tijdje over financiële zaken; nu had hij de rol van prins Kungs officieuze politieke adviseur op zich genomen.

'Ik vind dat we moeten afwachten,' zei Nuharoo tegen me. 'We moeten Su Shun de gelegenheid geven zijn ware, slechte gezicht te tonen. We hebben tijd nodig om aan onze onderdanen te bewijzen dat Su Shun ons respect niet verdient. Aan de andere kant mogen we niet vergeten dat keizer Hsien Feng Su

Shun benoemd heeft. Het kan een averechts effect hebben als we handelen zonder de steun van het hof.'

Ik probeerde Nuharoo te laten inzien dat dit laatste decreet prins Kungs overlevingskansen aanzienlijk beperkte. Als prins Kung Su Shun negeerde en toch naar Jehol zou komen, zou hij van ongehoorzaamheid aan het decreet beschuldigd worden en zou Su Shun hem arresteren zodra hij een stap binnen de poort zette. Maar als prins Kung in Peking bleef, zou Su Shun de tijd krijgen die hij nodig had om het gehele hof in handen te krijgen. Het lag voor de hand en was ook logisch dat hij dan een excuus zou vinden om ons te vervolgen.

'U bent niet goed bij uw hoofd, vrouwe Yehonala,' zei Nuharoo. 'Su Shun heeft geen wettelijke reden om ons te vervolgen.'

'Die verzint hij wel. Als hij erin slaagt op eigen houtje decreten uit te vaardigen zal hij ook niet aarzelen ons van het toneel te laten verdwijnen als de tijd rijp is. En dan zal hij achter prins Kung aan gaan.'

Nuharoo stond op. 'Ik moet naar Hsien Fengs doodskist toe om te bidden. Zijne Majesteit moet hiervan op de hoogte gebracht worden, zodat zijn geest in de hemel ons zal helpen.'

De nachtwacht had driemaal op zijn trom geslagen. Het was drie uur 's nachts en aardedonker. Ik lag in bed na te denken over wat Nuharoo had gezegd. Su Shun was inderdaad door onze echtgenoot benoemd. Hsien Feng had hem vertrouwd. Was mijn twijfel aan Su Shun ongegrond? Zou het helpen als ik mijn bereidheid met hem samen te werken uitsprak, ongeacht onze verschillende inzichten? We waren tenslotte allebei Mantsjoe. Probeerden we niet allebei hetzelfde in stand te houden?

Ik slaagde er niet in mezelf te overtuigen. Nuharoo en ik waren de regentessen voor Tung Chih, benoemd door keizer Hsien Feng. Maar Su Shun beschouwde ons slechts als figuranten. We hadden niets te vertellen over de edicten en decreten. Een paar dagen eerder had hij zelfs geweigerd een concept te wijzigen waarvoor we na een paar kleine veranderingen toestemming hadden gegeven. Bevelen en verzoeken namens Tung Chih gingen de hofbureaucratie in en kwamen onbeantwoord terug, terwijl er op elk woord van Su Shun onmiddellijk gereageerd werd.

Nuharoo stelde voor dat we nog één laatste poging zouden doen er met Su Shun uit te komen. Daarmee ging ik akkoord.

De volgende ochtend ontboden Nuharoo en ik, gekleed in onze officiële gewaden, Su Shun voor een audiëntie in naam van de jonge keizer. We gingen naar de zaal waar Hsien Fengs doodskist achter een paneel stond opgesteld. Terwijl we zaten te wachten, klom Tung Chih op de kist en ging er op zijn buik op liggen.

Ik zat naar mijn zoon te kijken, die op de kist klopte. Hij fluisterde tegen zijn vader over zijn nieuwe vriendje, het roodogige konijn. Hij nodigde zijn vader uit naar buiten te komen om het konijn te bekijken. 'Ik houd het deksel wel voor u vast.'

'Leg ons uit waarom het decreet aan prins Kung verzonden is zonder onze goedkeuringszegels,' zei Nuharoo op eisende toon toen Su Shun voor ons verscheen.

Su Shun stond in arrogante houding in zijn lange, bruine satijnen gewaad, afgezet met gouden strepen. Hij droeg een hoed met een rode knoop en een flamboyante pauwenveer. Hij nam de hoed af en hield die in zijn hand. Zijn hoofd was geschoren en zijn vlechtstaart was ingevet. Hij had zijn hoofd zo hoog opgeheven dat hij bijna naar het plafond keek. Hij keek ons met half toegeknepen ogen aan. 'Het hof heeft het recht dringende documenten uit te vaardigen zonder uw zegels.'

'Maar dit is een overtreding van onze overeenkomst,' zei ik, terwijl ik mijn woede trachtte te bedwingen.

'Als de regentessen van Zijne Jonge Majesteit,' vervolgde Nuharoo, 'maken wij bezwaar tegen de inhoud van dit decreet. Prins Kung heeft het recht naar Jehol te komen zodat hij om zijn broer kan rouwen.'

'Wij zouden graag zien dat prins Kungs wens wordt ingewilligd,' drong ik aan.

'Prima!' zei Su Shun stampvoetend. 'Als u mijn baan wilt, ga uw gang. Ik weiger te werken tot u leert mijn vriendelijkheid niet als vanzelfsprekend te beschouwen!'

Hij maakte een slordige buiging en liep de zaal uit. De overige leden van zijn Raad, die we niet hadden uitgenodigd, stonden op het binnenplein op hem te wachten.

De documenten stapelden zich tegen de muren van mijn kamer op. Ze waren allemaal dringend. Nuharoo had er spijt van dat we Su Shun hadden uitgedaagd.

Ik probeerde niet in paniek te raken. Ik behandelde de documenten op dezelfde manier als toen ik voor keizer Hsien Feng werkte. Ik moest Su Shun bewijzen dat ik tegen de taak was opgewassen. Ik moest mij het respect verwerven niet van Su Shun, maar van het hof.

Zodra ik met het werk begon, besefte ik dat ik de taak niet aankon. Su Shun had me in de val laten lopen.

Veel van de zaken waren onoplosbaar. Onder de omstandigheden zou het onverantwoordelijk zijn een oordeel te geven; daar zou alleen onrecht en onnodige pijn uit voortkomen. Ik bezat niet de benodigde informatie en kreeg ook niet de kans die te vergaren. In een van de zaken werd een regionale gouverneur beschuldigd van verduistering en meer dan tien moorden. Ik moest bewijs verzamelen en gelastte een onderzoek, maar ik ontving geen enkel rapport. Weken later kwam ik erachter dat mijn opdracht nooit was uitgevoerd.

Ik liet Su Shun komen en eiste een verklaring.

Hij wees elke verantwoordelijkheid van de hand en zei dat hij er niet over ging. Hij verwees me naar het ministerie van Justitie. Toen ik de eerste minister ondervroeg, zei hij dat hij de opdracht nooit had ontvangen.

Er begonnen uit het hele land klaagbrieven over het trage functioneren van het hof binnen te stromen. Het was duidelijk dat Su Shun de gedachte in de hoofden van de mensen had geplant dat ik degene was die alles tegenhield. De geruchten verspreidden zich als een besmettelijke ziekte. Ik wist niet precies hoe erg het was, tot ik op een dag een open brief kreeg van een burgemeester van een klein stadje, die vraagtekens zette achter mijn afkomst en geloofsbrieven. Het was ondenkbaar dat de man een dergelijke brief zou durven sturen als Su Shun hem niet steunde.

Toen ik liep te ijsberen in mijn met documenten gevulde kamer, kwam An-te-hai terug van een bezoek met Tung Chih aan mijn zusje. Hij was zo zenuwachtig dat hij stotterde. 'In de st-stad Jehol wordt gero-roddeld over een spookverhaal. De mensen d-denken dat u de reïncarnatie bent van een gemene concubine die het rijk te gronde wil richten. Iedereen praat erover Su Shun tegen u te steunen.'

Ik besefte dat ik me niet kon veroorloven langer te wachten en ging naar Nuharoo.

'Maar wat moeten we doen?' vroeg Nuharoo.

'We vaardigen een spoeddecreet uit in naam van Tung Chih waarin we prins Kung naar Jehol ontbieden,' antwoordde ik.

'Maar is dat wel geldig?' Nuharoo werd nerveus. 'Meestal vaardigt Su Shun bevelen en edicten uit.'

'Met onze zegels erop is het geldig.'

'En hoe krijg je het decreet bij prins Kung?'

'Daar moeten we iets op verzinnen.'

'Met al die waakhonden van Su Shun lukt het niemand uit Jehol te komen.'

'We moeten een betrouwbaar persoon uitkiezen voor deze missie,' zei ik, 'en hij moet bereid zijn zijn leven voor ons op te offeren.'

An-te-hai vroeg of ik hem de eer wilde gunnen. In ruil wilde hij dat ik hem beloofde dat hij me de rest van zijn leven zou mogen dienen. Ik gaf hem mijn woord. Ik maakte hem duidelijk dat ik verwachtte dat hij het decreet zou opeten en alles zou doen om te voorkomen dat hij zou bekennen als hij door Su Shun gepakt zou worden.

Samen met Nuharoo werkte ik de details van An-te-hais ontsnappingsplan uit. Mijn eerste stap was An-te-hai een gerucht laten verspreiden onder de aanhangers van Su Shun. We maakten gebruik van Liu Jen-shou, die een onverbeterlijke roddelaar was. We verspreidden het verhaal dat we het machtigste zegel kwijt waren geraakt, het zegel van Hsien Feng, dat we zorgvuldig hadden verstopt. We wekten de indruk dat we de waarheid verborgen hielden omdat we wisten dat de straf voor het verlies van het zegel de dood was. We verzonnen drie mogelijke vindplaatsen voor het zegel. Een: we waren het verloren onderweg van Peking naar Jehol; twee: we hadden het ergens in het Paleis van Grote Zuiverheid in Peking achtergelaten; en drie: we hadden het in mijn juwelenkist in Yuan Ming Yuan gestopt en die kist was waarschijnlijk gestolen door de barbaren.

Verder luidde het gerucht dat keizer Hsien Feng voor zijn dood op de hoogte was gesteld van het verlies van het zegel en dat hij te goedwillend was geweest om ons te straffen. Om ons te beschermen had Zijne Majesteit er niets over gezegd tegen Su Shun.

Zoals we verwachtten duurde het niet lang voordat Liu Jen-shou het verhaal had doorverteld aan Su Shun zelf. Su Shun vond het geloofwaardig, want sinds ons vertrek uit Peking had niemand het zegel meer gezien.

Su Shun liet er geen gras over groeien. Hij verzocht onmiddellijk om een audiëntie met ons, waarbij het hele hof aanwezig was. Hij verklaarde dat hij zojuist een nieuw decreet had opgesteld aan de natie met betrekking tot het verplaatsen van de doodskist van Hsien Feng, en dat hij het zegel van Hsien Feng daarvoor nodig had.

Voorwendend dat ik nerveus was, pakte ik mijn zakdoekje en veegde het zweet van mijn voorhoofd. 'Onze dubbele zegels zijn net zo goed als het zegel van Hsien Feng,' zei ik met een klein stemmetje.

Su Shun was duidelijk in zijn nopjes. De rimpels op zijn gezicht dansten en zijn aderen waren opgezet van opwinding. 'Waar is het zegel van Hsien Feng?' vroeg hij op dwingende toon.

Met het excuus dat ik me opeens niet goed voelde vroegen Nuharoo en ik of de audiëntie beëindigd kon worden.

Maar Su Shun wist van geen ophouden. Hij bleef me bestoken, tot ik bekende dat An-te-hai het zegel was kwijtgeraakt.

An-te-hai werd gearresteerd en weggesleept door de wachters terwijl hij jammerde om vergiffenis. Hij werd meegenomen om bestraft te worden met honderd zweepslagen, zonder mogelijkheid tot inlossing van zijn schuld als hij het niet zou overleven.

Ik was bang dat An-te-hai de marteling niet zou kunnen doorstaan. Gelukkig zou de eunuch het overleven – hij had inderdaad overal vrienden. Toen Su Shuns wachters hem later terugbrachten was zijn gewaad aan flarden gescheurd en bebloed.

Ik voelde dat Su Shun me in de gaten hield, dus trok ik niet alleen een onbewogen gezicht, maar zei ook koeltjes: 'De eunuch verdient het.'

Er werd water over An-te-hais gezicht gegoten en hij kwam bij. Ten overstaan van het hof gaven Nuharoo en ik opdracht An-te-hai in de keizerlijke gevangenis in Peking te gooien.

Su Shun wilde An-te-hai niet uit het oog verliezen, maar Nuharoo en ik stonden erop dat we ons moesten ontdoen van dit ondankbare schepsel. Toen Su Shun protesteerde, wierpen we tegen dat wij het recht hadden zonder belemmering onze eigen huiseunuch te straffen. We liepen luid wenend terug naar het achterste deel van de zaal, naar Hsien Fengs doodskist.

Onder druk van de oudere clanleden gaf Su Shun toe. Maar hij stond erop dat zijn mannen An-te-hai naar Peking zouden begeleiden.

Daarmee gingen we akkoord, en zo ging An-te-hai op weg. Het decreet dat ik had geschreven zat verborgen in An-te-hais schoenen.

In Peking droegen Su Shuns mannen An-te-hai over aan de minister van Keizerlijke Justitie, Pao Yun, met de geheime opdracht van Su Shun dat An-te-hai moest worden doodgeranseld – maar dat hoorde ik pas later. Pao Yun wist niet hoe de situatie in elkaar zat, dus maakte hij zich gereed de opdracht van Su Shun uit te voeren. Maar voordat de zwepen hun werk zouden doen verzocht An-te-hai de minister onder vier ogen te mogen spreken.

An-te-hai haalde het decreet uit zijn schuilplaats te voorschijn.

Pao Yun was met stomheid geslagen. Zonder dralen nam hij contact op met prins Kung.

Na het lezen van mijn decreet riep prins Kung zijn adviseurs bijeen. Ze luisterden naar An-te-hais verslag van de situatie in Jehol en bleven tot diep in de nacht discussiëren over de te nemen maatregelen. De conclusie was unaniem: Su Shun moest uit de macht ontheven worden.

Prins Kung begreep dat de macht al heel snel in handen van Su Shun zou vallen als hij aarzelde Nuharoo en mij te helpen. Dan zou alles verloren zijn, want prins Ch'un en hij waren geen erfgenamen.

De eerste stap die prins Kung nam was iemand aan te stellen die zijn idee op de meest wettelijke en logische manier aan het hof kon presenteren. Kung wendde zich tot het hoofd keizerlijke personeelszaken. Hij vroeg hem het voorstel te doen dat Nuharoo en ik benoemd zouden worden tot uitvoerende regentessen – dit keer echte regentessen – van Tung Chih; dat wij Su Shun zouden vervangen en dat we samen met prins Kung de hofzaken zouden behartigen.

Nadat het voorstel was geformuleerd, werd een betrouwbare lokale ambtenaar gevraagd het in te dienen. De bedoeling hiervan was dat het zou lijken of het idee afkomstig was uit de lagere regionen, wat het voor Su Shun moeilijker zouden maken het onbehandeld af te wijzen. Door deze handelswijze zou het voorstel bij iedereen op het bureau komen en zou elke gouverneur in China het onder ogen krijgen voordat het op zijn uiteindelijke bestemming, Su Shuns kantoor, terecht zou komen.

Op 25 september arriveerde prins Kung, van top tot teen in witte rouwkleding gehuld, in Jehol. Hij begaf zich rechtstreeks naar de zaal van de doodskist, waar hij werd tegengehouden door de wachters en de opdracht kreeg te wachten tot Su Shun er was. Toen Su Shun aankwam – dit werd me later verteld – stond de volledige raad van regenten, de Bende van Acht, naast hem.

Voordat prins Kung de kans kreeg zijn mond open te doen, beval Su Shun dat hij gearresteerd moest worden. Hij werd ervan beschuldigd ongehoorzaam aan het decreet te zijn.

'Ik ben hier gekomen omdat ik in een nieuw decreet ontboden ben,' legde prins Kung rustig uit.

'Werkelijk? Laat maar eens zien, dan,' zei Su Shun met een minachtende glimlach.

De bendeleden begonnen te lachen. 'Hoe kan er een decreet bestaan als wij het niet hebben opgesteld?' zei een van hen.

Prins Kung haalde het door An-te-hai afgeleverde decreet uit zijn binnenzak.

Su Shun en zijn mannen schrokken toen ze het gele zijden rolletje zagen met Nuharoos en mijn zegels. Ze vroegen zich waarschijnlijk allemaal innerlijk af: Hoe is dit naar buiten gekomen?

Zonder nog een woord te zeggen, duwde prins Kung de leden van de bende opzij en marcheerde naar binnen.

Bij de aanblik van de doodskist verloor prins Kung zijn zelfbeheersing. Hij bonsde met zijn hoofd op de grond en huilde als een kind. Niemand had zo'n hartverscheurend verdriet getoond bij de dode keizer. Kung jammerde dat hij niet kon begrijpen waarom Hsien Feng hem niet de kans had gegeven afscheid te nemen.

De tranen en het snot liepen langs zijn neus. Hij wenste waarschijnlijk dat zijn broer kon zien wat voor vergissing hij had begaan. Prins Kung was op de hoogte van iets wat Nuharoo en ik niet wisten: dat Su Shun al een keer gefaald had bij een poging Tung Chih van de troon te stoten, op de dag van zijn troonsbestijging. De Grote Raadgever had Chiao Yu-yin, een lid van de Bende van Acht, erop uitgestuurd om contact te leggen met generaal Sheng Pao en generaal Tseng Kuo-fan en hun om militaire steun te vragen. Toen Chiao de informatie per ongeluk liet uitlekken, ontkende Su Shun alles en gelastte het plan heimelijk af.

Ik bedekte mijn wangen met poeder en trok een rouwjapon aan. Het viel me op dat Nuharoos gezicht pafferig was geworden. Haar anders altijd stralende huid was nu dof en grijs. Haar tranen hadden twee kronkelige strepen onder haar ogen getrokken.

We waren gereed om prins Kung te ontmoeten, maar we hoorden dat hij niet langs hoofdeunuch Shim kon komen, die zich beriep op de wet van de hofhouding die niet toestond dat keizerlijke weduwen tijdens de rouwperiode aanschouwd werden door prinsen van dezelfde leeftijd.

Prins Kung wierp zich op de grond en smeekte Su Shun om hem toe te staan zijn neef Tung Chih te zien.

Ik stelde aan Nuharoo voor dat we naar de zaal zouden gaan waar de doodskist stond. We kleedden Tung Chih aan en gingen erheen. Van achter een scherm konden we de stemmen van Su Shun en prins Kung horen. Su Shun bleef volhouden dat hij sprak namens keizer Hsien Feng.

De gefrustreerde prins vloekte. 'Hij die denkt dat hij de wind in de rug heeft en het maanlicht in zijn mouw is niets meer dan een door de wormen aangevreten houten marionet.'

Ik maakte me zorgen over prins Kungs opvliegende karakter. Als hij Su Shun nog kwader maakte, kon Su Shun hem ervan beschuldigen dat hij de uitvoering van het keizerlijk testament in de weg stond.

'Dit heeft met mijn geboorterecht te maken, Su Shun!' schreeuwde prins Kung.

Su Shun begon te lachen. Hij wist dat hij de overhand had en nam zijn tijd. 'Nee, dit heeft niets met uw rechten te maken, prins Kung. Het gaat over de rechtvaardiging van degene die de meeste macht bezit. Door het testament van keizer Hsien Feng is in het land de indruk ontstaan dat u een zwakke kip bent die zachte eieren legt. Ik weet niet wat er aan u mankeert, maar het is wel duidelijk dat er iets ontbreekt.'

Het hof lachte met Su Shun mee. Een paar oudere clanleden zaten met hun voeten te stampen.

'Stel je zo'n zacht ei voor,' vervolgde Su Shun. 'Eigeel, verpakt in een flinterdun, wit velletje. O, het ei lekt. We kunnen het niet verkopen en ook niet houden. We moeten het maar opeten.'

De toehoorders brulden van het lachen.

'Su Shun.' Prins Kungs stem klonk gevaarlijk zacht. 'Ik vraag niet veel. En ik vraag het nu voor de laatste maal. Ik wil mijn schoonzusters en mijn neef zien.'

'U komt niet door die deur heen.'

Ik voelde dat prins Kung zijn geduld begon te verliezen. Ik zag al voor me dat hij Su Shun zou wegduwen. Ik greep Tung Chih beet en fluisterde hem iets in het oor.

'De keizer nodigt zijn oom uit...' Mijn zoon herhaalde wat ik hem influisterde: 'De keizer nodigt zijn oom, prins Kung, uit om de zaal van de keizerlijke doodskist te betreden. De keizer geeft prins Kung verder toestemming om zijn respect te betonen aan Hunne Majesteiten de keizerinnen.'

Zodra hij Tung Chihs stem hoorde, rende Li Lien-ying, mijn jonge eunuch, de zaal uit. Hij wierp zich op de vloer tussen prins Kung en Su Shun. 'Geëerde Grote Raadgever, Zijne Majesteit keizer Tung Chih ontbiedt prins Kung!'

'Wil een van de Grote Raadgevers mij misschien vergezellen naar Zijne Majesteit en Hunne Majesteiten?' Prins Kung wendde zich tot Su Shun. 'Zodat u zich ervan kunt overtuigen dat er geen onbetamelijkheden plaatsvinden?'

Voordat Su Shun kon reageren zei prins Yee, die waarschijnlijk vond dat het zijn beurt was om te spreken: 'Ga uw gang, prins Kung, u bent de persoon die Zijne Majesteit heeft ontboden.'

Toen we elkaars witte gewaden zagen, bleven de woorden in onze keel steken. Tung Chih rende op zijn oom af, die knielde en kow-towde. Bij de aanblik van die twee op de vloer huilden Nuharoo en ik tranen met tuiten.

'Het is hier onrustig geweest,' zei Nuharoo na een tijdje. 'We vrezen...'

Ik snoerde haar de mond door te gebaren dat Su Shun en zijn mannen achter de muren stonden te luisteren.

Nuharoo knikte en ging weer zitten.

'Laat de monniken komen,' zei ik tegen Li Lien-ying.

Beschermd door de zangerige gebeden van de monniken wisselden prins Kung en ik informatie uit en bespraken we onze toekomstplannen. We bedachten een tegenaanval tegen Su Shun, terwijl Nuharoo Tung Chih bezighield. Ik was geschokt toen prins Kung me vertelde dat Su Shun onze krijgsmacht had omgekocht. We waren het erover eens dat hij uitgeschakeld moest worden.

Ik had de volgende vragen: als we Su Shun arresteerden, zou de bevolking dan achter ons staan? Zouden de buitenlanders gebruik maken van de ontstane chaos en een invasie op touw zetten?

Prins Kung dacht dat we de noodzakelijke steun zouden krijgen, zeker als we de bevolking de waarheid konden vertellen. Wat de westerse machten betreft, met hen stond hij in voortdurend contact. Hij had de buitenlanders laten weten dat hij wenste dat China in de toekomst een vrijere maatschappij zou worden, waardoor zij hem hun steun hadden toegezegd.

Ik vroeg prins Kung hoe hij over de Taiping-rebellen dacht. Volgens mij zouden die een ernstige bedreiging kunnen gaan vormen als we onze waakzaamheid ook maar even zouden laten verslappen. Ik vertelde dat de Taipings zich volgens rapporten uit de provincie Anhwei alleen al hadden aangesloten bij plaatselijke misdadigersbendes en oprukten naar de provincie Shantung.

Prins Kung vertelde me dat de generaals Sheng Pao en Tseng Kuo-fan al maatregelen hadden genomen met betrekking tot deze zaak.

Hoe toegewijd waren de generaals, wilde ik weten. Ik durfde er niet van uit te gaan dat iedereen zou doen wat van hem verwacht werd. Ik onderschatte de macht van Su Shuns omkoperijen niet.

'Sheng Pao staat gereed,' antwoordde prins Kung. 'Hij heeft gevraagd of hij mag samenwerken met de Mongoolse strijders van Seng-ko-lin-chin. Dat heb ik toegestaan. Seng-ko-lin-chin wil graag zijn trouw bewijzen en zijn naam zuiveren en hierdoor krijgt hij daartoe de kans. Over de Chinezen voel ik me minder zeker: generaal Tseng Kuo-fan en generaal Chou Tsung-tang beschouwen ons conflict met Su Shun als een onderlinge ruzie tussen Mantsjoe-edelen. Ze vinden het verstandig zich er niet mee te bemoeien. Ze wachten liever af wie er als winnaar uit de strijd te voorschijn komt.'

'Ik heb een hekel aan mensen die met alle winden meewaaien,' zei Nuharoo. Ik had niet gemerkt dat ze de zaal weer was binnengekomen. 'Zijne Majesteit had gelijk toen hij zei dat de Chinezen niet te vertrouwen waren!'

'Misschien ligt de situatie voor Tseng Kuo-fan en Chou Tsung-tang ingewikkelder,' zei ik. 'We moeten ons geduldig en begripvol opstellen. Als ik in hun schoenen stond, zou ik precies hetzelfde doen. Su Shuns macht moet je immers niet onderschatten en hem beledigen betekent je leven op het spel zetten. We vragen de mensen Su Shun de rug toe te keren, dus we moeten de generaals de tijd gunnen hun standpunt te bepalen.'

Prins Kung was het met me eens. 'Tseng en Chou zijn de aanvoerders in de strijd tegen de Taipings. Ofschoon ze ons hun steun niet hebben toegezegd, hebben ze Su Shun ook geen beloftes gedaan.'

'Dan moeten we maar afwachten,' zei Nuharoo. 'Ik vind het gewoon geen prettig idee dat onze militaire macht in handen van Chinezen is. Zodra we vrede hebben bewerkstelligd, moeten we hun de macht ontnemen of in ieder geval zorgen dat ze niet zulke hoge posities bekleden.'

Ik was het niet met haar eens, maar hield mijn mond. Als Mantsjoe voelde ik me uiteraard meer op mijn gemak met Mantsjoes op de belangrijkste militaire posities. Maar toch waren er weinig getalenteerde mannen onder de prinsen en clanleden. Na tweehonderd jaar aan de macht geweest te zijn, waren we gedegenereerd tot een decadent gezelschap. De Mantsjoe-edelen brachten hun tijd door met het zich koesteren in vergane glorie. Het enige wat ze werkelijk wisten was dat ze recht hadden op aanzien. Gelukkig waren de Chinezen hierin altijd meegegaan. De Chinezen eerden onze voorouders en gaven ons hun zegen. De vraag was echter hoe lang dit nog zou doorgaan.

'Ik vertrek vanavond,' zei prins Kung, 'hoewel ik tegen Su Shun heb gezegd dat ik tot morgen zou blijven.'

'Wie zal ons beschermen als we de doodskist van Jehol naar Peking brengen?' vroeg Nuharoo.

Prins Kung dempte zijn stem en zei: 'Ik heb alles onder controle. Jullie taak is zo normaal mogelijk te doen. Maak je geen zorgen. Prins Ch'un zal in de buurt zijn.'

Prins Kung waarschuwde dat we konden verwachten dat Su Shun woedend zou zijn. Hij wilde dat we bedacht zouden zijn op een document dat zou worden voorgelegd door een provinciale gerechtsinspecteur, Tung Yents'un. Daarin zouden Su Shuns fouten openbaar gemaakt worden en werden Nuharoo en ik als 'de keus van het volk' betiteld. Prins Kung wilde dat we wisten dat bestuurders uit het hele land de inhoud van het document al zouden kennen voordat Su Shun het onder ogen zou krijgen. Prins Kung onthulde geen details. Ik merkte dat hij bang was dat Nuharoo haar mond voorbij zou praten als Su Shun haar iets zou vragen.

We namen afscheid van elkaar.

Voor het avondeten kwam Nuharoo met Tung Chih naar mijn verblijf. Ze voelde zich niet veilig en wilde weten of ik iets ongewoons had opgemerkt. Ik had gemerkt dat Su Shun door het bezoek van prins Kung op zijn hoede was. Voordat de poort op het nachtslot ging, was er extra bewaking ingezet op de buitenste binnenplaats. Ik zei tegen Nuharoo dat ze naar buiten moest gaan om de geuren van de laurier in de tuin op te snuiven of om naar de warmwaterbron te gaan. Ze zei dat ze er geen zin in had. Om Tung Chih te kalmeren pakte ik mijn borduurwerk op en vroeg Nuharoo of ze me iets meer over het ontwerp kon vertellen. We zaten te borduren en te babbelen tot Tung Chih in slaap was gevallen.

Ik bad voor prins Kungs veiligheid. Nadat ik Nuharoo en Tung Chih naar de logeerkamer had gestuurd, ging ik zelf ook naar bed. Ik durfde mijn ogen niet dicht te doen.

Een paar dagen later werd het document van Tung Yen-ts'un bezorgd. Su Shun was laaiend. Nuharoo en ik lazen het nadat Su Shun het ons met tegenzin had overhandigd. We waren heimelijk opgetogen.

De volgende dag zetten Su Shuns mannen een tegenaanval in. Er werden historische voorbeelden uit de kast gehaald om het hof ervan te overtuigen dat Nuharoo en ik het regentschap moesten opgeven. Tijdens de audiëntie namen Su Shuns mannen een voor een het woord in een poging ons te intimideren. Ze spraken kwaad van prins Kung. Ze beschuldigden Tung Yents'un van trouweloosheid en noemden hem een marionet. 'We moeten de hand afhakken die aan de touwtjes trekt!'

Prins Kung verwachtte dat ik mijn mond zou houden, maar de negatieve manier waarop Su Shun hem afschilderde beïnvloedde de leden van het hof. Het zou fataal zijn als ik Su Shun toestond te blijven stilstaan bij het feit dat keizer Hsien Feng prins Kung niet in zijn testament had opgenomen. De mensen waren nieuwsgierig naar de reden hiervoor, en Su Shun gaf hun zijn eigen interpretatie.

Met instemming van Nuharoo herinnerde ik het hof eraan dat Su Shun keizer Hsien Feng ervan zou hebben weerhouden Tung Chih tot zijn opvolger te benoemen als ik niet zelf naar het doodsbed was gekomen. Su Shun was verantwoordelijk voor de gespannen relatie tussen Hsien Feng en prins Kung. We hadden sterke aanwijzingen dat Su Shun de keizer tijdens zijn laatste dagen naar zijn hand had gezet.

Bij mijn woorden sprong Su Shun op uit zijn zetel. Hij stompte tegen de dichtstbijzijnde pilaar, waarbij hij de waaier brak die hij vasthad. 'Ik wou dat keizer Hsien Feng u mee het graf in had genomen!' gilde hij tegen me. 'U heeft het hof misleid en misbruik gemaakt van keizerin Nuharoos vriendelijkheid en kwetsbaarheid. Ik heb wijlen Zijne Majesteit beloofd recht te laten geschieden. Ik wil Hare Majesteit keizerin Nuharoo graag om steun vragen.' Hij wendde zich tot haar. 'Kent u, keizerin Nuharoo, de vrouw die naast u zit wel echt? Gelooft u werkelijk dat ze er vrede mee heeft het regentschap met u te delen? Zou ze niet liever zien dat u niet bestond? U verkeert in groot gevaar, mevrouw! Bescherm uzelf tegen deze doortrapte vrouw voordat ze vergif in uw soep doet!'

Tung Chih was bang geworden. Hij smeekte Nuharoo en mij om weg te gaan. Toen ik dat weigerde, plaste hij in zijn broek.

Toen Nuharoo de urine van de troon zag druppelen haastte ze zich naar Tung Chih.

De eunuchen kwamen aansnellen met handdoeken.

Een ouder clanlid stond op en begon te spreken over eenheid en harmonie in de familie.

Tung Chih krijste en gilde toen de eunuchen probeerden hem te verschonen. Nuharoo huilde en smeekte me te vertrekken met Tung Chih.

Het oudere clanlid stelde voor dat we de audiëntie zouden beëindigen.

Su Shun maakte bezwaar. Zonder verdere discussie verklaarde hij dat de raad van regenten zich zou terugtrekken tot Nuharoo en ik het voorstel van Tung Yen-ts'un hadden verworpen.

Ik besloot me terug te trekken. Zonder prins Kung was ik niet tegen Su Shun opgewassen. Ik had tijd nodig om mijn relatie met Nuharoo veilig te stellen, maar ik vreesde verder uitstel. Hsien Fengs lichaam lag al meer dan een maand opgebaard. Ofschoon de doodskist goed was verzegeld, steeg er toch een ontbindingsgeur uit op.

Su Shun en zijn mannen waren tevreden. Hij verwierp Tungs voorstel en dwong ons ermee akkoord te gaan onze zegels te plaatsen op het edict dat hij had opgesteld met betrekking tot de vervolging van Tung Yen-ts'un.

Op 9 oktober 1861 werd er in de Hal van Fantastische Mist een audiëntie gehouden voor alle ministers en edelen in Jehol. Nuharoo en ik zaten aan weerszijden van Tung Chih. De avond daarvoor hadden we een gesprek gehad. Ik had voorgesteld dat Nuharoo dit keer de leiding zou nemen. Ze wilde wel, maar wist niet goed wat ze moest zeggen. We oefenden totdat ze er klaar voor was.

'Met betrekking tot het transport van het lichaam van de keizer naar zijn geboorteplaats,' begon Nuharoo. 'Hoe ver zijn we met de voorbereidingen? En hoe staat het met de afscheidsceremonie voor de geest van Zijne Majesteit?'

Su Shun stapte naar voren. 'Alles is in gereedheid gebracht, majesteit. We wachten tot Zijne Jonge Majesteit Tung Chih naar de zaal van de doodskist komt om de ceremonie in gang te zetten, en daarna is de hofhouding gereed om uit Jehol te vertrekken.'

Nuharoo knikte, terwijl ze met een steelse blik mijn aanmoediging vroeg. 'Sinds het overlijden van mijn gemaal heeft u allen hard gewerkt, en dat geldt zeker voor de raad van regenten. Het spijt ons dat Tung Chih nog zo jong is en dat vrouwe Yehonala en ik overmand zijn door verdriet. We vragen uw begrip en vergiffenis als we onze plicht niet perfect hebben uitgevoerd.'

Nuharoo wendde zich tot mij en ik knikte haar toe.

'Een paar dagen geleden,' vervolgde Nuharoo, 'is er een klein misverstand gerezen tussen de raad van regenten en ons. Wij betreuren dit. We hebben allemaal dezelfde goede bedoelingen; dit is het enige wat telt. Laten we vooruitkijken en zorgen dat de keizerlijke doodskist veilig in Peking aankomt. Als die taak is vervuld, zal de jonge keizer allen belonen. En nu geef ik het woord aan keizerin Yehonala.'

Ik wist dat ik het hof moest overrompelen. 'Ik zou graag de laatste stand van zaken willen weten met betrekking tot de veiligheidsmaatregelen voor de reis. Su Shun?'

Gedwongen door de situatie en met tegenzin antwoordde Su Shun: 'De keizerlijke stoet zal worden verdeeld in tweeën. Het eerste gedeelte hebben we de Parade van Geluk genoemd. In dit gedeelte zullen zich de draagstoelen van keizer Tung Chih en de keizerinnen bevinden om te vieren dat Tung Chih onze nieuwe vorst is geworden. De parade zal worden beveiligd door vijftigduizend Vaandeldragers onder aanvoering van prins Yee. Hij zal worden gevolgd door twee andere divisies. De een bestaat uit zevenduizend man, overgeplaatst uit gebieden rond Jehol; deze divisie is verantwoordelijk voor de veiligheid van Zijne Majesteit. De andere divisie bestaat uit drieduizend keizerlijke wachters, geleid door Yung Lu. Zij vormen de ceremoniële parade. Ik zal zelf de processie leiden met vierduizend manschappen.'

'Heel goed.' Nuharoo was onder de indruk.

'Gaat u alstublieft door met het tweede gedeelte,' beval ik.

'Het tweede gedeelte hebben we de Parade van Verdriet genoemd,' vervolgde Su Shun. 'Hierin zal de doodskist van keizer Hsien Feng vervoerd worden. We hebben tienduizend mannen en paarden laten overkomen uit de provincies van de rivier de Amur, Chihli, Shenking en Hsian. Alle provinciale gouverneurs zijn op de hoogte gesteld zodat ze onderweg gastvrijheid aan de processie kunnen verlenen. Generaal Sheng Pao is opgeroepen om de gebieden te bewaken die wij als onveilig beschouwen, zoals Kiangsi en Miyun.'

Ik voorzag een probleem. Hoe zouden prins Kungs mannen kunnen toeslaan als Su Shun Tung Chih en ons makkelijk kon gijzelen? Als iets Su Shuns achterdocht zou opwekken zou hij de gelegenheid hebben ons kwaad te doen. Hoe kon ik weten of een zogenaamd 'ongeluk' al niet werd voorbereid?

Mijn hart bonsde in mijn keel toen ik weer sprak. 'De maatregelen van de Grote Raadgever klinken uitstekend. Ik heb slechts één zorg. Zal de Parade van Geluk worden vergezeld van kleurrijke vlaggen, vuurwerk, dansers en luide muziek?'

'Ja.'

'En het tegendeel zal het geval zijn bij de Parade van Verdriet?'

'Inderdaad.'

'Dan zal de geest van keizer Hsien Feng worden verstoord door de trompetten,' zei ik. 'De vrolijke melodieën zullen de droevige overstemmen, omdat de twee parades zo dicht bij elkaar zijn.'

'Inderdaad,' echode prins Yee, die in mijn val trapte. 'De bezorgdheid van keizerin Yehonala is terecht. We moeten de twee parades van elkaar scheiden. Dat is makkelijk te doen.' Hij wendde zich tot Su Shun, die hem woedend aanstaarde. Maar het was te laat. Prins Yee liet zich niet meer tegenhouden. 'Ik stel voor dat we de Parade van Geluk voorop laten gaan en de Parade van Verdriet een paar kilometer daarachter laten volgen.'

'Akkoord.' Ik deed snel het deksel op de pan voordat Su Shun kon ruiken wat ik aan het bekokstoven was. 'Wat een goed idee. Maar keizerin Nuharoo en ik vinden het geen prettige gedachte dat onze echtgenoot alleen moet reizen. Twee weken zonder gezelschap is te lang voor keizer Hsien Feng.'

Prins Yee liet de gelegenheid om op te vallen niet voorbijgaan en stelde meteen voor: 'Ik weet zeker dat ieder van ons wijlen Zijne Majesteit met plezier zal vergezellen. Wilt u mij de eer gunnen?'

'Ik wil Su Shun,' zei Nuharoo, die in tranen uitbarstte. 'Hij is de vertrouwdste dienaar van onze echtgenoot. Als Su Shun aan Zijne Majesteits zijde is, zal zijn hemelse ziel in vrede rusten. Wilt u mijn nederig verzoek inwilligen, Su Shun?'

'Het zal me een eer zijn, majesteit.' Het was duidelijk dat Su Shun hier niet blij mee was.

Ik kon mijn opgetogenheid nauwelijks verbergen. Nuharoo wist niet wat ze had gedaan. Ze had de volmaakte situatie voor prins Kung geschapen.

'Dank u, prins Yee,' zei ik. 'U zult zeker beloond worden als we in Peking aankomen.'

Ik verwachtte niet de kans te krijgen de situatie nog meer te verbeteren, maar de gelegenheid deed zich toch voor. Alsof hij gedreven werd door het verlangen ons zo veel mogelijk ter wille te zijn, of door hebzucht of gewoon door zijn oppervlakkige karakter, voegde prins Yee eraan toe: 'Ik wil niet opscheppen, majesteit. Ik zal uw beloning verdienen omdat de reis mij zwaar zal vallen. Ik heb niet alleen de leiding gekregen over de hofhouding, maar heb ook grote militaire verantwoordelijkheden toegewezen gekregen. Ik moet bekennen dat ik nu al uitgeput ben.'

Ik ging met graagte op zijn woorden in. 'Wel, prins Yee, Nuharoo en ik denken dat Zijne Jonge Majesteit Tung Chih wel een andere manier kan vinden. Waarom laat u de militaire plichten niet aan anderen over en beperkt u zich tot de hofhouding?'

Prins Yee was niet voorbereid op mijn snelle reactie. 'Natuurlijk,' antwoordde hij. 'Maar heeft u al een vervanger voor mij op het oog?'

'U hoeft zich nergens om te bekommeren, prins Yee.'

'Maar wie is dat dan?'

Ik zag Sun Shun een stap naar voren doen en besloot het moment te bezegelen. 'Prins Ch'un zal de militaire taak op zich nemen,' zei ik, terwijl ik van Su Shun wegkeek. Hij leek wanhopig iets te willen zeggen en ik was bang dat hij Nuharoos aandacht zou trekken. 'Prins Ch'un heeft nog geen andere taken toegewezen gekregen.' Ik hield Nuharoos blik met de mijne vast. 'Hij is zeer geschikt voor deze opdracht, vindt u niet?'

'Ja, vrouwe Yehonala,' zei ze.

'Prins Ch'un!' riep ik.

'Hier,' kwam prins Ch'uns antwoord van achter uit de zaal.

'Kunt u zich hierin vinden?'

'Ja, majesteit.' Prins Ch'un boog.

Prins Yee trok een gezicht alsof hij spijt had van wat hij zichzelf had aangedaan.

Om hem op te monteren zei ik: 'Maar zodra we Peking hebben bereikt willen we graag dat prins Yee weer zijn volledige verantwoordelijkheid op zich neemt. Zijne Jonge Majesteit kan niet zonder hem.'

'Ja, natuurlijk, majesteit. Dank u!' Prins Yee was weer opgevrolijkt.

Ik wendde me tot Nuharoo. 'Ik denk dat dit alles was voor deze audiëntie?'

'Ja, we moeten de Grote Raadgever Su Shun bedanken voor het voortreffelijke werk dat hij heeft verricht.'

TWEEËNTWINTIG

10 oktober, de dag waarop Hsien Fengs doodskist op de schouders van 124 dragers werd gehesen, was een veelbelovende dag. Bij de afscheidsceremonie droegen Nuharoo en ik weelderige rouwgewaden, behangen met edelstenen. Onze hoofd- en schoudertooien, riemen en schoenen wogen samen meer dan twaalf kilo. Voor mijn ogen bungelden gouden kralen, als een gordijn, en mijn oorbellen bestonden uit stukken jade waarin het woord *tien*, 'in herinnering', was uitgesneden. Mijn oren prikten en mijn rug deed pijn door het zware gewicht. De kolen waren op en daarom hadden we al weken geen bad genomen. Mijn hoofdhuid jeukte. De olie die ik voor mijn haar gebruikte trok stof aan dat door het krabben onder mijn vingernagels terechtkwam. Het was onder die omstandigheden moeilijk eruit te zien als een toonbeeld van bevalligheid.

Nuharoo had medelijden met me omdat ik mijn manieren niet kende en gedroeg zich met opzet als een voorbeeld dat ik kon volgen. Ik bewonderde haar uithoudingsvermogen wat betreft haar uiterlijk. Ik wist zeker dat ze zelfs op de pot kaarsrecht zou zitten. Ik vermoedde dat ze zich in keizer Hsien Fengs bed even stijf had gedragen. De keizer was een man geweest die tijdens het bedrijven van de liefde van creativiteit hield. Nuharoo had hem waarschijnlijk de standaardhouding voorgeschoteld uit *Het menu van activiteiten in de keizerlijke slaapkamer* en verwacht dat hij zijn zaad zou storten.

Je kon er altijd op rekenen dat Nuharoos make-up tot in het kleinste detail was aangebracht. Ze had twee nagelstylistes die een opleiding hadden in graanbewerking en hele landschappen en architectonische schilderingen op haar nagels konden aanbrengen. Je had een vergrootglas nodig om de kunstwerkjes ten volle te kunnen waarderen. Nuharoo wist precies wat ze wilde. Onder haar rouwjapon droeg ze nog steeds het gewaad waarin ze wilde sterven. Dat was zo vuil geworden dat de kraag grijs van het vet was.

We liepen door een woud van kleurige parasols en paviljoenachtige zijden tenten. We inspecteerden de rouwstoet en brandden wierook. Ten slotte plengden we wijn op de aarde en nodigden de doodskist uit te vertrekken. De processie zette zich in gang over de gevaarlijke passen van Jehol in de richting van de Grote Muur.

De doodskist was afgewerkt met negenenveertig lagen verf. Hij was rozerood met gouden draakmotieven. Een divisie ceremoniële wachters leidde de stoet. De doodskist bevond zich hoog in de lucht op een gigantisch rood frame. In het midden van het frame stond een vlaggenstok met een vlag van drie bij zes meter met een vuurspuwende gouden draak erop. Ook hingen er koperen windbellen aan. Achter de drakenvlag wapperden honderd vlaggen met de afbeelding van krachtige diersoorten, zoals beren en tijgers.

Achter al die vlaggen kwamen lege draagstoelen, die bestemd waren voor de geesten. De draagstoelen hadden verschillende formaten en waren prachtig versierd. De zittingen waren gemaakt van luipaardhuid. Achter elke stoel werd een grote gele parasol aangedragen, waarover witte bloemen waren gedrapeerd.

Eunuchen in witzijden gewaden droegen dienbladen met wierookbranders. Daarachter kwamen twee orkesten, een met koperen instrumenten en de ander met snaarinstrumenten en fluiten. Toen de orkesten begonnen te spelen werd er wit papiergeld de lucht in gegooid, dat als sneeuw weer naar beneden dwarrelde.

Nuharoo, Tung Chih en ik liepen langs lama's, monniken en geverfde ceremoniële paarden en schapen voordat we in onze draagstoelen stapten. De Tibetaanse trompetten en trommels maakten zo'n lawaai dat ik mezelf niet kon horen praten tegen Tung Chih. Hij wilde niet alleen zitten en ik zei dat hij dat moest omdat de etiquette dat vereiste. Tung Chih zat te pruilen en vroeg om zijn roodogige konijn. Gelukkig had Li Lien-ying het bij zich. Ik beloofde Tung Chih dat Nuharoo of ik bij hem zou komen zitten zodra dat mogelijk was.

Aan de voet van de Grote Muur deelde de stoet zich in tweeën; de Parade van Geluk ging voorop en de Parade van Verdriet volgde een paar kilometer erachter.

Toen het middag werd was het weer omgeslagen. Het begon steeds harder te regenen. In de daaropvolgende vijf dagen werd onze processie langer en langer. De stoet kronkelde zich door de modder en werd gegeseld door de hardnekkige buien. Voor het eerst in haar leven verloor Nuharoo de controle over haar make-up. Gefrustreerd gaf ze haar spiegels-op-benen, de dienstmeisjes, de schuld, die te moe waren om de spiegel recht te houden. Ik had medelijden met de dienstmeiden. De spiegel, die zo groot was als een raam, was te groot en te zwaar voor hen.

Volgens de verkenners wemelde het in de ravijnen van de bandieten. Met angst en beven zag ik de komende uren tegemoet. In deze alles verhullende regen kon er opeens toegeslagen worden.

Hoe nat de dragers ook werden, er was geen sprake van dat er gepauzeerd kon worden, omdat de keizerlijke astroloog alle tijdstippen had uitgerekend. Het bleef gestaag regenen. Ik stelde me het zwoegen voor van de eunuchen die het houten meubilair moesten dragen. In tegenstelling tot de dragers van de doodskist, die lichamelijk waren getraind, waren de eunuchen kasplantjes. Ze waren al jaren niet buiten de Verboden Stad geweest en velen van hen waren nog geen vijftien jaar oud.

Ik viel in de draagstoel in slaap en had een vreemde droom. Ik sprong als een vis in zee. Ik zwom naar een gat onder een grot die diep in de zeebodem begraven lag. De ingang van het gat was omgeven door grote doorns. Mijn huid werd ernstig beschadigd door de doorns en het water om me heen werd roze. Ik kon het geluid van overvarende boten horen en voelde de stroming langs mijn lichaam. Ik spartelde rond in hevige pijn in een poging los te komen van de doorns.

Bij dageraad kwam Li Lien-ying me wekken. 'Het regent niet meer, mevrouw, en de astroloog heeft gezegd dat we nu veilig kunnen rusten.'

'Waren we in water?' vroeg ik.

Hij zweeg even en antwoordde toen: 'Als u de gedaante van een vis had, mevrouw, dan heeft u het overleefd.'

Mijn draagstoel werd neergezet en ik stapte eruit. Mijn hele lichaam voelde pijnlijk aan. 'Waar zijn we?'

'Bij een dorpje dat Kabbelende Lente heet.'

'Waar is Tung Chih?'

'Zijne Jonge Majesteit is bij keizerin Nuharoo.'

Ik ging naar hen op zoek. Ze waren bijna een kilometer achterop geraakt. Nuharoo wilde per se van dragers wisselen. In plaats van de glibberige weg de schuld te geven, verweet ze de dragers de vertraging.

Nuharoo zei dat ze ook had gedroomd. Haar droom was heel anders dan de mijne. In haar droom bevond ze zich in een vreedzaam koninkrijk en had ze een spiegel die de hele muur besloeg. Het koninkrijk lag diep in de bergen verborgen. Ze was erheen gebracht door een boeddhist met een witte baard die tot op de grond hing. Ze werd aanbeden en haar onderdanen liepen allemaal rond met een witte duif op het hoofd.

Na enig tegenstribbelen stemde Tung Chih erin toe uit Nuharoos draagstoel, die zo groot als een tent was, te stappen en bij mij te komen zitten. 'Even dan,' zei hij.

Ik probeerde me niets aan te trekken van de toenemende genegenheid die mijn zoon voor Nuharoo koesterde. Hij was een van de weinige overgebleven bronnen van vreugde in mijn leven. Ik was zo veranderd sinds ik bij de keizerlijke hofhouding was gaan horen. Als ik 's morgens wakker werd, zei ik niet meer: 'Vandaag voel ik me goed.' De vrolijke liedjes die ik vroeger in gedachten hoorde waren verstomd. In mijn hoofd heerste de angst.

Ik probeerde mezelf ervan te overtuigen dat dit nu eenmaal bij het leven hoorde. Vrolijkheid hoorde bij de jeugd en die raakte je natuurlijk kwijt. Ervoor in de plaats zou ik volwassen zijn. Net als bij een boom zouden mijn wortels sterker worden naarmate ik ouder werd. Ik verheugde me erop dat ik in meer essentiële zin vrede en geluk zou leren kennen.

Maar toch fladderden er geen vlinders in mijn lente. Het verdrietigste was dat ik wist dat ik nog tot hartstocht in staat was. Als Tung Chih bij me in de buurt was, zouden de vlinders terugkeren. Al het andere kon ik wel van me afzetten, ook mijn eenzaamheid en mijn diepe verlangen naar een man. Ik had mijn zoons liefde nodig om het leven aan te kunnen. Tung Chih zat vlak bij me, ik kon hem aanraken, maar er had net zo goed een oceaan tussen ons in kunnen liggen. Ik was tot alles bereid om zijn genegenheid te winnen. Maar hij was vastbesloten me geen kans te geven.

Mijn zoon strafte me omdat ik eiste dat hij volgens bepaalde principes leefde. Hij kon me op twee manieren aankijken. Soms keek hij me aan als een vreemde, alsof hij me niet kende en er ook niet in geïnteresseerd was me te leren kennen. Op andere momenten had hij een ongelovige blik in zijn ogen, alsof hij niet kon begrijpen waarom ik de enige was die hem uitdaagde. Met die blik leek hij zelfs mijn bestaan in twijfel te trekken. Na een heftige ruzie keek hij me altijd spottend aan.

In mijn zoons heldere ogen was ik vervaagd. Door mijn aanbidding van dit kleine schepsel was ik gereduceerd tot het dansende bot in de keizerlijke soep die al tweehonderd jaar gebrouwen werd.

Ik zag de twee een keer samen spelen. Tung Chih was bezig de kaart van China te bestuderen. Hij vond het prachtig als Nuharoo Kanton niet kon vinden. Ze smeekte hem ermee te mogen ophouden. Hij willigde haar verzoek in en strekte zijn armen naar haar uit. Hij werd aangetrokken door haar zwakheid. Hij voelde zich een held door haar tegen mij te beschermen.

Maar ik moest wel van mijn zoon houden. Ik kon niet aan mijn liefde voor hem ontkomen. Op het moment dat Tung Chih werd geboren, wist ik dat ik hem toebehoorde. Mijn leven stond in dienst van zijn welzijn. Hij was het enige wat telde.

Ik had besloten het te aanvaarden als ik moest lijden. Ik was bereid alles voor Tung Chih te doen, als hij het lot van zijn vader maar niet hoefde delen. Hsien Feng was dan wel keizer, maar hem was nooit enig begrip van zijn eigen leven bijgebracht. Hij werd niet in waarheid opgevoed en hij stierf als een verward mens.

Toen ik naar buiten keek zag ik grote, ronde rotsen, omgeven door een dik tapijt van kreupelhout. In de verre omtrek was geen huis te zien. Alleen de hemel was getuige van onze overdadige stoet. Ik wist dat ik niet zo negatief mocht denken, maar ik kon er niets aan doen. Ik voelde me klef en had overal pijn door het zitten in de draagstoel. De dragers waren uitgeput, nat en smerig. De vrolijke muziek droeg alleen maar bij aan mijn sombere bui.

Li Lien-ying liep heen en weer tussen mijn draagstoel en die van Nuharoo. Hij had zijn purperen katoenen gewaad aan. De verf van zijn hoed liep in stroompjes over zijn gezicht. Li Lien-ying had zijn opleiding als keizerlijk bediende afgerond en was nu bijna zo goed als An-te-hai. Ik maakte me zorgen om An-te-hai. Prins Ch'un had me verteld dat hij in de gevangenis in Peking zat. Om zijn rol helemaal goed te spelen had An-te-hai een wachter bespuwd, waardoor zijn straf nog strenger was geworden: hij was in een rioolruimte opgesloten, waar de ontlasting om hem heen dreef. Ik bad dat hij het zou volhouden tot ik bij hem was. Ik wist nog niet zeker of ik Peking wel zou bereiken met mijn hoofd nog op mijn schouders. Maar als dat zou lukken, dan zou ik An-te-hai persoonlijk van zijn ketenen bevrijden.

De Parade van Geluk viel steeds verder uit formatie. Het viel niet mee de vermoeide paarden en schapen in het gelid te houden. De dragers waren opgehouden met het zingen van marsliedjes. Het enige wat ik hoorde waren hun voetstappen, vermengd met hun moeizame ademhaling. Tung Chih wilde uit de draagstoel stappen om te gaan spelen en ik wenste dat ik hem dat kon toestaan. Ik zou hem graag zien rennen samen met Li Lien-ying. Maar het was te gevaarlijk. Ik had al een paar keer onbekende gezichten gezien tussen de geüniformeerde wachters die langsliepen. Ik vroeg me af of het spionnen van Su Shun waren. Mijn dragers werden elke dag vervangen door nieuwe manschappen.

Toen ik mijn zwager prins Ch'un vroeg naar het wisselen van de dragers, zei hij dat het de normale gang van zaken was. De dragers verwisselden van plaats zodat de blaren op hun schouders de kans kregen te genezen. Ik was niet overtuigd.

Om me te troosten praatte Ch'un over Rong en hun kleine zoontje. Het ging goed met hen en ze bevonden zich een paar kilometer achter ons. Mijn zusje had geweigerd zich bij me te voegen omdat ze bang was dat er iets met mijn draagstoel zou gebeuren. 'Hoge bomen vangen veel wind,' liet ze me weten, en ze zei dat ik voorzichtig moest zijn.

We kwamen aan bij een tempel die op een smal gedeelte van een berg gelegen was. Het was al donker geworden en het motregende niet meer. We zouden de tempel betreden, bidden bij het altaar en er de nacht doorbrengen. Zodra Nuharoo, Tung Chih en ik uit onze draagstoelen waren gestapt gingen de dragers er met de lege draagstoelen vandoor. Ik rende achter hen aan, haalde de achterste drager in en vroeg waarom ze niet hier bij ons bleven. Hij antwoordde dat ze de opdracht hadden gekregen ons aan de voet van de berg achter te laten.

'En als er iets verkeerd gaat en we onze draagstoelen nodig hebben, en jullie er niet zijn?' vroeg ik.

De drager wierp zich op de grond en kow-towde als bezeten. Maar hij gaf geen antwoord en het had geen zin verder aan te dringen.

'Kom terug, Yehonala!' riep Nuharoo. 'Ik weet zeker dat onze verkenners en spionnen zich ervan hebben vergewist dat de tempel veilig is.'

De tempel leek goed voorbereid op onze komst. Het oude dak was schoongeborsteld en alles was goed afgestoft. De hoofdmonnik was een vriendelijk ogende man met dikke lippen en bolle wangen. 'De godin van genade, Kuan Ying, heeft getranspireerd,' zei hij glimlachend. 'Ik wist dat dit een boodschap van de hemel was, die me vertellen wilde dat Zijne Majesteit hier voorbij zou komen. Al is mijn tempel bescheiden, mijn nederige blijdschap over uw komst strekt zich uit van Boeddha's hand tot in de oneindigheid.'

Als avondeten kregen we warme gemberwortelsoep voorgezet met sojabonen en tarwebroodjes. Tung Chih begroef zijn gezicht in de kom. Ik had zelf ook veel honger. Ik at alles op en vroeg of er nog meer was. Nuharoo deed rustig aan. Ze controleerde elke knoop aan haar japon en overtuigde zich ervan dat ze er geen had verloren, en zette de verwelkte bloemen op haar hoofdtooi rechtop. Ze nam kleine hapjes soep tot ze zich niet meer kon beheersen. Ze pakte de kom en dronk de soep op als een boerin.

Na de maaltijd bracht de monnik ons beleefd naar onze kamer en liet ons alleen. Tot onze vreugde ontdekten we aardewerken kachels naast de bedden. We legden onze vochtige japonnen erop te drogen. Toen Tung Chih ontdekte dat er water in de wasbekkens zat, gaf Nuharoo een opgetogen gilletje en slaakte toen een zucht. 'Ik zal me zelf moeten wassen, zonder hulp van dienstmeisjes, neem ik aan.' Snel trok ze al haar kleren uit. Dit was de eerste keer dat ik haar naakt zag. Haar ivoorkleurige lichaam was een hemels kunstwerk. Ze was slank, had appelvormige borsten en jadegladde, lange benen. Haar rechte rug liep over in haar sensuele, ronde billen. De aanblik bracht me op de gedachte dat de vormeloze mode voor Mantsjoe-vrouwen misdadig was.

Nuharoo stond bij het wasbekken als een hert op een rots in het licht van de maan. Langzaam waste ze zich van top tot teen. Alleen Hsien Fengs ogen mogen dit zien, dacht ik.

Midden in de nacht werd ik wakker. Nuharoo en Tung Chih lagen vast te slapen. Mijn achterdocht stak de kop weer op. Ik herinnerde me de glimlach van de hoofdmonnik – die was niet oprecht. De overige monniken hadden niet de vredige gezichtsuitdrukking die ik van boeddhisten gewend was. Hun blikken schoten heen en weer tussen de hoofdmonnik en mij, alsof ze op een teken wachtten. Tijdens de maaltijd had ik de hoofdmonnik gevraagd naar de plaatselijke bandieten. Hij zei dat hij er nog nooit iets over gehoord had. Sprak hij de waarheid? Onze verkenners hadden ons verteld dat het algemeen bekend was dat de bandieten zich in dit gebied ophielden. De hoofdmonnik leefde hier waarschijnlijk al heel lang – hoe was het mogelijk dat hij er niets van wist?

Toen ik vroeg of hij me in de tempel wilde rondleiden, was de hoofdmonnik van onderwerp veranderd. Hij nam ons mee naar de hoofdhal zodat we wierook voor de goden konden branden en bracht ons toen naar onze slaapkamer. Toen ik informeerde naar de geschiedenis van de sculpturen op de muren, was hij weer van onderwerp veranderd. Toen hij Tung Chih het verhaal van de Boeddha met de duizend handen vertelde, klonk hij niet zo geroutineerd als een priester. Hij leek niet op de hoogte te zijn van de basisstijlen van kalligrafie, wat ik moeilijk te geloven vond, want monniken deden niets anders dan sutra's overschrijven. Ik had hem gevraagd hoeveel monniken in de tempel verbleven en hij had geantwoord dat het er acht waren. Wie zou ons te hulp komen als de bandieten ons zouden aanvallen?

Hoe meer ik nadacht over deze twijfelachtige man, hoe onrustiger ik werd. 'Li Lien-ying,' fluisterde ik.

Mijn eunuch reageerde niet. Dat was ongebruikelijk. Li Lien-ying was een lichte slaper. Hij kon een blad horen vallen van een boom die buiten stond. Wat was er met hem aan de hand? Ik herinnerde me dat de hoofdmonnik hem had uitgenodigd na de maaltijd thee te komen drinken.

'Li... Li Lien-ying!' Ik ging rechtop zitten en zag hem in de hoek liggen.

Hij sliep zo vast als een huis. Zou er misschien iets in de thee hebben gezeten die hij van de hoofdmonnik had gekregen?

Ik trok mijn kamerjas aan en liep naar hem toe. Ik schudde de eunuch heen en weer, maar de enige reactie die ik kreeg was luid gesnurk. Misschien was hij gewoon te moe.

Ik besloot naar buiten te gaan en de binnenplaats te controleren. Ik was bang, maar te blijven twijfelen was beangstigender.

De maan scheen helder. Het leek of er een laag zout op de binnenplaats lag. De wind voerde de geur van laurier met zich mee. Net toen ik bedacht dat alles er zo vredig uitzag, zag ik een schaduw achter een gewelfde deur duiken. Werden mijn ogen misleid door het maanlicht? Of door mijn zenuwen?

Ik ging terug naar onze kamer en deed de deur dicht. Ik klom in bed en gluurde door het raam. Voor me stond een boom met een dikke stam. De stam veranderde in het donker steeds van vorm. De ene keer leek hij dikker te worden, dan weer leek het of er een arm uit stak.

Mijn ogen hadden me niet misleid. Er waren mensen op de binnenplaats. Ze verstopten zich achter de bomen.

Ik maakte Nuharoo wakker en legde uit wat ik had gezien.

'Jij ziet een soldaat achter elk grassprietje,' klaagde Nuharoo, terwijl ze zich aankleedde.

Nuharoo ging Li Lien-ying wakker maken terwijl ik Tung Chih aankleedde. 'De slaaf zal wel dronken zijn,' zei ze. 'Ik krijg hem niet wakker.'

'Er is iets niet in orde, Nuharoo.'

Ik sloeg Li in het gezicht en na een tijdje werd hij wakker. Maar toen hij probeerde te lopen, stond hij te waggelen op zijn benen. We waren geschokt.

'Maak je klaar om ervandoor te gaan,' zei ik.

'Waar kunnen we heen?' Nuharoo raakte in paniek.

We kenden het gebied niet. Zelfs als we erin slaagden uit de tempel te komen, zouden we makkelijk op de berg kunnen verdwalen. Als we niet werden gepakt, zouden we van de honger kunnen omkomen. Maar wat zou er gebeuren als we hier bleven? Ik twijfelde er nu niet meer aan dat de hoofdmonnik een handlanger van Su Shun was. Ik had erop moeten staan dat de dragers in de buurt bleven.

Ik zei tegen Tung Chih dat hij zich aan me vast moest houden, terwijl ik de deur opendeed.

In het zwakke ochtendlicht werd de omtrek van de berg al zichtbaar. De wind die door de pijnbomen waaide klonk als een aanzwellende golf. We liepen gevieren een gang door en onder een gewelfde poort door. We volgden een nauwelijks zichtbaar pad. 'Dit pad zou naar de voet van de berg moeten leiden,' zei ik, al wist ik het niet zeker.

We waren nog niet ver gekomen toen we de geluiden van achtervolgers hoorden.

'Kijk nou, Yehonala, je hebt ons in problemen gebracht,' gilde Nuharoo. 'We hadden de monniken om hulp kunnen vragen als we in de tempel waren gebleven.'

Ik trok Nuharoo met me mee, terwijl Li Lien-ying, met Tung Chih op zijn rug, zijn best deed op zijn benen te blijven staan. We liepen zo snel mogelijk. Plotseling werd het pad geblokkeerd door een groep gemaskerde mannen.

'Geef hun wat ze willen,' zei ik tegen Nuharoo, in de veronderstelling dat we op bandieten waren gestuit.

De mannen maakten geen geluid maar begonnen ons in te sluiten.

'Hier, neem onze juwelen,' zei ik. 'Neem alles en laat ons gaan!'

Maar de mannen wilden er niets van weten. Ze besprongen ons en bonden ons vast met touwen. Ze propten stukken stof in onze mond en blinddoekten ons.

Ik zat in een jutezak die was vastgebonden aan een stok en werd gedragen door mannenschouders. Tijdens mijn worsteling viel mijn blinddoek af, hoewel het stuk stof nog in mijn mond zat. Door het ruwe weefsel kon ik licht zien. De mannen liepen hortend en stotend de heuvel af en ik vermoedde dat het geen bandieten waren, die immers sterke benen zouden hebben ontwikkeld in een gebied als dit.

Ik had erop vertrouwd dat prins Kung ons zou beschermen, maar blijkbaar was Su Shun hem te slim af geweest. Als dit het geval was, zou ik niet kunnen ontsnappen.

Ik dacht dat Nuharoo nog wel een overlevingskans had, maar hoe zat het met Tung Chih? Hoe verbazingwekkend eenvoudig was het voor Su Shun een staatsgreep te plegen! Geen leger, geen wapens, geen druppel bloed vergoten, gewoon een paar mannen die verkleed waren als bandieten. Onze regering was een papieren draak, alleen geschikt voor optochten. Het Tijdperk van Geluk en Goede Voortekenen was een grap. Wat zou keizer Hsien Feng ervan vinden dat Su Shun nu zijn ware gedaante toonde?

Takken sloegen tegen de zak. In het donker probeerde ik een geluid van Tung Chih op te vangen. Ik hoorde niets. Zouden ze me ter dood brengen? Ik durfde mezelf niet toe te staan ergens aan te denken. Aan de hoek waarin de stok werd gehouden kon ik merken dat de helling minder steil werd.

Zonder waarschuwing lieten ze me op de grond vallen; ik rolde tegen iets aan, waarschijnlijk een boomstronk. Mijn hoofd raakte een hard oppervlak en de pijn was afschuwelijk. Ik hoorde mannenstemmen en vervolgens zware, naderende voetstappen. Ik werd door droge bladeren gesleept en ergens in gegooid, waarschijnlijk een greppel.

Het stuk stof in mijn mond was doorweekt van speeksel en eindelijk viel het uit mijn mond. Ik durfde niet om hulp te roepen uit angst dat ze me dan eerder zouden ombrengen. Ik probeerde mezelf op het ergste voor te bereiden, maar werd bevangen door een verpletterend gevoel: Ik kan niet sterven als ik niet weet waar Tung Chih is! Ik probeerde met mijn tanden de zak open te scheuren, maar met mijn handen op mijn rug gebonden was het een hopeloze onderneming.

Ik hoorde voetstappen op de droge bladeren knisperen. Er kwam iemand naar me toe die naast me bleef staan. Ik probeerde mijn benen te verplaatsen om in een betere verdedigingspositie te geraken, maar ook mijn benen waren vastgebonden.

Ik hoorde de ademhaling van een man.

'In 's hemelsnaam, spaar mijn zoon!' riep ik en kromp meteen in elkaar. Ik zag het mes voor me dat door de zak sneed en daarna mijn lichaam doorstak.

Er kwam geen mes. In plaats daarvan hoorde ik nog meer voetstappen en wapengekletter. Er klonk een gesmoorde kreet en toen viel er iets op me; het was een lichaam.

Even bleef het stil. Toen klonk uit de verte hoefgetrappel en het lawaai van schreeuwende mannen.

Ik kon niet besluiten of ik me stil moest houden of om hulp moest roepen. Stel je voor dat het Su Shuns mannen waren, die zich ervan kwamen vergewissen dat ik dood was? Maar wat als het prins Kungs mannen waren? Hoe zou ik erin slagen hun aandacht te vestigen op een jutezak, verborgen onder een lichaam in een greppel?

'Tung Chih! Tung Chih!' gilde ik.

Even later werd de zak opengereten door een mes en kon ik ademhalen met de zon op mijn gezicht.

Het mes werd vastgehouden door een soldaat in het uniform van de keizerlijke wachters. Verbijsterd stond hij voor me. 'Majesteit!' Hij wierp zich op de grond.

Ik verwijderde het touw van mijn armen en benen en zei: 'Staat u op en zeg me door wie u bent gestuurd.'

De soldaat kwam overeind en wees achter zich. Een paar meter verderop zat een man te paard die zijn hoofd naar me toe draaide.

'Yung Lu!'

Hij steeg af en viel op de knieën.

'Ik was bijna een geest geworden!' huilde ik. 'Of ben ik het toch al?'

'Spreek, zodat ik het weet, majesteit,' zei Yung Lu.

Ik brak in snikken uit.

'Majesteit,' mompelde hij, 'het is de wil van de hemel dat u nog leeft.' Met zijn mouw veegde hij zich het zweet van zijn voorhoofd.

Ik probeerde uit de greppel te kruipen, maar mijn benen begaven het.

Hij pakte me bij de arm.

De aanraking van zijn hand deed me snikken als een kind. 'Ik zou een hongerige geest geworden zijn,' zei ik. 'Ik heb weinig geslapen en heb de hele dag nog niets gegeten en geen druppel water gedronken. Ik ben niet eens behoorlijk gekleed. Mijn schoenen zijn verdwenen. Als ik de keizerlijke voorouders onder ogen had moeten komen, zouden ze te gegeneerd zijn geweest om me te ontvangen.'

Hij ging gehurkt naast me zitten. 'Het is voorbij, majesteit. Laten we naar huis gaan.'

'Zat Su Shun hierachter?'

'Ja, majesteit.'

'Waar is de huurmoordenaar?'

Yung Lu wees met zijn kin naar de greppel. De dode man daar lag met zijn gezicht half in het stof, maar ik herkende het dikke lichaam. Het was de hoofdmonnik.

Ik vroeg waar Nuharoo en Tung Chih waren. Yung Lu vertelde dat ook zij gered waren en hun reis naar Peking hadden vervolgd. Yung Lu had al boodschappers naar Su Shun gestuurd met de mededeling dat ik dood was, maar het zou nog dagen duren voordat die valse boodschap hem zou bereiken, wat allemaal onderdeel vormde van prins Kungs plan.

Yung Lu zette me in een rijtuig en begeleidde me persoonlijk. We namen een kortere route en arriveerden geruime tijd voor Su Shun en zijn processie in Peking.

DRIEËNTWINTIG

Prins Kung wachtte me op in de Verboden Stad en hij was opgelucht toen hij zag dat ik ongedeerd was. 'De geruchten over uw dood reisden sneller dan onze boodschappers,' zei hij toen hij me begroette. 'Ik was ziek van ongerustheid.'

We bogen voor elkaar terwijl de tranen over onze wangen rolden.

'Misschien wilde uw broer me toch met zich meenemen,' zei ik, nog steeds een beetje aangeslagen.

'Maar op het laatste moment is hij van gedachten veranderd, nietwaar? Misschien heeft hij vanuit de hemel geholpen bij uw redding.' Prins Kung zweeg even. 'Ik weet zeker dat zijn geest niet helder was toen hij Su Shun benoemde.'

'Dat is waar.'

Prins Kung nam me van top tot teen op en glimlachte. 'Welkom thuis, schoonzus. U heeft een moeilijke reis achter de rug.'

'U ook,' zei ik, en ik zag dat zijn hoed hem te ruim zat. Hij duwde steeds de rand achterover om te voorkomen dat die over zijn ogen zou vallen. 'Ik ben afgevallen, maar ik had niet verwacht dat mijn hoofd zou krimpen,' zei hij lachend.

Toen ik naar de hoofdmonnik vroeg, legde prins Kung uit dat de huurmoordenaar bekend stond als de Handpalm van Boeddha – zijn macht was net zo oneindig als die van de handpalm van Boeddha; men zei dat hij 'overal bij kon'. In het oude volksverhaal, als de Magische Apenkoning denkt dat hij ontsnapt is nadat hij vele kilometers al radslagen makend heeft afgelegd, komt hij erachter dat hij in die almachtige handpalm terecht is gekomen. Alleen mijn hoofd had de huurmoordenaar niet aan de verzameling in zijn bewerkte kist kunnen toevoegen.

Prins Kung en ik gingen zitten en begonnen te praten – en zo begon onze lange werkrelatie. Hij was een man die een breed perspectief bezat, al laaide zijn woede af en toe op. Hij had dezelfde opvoeding genoten als zijn broer en was soms net zo verwend en ongeduldig. Vaak moest ik zijn ongevoeligheid en egoïsme naast me neerleggen. Ongewild beledigde hij me meer dan eens ten overstaan van het hof. Ik had daartegen kunnen protesteren, maar ik hield mezelf voor dat ik moest leren Kungs fouten net zo goed te accepteren als zijn goede kanten. Hij was veel krachtiger dan zijn broer. Hij had respect voor de werkelijkheid en stond open voor andere meningen dan de zijne. Op dit moment hadden we elkaar nodig. Als Mantsjoe was hem geleerd dat de plaats van een vrouw in haar slaapkamer was, maar hij kon me niet helemaal negeren. Zonder mijn steun waren zijn daden niet gelegitimeerd.

Naarmate prins Kung en ik elkaar beter leerden kennen, konden we ons wat meer ontspannen. Ik maakte hem duidelijk dat ik niet geïnteresseerd was in macht op zich en dat ik alleen Tung Chih wilde helpen slagen. Het was geweldig dat we dezelfde visie hadden. We maakten wel eens ruzie, maar we werden het uiteindelijk altijd eens. We werden elkaars boegbeeld en decoratie om de nieuwe hofhouding te stabiliseren.

Ik ging voorzichtig met prins Kungs trots om en moedigde zijn enthousiasme en ambities aan. Ik dacht dat als Nuharoo en ik ons nederig ten opzichte van hem zouden opstellen, hij zich nederig zou gedragen ten opzichte van Tung Chih. We pasten de confuciaanse familieprincipes toe en voeren daar allebei wel bij.

Ik speelde mijn rol, al zou ik op een gegeven moment genoeg krijgen van het masker dat ik elke dag moest dragen. Ik moest voorwenden dat ik zonder het hof volledig hulpeloos was. Mijn ministers functioneerden alleen maar zolang ze dachten dat ze mijn redders waren. Ik zou met mijn ideeën niet ver zijn gekomen als ik ze niet gepresenteerd had alsof ze afkomstig waren van hun 'zesjarige heer en meester'. Ik leerde mezelf voor te doen als iemand die werd geleid, zodat ik zelf kon leiden.

Het duurde nog vijf dagen voordat Nuharoo, Tung Chih en de rest van de Parade van Geluk in Peking aankwamen. Tegen de tijd dat ze de Poort van de Hemelboog hadden bereikt, waren de mannen en paarden zo uitgeput dat ze erbij liepen als een verslagen leger. Hun vlaggen waren gescheurd en hun schoenzolen zaten vol gaten. Met smerige en bebaarde gezichten sleepten de dragers zich op hun voeten vol blaren voort. De wachters maakten een futloze indruk en liepen niet meer in het gelid.

Ik stelde me Su Shun en zijn Parade van Verdriet voor, die een paar dagen later zou arriveren. Het gewicht van Hsien Fengs doodskist zou zwaar drukken op de schouders van de dragers. Het nieuws van mijn moord zou Su Shun nu wel bereikt hebben en hij kon waarschijnlijk niet wachten tot hij in Peking was.

De vreugde over de thuiskomst gaf de Parade van Geluk nieuwe energie. De hele hofstoet hergroepeerde zich bij de poort van de Verboden Stad. De mannen rechtten vol trots hun rug en staken hun borst vooruit toen ze door de poort kwamen. Niemand leek op de hoogte te zijn van wat er was voorgevallen. De inwoners van de stad stelden zich op aan weerszijden van de ingang en applaudisseerden. De menigte juichte toen de keizerlijke draagstoelen in het zicht kwamen. Niemand wist dat niet ik, maar mijn eunuch Li Lien-ying in mijn draagstoel zat.

Nuharoo vierde het eind van de reis door driemaal achter elkaar een bad te nemen. De dienstmeid rapporteerde dat ze bijna was verdronken in de bad-kuip omdat ze in slaap was gevallen. Ik ging langs bij Rong en haar zoontje. We gingen op bezoek bij onze moeder en broer. Ik nodigde moeder uit om in het paleis in te trekken en bij mij te komen wonen zodat ik voor haar kon zor-gen, maar ze wilde het niet; ze bleef liever waar ze was, in een rustig huis in een straatje achter de Verboden Stad. Ik drong niet aan. Als ze bij mij zou ko-men wonen, zou ze iedere keer toestemming moeten vragen om te gaan win-kelen of vrienden te bezoeken. Haar activiteiten zouden worden beperkt tot haar verblijf en haar tuin en ze zou niet haar eigen maaltijden mogen klaar-maken. Ik had graag wat meer tijd met moeder doorgebracht, maar ik moest met Nuharoo overleggen over onze plannen met betrekking tot Su Shun.

'Als het geen goed nieuws is, wil ik het niet horen,' waarschuwde Nuha-roo. 'Door die moeilijke reis ben ik al genoeg jaren van mijn leven verloren.'

Ik stond bij Nuharoos half kapotte deur. De buitenlanders hadden alles beschadigd. Er zaten krassen op haar spiegel. Haar gouden sculpturen waren verdwenen, net als de geborduurde wandtapijten. Haar kasten waren leeg en op haar bed waren afdrukken van mannenvoeten zichtbaar. Er lagen nog steeds glasscherven op de vloer. Haar kunstcollectie was ook weg. De tuinen waren geruïneerd. De vissen, vogels, pauwen en papegaaien waren allemaal dood.

'Verdriet is een geestelijke aandoening,' zei Nuharoo, terwijl ze een slokje thee nam. 'Als je je daar overheen zet, zul je gelukkig zijn. Mijn mooie nagels zijn niet beschadigd, omdat ik er beschermers omheen gedaan heb.'

Ik keek haar aan en zag weer voor me hoe ze dagenlang in een doorweek-te japon in haar draagstoel had gezeten. Ik wist hoe vreselijk dat was geweest, want ik had hetzelfde meegemaakt. De natte kussens hadden me het gevoel gegeven dat ik in mijn eigen urine zat. Ik wist niet of ik Nuharoo moest be-wonderen omdat ze uit alle macht probeerde haar waardigheid te bewaren. Tijdens de reis had ik willen uitstappen en gaan lopen. Nuharoo had me te-gengehouden. 'De dragers zijn op de wereld om jou te dragen,' zei ze. Ik leg-de uit dat ik er genoeg van had een nat achterwerk te hebben. 'Ik moet mijn achterste op een of andere manier luchten!'

Ik herinnerde me dat ze niets had gezegd, maar dat ik aan haar gezichts-uitdrukking had gezien dat ze mijn gedrag afkeurde. Ze was geschokt toen ik eindelijk besloot uit te stappen en naast de dragers te gaan lopen. Ze liet me weten dat ze dit als een persoonlijke belediging opvatte, waardoor ik me ge-dwongen voelde weer in de draagstoel plaats te nemen.

'Zit niet naar me te kijken alsof je een nieuwe ster aan de hemel hebt ontdekt,' zei ze, terwijl ze haar haar in een wrong stak. 'Ik wil graag een les van Boeddha met je delen: om werkelijk iets te bezitten, moet je het helemaal niet bezitten.'

Ik begreep er niets van.

Ze schudde medelijdend het hoofd.

'Goedenacht en slaap lekker, Nuharoo.'

Ze knikte. 'Stuur Tung Chih naar me toe, wil je?'

Ik wilde wanhopig graag de nacht met mijn zoon doorbrengen na zo lang van hem gescheiden geweest te zijn. Maar ik kende Nuharoo. Als het om Tung Chih ging, was haar wil wet. Ik had geen kans. 'Is het goed als ik hem na zijn bad stuur?'

'Prima,' zei ze, en ik vertrok.

'Probeer niet te hoog te klimmen, Yehonala,' klonk haar stem achter me. 'Omhels het universum en omhels wat op je pad komt. Vechten heeft geen betekenis.'

Prins Kung liet het laatste deel van het decreet waarin Su Shun werd aangeklaagd aan mij over en vertrok uit Peking naar Miyun. Deze stad lag op vijfenzeventig kilometer van de hoofdstad en was de laatste stopplaats van de processie voor aankomst in Peking. Su Shun en Hsien Fengs doodskist zouden vroeg in de middag in Miyun arriveren.

Yung Lu kreeg de opdracht terug te gaan naar Su Shun en bij hem in de buurt te blijven. Su Shun ging ervan uit dat alles volgens zijn plan was verlopen en dat ik, zijn grootste probleem, uit de weg was geruimd.

Toen de processie in Miyun aankwam, bleek Su Shun dronken te zijn. Hij was zo opgewonden door zijn eigen vooruitzichten dat hij het al samen met de leden van zijn kabinet aan het vieren was. Bij de keizerlijke doodskist waren plaatselijke prostituees gezien die bezig waren ornamenten te stelen. Toen Su Shun bij de poort van Miyun werd begroet door generaal Sheng Pao, maakte hij opgetogen mijn dood bekend.

Toen Sheng Pao koeltjes reageerde, keek Su Shun om zich heen en merkte prins Kung op, die een eindje van de generaal vandaan stond. Su Shun beval Sheng Pao prins Kung af te voeren, maar Sheng Pao verroerde zich niet.

Su Shun wendde zich tot Yung Lu, die achter hem stond. Ook Yung Lu kwam niet in beweging.

'Wachters!' schreeuwde Su Shun. 'Neem die verrader mee!'

'Wordt u gemachtigd door een decreet?' vroeg prins Kung.

'Mijn woord is even goed als een decreet,' antwoordde Su Shun.

Prins Kung deed een stap naar achteren en generaal Sheng Pao en Yung Lu kwamen naar voren.

Su Shun besefte opeens wat er aan de hand was. 'Waag het niet. Ik ben door Zijne Majesteit benoemd. Ik vertegenwoordig de wil van keizer Hsien Feng!'

Keizerlijke wachters vormden een cirkel rond Su Shun en zijn mannen.

Su Shun gilde: 'Ik laat jullie allemaal opknopen!'

Op het teken van prins Kung pakten Sheng Pao en Yung Lu Su Shun bij de armen. Su Shun worstelde om los te komen en riep dat prins Yee hem moest komen helpen.

Prins Yee kwam aanrennen met zijn wachtposten, maar Yung Lu's mannen hielden hen tegen.

Prins Kung haalde een geel decreet uit zijn mouw. 'Wie het bevel van keizer Tung Chih tegenwerkt zal ter dood gebracht worden!'

Prins Kung las de tekst voor die ik had opgesteld, terwijl Yung Lu Su Shuns mannen ontwapende: 'Keizer Tung Chih beveelt de onmiddellijke arrestatie van Su Shun. Het is gebleken dat Su Shun heeft gepoogd een staatsgreep te plegen.'

Su Shun werd opgesloten in een kooi op wielen en leek wel een circusdier toen de Parade van Verdriet de reis van Miyun naar Peking hervatte. In naam van mijn zoon stelde ik de gouverneurs van alle staten en provincies op de hoogte van Su Shuns arrestatie en ontzetting uit zijn ambt. Ik zei tegen prins Kung dat ik het minstens zo cruciaal vond om moreel de overhand te krijgen. Ik moest weten hoe de gouverneurs erover dachten, zodat de stabiliteit kon worden hersteld. Als er verwarring heerste, wilde ik die meteen uit de wereld helpen. An-te-hai stond me hierbij terzijde, al was hij pas een paar dagen daarvoor bevrijd uit de waterkamer van de keizerlijke gevangenis. Hij zat helemaal in het verband, maar hij voelde zich prima.

Uit heel China kregen we commentaar op de arrestatie van Su Shun. Tot mijn grote opluchting koos de meerderheid van de gouverneurs mijn kant. Ik moedigde degenen die hun twijfels hadden aan om eerlijk te zijn. Ik maakte duidelijk dat ik het liefst de volledige waarheid wilde horen, hoezeer die mijn persoonlijke mening over Su Shun misschien ook tegensprak. Ik vond het belangrijk dat de gouverneurs wisten dat ik bereid was te luisteren en niets liever wilde dan mijn besluit over de bestraffing van Su Shun baseren op hun aanbevelingen.

Kort daarna werd Su Shun openlijk beschuldigd door twee Grote Secretarissen die belast waren met het burgerrecht en die oorspronkelijk tot Su Shuns kamp hadden behoord. Pas toen spraken generaal Tseng Kuo-fan en de Chinese ministers en gouverneurs hun steun voor me uit. Ik had hen betiteld als hekkenzitters, omdat ze eerst de kat uit de boom hadden gekeken voordat ze voor hun mening uitkwamen. Tseng Kuo-fan bekritiseerde Su Shun vanwege zijn 'grove historische fouten'. In navolging van Tseng spraken ook de gouverneurs van de noordelijke provincies zich uit. Ze gaven uitdrukking aan hun ongenoegen omdat Su Shun prins Kung had buitengesloten en stelden voor dat de macht in handen van keizerin Nuharoo en mij gegeven zou worden.

Zodra Su Shun in Peking was aangekomen, begon zijn proces. Prins Kung leidde de rechtszaak. Su Shun en de Bende van Acht werden schuldig bevonden aan ondermijning van de staat, wat volgens de Ch'ing-wetten een van de tien ondenkbaarheden was en na rebellie de ergste. Daarnaast werd Su Shun schuldig bevonden aan misdaden tegen de familie en de deugdzaamheid van de gemeenschap. In het decreet dat ik had opgesteld beschreef ik hem als 'een gruwel, onmogelijk te vergeven en niet in staat zijn schuld ooit in te lossen'.

Prins Yee werd een touw 'gegund' en 'mocht' zich verhangen. Hij werd naar een speciale ruimte gebracht waar een balk en een kruk op hem wachtten. Er was in de kamer een bediende aanwezig die Yee zou helpen op de kruk te klimmen in het geval zijn benen dienst zouden weigeren. Van de bediende werd ook verwacht dat hij de kruk omver zou schoppen zodra prins Yee zijn hoofd in de strop had gestoken.

Het vervulde me met walging een dergelijke straf te moeten opleggen, maar ik besefte dat ik geen keus had.

Gedurende de daarop volgende dagen werden meer medestanders van Su Shun, onder wie hoofdeunuch Shim, hun macht en rang ontnomen. Shim werd veroordeeld tot de dood door de zweep, maar ik kwam tussenbeide. Ik zei tegen het hof dat het nieuwe tijdperk naar mijn mening moest beginnen met het tonen van genade.

Su Shuns zoons werden onthoofd, maar ik spaarde zijn dochter, voor wie ik de wet omzeilde. Ze was een pienter meisje dat ooit als bibliothecaresse voor me had gewerkt. Ze leek totaal niet op haar vader en was vriendelijk en verlegen. Ofschoon ik onze vriendschap niet wilde voortzetten, vond ik dat ze het verdiende te blijven leven. Su Shuns eunuchen werden allemaal tot de dood door de zweep veroordeeld. Zij waren natuurlijk de zondebokken, maar het was nodig doodsangst in te boezemen om duidelijk te maken waar ik stond.

Wat Su Shun zelf betrof, beval de rechterlijke macht aan dat hij ter dood gebracht moest worden door middel van het afhakken van zijn ledematen. Maar ik besloot dat hij een mildere straf moest krijgen. 'Ofschoon Su Shun de straf verdient,' stond in mijn decreet, gericht aan de natie, 'kunnen we er niet toe komen hem de ergste straf op te leggen. Als teken van onze clementie veroordelen wij hem derhalve tot onmiddellijke onthoofding.'

Drie dagen voordat Su Shun terechtgesteld zou worden, brak er een rel uit in een gedeelte van Peking waar veel van zijn aanhangers woonden. Men klaagde dat Su Shun door keizer Hsien Feng op de ministerspost was geplaatst. 'Moeten we twijfelen aan de wijsheid van wijlen Zijne Majesteit, nu Su Shun door en door slecht wordt genoemd en een dergelijke gruwelijke straf krijgt opgelegd? Of moeten we de verdenking koesteren dat de wil van Zijne Majesteit geweld wordt aangedaan?'

Yung Lu wist de opstand te bedwingen. Ik beval dat prins Kung en Yung Lu moesten zorgen dat Su Shuns terechtstelling goed zou verlopen. Ik wees erop dat we uiterst zorgvuldig te werk moesten gaan, omdat Mantsjoe-Vaandeldragers in het verleden veroordeelden hadden gered met als doel een opstand te ontketenen.

Prins Kung schonk niet veel aandacht aan mijn bezorgdheid. In zijn ogen was Su Shun al dood. In de overtuiging dat het volk achter hem stond stelde prins Kung voor de terechtstelling te verplaatsen van de groentemarkt naar de veel grotere veemarkt, waar ruimte genoeg was voor tienduizend toeschouwers.

Ik had geen goed gevoel over dit plan en besloot daarom de achtergrond van de beul na te trekken. Ik stuurde An-te-hai en Li Lien-ying op onderzoek uit en al snel kwamen ze terug met verontrustend nieuws. Ze hadden bewijs gevonden dat de beul al was omgekocht.

De man die door het hof was aangesteld om Su Shun te onthoofden werd 'Eén-Kuch' genoemd – hij voerde zijn taak met grote snelheid uit. Ik had er geen idee van dat het traditie was de beul om te kopen. De mensen die dit afschrikwekkende vak uitoefenden, van de beul tot de bijlenslijper, werkten samen zodat ze meer konden verdienen.

Als een veroordeelde in de gevangenis kwam, werd hij zeer slecht behandeld als zijn familie niet de juiste mensen had omgekocht. Er konden bijvoorbeeld onzichtbare en onvindbare verwondingen worden toegebracht aan botten en gewrichten, waardoor de gevangene voor het leven gehandicapt werd. Als de gevangene was veroordeeld tot de dood door het afhakken van zijn ledematen, kon de beul hem gedurende negen dagen in leven houden terwijl hij de ongelukkige langzaam aan stukken sneed. Als de beul tevreden was met de afkoopsom stootte hij zijn mes recht in het hart, zodat de lijdensweg werd afgesneden voordat die begonnen was.

Ik kwam erachter dat er bij onthoofding verschillende niveaus van dienstverlening bestonden. De familie van de veroordeelde onderhandelde zelfs met de beul. Als de beul niet tevreden was, hakte hij het hoofd af en liet het wegrollen. Met behulp van zijn leerlingen, die zich in de menigte hadden verscholen, zou het hoofd dan 'verdwijnen'. Het hoofd zou pas 'gevonden' worden als de familie het geld had overhandigd. Naderhand moest de familie een leerbewerker betalen om het hoofd weer op het lichaam vast te zetten. Als de beul genoeg betaald kreeg, zorgde hij ervoor dat het hoofd door een stuk huid aan het lichaam verbonden bleef. Dit was een moeilijk karwei en Eén-Kuch werd op dit gebied als een groot talent beschouwd.

Ik verzocht Yung Lu om namens mij met Eén-Kuch te gaan praten. Ik wilde met eigen oren horen hoe hij zich op de onthoofding van Su Shun had voorbereid. Ik had Eén-Kuch graag persoonlijk willen spreken, maar dit was bij de wet verboden. Dus observeerde ik Eén-Kuch van achter een kamerscherm.

'De woorden "hakken" of "afslachten" beschrijven mijn werk onjuist,' begon Eén-Kuch met verrassend zachte stem. Hij had een klein hoofd en was stevig gebouwd, met korte, dikke armen. 'Het juiste woord is "snijden". Dat is wat ik doe. Snijden. Met mijn rechterhand houd ik het mes naar achteren – dat wil zeggen, het heft gericht naar mijn elleboog en het lemmet naar buiten gekeerd. Zodra ik het bevel krijg, duw ik het mes van achteren in de hals van Su Shun. De meeste terdoodveroordeelden kunnen niet meer op hun benen blijven staan tegen de tijd dat ze naar me toe gebracht worden. Negen van de tien kunnen niet goed knielen. Dus houdt mijn assistent hem overeind door zijn vlecht vast te pakken. Ik zal achter Su Shun staan, een beetje aan de linkerkant, zodat hij me niet kan zien. Vanaf het moment dat hij het podium op komt zal ik hem al observeren. Ik zal zijn hals bestuderen zodat ik een goede plek vind om mijn mes in te stoten.

Als ik ga beginnen, tik ik hem eerst met mijn linkerhand op zijn rechterschouder. Ik hoef hem maar lichtjes aan te raken – hij is nerveus genoeg. De bedoeling hiervan is hem te laten schrikken, zodat hij zijn hals zal rekken, en dan zal ik onmiddellijk toestoten. Het lemmet zal tussen zijn halswervels naar binnen gaan. En dan duw ik mijn mes helemaal naar links en voordat het er weer uit komt steek ik mijn been omhoog en geef het lichaam een trap zodat het voorover valt. Ik moet dit snel doen, anders komen mijn kleren onder het bloed en dat wordt in mijn beroep beschouwd als iets wat ongeluk brengt.'

De dag van Su Shuns terechtstelling brak aan. Later vertelde Yung Lu me dat hij nog nooit van zijn leven zoveel toeschouwers bij een onthoofding had gezien. De straten, daken en bomen waren afgeladen. Kinderen hadden hun zakken met stenen gevuld. Ze zongen feestliederen. In het voorbijgaan bespuwden de mensen Su Shun in zijn kooi. Toen hij op de plaats van de terechtstelling arriveerde, zat zijn gezicht onder het spuug en was zijn huid door de stenen kapotgegooid.

Eén-Kuch had een hele fles sterkedrank naar binnen gewerkt voordat hij het podium beklom. Hij kon nauwelijks geloven dat hij Su Shun zou onthoofden, want in het verleden had hij in opdracht van Su Shun anderen onthoofd.

Su Shun zelf betitelde zijn eigen mislukking als 'een gekapseisde boot in een riool'. Hij schreeuwde de mensenmassa toe dat er 'een obscene affaire gaande was tussen de keizerinnen en de keizerlijke zwager prins Kung'. Een paar tellen later rolde Su Shuns hoofd als dat van een gewone misdadiger.

De executie bleef me in gedachten achtervolgen. Ik zag de beelden die Yung Lu had beschreven levendig voor me. An-te-hai vertelde me dat ik het uitschreeuwde in mijn dromen en dat ik had gezegd dat ik twaalf kinderen wilde baren en het leven van een boerenvrouw wilde leiden. An-te-hai zei dat mijn hoofd in mijn slaap steeds heen en weer ging, alsof ik aan het mes wilde ontkomen.

Su Shuns enorme fortuin werd verdeeld onder de keizerlijke familieleden, als compensatie voor de beledigingen die ze hadden moeten slikken. Nuharoo en ik waren in één klap rijk. Zij gaf het geld uit aan juwelen en kleren, en ik aan spionnen. De aanslag op mijn leven had mijn gevoel van veiligheid ondermijnd. Met het geld dat er nog overbleef kocht ik Su Shuns operagezelschap. De opera werd mijn enige troost in mijn eenzame leven als keizerlijke weduwe.

Het hof stemde in met een voorstel dat ik in naam van Tung Chih had ingediend, waarin Yung Lu en An-te-hai gepromoveerd werden. Vanaf dat moment bekleedde Yung Lu de hoogste positie in het leger van China. Hij was niet alleen verantwoordelijk voor de bescherming van de Verboden Stad en de hoofdstad, maar ook voor de staatsveiligheid. Zijn nieuwe titel luidde 'Opperbevelhebber van de keizerlijke strijdmachten en minister van de keizerlijke hofhouding'. An-te-hai kreeg de baan van hoofdeunuch Shim. Hij kreeg de tweede rang, die van hofminister, wat de hoogste rang was die een eunuch kon bereiken.

Na alle tumult had ik behoefte aan een paar dagen rust. Ik nodigde Nuharoo en Tung Chih uit me gezelschap te houden in het Zomerpaleis, waar we ronddobberden op het Kunming Meer, ver weg van de chaos die was achtergelaten door de invallers. Het meer werd omringd door treurwilgen en het wateroppervlak was bezaaid met lotusbloemen. Na de zomer leken de vruchtbare velden op het landschap ten zuiden van de rivier de Yangtze, waar mijn geboorteplaats Wuhu lag.

Tung Chih wilde per se op Nuharoos boot blijven, die afgeladen was met gasten en artiesten. Ik dobberde in mijn eentje rond, terwijl An-te-hai en Li Lien-ying de roeispanen bedienden. Ik werd overweldigd door de volmaakte schoonheid van mijn omgeving. Ik was zo opgelucht dat mijn moeilijkheden eindelijk voorbij waren. Ik had al vele malen eerder in het Zomerpaleis verbleven, maar altijd in gezelschap van de Grote Keizerin vrouwe Yin. Zij had me altijd zo dwarsgezeten dat ik geen idee had hoe het er hier eigenlijk uitzag.

Oorspronkelijk was dit de hoofdstad van de noordelijke Sung-dynastie in de twaalfde eeuw. In de loop der eeuwen hadden de keizers van de diverse dynastieën er talloze paviljoens, torens, pagodes en tempels aan toegevoegd. Tijdens de Yuan-dynastie was het meer uitgegraven, waardoor het groter was geworden en gebruikt kon worden voor de keizerlijke watertoevoer. Vanaf 1488 hadden de keizers van de Ming-dynastie, die dol waren op de schoonheid van de natuur, de keizerlijke residentie aan het meer opgebouwd. In 1750 besloot Hsien Fengs grootvader Chien Lung het landschap rond het Westelijke Meer in Hangchow en Soochow dat hij zo bewonderde, na te maken. Hij had er vijftien jaar voor nodig om de 'stad van poëtische schoonheid' te bouwen, zoals hij het noemde. De zuidelijke architectuurstijl werd exact nagebootst. Toen de bouw gereed was, was het oord omgetoverd in een groot, levend tableau van ongeëvenaarde schoonheid.

Ik vond het heerlijk over de Lange Promenade te wandelen. Dit was een zevenhonderdvijftig meter lange, overkapte gang, verdeeld in tweehonderd secties. Ik begon bij de Nodig-de-Maan-uit-Poort in het oosten en eindigde bij het Drie Meter Stenen Paviljoen. Toen ik op een dag uitrustte bij de Poort van de Drijvende Wolken, moest ik denken aan vrouwe Yun en haar dochter, prinses Jung. Toen vrouwe Yun nog leefde, had ze me verboden met haar dochter te praten. Ik had het meisje alleen gezien bij uitvoeringen en verjaardagsfeestjes. Ik herinnerde me haar als een tienjarig meisje met een tenger neusje, dunne lippen en een iets vooruitstekende kin. Ze had een afwezige, dromerige blik. Ik vroeg me af of het goed met haar ging en of ze op de hoogte was gesteld van de dood van haar vader.

Het meisje werd naar me toe gebracht. Ze had niet de schoonheid van haar moeder geërfd. Ze droeg een grijze satijnen japon en zag er meelijwekkend uit. Haar gelaatstrekken waren onveranderd en ze was broodmager. Ze deed me denken aan een bevroren aubergine die midden in de groei was gestopt. Toen ik haar vroeg plaats te nemen, durfde ze niet te gaan zitten. De dood van haar moeder had waarschijnlijk een blijvende schaduw op haar karakter geworpen. Ze was een prinses, de enige dochter van keizer Hsien Feng, maar ze leek een ongelukkig kind.

Ik wilde prinses Jung als mijn eigen dochter adopteren. Niet alleen omdat ze Hsien Fengs bloed had, of omdat ik me schuldig voelde over de dood van haar moeder. Ik wilde dit meisje een kans geven. Waarschijnlijk had ik al een voorgevoel dat Tung Chih een teleurstelling zou blijken, en ik wilde zelf een kind opvoeden om te zien of ik een verschil zou kunnen maken. Op een bepaalde manier bood prinses Jung me troost over het verlies van Tung Chih.

Ofschoon prinses Jung Tung Chihs halfzus was, stond het hof haar niet toe bij mij te wonen, tenzij ik haar officieel zou adopteren, dus deed ik dat. Ze bleek het waard te zijn. In het begin was ze nog bang en verlegen, maar langzamerhand kwam ze daar overheen. Ik koesterde haar zoveel mogelijk. Ze mocht in mijn paleis overal komen, al maakte ze nauwelijks gebruik van haar vrijheid. Ze was heel anders dan Tung Chih, die opleefde bij elk avontuur. Toch kon ze goed opschieten met mijn zoon en bracht stabiliteit in zijn leven. De enige discipline die ik van haar eiste was dat ze naar school moest. In tegenstelling tot Tung Chih vond zij het heerlijk om te studeren en was ze een uitstekende leerlinge. De leerkrachten prezen haar voortdurend. Ze bloeide helemaal op en wilde haar grenzen verkennen. Ik moedigde haar niet alleen aan maar zorgde ook dat ze hier de gelegenheid toe kreeg.

Toen ze vijftien werd, was prinses Jung een schoonheid geworden. Een van mijn ministers suggereerde dat ik een huwelijk voor haar zou arrangeren met een Tibetaans stamhoofd – 'zoals de bedoeling was van haar vader, keizer Hsien Feng', bracht de minister me in herinnering.

Ik wees het voorstel van de hand. Ofschoon vrouwe Yun en ik nooit bevriend waren geweest, wilde ik haar recht doen. Ze had haar angst uitgesproken dat haar dochter zou worden uitgehuwelijkt aan een 'wildeman'. Ik zei tegen het hof dat prinses Jung mijn dochter was, en dat het aan mij was, niet aan het hof, om over haar toekomst te beslissen. In plaats van haar naar Tibet te sturen om te trouwen, zond ik haar naar prins Kung. Ik wilde dat Jung een privéopleiding zou krijgen en Engels zou leren spreken. Het was mijn bedoeling dat ze na de afronding van haar opleiding mijn privésecretaris en vertaler zou worden. Er zou immers wel eens een dag kunnen komen dat ik persoonlijk zou spreken met de koningin van Engeland.

VIERENTWINTIG

De voorbereidingen voor de begrafenis van mijn gemaal waren eindelijk afgerond. Er waren drie maanden en negenduizend arbeiders voor nodig geweest om een speciale weg aan te leggen waarover de lijkkist naar de keizerlijke tombe vervoerd zou worden. De dragers, die allemaal hetzelfde gewicht en dezelfde lengte hadden, oefenden dag en nacht om hun stappen te perfectioneren. De tombe bevond zich in de provincie Hopeh, niet ver van Peking. Iedere ochtend werden er een tafel en een stoel op een dikke plaat gezet, die evenveel woog als de lijkkist. Op de tafel werd een kom met water geplaatst. Een beambte klom over de schouders van de dragers en ging op de stoel zitten. Hij moest het water in de kom in de gaten houden. De dragers oefenden net zolang met marcheren tot het water niet meer over de rand van de kom klotste.

Nuharoo en ik gingen de tombe inspecteren, waarbij we werden geëscorteerd door Yung Lu. De officiële naam van de graftombe luidde 'Het Gezegende Gebied van de Eeuwigheid'. De grond was er keihard en witbevroren. Na de lange reis stapte ik met verstijfde ledematen uit de draagstoel. Het was bewolkt. Nuharoo en ik hadden de traditionele witte rouwkleding aan. Onze halzen waren blootgesteld aan de ijzige lucht. De wind blies het stof tegen onze huid. Nuharoo kon niet wachten tot we weer naar huis konden.

De aanblik van de tombe ontroerde me. Hier zou Hsien Feng rusten, bij zijn voorouders. Zijn tombe was in een van de twee begrafeniscomplexen, waarvan er een ten oosten en een ten westen van Peking lag. Het complex lag genesteld in de bergen en was omgeven door hoge pijnbomen. De brede ceremoniële weg die erheen leidde was geplaveid met marmer en werd geflankeerd door enorme, uit steen gehouwen olifanten, kamelen, griffioenen, paarden en krijgers. Na ongeveer honderd meter naderden Nuharoo en ik een paviljoen waarin Hsien Fengs gouden satijnen tronen en gele drakengewaden waren opgeslagen. Die werden op de jaarlijkse offerdag uitgestald. Het mausoleum van Hsien Feng zou, net als dat van zijn voorouders, bewaakt en onderhouden worden. De gouverneur van Hopeh had de taak gekregen de heilige plek te verzorgen en het gesloten karakter ervan te bewaren door de toegang te bewaken.

We gingen de tombe in. Het bovenste gedeelte, dat voorzien was van een koepeldak, werd De Stad van Kostbaarheden genoemd. Het was uit de rotsen gehouwen. Het onderste gedeelte was de tombe zelf. De twee verdiepingen waren door middel van een trap met elkaar verbonden.

Met behulp van een toorts waren we in staat het interieur te bekijken. We stonden in een ronde zaal, ongeveer twintig meter in doorsnee. Alles was van wit marmer. In het midden stond een stenen bed tegen een bewerkte plaat die zes meter breed was. Op de dag van de begrafenisceremonie zou keizer Hsien Fengs lijkkist op dit bed geplaatst worden.

Aan weerszijden van keizer Hsien Fengs stenen bed stonden zes kleinere sarcofagen. Die waren roze, met afbeeldingen van feniksen. Nuharoo en ik keken elkaar aan en beseften dat twee daarvan voor ons bestemd waren. Onze namen en titels waren al op de sarcofagen gegraveerd: 'Hier rust Hare Moederlijke en Voorspoedige Hoogheid keizerin Yehonala' en 'Hier rust Hare Moederlijke en Vredige Hoogheid keizerin Nuharoo.'

De kilte trok in mijn botten. Ik rook de geur van de aarde.

Yung Lu kwam aanlopen met de hoofdarchitect. Het was een man van achter in de vijftig, mager en klein, slechts iets groter dan een kind. Zijn intelligentie was in zijn blik te zien en zijn kow-tows en buigingen voerde hij uit in een stijl die alleen hoofdeunuch Shim had kunnen evenaren. Ik wendde me tot Nuharoo om te zien of ze iets te zeggen had. Ze schudde ontkennend het hoofd. Ik gaf de man toestemming overeind te komen en vroeg waarom hij deze plek had gekozen.

'Ik heb voor deze plaats gekozen vanwege de feng shui en de berekeningen van de vierentwintig richtingen van de bergen,' antwoordde hij. Hij had een heldere stem en sprak met een licht zuidelijk accent.

'Welke instrumenten heeft u daarbij gebruikt?'

'Een kompas, majesteit.'

'Wat is er zo bijzonder aan deze plek?'

'Wel, volgens mijn berekeningen en die van anderen, onder wie de hofastrologen, is dit de plaats waar de aardse adem heen is gereisd. De levenskracht van het universum is samengebracht in het midden. Men veronderstelt dat het daar de juiste plek is om de Gouden Put te graven Precies hier, in het midden…'

'Welke voorwerpen zullen Zijne Majesteit vergezellen?' onderbrak Nuharoo hem.

'Naast Zijne Majesteits favoriete gouden en zilveren sutra's, boeken en manuscripten, zullen er lichtgevende lantaarns geplaatst worden.' De architect wees naar twee gigantische potten die aan weerszijden van het bed stonden.

'Wat zit erin?' vroeg ik.

'Plantaardige olie en een katoenen lont.'

'Zal dat branden?' Nuharoo bekeek de potten van dichtbij.

'Uiteraard.'

'Ik bedoel, hoe lang?'

'Altijd, majesteit.'

'Altijd?'

'Ja, majesteit.'

'Het is vochtig hier binnen,' zei ik. 'Kan er water naar binnen komen en een overstroming veroorzaken?'

'Wat een afschuwelijke gedachte!' zei Nuharoo.

'Ik heb een afwateringssysteem ontworpen.' De architect liet ons zien dat het bed iets scheef stond; het hoofdeinde lag een fractie hoger dan het voeteneinde. 'Het water zal in het uitgehouwen kanaaltje eronder druppelen en naar buiten stromen.'

'Hoe zit het met de beveiliging?' vroeg ik.

'Er zijn drie grote, stenen deuren aangebracht, majesteit. Elke deur bestaat uit twee marmeren panelen en is gevat in een koperen omlijsting. Zoals u kunt zien is er onder de deur, waar de twee panelen samenkomen, een kuil uitgehouwen ter grootte van een halve watermeloen. Ongeveer een meter tegenover het gat heb ik een stenen bal geplaatst. Er is een geul uitgehakt waarin de bal kan rollen. Als de begrafenisceremonie is afgelopen zal de stenen bal door middel van een lange haak naar de kuil getrokken worden. Zodra de bal daarin is gevallen, is de deur voor altijd gesloten.'

We beloonden de hoofdarchitect met een door keizer Hsien Feng gekalligrafeerde zijderol, waarna de man zich terugtrok. Nuharoo stond te popelen om te vertrekken. Ze had geen zin de architect te vereren met een diner, zoals we hadden toegezegd. Ik overtuigde haar ervan dat het belangrijk was om ons woord gestand te doen. 'Als we hem goed behandelen, zal hij er op zijn beurt voor zorgen dat Hsien Feng in vrede kan rusten,' zei ik. 'Trouwens, we moeten hier weer terugkomen op de dag van de begrafenis, en als wij dood zijn zullen we hier ook begraven worden.'

'Nee! Ik zal hier nooit meer terugkomen!' riep Nuharoo uit. 'Ik kan er niet tegen mijn eigen sarcofaag te zien staan.'

Ik nam haar hand in de mijne. 'Ik ook niet.'

'Laten we dan gaan.'

'Blijf alleen voor het diner, meer niet, mijn lieve zuster.'

'Waarom wil je me dwingen, Yehonala?'

'We moeten ons verzekeren van de volledige trouw van de architect. We moeten hem helpen over zijn angst heen te komen.'

'Angst? Welke angst?'

'In het verleden werden architecten die de keizerlijke tombe hadden gebouwd vaak opgesloten met de lijkkist. De keizerlijke familie vond dat hij niet meer van nut was als hij zijn werk gedaan had. De levende keizer en keizerin waren bang dat zo'n man misschien zou worden omgekocht door grafschenners. Onze architect vreest wellicht voor zijn leven, dus we moeten hem het gevoel geven dat we hem vertrouwen en dat hij veilig is. We moeten hem laten weten dat hij geëerd zal worden en dat hem geen kwaad zal overkomen. Als we dit niet doen, zal hij misschien een geheime tunnel graven om een uitweg te hebben.'

Met tegenzin stemde Nuharoo toe te blijven, en de architect was tevreden.

Toen Nuharoo en ik terug waren in Peking, stelde prins Kung voor dat we de samenstelling van de nieuwe regering onmiddellijk bekend zouden maken. Ik vond dat we er nog niet klaar voor waren. De onthoofding van Su Shun had in bepaalde kringen sympathie voor hem opgewekt. Ik was ongerust omdat we minder felicitatiebrieven hadden ontvangen dan we hadden verwacht.

De mensen hadden tijd nodig om te leren ons te vertrouwen. Ik zei tegen prins Kung dat we moesten regeren volgens de wens van de meerderheid. In ieder geval moest het lijken of we dat deden, zodat we moreel gelegitimeerd waren.

Ofschoon prins Kung ongeduldig was, ging hij ermee akkoord nog eenmaal het politieke water te testen. We gebruikten hiervoor de samenvatting van een voorstel dat was geschreven door generaal Sheng Pao aan de provinciale gouverneurs, dat behelsde dat Nuharoo en ik als gezamenlijke regenten en prins Kung als de keizerlijke hoofdadviseur op bestuurlijk gebied zouden functioneren als een 'kruk met drie poten'.

Prins Kung stelde voor dat we erover zouden laten stemmen. Dit idee was beslist door invloed van het Westen ontstaan. Hij haalde ons ertoe over omdat de Europese landen dit als voornaamste middel hanteerden om hun regering legitimeit te verlenen. We zouden toestaan dat er anoniem gestemd werd, wat nog geen Chinese heerser ooit had gedaan. Ofschoon ik twijfelde aan de uitkomst ging ik akkoord. Het voorstel werd gedrukt en werd samen met de stembriefjes gedistribueerd.

Gespannen wachtten we op de resultaten. Tot onze teleurstelling reageerde de helft van de gouverneurs niet en liet een kwart van hen weten dat ze andere regenten voor Tung Chih wilden benoemen. Niemand gaf zijn steun aan de rol van prins Kung in de regering. Kung besefte dat hij de invloed van Su Shun had onderschat.

Het afwijzende zwijgen bracht ons niet alleen in verlegenheid, maar bedierf ook de timing – onze overwinning op Su Shun kreeg een zure nasmaak. De mensen hadden medelijden met de verliezer. Vanuit alle uithoeken van China kwamen sympathiebetuigingen voor Su Shun binnen, wat makkelijk tot een opstand zou kunnen leiden.

Ik wist dat we iets moesten doen. We moesten ons bezinnen op onze positie en besluitvaardiger terugkomen. Ik stelde voor dat Nuharoo en ik een beëdigde verklaring zouden uitgeven waarin stond dat onze overleden echtgenoot voor zijn dood in beslotenheid prins Kung had benoemd tot belangrijkste adviseur van Tung Chih. In ruil voor dit verzinsel zou Kung het hof voorstellen dat Nuharoo en ik hem bij deze taak terzijde zouden staan. Zijn invloed zou mensen ertoe moeten aansporen voor ons te stemmen.

Prins Kung stemde toe in het plan.

Om het resultaat te bespoedigen ging ik op bezoek bij iemand met wie ik al in contact had willen komen sinds de val van Su Shun, de vijfenzestigjarige wetenschapper Chiang Tai, een figuur met veel sociale contacten en een fervent criticus van Su Shun. Su Shun had de wetenschapper zo gehaat dat hij deze eerbiedwaardige man al zijn hoftitels had afgenomen.

Op een zonnige dag ontmoetten Chiang Tai en ik elkaar in zijn armoedige *hootong*-appartement. Ik nodigde hem uit om naar de Verboden Stad te komen in de functie van Tung Chihs hoofdonderwijzer. De man en zijn gezin waren verrast en gevleid en wierpen zich aan mijn voeten.

De volgende dag begon Chiang Tai voor me te lobbyen. Hij vertelde iedereen over zijn benoeming als hoofdonderwijzer van keizer Tung Chih, en zei er meteen bij dat ik een wijs en capabel mens was omdat ik waar talent herkende. Hij benadrukte hoe oprecht en enthousiast ik mannen als hij probeerde te werven voor de nieuwe regering. Het duurde daarna slechts een paar weken totdat de wind ten gunste keerde.

Op 15 november werden de stemmen geteld en we hadden gewonnen.

Op 30 november, honderd dagen na de dood van Hsien Feng, werd de naam van Tung Chihs regeerperiode veranderd van 'Geluk en Goede Voortekenen' in 'Terugkeer naar de Orde'. Het woord 'orde' zou iedere keer als onze landgenoten op hun kalender keken worden gelezen en uitgesproken.

In onze bekendmaking, die door mij was opgesteld en door Chiang Tai was aangepast, benadrukten we dat het niet de keuze van Nuharoo en mij was om te regeren. Als regentessen hadden we het op ons genomen Tung Chih bij te staan, maar we keken met verlangen uit naar de dag dat we ons konden terugtrekken. We vroegen de bevolking om begrip, steun en vergiffenis.

De verandering bracht veel opwinding teweeg. Alle inwoners van de Verboden Stad hadden gewacht op het moment waarop de rouwkleding kon worden afgelegd. Tijdens de honderd dagen durende rouwperiode had men uitsluitend witte kleding gedragen. Aangezien het de mannen niet was toegestaan zich te scheren zagen ze eruit als smerige kluizenaars met onverzorgde baarden en haar dat uit hun oren en neus stak.

In een week tijd werd de Hal van Spirituele Verzorging schoongemaakt tot alles blonk en glom. Midden in de hal werd een rood houten bureau geplaatst van een bij drie meter, waaroverheen een geelzijden tafelkleed werd gelegd dat geborduurd was met lentebloemen. Aan het bureau stonden twee met goudkleurige stof beklede stoelen, die voor Nuharoo en mij bestemd waren. Tegenover onze zetels hing aan het plafond een doorzichtig, geel zijden scherm. Dit was een symbolisch gebaar, dat betekende dat niet wij, maar Tung Chih de heerser was. Tung Chihs troon stond in het midden, tegenover ons.

Op de ochtend van de troonsbestijging hadden de meeste ministers het recht de Verboden Stad in een draagstoel of te paard binnen te gaan. De ministers en staatsambtenaren waren gekleed in prachtige, van bont vervaardigde gewaden, behangen met juwelen. Hun halskettingen en hoeden met pauwenveren glinsterden van de diamanten en andere kostbare edelstenen.

Tung Chih, Nuharoo en ik verlieten om kwart voor tien onze paleizen. In onze draagstoelen togen we naar het Paleis van Opperste Harmonie. Onze komst werd aangekondigd door het knallen van een zweep. Op het binnenplein was het doodstil, ondanks de duizenden aanwezigen – alleen de voetstappen van de dragers waren hoorbaar. Ik moest denken aan de eerste keer dat ik de Verboden Stad had betreden en met moeite kon ik mijn tranen bedwingen.

Begeleid door zijn oom prins Ch'un betrad Tung Chih voor de eerste maal de hal in zijn hoedanigheid als keizer van China. De mensenmassa viel op de knieën en kow-towde.

An-te-hai liep in zijn groene, met pijnbomen bedrukte gewaad naast me. Hij droeg mijn pijp, die ik tegenwoordig rookte om me te ontspannen. Ik herinnerde me dat ik hem een paar dagen eerder gevraagd had wat zijn liefste wens was; ik wilde hem belonen. Verlegen had hij geantwoord dat hij graag wilde trouwen en kinderen adopteren. Hij geloofde dat hij door zijn positie en rijkdom de vrouwen van zijn keuze zou kunnen krijgen, en dat hij in ieder geval gedeeltelijk zijn mannelijkheid zou kunnen bewijzen.

Ik wist niet of ik hem moest aanmoedigen. Ik begreep zijn verterende hartstocht. Als ik niet in de Verboden Stad had gewoond, had ik al lang een minnaar genomen. Ik fantaseerde net als hij over intimiteiten en genot. Ik vond het vreselijk om weduwe te zijn en was bijna gek van eenzaamheid geworden. Alleen de angst om betrapt te worden en daarmee Tung Chihs toekomst in gevaar te brengen had me tegengehouden.

Ik ging naast Nuharoo zitten, achter mijn zoon. Met opgeheven hoofd nam ik de kow-tows in ontvangst van de leden van het hof, van de regering en van de keizerlijke familieleden onder leiding van prins Kung. De prins zag er aantrekkelijk en jeugdig uit naast de oudere staatsambtenaren met hun grijze haar en witte baarden. Hij was net achtentwintig geworden.

Ik wierp een steelse blik op Nuharoo en werd voor de zoveelste keer getroffen door haar prachtige profiel. Ze droeg haar nieuwe goudkleurige, met feniksen bedrukte japon met een bijpassende hoofdtooi en oorbellen. Ze zat met opgeheven hoofd gracieus te knikken en glimlachte iedereen toe die voor haar verscheen. Haar sensuele mond vormde onhoorbaar de woorden: 'Gaat u staan.'

Ik had hier niet zoveel plezier in als Nuharoo. In gedachten keerde ik terug naar het meer in Wuhu, waar ik in mijn jeugd had gezwommen. Ik herinnerde me de koele gladheid van het water en het gevoel van opperste vrijheid als ik wilde eenden achterna zat. Ik was nu de machtigste vrouw in China, maar mijn geest zat gevangen in die lege sarcofaag en mijn in de koude steen gebeitelde naam en titel.

Er was iemand die mijn gevoelens deelde. Ik zag Yung Lu vanaf een hoek in de hal naar me kijken. Ik was de afgelopen tijd te veel in beslag genomen door de schaduw van Su Shun om aan Yung Lu te denken. Nu ik hier op mijn troon zat, zag ik hoe hij keek en voelde ik zijn begeerte. Ik voelde me er schuldig over, maar toch had ik behoefte aan zijn aandacht. In mijn hart flirtte ik met hem, terwijl ik daar met onbewogen gezicht zat.

Prins Kung kondigde aan dat de audiëntie was afgelopen. De aanwezigen bogen voor Nuharoo en mij toen we opstonden uit onze zetels. Ik voelde de blik van Yung Lu, die me volgde. Ik durfde niet achterom te kijken.

Toen An-te-hai die nacht bij me kwam, duwde ik hem weg. Ik voelde me gefrustreerd en walgde van mezelf.

An-te-hai sloeg zich steeds in het gezicht tot ik hem beval ermee op te houden. Zijn wangen zwollen op als gebakken broodjes. Hij zei dat hij het niet kon verdragen me te zien lijden. En hij beweerde met klem dat hij begreep wat ik doormaakte. Hij dankte de hemel omdat die hem tot eunuch had gemaakt en zei dat de zin van zijn leven was mijn onpeilbare verdriet te delen.

'Zoveel anders is het waarschijnlijk niet wat ik voel, mevrouw,' mompelde hij. Toen zei hij iets wat ik niet verwachtte. 'U heeft de kans uzelf een plezier te doen, mevrouw. Als ik u was, zou ik zo snel mogelijk een smoes verzinnen.'

Aanvankelijk wist ik niet wat hij bedoelde, maar toen begreep ik het. Ik hief mijn hand op en gaf hem een harde klap in het gezicht. 'Schoft!'

'Graag gedaan, mevrouw.' De eunuch hief zijn hoofd op alsof hij een volgende klap verwachtte. 'Slaat u me maar zo vaak u wenst, mevrouw. Ik zal toch zeggen wat ik nodig vind. Morgen zal de officiële begrafenisceremonie beginnen. Keizerin Nuharoo heeft al gezegd dat ze niet mee zal gaan. Keizer Tung Chih is ook verexcuseerd omdat het weer te slecht is. U zult als enige de familie vertegenwoordigen en de afscheidsceremonie in de tombe volbrengen. Degene die u zal escorteren is opperbevelhebber Yung Lu!' Hij zweeg even en keek me met van opwinding glanzende ogen aan. 'De reis naar de tombe,' fluisterde hij, 'is lang en eenzaam. Maar het kan plezierig worden, mevrouw.'

Ik ging naar Nuharoo om An-te-hais verhaal bevestigd te krijgen. Ik smeekte haar van gedachten te veranderen en met me mee te gaan naar de tombe. Ze weigerde en beweerde dat ze het te druk had met haar nieuwe hobby, het verzamelen van Europees kristal. 'Moet je zien hoe fascinerend deze kristallen bomen zijn.' Ze wees naar een kamer die vol stond met glinsterende voorwerpen. Glazen bomen die tot de schouder reikten, kniehoge glazen struiken die volhingen met bellen. Talloze kisten en potten, gevuld met glazen bloemen. Aan het plafond hingen zilverkleurige glazen ballen in plaats van Chinese lantaarns. Nuharoo stond erop dat ik een van de stukken zou uitzoeken om in mijn paleis te hangen. Ik wist dat ik het niet aan mijn muur of in mijn tuin zou hangen. Ik verlangde terug naar mijn vissen en vogels. Ik wilde elke ochtend begroet worden door de pauwen en de duiven die boven mijn paleis fladderden met fluitjes en belletjes aan hun pootjes gebonden. Ik was al begonnen met het herstellen van mijn tuin en An-te-hai had de training van de nieuwe papegaaien in gang gezet. Hij had ze genoemd naar hun voorgangers: Wetenschapper, Dichter, Tang-priester en Confucius. Hij had een handwerker betaald om een houten uil te maken, die hij vals Su Shun had gedoopt.

Met rode wangen van de wandeling in de sneeuw kwam ik terug in mijn paleis. Ik had me nog nooit zo kwetsbaar gevoeld. Ik verlangde naar een gebeurtenis die niet mocht plaatsvinden. Ik kon mijn gevoelens niet op een rijtje krijgen. Ik was bang voor de confrontatie met mijn eigen gedachten. De hele nacht had ik geprobeerd de vreemde beelden uit mijn hoofd te verdrijven. Ik stond boven op een klif. Nog één stap en ik zou vallen, en mijn zoon zou gedwongen zijn me de strop te geven. In mijn hart verheugde ik me op wat onderweg naar de tombe zou kunnen gebeuren, maar mijn verstand trok me terug naar mijn zoon.

Door mijn gedachten duurde de reis eindeloos lang. Ik voelde me onrustig en wanhopig. Yung Lu liet zich niet zien, zelfs niet als we stopten om de nacht door te brengen in de huizen van de provinciale gouverneurs. Hij stuurde zijn soldaten om me te verzorgen, en toen ik hem verzocht bij me te komen vroeg hij me hem te vergeven dat hij niet aan mijn verzoek gehoor kon geven.

Ik voelde me gekwetst. Als we allebei wisten dat we genegenheid voor elkaar voelden maar nooit een relatie met elkaar mochten aangaan, zou het voor ons allebei makkelijker zijn als we het zouden toegeven. Dan zouden we de situatie misschien ten goede kunnen keren en hoefden we niet meer zo op onze hoede te zijn. Ik begreep wel dat het moeilijk zou zijn onze gevoelens uit te spreken, maar het enige waarop we konden hopen was elkaars pijn te delen.

Ik was gefrustreerd omdat ik niet de kans had gekregen uitdrukking te geven aan mijn dankbaarheid en bewondering voor hem. Hij had me immers het leven gered. Ik vond het vervelend dat hij zo afstandelijk was en het bevreemdde me dat hij zo bescheiden was over de rol die hij bij mijn redding gespeeld had. Hij had me duidelijk gemaakt dat hij precies hetzelfde zou hebben gedaan als Nuharoo in de jutezak had gezeten. Na zijn promotie stuurde hij de ruyi terug die ik hem ten geschenke had gegeven. Hij zei dat hij die niet verdiende, waardoor hij me het gevoel gaf dat ik mezelf belachelijk maakte. Hij zinspeelde erop dat er ooit een moment van aantrekkingskracht tussen ons had bestaan, maar dat dit wat hem betrof kortstondig was geweest.

Doordat ik in de draagstoel zat, had ik te veel tijd om na te denken. Ik had het gevoel dat ik twee persoonlijkheden had. De een was verstandig. Die geloofde dat ik een prijs moest betalen voor de positie die ik had bereikt en dat ik onopgemerkt, tot mijn dood, moest lijden onder mijn weduwschap. Deze persoonlijkheid probeerde me ervan te overtuigen dat het bevrediging kon schenken te heersen over China. De andere, onverstandige persoonlijkheid was het hiermee niet eens. Die voelde zich gevangen en beschouwde mij als een vrouw die van alles beroofd was en die nog armer dan een boerin was.

Ik was niet in staat te bepalen met welke persoonlijkheid ik het eens was. Ik vond niet dat ik het recht had keizer Hsien Feng te onteren, maar tegelijkertijd vond ik het niet eerlijk dat ik de rest van mijn leven geïsoleerd en in eenzaamheid zou moeten doorbrengen. Keer op keer waarschuwde ik mezelf met historische voorbeelden van keizerlijke concubines die weduwe waren geworden en wier misstappen waren geëindigd in wrede straffen. Elke nacht zag ik hun verminkte lichamen voor me. Maar ik kon Yung Lu niet uit mijn gedachten zetten.

Ik verzon allerlei manieren om mijn gevoelens in bedwang te houden. Ik had van An-te-hai en Li Lien-ying gehoord dat Yung Lu geen liefdesrelatie had, al was hij belaagd door huwelijkskoppelaars. Ik had het idee dat ik het beter zou doen en overtuigde mezelf ervan dat ik bevrijd zou worden van mijn smart als ik de rol van koppelaarster zou spelen. Ik móést in staat zijn hem rustig onder ogen te komen, want Tung Chihs overlevingskansen hingen af van een harmonieuze relatie tussen ons.

Ik ontbood prins Ch'un en Yung Lu in mijn tent om thee te drinken. Mijn zwager kwam een beetje te vroeg en ik informeerde naar zijn zoontje en de gezondheid van mijn zusje Rong. Hij brak in tranen uit en vertelde dat mijn kleine neefje was gestorven. Hij gaf zijn vrouw de schuld en zei dat de baby was overleden door ondervoeding. Aanvankelijk kon ik dit niet geloven, maar toen besefte ik dat het waar zou kunnen zijn. Mijn zus hield er merkwaardige ideeën op na over voeding. Ze geloofde er niet in haar kind zoveel te eten te geven dat hij 'een Boeddha met een dikke buik zou worden', dus stond ze de baby nooit toe zich vol te eten. Niemand wist dat dit te wijten was aan Rongs geesteziekte, tot twee andere zoontjes eveneens overleden.

Prins Ch'un smeekte me iets te doen om Rong tegen te houden, want ze was weer zwanger. Ik beloofde hem dat ik hem zou helpen en zei hem dat hij wat bataatwijn moest drinken. Tijdens ons gesprek arriveerde Yung Lu. Hij was in uniform en zijn laarzen zaten onder de modder. Hij nam zwijgend plaats en pakte een kom bataatwijn. Ik observeerde hem terwijl ik het gesprek met prins Ch'un voortzette.

Ons gesprek leidde van de kinderen naar onze ouders en van keizer Hsien Feng naar prins Kung. We bespraken dat alles zo goed was afgelopen en dat we geluk hadden gehad met de problemen rond Su Shun. Ik wilde de taken die voor ons lagen bespreken, de onrustbarende situatie rond de Taiping-rebellen, de verdragen en onderhandelingen met de buitenlandse machten, maar prins Ch'un begon zich te vervelen en zat te gapen.

Yung Lu en ik zaten tegenover elkaar. Ik zag hem vijf kommen bataatwijn drinken. Na de vijfde was zijn gezicht knalrood geworden, maar hij weigerde met me te praten.

'Zelfs in de ogen van een man is Yung Lu aantrekkelijk,' zei An-te-hai die avond toen hij me voorzichtig instopte. 'Ik bewonder uw wilskracht, mevrouw. Maar uw gedrag is me een raadsel. Wat bereikt u ermee als u net doet alsof hij u helemaal niet interesseert?'

'Ik geniet van zijn gezelschap, en meer kan ik me niet veroorloven,' zei ik. Ik lag naar de bovenkant van de tent te staren, wetend dat ik weer een moeilijke nacht voor de boeg had.

'Ik begrijp het niet,' zei de eunuch.

Ik zuchtte. 'Zeg eens, An-te-hai, schuilt er waarheid in het gezegde "Als je een ijzeren staaf blijft slijpen, zal er uiteindelijk een naald overblijven"?'

'Ik weet niet uit welk materiaal het menselijk hart is gemaakt, mevrouw, dus zou ik antwoorden dat ik het niet zeker weet.'

'Ik probeer mezelf ervan te overtuigen dat het leven meer te bieden heeft dan... proberen het onmogelijke te verkrijgen.'

'Het resultaat zal lijken op het najagen van de dood.'

'Ja, als een mot die de vlam niet kan weerstaan. De vraag is echter of de mot iets anders kan doen?'

'In die zin is liefde giftig. Maar de mens kan niet zonder liefde.' Zijn stem klonk vast en zelfverzekerd. 'Het is een onwillekeurige overgave.'

'Ik ben bang dat dit niet het enige is wat ik zie in de grillige rivier van het lijden.'

'En toch weigert uw hart zichzelf te beschermen.'

'Bestaat er bescherming tegen de liefde?'

'In werkelijkheid bent u helemaal niet in staat uw liefde voor Yung Lu een halt toe te roepen.'

'Er moeten andere vormen van liefde bestaan.'

'Zijn hart behoort ook u toe, mevrouw.'

'De hemel zij hem genadig.'

'Heeft u mogelijkheden uzelf te troosten?' vroeg An-te-hai.

'Ik denk erover mezelf tot zijn koppelaarster te promoveren.'

De eunuch trok een geschokt gezicht. 'U lijkt wel gek, mevrouw.'

'Het is de enige manier.'

'En uw hart dan, mevrouw? Wilt u soms doodbloeden? Als ik rijk zou worden door het verzamelen van uw tranen die op de grond vallen, zou mijn rijkdom die van Tseng Kuo-fan overtreffen!'

'Mijn verlangen zal verdwijnen zodra hij iemand heeft. Daar zal ik mezelf toe dwingen. Door hem te helpen zal ik mezelf helpen.'

An-te-hai boog het hoofd. 'U heeft hem te zeer nodig om…'

'Ik zal…' Ik kon de woorden niet meer vinden.

'Heeft u er ooit aan gedacht wat u zou doen als hij bij u kwam, bijvoorbeeld vannacht om twaalf uur?' vroeg de eunuch na enige ogenblikken stilte.

'Wat bedoel je?'

'Wetend waarnaar u verlangt, mevrouw, in de overtuiging dat er geen gevaar is, dat we ons niet in de Verboden Stad bevinden, zou ik misschien aan de verleiding kunnen toegeven – met andere woorden, ik zou hem hier kunnen uitnodigen.'

'Nee! Dat laat je uit je hoofd!'

'Als ik in staat ben me te beheersen, mevrouw. Als ik niet voldoende van u houd.'

'Beloof het me, An-te-hai. Beloof me dat je dat niet zult doen!'

'Geeft u me dan maar een pak slaag. Want het is mijn verlangen u weer te zien glimlachen. U denkt misschien dat ik getikt ben, maar ik moet me uitspreken. Mijn verlangen u te zien liefhebben is even groot als mijn verlangen mijn mannelijkheid terug te krijgen. Ik kan zo'n uitgelezen gelegenheid niet voorbij laten gaan.'

Ik ijsbeerde heen en weer in de tent. Ik wist dat An-te-hai gelijk had en dat ik iets moest doen voordat de situatie me in zijn macht kreeg. Het was niet moeilijk te zien waartoe mijn hartstocht voor Yung Lu zou leiden – mijn droom voor Tung Chih zou aan stukken geslagen worden.

Ik riep Li Lien-ying. 'Ga de artiesten uit het plaatselijke theehuis halen,' zei ik.

'Ja, mevrouw, ik zal het onmiddellijk doen.'

'De middernachtelijke dansers,' zei An-te-hai, zich ervan verzekerend dat zijn leerling begreep wat er bedoeld werd.

Li Lien-ying kow-towde. 'Ik ken een goede gelegenheid, ongeveer acht-honderd meter hier vandaan, het Perzikdorp.'

'Stuur onmiddellijk drie van hun beste meisjes naar Yung Lu,' zei ik, en voegde eraan toe: 'Zeg dat het een geschenk van mij is.'

'Ja, majesteit.' De eunuch vertrok.

Ik schoof het gordijn opzij en zag Li Lien-ying in de duisternis verdwij-nen. Het was me zwaar te moede. Het leek of er een steen op mijn maag lag. Van het meisje dat tien jaar geleden in het vage ochtendlicht naar Peking was gekomen was niets meer over. Zij was naïef, vol vertrouwen en nieuwsgierig. Ze was vol jeugdigheid en warme gevoelens en wilde het leven ervaren. De jaren in de Verboden Stad hadden haar omhuld met een schild en het schild was steeds ondoordringbaarder geworden. Historici zouden haar later be-schrijven als wreed en harteloos. Er werd gezegd dat haar ijzeren wil haar door de ene crisis na de andere had geholpen.

Toen ik me omdraaide, stond An-te-hai me met een niet-begrijpende blik aan te staren.

'Ik ben niet anders dan anderen,' zei ik. 'Ik wist niet meer waar ik me nog kon verschuilen.'

'U heeft het onmogelijke verwezenlijkt, mevrouw.'

De volgende dag was het windstil. De zon scheen zwakjes door de sluierbe-wolking. Ik zat in de draagstoel en mijn gedachten waren minder chaotisch. Ik geloofde dat ik nu op een andere manier aan Yung Lu zou kunnen den-ken. Ik voelde me niet meer zo verstikt. Mijn hart accepteerde wat er was ge-beurd en herstelde zich langzaam. Voor het eerst in lange tijd voelde ik een sprankje hoop. Ik was een vrouw geworden die door het diepste dal was ge-gaan en nu niets meer te vrezen had.

Maar mijn hart weigerde koppig mijn vroegere gevoelens zomaar opzij te zetten, wat duidelijk werd toen ik naast mijn draagstoel hoefgetrappel hoor-de. Meteen raakte ik weer in verwarring, en mijn wil was verlamd.

'Goedemorgen, majesteit!' Het was zijn stem.

Ik werd overmand door opwinding en blijdschap. Alsof hij een eigen wil had, ging mijn hand omhoog om het gordijntje op te tillen. Zijn gelaat werd zichtbaar. Hij was gekleed in zijn indrukwekkende ceremoniële uniform en hij zat trots op zijn paard.

'Ik heb genoten van uw geschenken,' zei hij. 'Het was zeer attent van u.' Er trok een donkere wolk over zijn gezicht. Hij had droge lippen en er was geen glimlach in zijn blik te bespeuren.

Ik was vastbesloten mijn emoties in bedwang te houden, dus zei ik: 'Dat doet me deugd.'

'Verwacht u nu dat ik zeg dat ik uw offer begrijp en u daarvoor dankbaar ben?'

Ik wilde ontkennend antwoorden, maar mijn lippen weigerden dienst.

'U bent wreed,' zei hij.

Ik wist dat als ik zelfs maar een beetje zou toegeven, ik mijn zelfbeheersing zou verliezen.

'Het is tijd u weer aan uw plichten te wijden.' Ik liet het gordijntje zakken. Toen ik het hoefgetrappel hoorde wegsterven, brak ik in tranen uit.

Ik moest denken aan Nuharoos woorden: 'Pijn heeft een heilzame werking. Het bereidt ons voor op rust en vrede.'

De volgende ochtend arriveerden we bij zonsopgang bij Hsien Fengs tombe. Ik moest drie uur wachten tot het moment was aangebroken waarop de lijkkist op zijn plek geplaatst zou worden. Ik kreeg pap als ontbijt geserveerd. Daarna liepen drie monniken al zwaaiend met hun wierookbranders om me heen. Ik stikte bijna door de dikke rook. Er klonk tromgeroffel en muziek en de wind vervormde de geluiden. Om ons heen strekte het kale landschap zich naar alle kanten uit.

De dragers verplaatsten de lijkkist centimeter voor centimeter in de richting van de graftombe. Ik zat geknield te bidden voor de rust van Hsien Fengs ziel in zijn volgend leven. Om me heen hoorde ik de zangerige gebeden van tweehonderd taoïstische monniken, tweehonderd Tibetaanse lama's en tweehonderd boeddhisten. Hun stemmen klonken merkwaardig harmonieus. Ik bleef in geknielde positie voor het altaar zitten tot alle anderen afscheid hadden genomen van keizer Hsien Feng. Ik wist dat het niet terecht was dat ik me ergerde aan An-te-hai, die naast me stond en me stap voor stap zei wat ik moest doen, maar toch wenste ik dat hij zijn mond hield.

Ik zou als laatste alleen met Zijne Majesteit achterblijven tot de graftombe permanent gesloten zou worden.

De hoofdarchitect had de ministers op het hart gedrukt dat ze niet van het tijdschema mochten afwijken. Volgens zijn berekeningen moest de tombe voor het middaguur gesloten worden, als de zonnestralen op de wijzer zouden schijnen. 'Anders zal de vitale hemelse energie wegstromen.'

Ik wachtte op mijn beurt terwijl ik het komen en gaan van mensen gadesloeg. Mijn knieën begonnen pijn te doen en ik miste Tung Chih verschrikkelijk. Ik vroeg me af wat hij aan het doen was en of Nuharoos stemming al was verbeterd. Ze was buiten zichzelf geraakt op de dag dat ze ontdekte dat al haar rozen dood waren gegaan – de barbaren hadden de wortels blootgelegd bij hun zoektocht naar 'verborgen schatten'. Daarnaast had men de botjes van haar favoriete papegaai, Meester Oh-me-to-fu, aangetroffen in de tuin. De vogel was de enige van zijn soort die de boeddhistische mantra 'Oh-me-to-fu' kon opzeggen.

Ik dacht aan Rong. Ik wist niet zeker of een gesprek haar zou helpen de dood van haar zoon te aanvaarden. Rong was te snel bang en ik kon het haar niet kwalijk nemen dat ze de Verboden Stad een afschuwelijke plek vond om kinderen op te voeden. Ik kon alleen maar bidden dat haar nieuwe zwangerschap haar wat hoop zou geven.

An-te-hai gedroeg zich die dag merkwaardig. Hij had een grote katoenen zak bij zich. Toen ik vroeg wat erin zat, beweerde hij dat het zijn overjas was. Ik begreep niet waarom hij zo nodig een overjas mee moest brengen terwijl er in de verre omtrek alleen blauwe lucht te zien was.

Ik werd omringd door mensen die op weg waren naar de uitgang van de tombe. Ze stonden in een rij om me buigend en kow-towend hun respect te betuigen. Ze hadden elk een paar minuten nodig om voldoende malen met hun voorhoofd de grond aan te raken. Sommige oudere ministers waren bijna blind en moeilijk ter been. Ze wilden niet van hun plicht ontslagen worden en vonden dat ze het hele protocol moesten afwerken. Niemand vroeg of ik moe was of honger had.

De temperatuur begon te stijgen. Ik transpireerde hevig. Iedereen leek er zo langzamerhand genoeg van te krijgen en popelde om terug te gaan. Maar de etiquette kon niet opzijgezet worden. De mensenrij werd steeds langer en strekte zich uit van de ingang tot het stenen paviljoen. Uit mijn ooghoeken zag ik dat de dragers grapjes stonden te maken en dat de wachters zich leken te vervelen. De paarden schraapten met hun hoeven over de grond. In de verte klonk het griezelige fluiten van de woestijnwind. Toen de zon hoog aan de hemel stond maakten veel ministers het zich wat makkelijker en knoopten hun boorden los. Ze gingen op de grond zitten in afwachting van het afsluiten van de tombe.

Eindelijk kondigde de hofastroloog aan dat alles was afgerond. Ik werd de tombe in geleid terwijl An-te-hai vooruitliep om alles te controleren.

De astroloog zei dat de traditie voorschreef dat ik alleen naar binnen moest gaan. 'Zijne Majesteit is gereed zijn laatste moment op aarde met u te delen.'

Plotseling werd ik bang en ik wenste dat Yung Lu bij me was.

'Mag... er iemand met me mee?' vroeg ik. 'Mag An-te-hai bij me blijven?'

'Nee, ik ben bang van niet, majesteit,' zei de hofastroloog.

An-te-hai kwam naar buiten en meldde dat alles binnen in gereedheid was gebracht.

Ik stond te trillen op mijn benen, maar ik dwong mezelf in beweging te komen.

'Majesteit,' hoorde ik de architect roepen, 'komt u alstublieft terug vóór het middaguur.'

De tunnel leek lang en nauw. Hij gaf een ander gevoel dan toen Nuharoo en ik er laatst samen in waren geweest. Ik kon mijn eigen voetstappen horen weerkaatsen. Misschien kwam het door het nieuwe meubilair en de tapijten.

Ik zag een grote, gouden tafelklok opdoemen. Ik vroeg me af waarom Zijne Majesteit behoefte aan een klok had. Ik wist weinig van het leven na de dood, maar afgaand op wat ik allemaal zag staan, dacht ik dat je waarschijnlijk veel spullen nodig zou hebben.

Toen ik om me heen keek, viel mijn oog op een tapijt. Er was een afbeelding van een lege hut in een berglandschap op aangebracht. Een jonge vrouw leunde achterover met een qin in haar hand. Door het ronde raam achter haar was een bloeiende perzikboom zichtbaar. De vitaliteit van de lente stond in schril contrast met de melancholie van de vrouw. Het was duidelijk dat ze op haar echtgenoot of minnaar wachtte. Haar ontblote voeten symboliseerden haar verlangen naar hem. Tot mijn verbazing waren haar voeten ingebonden.

De pot met brandende olie verspreidde een zoete geur en een oranje weerschijn. De rode kleur van het meubilair kreeg daardoor een warme gloed. Op een tafel in de hoek lagen stapels dekbedden, dekens, lakens en kussens. Het zag er uitnodigend uit, als een slaapkamer. Ik zag de bekende tafels en stoelen die Hsien Feng had gebruikt. In de hoge stoelleuning waren lelies uitgesneden. Ik herinnerde me dat ik mijn jurk er een keer overheen had gehangen toen ik de nacht met hem doorbracht.

Mijn blik viel op de lege sarcofaag met mijn naam erop. Hij stond pal naast die van Hsien Feng, alsof ik al dood en begraven was – zoals Su Shun had gewild, zoals Zijne Majesteit bijna had bevolen, zoals het had kunnen lopen. Dit zou mijn eeuwige rustplaats zijn, weg van de zon, weg van de lente, ver van Tung Chih en Yung Lu.

Ik werd geacht tranen te vergieten. Dat werd van de keizerin verwacht. Daarom hadden ze me alleen gelaten. Maar ik had geen tranen. Als ik ze al had, dan waren ze voor mezelf. Want mijn leven vertoonde veel overeenkomst met levend begraven te zijn. Het was mijn hart verboden het lentegevoel te vieren. Dat gevoel was de avond tevoren gestorven, toen ik de hoeren naar Yung Lu had gestuurd. Het meisje Orchidee uit Wuhu zou zoiets nooit gedaan hebben.

Ik was niet zo dapper als ik zou willen. An-te-hai leek dat te begrijpen. Ik was een gewone vrouw en ik hield van Yung Lu.

Ik wist niet hoe lang ik al in de tombe was. Ik had geen behoefte om te vertrekken en weer in het daglicht te stappen. Daar buiten zou ik het leven waarnaar ik smachtte niet vinden. De vrolijkheid die ik ooit kende was daar niet. Ik kon niet eens Yung Lu recht aankijken. Wat had het voor zin om door te gaan?

Om twaalf uur zou de deur naar de buitenwereld voorgoed worden gesloten. Vreemd genoeg voelde ik totaal geen angst meer. Het was hier merkwaardig vredig; knus en warm, als een baarmoeder. Ik voelde opluchting bij de gedachte dat al mijn problemen voorbij zouden zijn als ik hier zou blijven. Ik zou niet meer hoeven worstelen in mijn dromen en ontwaken met de mededeling van An-te-hai dat ik had gehuild in mijn slaap. Ik zou me niet meer hoeven vernederen door troost bij een eunuch te zoeken. Ik kon Yung Lu hier en nu in de tombe vaarwel zeggen en zou nooit meer pijn en smart hoeven doorstaan. Ik kon de tragedie veranderen in een komedie. Niemand zou me ooit meer kunnen laten lijden. Het komische aspect was dat ik vereerd zou worden omdat ik Hsien Feng vrijwillig naar het volgende leven had vergezeld. Historici zouden mijn deugdzaamheid prijzen en er zou een tempel gebouwd worden waar de toekomstige generatie concubines me zou kunnen aanbidden.

Ik staarde naar de deur, de kuil en de stenen bal, die klaarlag om in de kuil gerold te worden.

Mijn sarcofaag was overdekt met witte seringen. Ik liep erheen om te zien of hij open was. Hij bleek dicht en ik kon hem niet open krijgen. Waarom had men hem afgesloten? De panelen waren niet naar mijn smaak bewerkt. De bewegingen van de feniksen waren houterig, het patroon te druk, de kleuren te opzichtig. Als ik de artiest geweest was, zou ik er elegantie en pit aan hebben toegevoegd. Ik zou de vogels hebben laten vliegen en de bloemen hebben laten bloeien.

Ik merkte iets op dat hier niet thuishoorde. Het was An-te-hais overjas. Hij had hem daar neergelegd. Mijn gedachtestroom werd onderbroken door dit aardse voorwerp. Waarom had An-te-hai hem achtergelaten?

Ik hoorde haastige voetstappen en de snelle ademhaling van een man.

Ik wist niet zeker of ik me het geluid verbeeldde.

'Majesteit,' klonk Yung Lu's stem, 'het middaguur heeft geslagen!'

Hij kon niet zo gauw tot stilstand komen, botste tegen me aan en we vielen samen op de overjas van An-te-hai.

We staarden elkaar aan en toen voelde ik zijn lippen op de mijne.

'Dit is mijn sarcofaag,' wist ik uit te brengen.

'Daarom heb ik het gewaagd...' Zijn warme adem streek over mijn hals. 'Het kan geen zonde zijn als ik een moment uit uw volgende leven steel.' Zijn hand gleed naar mijn japon, maar die zat te strak dichtgeknoopt.

Alle kracht vloeide uit mijn ledematen en ik voelde me duizelig worden. Ik hoorde de duiven die vanuit de hemel het lied van hun windpijpen lieten neerdalen.

'Het is twaalf uur,' hoorde ik mezelf zeggen.

'En we liggen in uw graftombe,' zei hij, terwijl hij zijn hoofd tegen mijn borst drukte.

'Neem me.' Ik sloeg mijn armen om hem heen.

Zwaar ademend liet hij me los. 'Nee, Orchidee.'

'Waarom? Waarom niet?'

Hij gaf geen uitleg, maar bleef weigeren.

Ik smeekte. Ik zei dat ik nog nooit naar een andere man verlangd had. Ik had zijn medelijden nodig en zijn vergiffenis. Ik wilde dat hij me zou bezitten.

'O, Orchidee, mijn Orchidee,' murmelde hij steeds.

Van achter in de tunnel klonk een rommelend geluid. Het was de stenen deur.

'De architect heeft bevel gegeven de deur te sluiten!' Yung Lu sprong overeind en trok me mee naar de uitgang.

Ik werd overmand door de angst om naar buiten te gaan. Herinneringen aan het leven dat ik had geleid stormden door mijn hoofd. De voortdurende worsteling om de schijn op te houden, het veinzen, de glimlach die werd beantwoord met tranen. De lange slapeloze nachten, de eenzaamheid die mijn geest omhulde waardoor ik tot een schaduw van mezelf was verworden.

Yung Lu sleurde me met al zijn kracht voort. 'Kom mee, Orchidee!'

'Waarom doe je dit? Je hebt mij niet nodig.'

'Tung Chih heeft je nodig. De dynastie heeft je nodig. En ik...' Opeens, alsof er iets knapte, zweeg hij. 'Ik verheug me erop om de rest van mijn leven met u samen te werken, majesteit. Maar als u werkelijk hier wilt blijven, zal ik u gezelschap houden.'

Ik stribbelde niet langer tegen en knielde neer om hem in zijn betraande ogen te kijken.

'Zullen we dan minnaars zijn?' vroeg ik.

'Nee.' Zijn stem klonk zacht, maar vastbesloten.

'Maar houd je wel van me?'

'Ja, mevrouw. Met elke ademtocht houd ik van u.'

Ik stapte naar buiten het zonlicht in en hoorde achter ons driemaal een donderend geluid. Het waren de stenen ballen die in hun kuilen rolden.

Toen ik voor de mensenmassa stond, wierpen de ministers zich ter aarde en bonsden vol enthousiasme met hun voorhoofd tegen de grond. Allemaal tegelijk riepen ze juichend mijn naam. De enorme mensenmassa strekte zich over achthonderd meter uit, als een gigantische waaier. Ze hielden mijn lange verblijf in de tombe voor een gebaar van loyaliteit ten opzichte van keizer Hsien Feng. Ze waren vol ontzag voor mijn deugdelijkheid.

Slechts één persoon bleef rechtop staan. Hij stond ongeveer vijftig meter van me vandaan.

Ik herkende zijn met pijnbomen bedrukte gewaad. Waarschijnlijk stond hij zich af te vragen wat er met zijn overjas gebeurd was.

OPMERKING VAN DE AUTEUR

Alle personages in dit boek zijn gebaseerd op mensen die echt bestaan hebben. Ik heb mijn best gedaan de gebeurtenissen te beschrijven zoals ze zich in werkelijkheid hebben voorgedaan. De decreten, verordeningen en gedichten heb ik uit de originele documenten vertaald. Bij verschillende interpretaties heb ik mijn oordeel gebaseerd op mijn onderzoek en globale perspectief.

DANKBETUIGING

Mijn dank gaat uit naar mijn echtgenoot Lloyd Lofthouse, naar Sandra Dijkstra en de medewerkers van het Sandra Dijkstra Literair Agentschap, naar het Museum van Chinese Historie, de Nationale Bibliotheek van China, het Shanghai Museum en het Museum van de Verboden Stad in Peking.